Bernard Minier, né en 1960, originaire de Béziers, a grandi au pied des Pyrénées. *Glacé* (2011), son premier roman, a reçu le prix du meilleur roman francophone du Festival Polar de Cognac. Son adaptation en série télévisée par Gaumont Télévision et M6 a été diffusée en 2017 et est disponible sur Netflix depuis octobre 2017. Après *Le Cercle* (2012), *N'éteins pas la lumière* (2014), *Une putain d'histoire* (2015, prix du meilleur roman francophone du Festival Polar de Cognac) et *Nuit* (2017), il a publié *Sœurs* en 2018. Ses livres, traduits en 20 langues, sont tous publiés aux Éditions XO et repris chez Pocket.

Retrouvez toute l'actualité de l'auteur sur :
www.bernard-minier.com
www.facebook.com/bernard.minier

UNE PUTAIN D'HISTOIRE

DU MÊME AUTEUR
CHEZ POCKET

BERNARD MINIER

UNE PUTAIN D'HISTOIRE

XO ÉDITIONS

Pocket, une marque d'Univers Poche,
est un éditeur qui s'engage pour la préservation
de son environnement et qui utilise du papier fabriqué
à partir de bois provenant de forêts gérées
de manière responsable.

ISBN : 978-2-266-26777-9

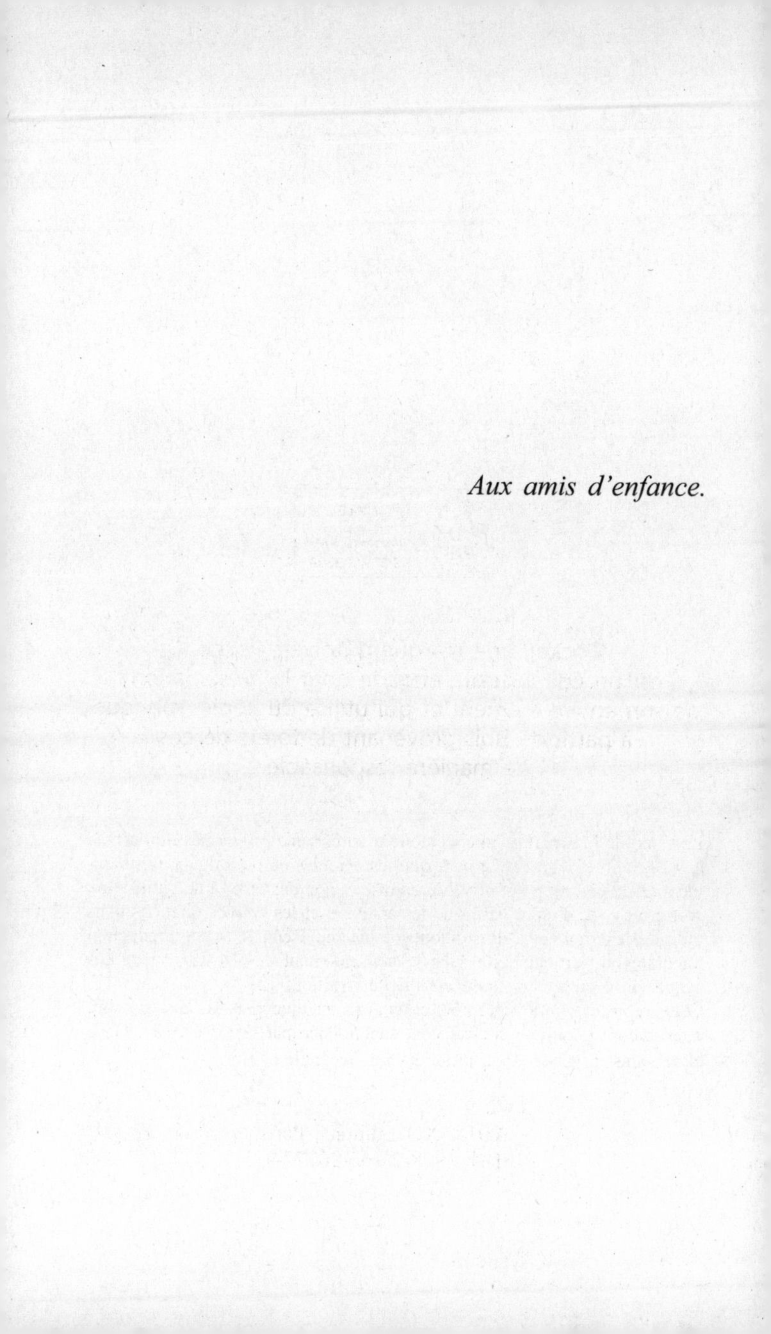

Aux amis d'enfance.

Tous les lecteurs familiers de la géographie nord-américaine le savent : une particularité de sa topographie veut que le nom de Washington soit associé à la fois à la capitale fédérale, située sur la côte Est (district de Columbia), et à l'État dont il est question dans cette histoire, qui se situe, lui, au nord-ouest des États-Unis.

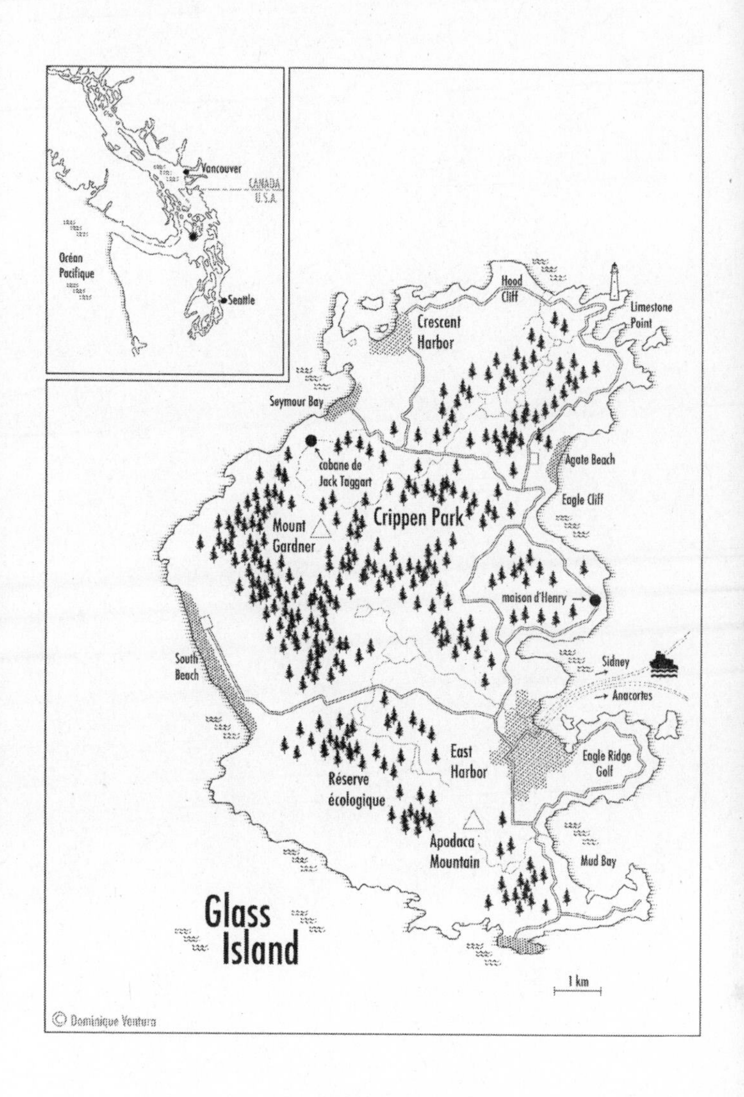
Vancouver
CANADA
U.S.A.
Océan
Pacifique
Seattle
Hood
Cliff
Limestone
Point
Crescent
Harbor
Seymour Bay
cabane de
Jack Taggart
Agate Beach
Eagle Cliff
Mount
Gardner
Crippen Park
maison d'Henry
South
Beach
Sidney
Anacortes
East
Harbor
Eagle Ridge
Golf
Réserve
écologique
Apodaca
Mountain
Mud Bay
Glass
Island
1 km
© Dominique Ventura

Au commencement est la peur.
La peur de se noyer.
La peur des autres – ceux qui me détestent, ceux qui veulent ma peau.
La peur de la vérité, aussi.

Au commencement est la peur

Je ne retournerai jamais sur l'île. Même si Jennifer Lawrence en personne venait à sonner à ma porte et me suppliait d'y retourner, je ne le ferais pas.

Autant vous le dire tout de suite : ce que je vais vous raconter va vous paraître incroyable. Ce n'est pas une histoire banale, je lui dis. Ça non. C'est une putain d'histoire. Ouais, *une putain d'histoire*…

Une vision à présent, pour vous mettre comme qui dirait en appétit : une main émergeant de l'abîme, tendue vers le ciel, pâle, doigts écartés, avant qu'elle ne s'enfonce définitivement dans les flots. Le vent du large rugit autour de moi, la pluie et les embruns me cinglent tandis que je nage et m'éloigne de cette main spectrale – que je nage, tente de nager, soulevé, emporté par les vagues, les creux de trois mètres, les crêtes écumantes, vers la pointe de l'île, toussant, hoquetant, grelottant, à demi noyé.

Au commencement est la peur

Une autre vision :

… la baraque en flammes, moi à genoux devant, pleurant, hurlant comme un hystérique, et les gyrophares qui incendient la nuit tout autour.

Je vais vous dire autre chose, je lui dis, je sais que vous aurez du mal à me croire. Honnêtement, je ne peux pas vous en blâmer. Et pourtant, c'est comme ça que ça s'est passé.

Exactement comme ça.

Il m'observe, assis dans son fauteuil. Avec son regard brun. Il est grand, impressionnant. Et sa veste doit valoir plus cher que ma caisse. Il vient juste de consulter sa montre. Il ne dit rien. Il a quoi ? Dans les quarante-cinq ans ? Cinquante… ? Le genre qui doit plaire aux femmes.

Par où est-ce que je commence ? je lui dis.

Par le début, il répond. C'est mieux.

Combien de temps j'ai ?

Tout le temps qu'il te faut, Henry.

Très bien, dis-je. Vous n'êtes pas obligé de me croire, bien sûr.

Il ne dit rien. Ne montre rien. Cet homme qui est mon père… Il a raison : revenons là où tout a commencé…

… revenons au début.

Avant le début

Nuit d'août : Bruits. Cliquetis, craquements, crachotements en rafales. Puis des sifflets suraigus portés par l'écho de la baie, des crissements qui ressemblent à des frottements à la surface d'un ballon gonflé. Des grincements à des fréquences élevées. Et le clapotis de l'eau, des vagues.

Assis dans le kayak de mer, je fixe la nappe de brume. Silence. La lune éclaire les eaux tout autour. Je retiens mon souffle. Un aileron noir apparaît, deux, trois, quatre – jusqu'à onze… Mon cœur bat plus vite. Les grands prédateurs à robe noir et blanc émergent lentement de la brume, en un seul rang, comme pour une battue ; leurs ailerons arrondis fendent les eaux que la pleine lune illumine. Je donne un coup de pagaie, puis un autre – doucement – dans leur direction.

Quelques trucs à savoir sur les orques

L'orque est un superprédateur, le plus redoutable de la planète ; on ne lui connaît aucun ennemi naturel ; elle règne au sommet de la chaîne alimentaire. C'est un animal extraordinairement intelligent. Chaque groupe d'orques sédentaires a un langage élaboré, un dialecte complexe différent des autres groupes, et c'est une des rares espèces qui enseignent son savoir-faire aux générations suivantes. Les orques sédentaires ont un sens social très développé.

Et puis, il y a les orques nomades...

Encore plus dangereuses, encore plus téméraires, elles parcourent les océans dans le plus grand silence et – la plupart du temps – en solitaires. Ce sont elles qui ont valu à l'orque son surnom de « baleine tueuse ». Elles n'hésitent pas à s'attaquer à des mammifères marins de grande taille : phoques, lions de mer, marsouins – et même les requins et les baleines en ont peur. Les orques nomades, elles, ne connaissent pas la peur. Elles sont des tueurs parfaits...

L'orque est un prédateur sans rival mais elle s'attaque rarement à l'homme – sauf en captivité. Une bonne chose serait de virer tous ces touristes, tous ces bateaux qui, de juin à octobre, viennent s'immiscer grossièrement sur son territoire – qui est aussi *mon* territoire –, et de laisser les orques tranquilles. Comme je le fais, silencieux, en cette nuit d'août. À bord de mon kayak. À cette heure où il n'y a personne d'autre qu'elles et moi. Je me contente de les saluer. De les regarder passer. De les laisser vivre. Tout comme elles me laissent vivre. Elles ne m'ont jamais importuné. Elles n'ont jamais cherché à m'arracher à ma vie actuelle. À me nuire. *À me tuer...*

Pourquoi certains hommes sont-ils incapables d'en faire autant ?

L'orque nomade est le plus cruel des mammifères

marins mais l'homme nomade est le plus cruel des mammifères tout court.

Vérité connue. Qu'il me restait à découvrir.

Nuit d'octobre : Des vagues heurtent la coque. Une gorge s'éclaircit derrière elle, une gorge masculine. Elle lève les yeux vers le ciel nocturne. Dans ses pupilles noires, un vol d'oiseaux de mer passe devant la lune. Une larme salée apparaît au bord de sa paupière. Elle a la bouche ouverte, la respiration courte ; son cœur est remonté si haut qu'elle a l'impression qu'elle va le recracher sur le sol glissant du bateau.

De nouveau, ce grincement métallique dans son dos. Un cri rouillé. Comme si on aiguisait quelque chose. Un coup de vent dans ses cheveux, entre les mailles du filet.

Imaginez sa peur. Elle n'a pas dix-sept ans. Imaginez une telle peur, si vous le pouvez. Une peur si grande qu'elle vous brise les os, qu'elle gonfle votre cœur au point qu'il donne l'impression de vouloir exploser dans votre poitrine. Une peur qui tend et raidit les muscles comme des cordages gorgés d'eau qui auraient séché et durci au soleil.

Le pont du bateau tangue sous l'effet de la houle et elle a du mal à garder l'équilibre. Surtout avec ce lourd filet de pêche sur ses épaules et sur sa tête. Elle sent ses nœuds durs à travers ses cheveux, elle respire son odeur d'algues, de poisson, de gasoil et de sel qui lui soulève l'estomac ; elle n'a pas la moindre idée de ce qu'elle fait là – elle sent juste sur ses épaules tout le poids de ces cordages empêtrés, humides et malodorants, de ces algues pareilles à des lanières, de ces chaînes de lestage. Elle les sent peser et ruisseler sur elle.

Et toute cette pluie qui s'abat sur sa tête. Elle voudrait en voir davantage, mais il fait si sombre, si sombre…

Il est là, pourtant – tout près. Une lueur passe dans ses yeux quand il se plante devant elle et la regarde, sous sa capuche crépitante ; cela ne dure qu'une seconde, mais c'est là, dans ses pupilles : ce qui l'attend. Elle a un hoquet de terreur. Il s'agrippe à un taquet, sur la lisse de plat-bord. Mais pour elle, tout n'est qu'ombres, nuages comme de l'ouate teinte en noir, bout de lune pâle et tordue tel un ongle griffant la nuit, arbres noirs, rivage noir, vent – et l'espace restreint du petit chalutier, dangereux, plein de crochets et d'arêtes rouillées qui l'ont déjà blessée.

Entre le grand treuil et la cabine ; là où il va accomplir sa tâche répugnante.

« Tu n'aurais pas dû en parler », dit-il.

Il a une voix froide, lointaine et étrangère.

« Est-ce que tu comprends, maintenant ? »

Il danse d'un pied sur l'autre, les yeux fixés sur elle. Elle grelotte. Elle a la bouche ouverte, sèche, pâteuse, et tout à coup elle rote. Il passe les bras autour d'elle, autour du magma formé par le filet, les cordes, les paquets de varech qui emprisonnent son corps, comme s'il allait l'inviter à danser une gigue grotesque, un tango absurde, et il la pousse vers l'arrière.

« NON ! »

Elle ne voit pas, en cet instant, ces images d'enfance dont on parle dans les films et les romans… Elle est seule. Il n'y a personne d'autre qu'elle et lui dans cette ténébreuse nuit d'octobre. Elle voit juste la masse sombre et menaçante de l'énorme treuil cylindrique devant elle, avec les boules orange des flotteurs enroulés sur les côtés, et le voile du filet qui la relie encore au bateau – ligne de flottaison, ligne de vie. L'instant d'après, il la pousse et elle plonge en arrière, dans le vide. L'eau froide et noire l'engloutit. Elle ouvre la bouche pour respirer, boit la tasse, tousse. Elle lutte pour ne pas être entraînée par le poids du filet, mais les vagues la giflent, la recouvrent puis s'écartent avant de revenir à l'assaut. La panique, la terreur explosent dans son crâne ; elle hurle mais, aussitôt, elle reboit la tasse, hoquette, l'estomac rempli d'eau de mer. Le moteur change de régime et, soudain, elle est emportée dans le sillage à grande vitesse, secouée, ballottée, tournant sur elle-même comme une toupie.

Ses mains tâtonnantes cherchent une issue entre les mailles du chalut, ses ongles griffent les cordages. Son corps se raidit dans l'eau froide, bien trop froide. Elle est prise de vertige. Plus il accélère, plus elle se sent entraînée par le fond. Un gros poisson – flétan ou saumon – se débat à côté d'elle. Sa tête plonge sous les vagues comme le bouchon d'une canne à pêche, puis elle ressurgit et, chaque fois, elle aspire avidement de grandes goulées d'air marin. De moins en moins de goulées, de moins en moins d'air… L'espace d'une seconde, dans les ténèbres remuantes et salées, elle voit tout, comprend tout – sa vie en un éclair, limpide et lumineuse.

Bien avant que le jour ne se lève sur la mer, elle est morte.

Ses yeux se sont ouverts comme ceux d'une poupée et sa peau a pris la couleur blanche et étincelante de la chair de poisson entre les mailles.

C'est ainsi, du moins, que cela a dû se passer – ainsi que je la vois…

UN

1
Le ferry

Le 22 octobre 2013, vers 5 h 45 du soir (il faisait déjà presque totalement nuit), elle m'a dit :

« Henry, je veux qu'on fasse un break. »

C'est là, sans doute, que tout s'est joué. En dernière analyse, ce sont ces moments-là qu'on retient toujours. Ils sont comme des jalons de nos existences, comme des phares le long d'une côte. C'est en tout cas là que je l'ai perdue – au sens propre comme au sens figuré.

Je suppose que commencer cette histoire à bord d'un ferry est assez logique, non ? J'ai vécu sept ans sur une île boisée au large de Seattle. Et il ne se passe pas un jour sans que je pense à elle. Le lieu ? Quelque part entre Anacortes, sur la côte du Nord-Ouest Pacifique, et Glass Island – à bord de l'*Elwha*. Le moment ? Une nuit tumultueuse, une nuit pleine de fureur et de ténèbres – une véritable nuit de tempête.

Il faisait un froid glacial, ce soir-là, je m'en souviens, la pluie des îles tombait à seaux renversés et, au-delà des lumières du ferry, dans le noir, on entendait la mer gronder comme une bête perpétuellement affamée et courroucée. À cause du vacarme infernal des huit mille chevaux-vapeur et des rafales de vent hurlant à nos oreilles, elle avait élevé la voix. J'ai fait de même :

« QUOI ? Qu'est-ce que tu racontes ? »

Elle a battu des cils, baissé les yeux, les a relevés.

« Je sais que j'aurais dû t'en parler plus tôt mais…

— Parler de quoi ? ai-je dit. Naomi, *parler de quoi* ? »

Avec ce foutu boucan, j'étais obligé de hurler, moi aussi, pour me faire entendre.

Le ferry tanguait, nous contraignant presque à danser sur place. Nous nous trouvions sur le pont inférieur ouvert à tous les vents, près des voitures, alors que les autres passagers étaient douillettement assis là-haut, bien au chaud dans les ponts supérieurs fermés, à se raconter leur journée.

C'était Naomi qui avait tenu à descendre ici. À croire qu'elle ne voulait pas qu'on nous voie ensemble…

« Henry, je veux qu'on fasse un break. Une pause… pendant un moment… Le temps d'y voir plus clair. Il est arrivé quelque chose. J'ai besoin de réfléchir… J'ai besoin de… *comprendre*…

— Quoi ? Qu'est-ce que tu racontes ? Comprendre quoi ? »

Je ne comprenais rien, en ce qui me concernait. Le vent a soulevé la petite mèche brune qui émergeait de sa capuche. Elle a levé les yeux, les a posés sur moi.

« Henry, j'ai découvert la vérité. »

Elle a planté son regard dans le mien. Naomi a – avait – des yeux améthyste, avec des nuances myosotis et lapis-lazuli, un cercle plus sombre, presque noir, autour de l'iris, et une cornée opaline : des yeux de chat.

« Quelle vérité ? » j'ai demandé.

J'ai été pris d'un vertige. Ma tête s'est mise à tourner.

« J'ai découvert *qui tu es.* »

Voilà. Ça a commencé comme ça.

Une séparation – comme il y en a des millions chaque année à une époque où tout le monde veut le bonheur sans en payer le prix. Nous avions seize ans, cet automne-là.

« Qui je suis ? Mais bon Dieu, de quoi est-ce que tu parles ? »

Cette fois, elle n'a pas répondu.

« Pourquoi tous ces mystères ? j'ai dit. Pourquoi tu ne m'envoies plus de textos, pourquoi tu me fuis ? Qu'est-ce qui se passe, Nao ? »

J'ai senti mes intestins se nouer. Cela faisait une semaine à présent que j'avais un pincement au cœur chaque matin au réveil en contemplant l'écran vide de mon téléphone.

Pas de texto…

Chaque fois, le constat me filait la nausée. Jusqu'à il y a quelques jours encore, pas un seul matin ne se passait sans que je trouvasse un petit message tendre au réveil. Juste quelques mots – dont chacun témoignait de la profondeur de nos sentiments. De même que j'en envoyais un chaque soir. Avant de m'endormir.

Celui d'hier était un brin grandiloquent. Il disait : *Rien ne nous séparera jamais. Je t'aime. Je t'aimerai toujours.*

Je sais ce qu'est une rupture.

J'ai vu Josh Landis très pâle, au bord des larmes, au fond de ce pub miteux, quand Casey Hinshaw lui a annoncé que c'était fini. J'ai vu Tess Parsons, une fille bien, ravagée pendant des semaines quand cette salope de Shanna McFaden a diffusé une vidéo où on voyait Danny Lovasz – l'ex-copain de Tess – jurer ses grands dieux que Tess n'était rien pour lui. Je sais ce qu'est une rupture.

Mais pas moi, pas Naomi.

Pas *nous*.

Ça ne pouvait pas nous arriver. Nous, c'était pour la vie. « JMNS : *Jusqu'à ce que la Mort Nous Sépare* » ; tel était notre mantra.

Je sais ce que vous pensez : seize ans…

Et après ? Il y a des gens qui se rencontrent à cet âge et qui restent ensemble toute leur vie. Je l'ai regardée. Elle avait l'air triste, ce soir-là. Infiniment triste. *D'où venait cette tristesse ?* De moi ? De quelqu'un d'autre ? Les questions cognaient contre les parois de mon crâne comme les vagues contre la coque du ferry. C'était ma meuf, la fille que j'aimais. Celle avec qui je voulais passer le restant de mes jours. Merde, j'avais l'impression qu'un crabe de Dungeness me dévorait les entrailles.

« Mais bordel, vas-tu me dire ce qui se passe ? Qu'est-ce que j'ai fait ? Tu as rencontré quelqu'un, c'est ça ? »

Malgré moi, je m'étais mis à crier plus fort.

Elle m'a fixé et, pour la première fois, j'ai senti plus qu'un fossé entre nous : un abîme, des années-lumière. Nous qui étions si proches jusqu'à il y a quelques semaines encore. Et si loin, à présent…

« Naomi… »

J'ai tendu la main vers elle.

J'ai saisi doucement son poignet.

« LÂCHE-MOI ! »

J'ai éprouvé un choc. Elle s'était libérée violemment, comme si elle avait mis les doigts dans une prise, comme si mon contact lui répugnait. Et elle a reculé.

D'un pas…

Puis de deux…

Et, tout à coup, elle a fondu en larmes.

« Tu ne vois donc pas ce qui se passe ? a-t-elle hurlé, les joues ruisselantes, en reculant encore. Vous ne voyez pas ce que cette île est en train de nous faire, tes copains et toi ? Tu ne vois pas comment *tout ça va finir* ? »

Je me suis demandé de quoi diable elle parlait.

« Comment tout ça va finir ? Mes… *copains et moi* ? ai-je dit, incrédule. Mais de quoi est-ce que tu parles ? »

J'ai fait un pas vers elle, elle en a fait un en arrière.

J'en ai fait un autre…

Elle a reculé d'autant…

Ça ressemblait à une danse – une danse dangereuse, une danse sinistre et amère.

Nous avons quitté l'abri que formaient les ponts supérieurs au centre du navire et la pluie glacée nous est tombée dessus, martelant nos crânes, dégoulinant dans ma nuque, sous mon col, mais je n'y ai pas prêté la moindre attention.

« Naomi », ai-je répété doucement.

J'ai avancé.

Elle a reculé.

« Ne t'approche pas… »

Ses reins ont touché le plat-bord là où il est dangereusement bas : près de la proue – où seule une chaîne vous sépare ensuite d'une chute dans les flots mouvants – et, pour le coup, elle a bien été obligée de s'arrêter.

« Je te rappelle que ce sont aussi *tes* amis, j'ai dit. Est-ce qu'on n'a pas toujours été les meilleurs amis du monde ? Je croyais qu'on était une famille ? *Mon semblable, mon frère* – tu te rappelles ? »

Elle a secoué la tête d'un air écœuré.

« Va-t'en, a-t-elle sangloté. S'il te plaît, va-t'en. »

Il y avait autre chose dans sa voix, à présent. Elle avait *peur*. Peur de moi. Comment – comment était-ce possible ?

« Naomi…

— S'il te plaît, Henry. »

Elle bégayait, des larmes – ou bien la pluie – ruisselaient sur ses joues. Dans son dos, la mer rugissait, affamée. Ses crêtes blanches explosaient en geysers hauts comme des maisons contre la proue, à cinq mètres de nous – et des nuages d'écume nous rinçaient la figure par intervalles.

Je l'ai attrapée par les poignets.

« LÂCHE-MOI, PUTAIN ! »

Elle avait crié. D'une voix mauvaise. Ça m'a mis en rogne.

J'ai fait un geste.

Un geste de trop.

Je l'ai secouée comme un prunier pour la ramener à la raison. Là : à l'avant, contre le plat-bord – à quelques centimètres du vide… Ça paraît dingue, je sais. Elle a hurlé. Elle s'est débattue. Comme une hystérique. Elle avait l'air d'avoir vachement peur. Elle a dû croire que j'allais la passer par-dessus bord. Comment a-t-elle pu penser un truc pareil ? Comment a-t-elle pu imaginer un seul instant que j'en étais capable ? Je crois que c'est ce qui me fait le plus mal aujourd'hui.

Elle m'a repoussé de toutes ses forces et j'ai dérapé. Je suis tombé sur les fesses – là, sur le pont inondé. Un nouveau nuage d'écume l'a balayé et m'a douché. L'espace d'un instant, quand elle a réussi à se libérer, elle a basculé en arrière et je l'ai regardée, horrifié, osciller au-dessus du vide, sa capuche soudain rabattue par le vent, ses cheveux dansant, les yeux exorbités de terreur, avec derrière elle des creux et des collines d'eau noire frangées d'écume…

« Hé ! a beuglé un employé en dévalant les marches (il avait dû nous voir par les vitres du poste de pilotage ou bien dans les caméras de surveillance). Qu'est-ce que vous foutez là ? »

… mais elle a réussi à se rétablir in extremis d'un coup de reins et elle en a profité pour contourner l'employé et disparaître dans l'escalier qui mène aux ponts supérieurs.

« Naomi ! »

Je me suis lancé à sa poursuite – mais elle avait déjà disparu en haut des marches et le type m'a retenu par la manche.

« Remontez là-haut ! a-t-il hurlé. Vous êtes inconscient ou quoi ? Vous vous rendez compte du danger ? »

Oh oui, je m'en rendais compte.

J'ai gravi les marches quatre à quatre, jetant un regard distrait à la caméra suspendue au plafond qui filme l'étroit escalier de haut en bas.

Je l'ai cherchée. Partout. Sur tous les ponts fermés, dans la foule des passagers assis autour des tables ou dans les rangées de fauteuils à l'avant, parmi ceux debout autour du bar, ceux entrant et sortant des toilettes, parmi les autres élèves du lycée, et même à l'extérieur, sur les ponts ouverts – là où il n'y avait pas âme qui vive par une nuit pareille et où le vent miaulait encore plus fort.

Pas de Naomi…

Nulle part.

Je suis retourné à notre table, le visage ruisselant, les cheveux et les vêtements trempés. Charlie a été le premier à m'apercevoir et il a ouvert grand ses mirettes.

« Putain, Henry ! T'es trempé ! Où est Naomi ?

— Je ne la trouve pas », j'ai dit.

Kayla et Johnny ont levé les yeux de leurs smartphones.

« Quoi ? Mais vous étiez ensemble, on vous a vus descendre…

— On s'est dit que vous aviez peut-être envie de faire ça dans la voiture », a suggéré Johnny en souriant.

Je n'ai pas relevé.

« Henry, qu'est-ce qui se passe ? a demandé Charlie devant ma mine déconfite.

— Je ne sais pas où elle est passée… Je l'ai cherchée partout… je ne la trouve pas…

— Mais vous étiez ensemble.

— Je sais… je sais.

— OK. »

Il s'est levé, a jeté un coup d'œil aux deux autres : « Vous, vous restez ici. Si elle se pointe, vous nous appelez. Nous, on va chercher Naomi. »

On s'est réparti la tâche ; on est repassés partout où j'étais déjà passé.

Un flash soudain dans ma mémoire : je me revois

parcourant les coursives et les salles, scrutant les visages, détaillant les silhouettes – et un ou deux détails attirent mon attention. Par exemple, la présence à bord de Jack Taggart. Il est assis dans le fond, à la dernière table avant la porte qui donne à l'arrière du bateau, et, bien que ce soit l'heure de pointe, il a la table pour lui tout seul. Tout le monde à bord ou presque connaît Jack et personne n'a envie de faire la traversée avec lui. Taggart vit seul au fond des bois, du côté le plus inhospitalier de l'île, au pied du mont Gardner, la plus haute montagne de Glass Island, qui culmine à deux mille quatre cent huit pieds, soit sept cent trente-trois mètres. Il a la réputation d'être un sale type et, croyez-moi, parfois les réputations sont justifiées. Ce soir-là, il fait un puzzle. Il y a toujours des puzzles sur les ferries.

« Elle a dû s'enfermer dans les toilettes des femmes, a dit Charlie. Tu as vérifié les toilettes des femmes ?

— Bien sûr que non.

— Alors, elle est là. » Son assurance était communicative. Charlie est un type qui doute rarement, sauf en ce qui concerne les filles. Il traverse la vie toutes voiles dehors. Il a mis une main sur mon épaule : « Ça s'est mal passé, hein ? » Pendant une fraction de seconde, j'ai lu autre chose que de la compassion dans son regard – de l'intérêt et de la curiosité.

J'ai hoché la tête.

Il m'a pris par le bras et m'a conduit à notre table.

« Vous l'avez trouvée ? » a demandé Kayla.

Charlie lui a fait signe de laisser tomber.

« Elle a trouvé quelqu'un d'autre pour la ramener », a dit Charlie à côté de moi quelques minutes plus tard, le visage éclairé par les feux arrière de la voiture qui nous précédait et par les cadrans du tableau de bord.

J'étais assis au volant, dans la pénombre des ponts inférieurs. Terrassé par un cafard monstre. Je savais qu'il avait raison. L'*Elwha* (un nom indien de la tribu Chinook qui signifie « élan » ou « wapiti ») peut contenir plus de mille personnes et cent quarante-quatre voitures. Ça fait un paquet de monde. Elle avait très bien pu nous éviter et trouver refuge dans la voiture de n'importe quel autre élève du bahut – fille ou garçon.

Des sirènes ont retenti dans les entrailles du navire ; des gyrophares se sont mis à tournoyer, jetant des lueurs orangées sur les pare-brise. J'ai mis en route les essuie-glaces et on a démarré à la queue leu leu en direction des lumières noyées d'East Harbor, tandis que les employés en gilets jaunes agitaient leurs bâtons fluorescents.

2

Comme un archet silencieux

Je m'appelle Henry Dean Walker.
J'aime les livres,
les films d'horreur,
les orques et Nirvana
et j'ai seize ans.

Je vis sur Glass Island, une île au nord de Seattle, à quelques milles marins du Pacifique, à l'ouest de Bellingham et du comté de Whatcom, dernière étape avant la frontière américano-canadienne. Elle appartient à un archipel, les San Juan, qui compte sept cent cinquante îles et îlots à marée basse et plus d'une centaine à marée haute. Semés comme une chaussée rocailleuse et couverts de forêts, de petits ports pittoresques et de routes. Toujours des routes : accrochées aux corniches, surplombant estuaires et bras de mer, sinuant tels des ruisseaux dans nos forêts profondes – une vision de l'Amérique.

Ici, les ferries les prolongent. Et, à la place des requins, on a des orques. En hiver, au printemps et à l'automne, il pleut. Ou bien le brouillard est si épais qu'on ne voit pas la côte, ni même la cime des sapins, encore moins celles, enneigées, de la chaîne des Cascades, cent kilomètres plus à l'est. En été, il pleut aussi – mais moins. À la belle saison, les touristes viennent du monde entier pour voir les orques. De bon matin, ils font la queue pendant des heures sur les routes menant aux embarcadères des ferries, colonisent les hôtels et les *bed and breakfast* de l'archipel, picolent un peu trop, prennent des milliers de photos qu'ils s'empresseront de supprimer ou d'oublier dans la mémoire de leurs ordinateurs et ils ancrent leurs voiliers et leurs yachts par dizaines dans la marina. Cette frénésie estivale, de juillet à octobre, c'est à cause de trois films : *Sauvez Willy 1*, *Sauvez Willy 2* et *Sauvez Willy 3*. Ils ont été en partie tournés dans les îles – et ils ont rendu les orques si populaires que le premier imbécile venu ne désire qu'une chose : en voir au moins une avant de rentrer chez lui.

Mais une fois les touristes repartis, Glass Island retrouve son calme. Et sa promiscuité… Ici, tout le monde connaît tout le monde. On est entre soi. C'est une des particularités de notre île : contrairement à Seattle ou à Vancouver, ou même à Bellingham, les gens d'ici laissent leur porte ouverte quand ils vont faire leurs courses, et même parfois quand ils dorment. Bien sûr, les luxueuses résidences secondaires d'Eagle Cliff et de Smugglers Cove – qui sont fermées sept mois sur douze tout en accaparant les anses les plus pittoresques de l'île – sont un peu mieux protégées, mais à peine. Il faut dire que notre île est genre « forteresse naturelle ». Pour commencer, elle n'est pas fastoche d'accès : il faut une bonne heure de ferry à partir d'Anacortes pour rejoindre East Harbor et, à partir de là, il n'y a pas plus d'une dizaine de routes et autant de pistes carrossables interdites aux promeneurs, avec à l'entrée des chaînes rouillées ou des barrières sur lesquelles on peut lire PROPRIÉTÉ PRIVÉE. Ensuite, il n'y a pas tant d'endroits que ça où un bateau peut accoster. Et puis, il est interdit de camper, il n'y a que deux hôtels et, à la belle saison, la plupart des touristes dorment chez l'habitant.

Comme je l'ai dit, tout le monde connaît tout le monde. Les gens d'ici n'ont pas de secrets. Ou alors ils sont contraints de les enfouir au plus profond d'eux-mêmes.

C'est ça, Glass Island. C'est du moins ce que je croyais.

Je plante le décor parce qu'il a son importance. Mais ce n'est pas chez moi. Pas vraiment. Je n'ai pas de chez-moi : on a beaucoup voyagé, beaucoup déménagé, mes mamans et moi. Dans de grandes villes comme Baltimore ou dans des endroits difficiles d'accès comme Marathon en Floride, Port Oxford dans l'Oregon et Stowe, dans le Vermont. À croire qu'on fuyait quelque chose. On fuyait quelque chose. La question, c'est quoi. À ce jour, je n'ai obtenu d'autre réponse que des dénégations désinvoltes de la part de mes deux mères : « Mais enfin, Henry, où tu vas chercher ça ? On aime les endroits pittoresques, c'est tout ! » Il nous est même arrivé de déménager en pleine nuit, à l'arrache. « Henry ! Vite ! Habille-toi ! » J'avais neuf ans, cette fois-là. Je n'ai pas oublié, contrairement à ce qu'elles croient. On vivait à Odessa, Texas, depuis huit mois. Un mois plus tard, on s'installait sur Glass Island. Autrement dit (prenez une carte) à l'autre bout du pays. Sept ans qu'on est ici. Un record, je crois bien.

J'aime mes mamans. Elles s'appellent Liv et France, sans *s*, comme le pays. Je les aime. Vraiment beaucoup. Mais quelquefois, il m'arrive de les trouver un tout petit peu trop... *protectrices*. Par exemple, il m'est formellement interdit de mettre une photo de moi sur Facebook ou sur n'importe quel autre réseau social, site de rencontres ou blog perso. Vous trouvez ça bizarre ? Moi aussi. Je le leur ai dit. Leur réponse : « Henry, tu ne comprends donc pas que tout ce que vous mettez sur Internet y est pour l'éternité et que la notion de *vie privée* n'existe pas pour ces gens-là ? Ils s'en tapent, de votre vie privée. Et même pis : ils ont bien l'intention de faire du fric avec. Se balader sur Internet, c'est comme se balader à poil toute la journée dans une maison de verre : tu vois ce que je veux dire ? Le jour où tu seras devenu adulte et où tu voudras retirer tous ces trucs dont tu auras honte, tu sais ce qu'ils te répondront ? *Désolé, bonhomme : fallait y penser avant...* » (Liv.)

« En plus, ils te promettent de protéger ta vie privée, mais quand le gouvernement les a mis en demeure de filer des infos confidentielles, ils l'ont fait sans barguigner, c'est à peine s'ils ont protesté, ces salauds. » (Liv encore.)

(France, langue des signes) : *Pas de photo, pas de vidéo, c'est bien compris ?*

J'ai noté ce nouveau mot dans mon carnet : « barguigner ». (Je rêve de devenir écrivain, ou cinéaste, ou musicien – je ne sais pas encore. Artiste, en tout cas, pour ce que ce mot veut dire de nos jours.)

Même chose pour la photo de classe : ce jour-là, Liv et France me demandent de rester à la maison.

Du moins depuis que ce genre de choses se retrouve en ligne, car on conserve au fond d'un carton les vieux « albums de l'année » de l'école élémentaire. Pourquoi je n'ai jamais cherché à savoir ? J'ai essayé, je vous jure. Enfin, *un peu*. Enfin, *pas tant que ça*. Pas *complètement*.

Je crois que j'avais peur de la réponse…

Il y a aussi ce rêve que je fais souvent. Non, pas souvent : toutes les nuits ou presque. Comme la nuit dernière. Quand je me suis endormi, il tonnait sur la mer. C'est toujours le même rêve. Une banlieue endormie, des familles entières transformées en réceptacles de songes inquiétants. Maman assise au bord de mon lit, je vois bien qu'elle a peur. Je dois avoir quoi : trois ans ? peut-être moins... Et parce que maman a peur, j'ai deux fois plus peur qu'elle. Et ça aussi : ce n'est pas maman Liv, ni maman France dans le rêve – c'est une autre maman. Belle comme le jour. Mais effrayée, très effrayée. *Henry, ne fais pas de bruit, il est là*, me dit-elle. Je n'ose lui demander de qui elle parle, mais la façon dont elle prononce ce *il* me terrorise et je m'enfonce peureusement sous ma couette. Elle se lève et regarde en bas, par la fenêtre, dans la rue. Que voit-elle ? Probablement rien. À part les façades plongées dans l'obscurité et les voitures garées sur les allées et le long des trottoirs, l'air *vivant*, mais assoupies avec leurs phares éteints. Puis elle revient vers moi, pâle mais souriante, et elle me caresse les cheveux : *Tout va bien, il n'y a personne, tu veux dormir avec maman cette nuit ?* Cette question allège l'énorme poids de terreur qui est sur ma poitrine et je hoche la tête fermement.

C'est une douce, une très douce nuit d'été – mais une inquiétante torpeur la contamine.

Revenons à mes mamans : je les aime plus que n'importe qui au monde. Je crois que, grâce à elles, j'ai bénéficié de la meilleure éducation possible – et je ne parle pas seulement d'acquérir des compétences. S'il y a des imperfections dans ma personnalité, elles ne leur sont en rien imputables. Laissez-moi donc vous parler d'elles : Liv est petite, impulsive, brune et baraquée – France est plus grande, plus blonde, plus douce, plus indolente, comme une soirée d'été passée à admirer le soleil couchant sur le détroit de Juan de Fuca ou comme ce morceau – l'*adagietto* – dans la 5e Symphonie de Mahler. Ce ne sont pas mes *vraies* mères : je suis un enfant adopté. (Shane Cuzick, dans la cour du bahut : « Hé, Einstein, c'est laquelle ton père ? » Rires gras de ses deux âmes damnées : Paulie et Ryan, deux crétins qui ont déjà fait l'objet d'un renvoi de cinq jours pour l'un – Paulie – et d'un trimestre pour l'autre – Ryan. Quant à Shane, il a eu droit au bureau du shérif Krueger et a frôlé l'expulsion la fois où il a cassé le bras de Malcolm.)

Entre neuf et treize ans, j'ai été somnambule.

On me retrouvait au beau milieu de la nuit dans le salon, en pyjama, hagard, la lune éclairant la pièce à travers les fenêtres, tel le petit garçon de *Rencontres du troisième type*.

Une fois même, Liv m'a trouvé à l'arrière de la maison, pieds nus dans l'herbe humide, face à l'appentis ouvert – dont j'avais tourné l'interrupteur –, pareil à une phalène fascinée par la lumière. Il était minuit passé. Après ça, elles ont verrouillé portes et fenêtres dès que je m'endormais et suspendu une clochette à la poignée de ma chambre. J'ai eu quelques crises jusqu'à l'âge de quatorze ans, puis cela s'est arrêté brusquement. Maman Liv m'avait surnommé « mon petit rêveur qui marche ». Heureusement, le surnom s'est perdu en cours de route.

Le médecin a dit que cela venait de nos nombreux déménagements. Que, dans mon sommeil, je régressais et cherchais mon ancienne maison – *mon premier foyer*, a-t-il dit – et que je ne reconnaissais pas celle-ci. Je crois qu'il a dit ça pour dire quelque chose, qu'il n'en savait rien, en réalité. Qu'il existe un âge, à la fin de l'enfance, où ces antennes avec lesquelles nous percevons les mystères du monde bien mieux que les adultes sont plus puissantes que jamais : avant que la puberté, les hormones, le rationalisme adulte et le système éducatif n'atrophient définitivement notre sens du merveilleux.

Quand j'ouvre le livre de mon enfance et que j'en tourne les pages dans ma mémoire, je les trouve incroyablement riches : mon fond de pantalon arraché par le chien des Stubbs un jour où je descendais du bus scolaire et où – pour quelque obscure raison nichée dans son étroit intellect de chien – il m'a soudain pris en grippe ; les rats tirés à la carabine à air comprimé dans la décharge de Cowan Point – une montagne de détritus, de matelas pourris pleins de taches, d'emballages de marshmallows Swiss Miss, de boîtes de Quinoa Flakes, de restes de bouffe rongés par les souris dévalant jusqu'au petit ruisseau de Cowan Creek, entre les épais taillis de ronces et de mûriers, comme un Everest de merde ; la mère de Jimmy Lombardi, dont la beauté aveuglait comme le soleil et qui avait toujours deux boutons défaits, l'été, en haut de son corsage ; le vieux Terrence, qui détestait les enfants et qui gardait ses stores baissés jour et nuit, si bien qu'on inventait maintes histoires horribles se passant derrière ces murs : des mioches kidnappés, une femme ligotée à son fauteuil depuis quarante ans, des réunions secrètes de gangsters du troisième âge – imaginez ça si vous le pouvez –, voire des extraterrestres qui, ne me demandez pas pourquoi, auraient choisi ce vieillard gâteux pour être leur tête de pont dans leur conquête de la Terre.

Et puis, il y avait la fin de l'école et le retour des vacances. Plus que n'importe où ailleurs, sur notre île, juillet et août étaient synonymes de fêtes, de crèmes glacées, de touristes, de musique, de spectacles, de courses à vélo, de voiles claquant au vent, de rires, d'excitation, de nouveauté – et *d'aventure*... La saison commençait pour ainsi dire le 4 juillet, avec la parade des chars, la foule en liesse, les pétards et les grappes de ballons multicolores accrochées aux façades. Pour un garçon de dix ans, l'été paraissait presque aussi merveilleusement long que la traversée de l'Atlantique à la fin du XVe siècle, la rentrée scolaire presque aussi éloignée que les Indes orientales pour Christophe Colomb.

C'était ça, notre île, aux yeux d'un enfant : le plus beau, le plus extraordinaire, le plus irremplaçable des territoires. Et, comme la patelle, je n'avais qu'un désir : passer toute ma vie sur le même rocher. Mais si un enfant se plaît n'importe où, il en va autrement quand on a seize ans. À présent, cette île, avec ses longs mois de pluie et son été trop bref, son isolement et son heure de ferry pour rejoindre le continent, m'apparaissait pour ce qu'elle était : une prison.

Comme je l'ai dit, je rêve de devenir écrivain.

Ou cinéaste.

Ne soyez donc pas surpris par mon langage : je suis juste un jeune homme normalement éduqué, comme tous ceux de mon âge devraient l'être, c'est-à-dire pas tout à fait aussi attardé que ces crétins du lycée qui se sont déchaînés sur Walt Whitman quand le prof de littérature leur a demandé de commenter *Feuilles d'herbe*. « Bâtard défoncé », « pédé de poète de sa race » ont été quelques-uns des compliments adressés au grand homme par tweets interposés. À part ça (preuve de ma normalité), j'aime les films d'horreur et Nirvana. Des posters de *Massacre à la tronçonneuse*, de *Hellraiser*, de *Evil Dead 2*, de *Hostel*, et même du *Dracula* de Tod Browning tapissent les murs de ma chambre. « Toujours agréable d'entrer dans ta chambre, Henry : ça donne l'impression d'être au musée des horreurs. » (Liv.) Et, chaque année, avec Charlie, on effectue un pèlerinage à l'Experience Music Project de Seattle rien que pour voir l'extraordinaire galerie interactive consacrée au groupe d'Aberdeen.

Mon texte préféré ? *Le Tour d'écrou.*

Mon film d'horreur préféré ? *L'Exorciste* (et aussi *La Malédiction* et *Ring*).

Mon album préféré ? *In Utero.*

Je me suis réveillé en retard, sans avoir entendu le réveil, le lendemain de ma triste altercation sur le ferry. J'ai capté en revanche la voix de Liv en bas qui criait : « Henry ! Henry ! T'as vu l'heure ? » Je me suis douché en vitesse, j'ai enfilé les premières fringues qui me sont tombées sous la main, j'ai attrapé mes livres de maths et de biologie et je suis descendu.

Dans les marches, j'ai consulté mon téléphone et mon cœur s'est comprimé une fois de plus.

Pas de texto.

7 h 02 du matin. Je savais qu'elle était réveillée depuis longtemps : Naomi était une lève-tôt. Mais c'était sans espoir désormais, ça aussi je le savais.

Ce matin-là, maman France me guettait dans la cuisine, serrant frileusement les pans de son peignoir de flanelle autour d'elle, une tasse de café fumant à la main. Un épais brouillard collait aux vitres. En descendant les marches, j'ai ouvert la main devant mon visage, le pouce rejoignant mon menton, pour dire :

Maman.

Elle m'a souri et a serré ses deux poings l'un contre l'autre :

Il fait froid.

J'ai répondu non à voix haute : maman France est sourde et muette, mais elle sait lire sur les lèvres. Elle a joint l'index et le majeur de chaque main et les a écartés en haussant les sourcils :

Des œufs ?

Je lui ai fait signe que non et j'ai avalé un café en vitesse. Puis je me suis dirigé vers la porte en sentant son regard peser sur mon dos. Des voix montaient de la salle à manger, dont celle de Liv. Ça sentait les œufs brouillés, le bacon frit, le pain perdu aux airelles et le café. Nous avions un couple de clients hors saison, venus d'Europe, qui partait le jour même pour la Colombie-Britannique. Ils avaient sans doute trouvé l'adresse sur Internet : Liv et France tiennent un *bed and breakfast.* Tenir un *bed and breakfast* n'était pas ce qu'elles avaient prévu en arrivant ici si j'en crois les discussions orageuses qu'elles ont parfois (Liv élevant la voix, France agitant les mains dans tous les sens et à toute vitesse). Liv a longtemps espéré devenir violoncelliste à l'orchestre symphonique de Seattle, ou remporter le prix Beatrice Herrmann de la meilleure jeune artiste décerné chaque année par le Tacoma Philharmonic. C'est une excellente interprète (et sa première fan est France, qui adore la *regarder* jouer et peut rester de longues minutes fascinée comme un chat par le mouvement de l'archet), mais elle est un peu trop velléitaire et âgée pour ça. France travaille pour une célèbre multinationale de micro-informatique basée à Redmond, qui a une politique volontariste en matière de handicap ; parfois, elle ne rentre pas de la semaine. Mais elle aide Liv à tenir la maison pendant les vacances et les week-ends. Elles l'ont meublée avec de vieilles malles-cabines, de grands lits profonds et des tissus de lin et de coton, des objets chinés dans des brocantes, des fleurs, des fougères, des tapis, des livres et des attrape-rêves. La maison elle-même est un chalet typique du Nord-Ouest Pacifique, avec une toiture en bardeaux de cèdre, des fenêtres d'angle et une terrasse qui jouit d'une vue époustouflante sur le détroit et les montagnes. Une succession de chemins en planches et d'escaliers dévale la pente jusqu'à un ponton d'abord fixe puis amovible, au bout duquel se balance un canot à moteur. La maison aurait bien besoin d'un coup de pinceau, si vous voulez mon avis, le toit est vert de mousse, la peinture s'écaille, les chêneaux sont pleins de feuilles, le sel ronge le cadre des fenêtres et trop de ronciers et de jeunes arbres encombrent la pente – mais on est bien ici et, à l'intérieur, tout est chaleureux et douillet comme dans un nid.

C'était ça, la vie sur Glass Island : quelque chose d'aussi doux, paisible et dépourvu d'enjeu que le spectacle d'un archet silencieux. Sur un tronc, quelqu'un a gravé :

LE PARADIS PERDU

J'ignore de qui il s'agit – peut-être un des touristes qui, chaque année, s'extasient devant la vue et rêvent un instant de laisser tomber leur logement en ville, leur vie stressante gouvernée par la technologie et leur course contre le temps pour venir s'installer ici. Mais c'est un bon résumé de l'histoire qui va suivre. Car je ne le savais pas encore, mais j'allais apprendre que les paradis sont faits pour être perdus.

Et que toute genèse commence par un crime.

3

Le royaume

Il y a à ce jour 7 212 913 603 habitants sur cette planète.

Il y a environ 422 000 naissances chaque jour sur terre.

Il y a en moyenne 170 000 personnes qui meurent, soit un peu plus de 12 millions par mois et 154 millions de décès par an. (Si vous pensez que votre vie, votre petite vie personnelle, votre ego et tout ce qui va avec sont importants, rapportez-les à ces chiffres et, si vous croyez en Dieu, eh bien, dites-vous qu'Il est probablement un fonctionnaire avec trop de dossiers à traiter en même temps et un budget insuffisant, là-haut.)

Il y a à ce jour 6,8 milliards d'abonnements au téléphone portable et 2,8 milliards d'accès à Internet.

Mais il n'y a qu'un seul Charlie.

Charlie est mon meilleur ami.

Charlie est une espèce à part et – sans l'ombre d'un doute – un être humain spécial.

Quelques infos de première bourre sur mon ami Charlie :

Charlie est toujours en retard. Charlie est puceau. Charlie est complexé par son physique. Charlie porte des chemises au col boutonné. Charlie est obsédé par le sexe. Il adore les histoires salaces (entre nous, on dit de cul*). Charlie est un garçon cynique. Et insolent. Et drôle. Très très drôle... Mais, en vérité, ce qu'il y a de plus important quand on a seize ans, ce n'est pas tant d'être, c'est d'avoir l'air : Charlie fait semblant d'être cynique, il fait semblant d'être insolent. En vérité, Charlie est la crème des crèmes ; Charlie est le meilleur ami dont on puisse rêver.*

Ce matin du 23 octobre, j'ai poussé la porte du magasin de ses parents : le Ken's Store & Grille, en haut de Main Street (« Épicerie, Essence & Diesel, Boissons, Vidéos », clame le grand écriteau sur la façade, autour d'une peinture de cinq-mâts délavée et de ce rappel historique : « depuis 1904 »). Il est aussi écrit, à l'extérieur : *Breakfast & Burritos*, *sandwiches frais*, *free wifi*, *magasin fantastique*, *Deli fabuleux*, *Grill extra-fin* et *bar* friendly... Le brouillard et la nuit se pressaient derrière les fenêtres en ce matin d'automne, une brume qui sentait la marée, le poisson et le carburant diesel, comme dans tous les ports du monde. Il y avait aussi les bruits :

le cliquetis infatigable des mâts dans le port,

une enseigne de magasin qui émettait un bruit rouillé en se balançant dans le vent marin,

les mouettes dont les cris vrillaient la brume,

les miaulements du vent lui-même – qui montaient et retombaient, montaient et retombaient –,

la ferveur sourde, lointaine et mystérieuse de la mer,

le *teuf-teuf-teuf* d'un bateau à moteur invisible quittant le port…

À l'intérieur régnait le silence – hormis le grésillement d'un néon défectueux dans le magasin désert et le léger bourdonnement de la rangée de congélateurs sur la droite, tandis que je m'avançais vers le distributeur à ma gauche.

Puis est monté le son clair des pièces que j'ai fait tomber dans l'appareil. Charlie aurait dû être là. Où était-il ?

Je voyais mon pâle visage se refléter dans la vitre éclairée du distributeur, mon visage défait, mon visage inquiet, et la barre chocolatée s'est avancée au bout de sa pince quand une musique s'est élevée brusquement derrière moi. J'ai sauté en l'air comme si le plancher s'était changé en trampoline. Une musique stridente, acérée : AC/DC, *The Razors Edge*. En me retournant, l'horreur a déferlé dans ma poitrine, comme on dit dans les romans de Stephen King et de Lovecraft. Au sol, à environ quatre mètres, les pieds de Charlie dépassaient derrière la rangée de congélateurs. Immobiles. Légèrement écartés. En position 10 h 10. J'ai reconnu la musique – celle de son téléphone portable : il devait se trouver au fond de sa poche – et ses Air Jordans.

« Charlie ! ai-je crié. Charlie, oh, merde, Charlie ! »

Je me suis précipité. La musique a cessé de retentir et le silence est retombé, aussi épais que la purée de pois dehors. Charlie ne bougeait pas. L'espace d'un instant, en remontant la rangée des congélos, je me suis dit qu'il s'était évanoui – ou qu'il était mort.

« CHARLIE !

— Bordel, Henry, tu peux pas gueuler un peu moins fort ! »

Il était bien là, allongé sur le plancher. Et on ne peut plus vivant… En réalité, il avait sa grosse tête ronde entre les pieds du mannequin qui portait les créations de l'été dernier, comme ils disent (la raison pour laquelle elles n'avaient pas encore été remplacées par des vêtements d'hiver m'échappait) – et le regard très exactement fixé sur l'entrejambe dudit mannequin recouvert d'une minuscule pièce de tissu bleu.

« Tu vois pas que je me concentre ?

— Qu'est-ce que tu fous ?

— À ton avis ? J'essaie de l'imaginer avec une chatte…

— Quoi ?

— Quel genre de chatte ce serait, d'après toi ?

— Putain, Charlie ! »

Il s'est relevé, s'est épousseté les mains, a bâillé, s'est étiré. « Quoi ? Me dis pas que t'en as jamais vu…

(Oh non, Charlie, s'il te plaît, pas aujourd'hui…)

— Je t'interdis de… »

Il a levé les mains en signe de paix, a ramené une mèche de cheveux derrière son oreille gauche. Charlie a les cheveux raides et noirs comme des plumes de corbeau et séparés par une raie bien nette au milieu qui laisse voir son cuir chevelu. Comme ils sont un tantinet longs, il les ramène en permanence derrière ses oreilles.

« OK. OK. N'en parlons plus. » Il a attrapé son sac à dos et son skate-board Zero noir à tête de mort derrière le comptoir où se trouve la caisse enregistreuse, puis a regardé qui l'avait appelé sur son téléphone portable et mon ventre s'est noué de nouveau en pensant au mien – désespérément silencieux. « Merde, encore de la pub… Tu sais quoi, Henry ? Tu devrais te laisser aller de temps en temps, te lâcher un peu. » Il m'a jeté un coup d'œil, l'air endormi, comme tous les matins. On a franchi la porte du magasin, retournant dans la nuit d'octobre et la brume à l'odeur marine.

« Tu devrais arrêter de te palucher, j'ai dit en me dirigeant vers la voiture.

— Sûr, m'a-t-il rétorqué en refermant la porte du magasin. Certains jours, elle est plus gonflée qu'un artichaut tellement je l'astique ! Si la masturbation était une discipline olympique, j'aurais la médaille d'or ! Je suis le Usain Bolt de la branlette ! »

Il avait presque hurlé et j'ai jeté un regard inquiet vers la fenêtre de ses parents, derrière le magasin – ses parents qui n'auraient raté la messe du dimanche pour rien au monde, et qui croyaient dur comme fer que ce dernier avait été créé en sept jours. Mais là encore, j'ai senti qu'il se forçait – comme ces comiques qui doivent assurer le show même après un deuil ou une séparation. C'était ça, Charlie. Et c'était mon meilleur ami.

Je suis arrivé sur cette île il y a sept ans, soit à l'âge de neuf ans. Mais Charlie, Naomi, Johnny et Kayla y vivent, eux, depuis bien plus longtemps, depuis toujours pour certains. C'est leur royaume – et c'est aussi le mien depuis qu'ils ont fait de moi l'un des leurs. Comme l'a dit Henry Miller, tout ce qui ne se passe pas dans la rue est faux, dérivé, *littérature*.

Et la rue était à nous. Enfin, presque. Il y avait bien Shane, Paulie et Ryan – ces trois bons à rien – et quelques autres voyous de l'archipel. Mais, en leur absence, nous étions les rois du monde.

Notre royaume s'étendait de la moindre petite crique encerclée de forêts jusqu'à South Beach, la plus longue plage de l'île, au sud – qui fait face au détroit de Juan de Fuca menant aux eaux du Pacifique, et qui est festonnée de montagnes de bois flotté : des kilomètres de troncs rejetés par la mer, allant du beurre clair pour les derniers échoués au gris cendre pour les plus anciens. Il s'étendait du haut de Main Street – où se trouvent les terrains de base-ball, de soccer et de basket, et l'église catholique St. Francis – jusqu'à l'embarcadère des ferries, près du petit centre commercial sur pilotis qui compte, entre autres, une boutique de souvenirs et de fringues estampillés « Glass Island », le Blue Water Ice Cream Fish Bar et un restau chinois. Il s'étendait des laisses de basse mer où, plus jeunes, nous pataugions au milieu des clams glougloutants, jusqu'à la forêt enchantée de Crippen Park – avec ses arbres tourmentés et ses formes fantastiques.

Il s'étendait aussi aux îles voisines – entre lesquelles nous glissions, l'été venu, à bord de nos kayaks de couleurs vives –, simples rochers gris hérissés de sapins, bras de mer scintillants sous les feux du soleil, terres plus vastes mais inhabitées, où des sentiers creusés dans les hautes fougères et les bois mènent à des criques ignorées des touristes.

C'était notre royaume et nous étions les meilleurs amis du monde, inséparables, unis comme les doigts de la main.

Entre Charlie, Johnny, Naomi, Kayla et moi, c'était

à la vie à la mort. Du moins est-ce ce que nous pensions en ce temps-là. Comme je l'ai dit, à part moi, ils ont tous grandi sur ce bout de terre entouré d'eau. Ils y ont développé un lien étrange – qui est à mi-chemin entre l'amitié pure et simple et quelque chose de plus profond, de plus viscéral.

De plus mystique.

Comme des animaux vivant en meute.

Quand nous avions douze, treize ans, nous montions régulièrement au sommet de la plus haute falaise de l'île, Hood Cliff, au pied de laquelle rugit le ressac et, chacun notre tour, nous reculions dos tourné à l'abîme, les yeux clos, les mains en avant. Les autres se tenaient au bord du vide, mains jointes pour former une chaîne humaine. Ils étaient le seul rempart qui vous préservait d'une chute interminable qui s'achèverait inévitablement par deux cent douze os humains brisés sur les rochers. Quand on sentait les bras tendus dans son dos, on s'arrêtait. Le vent sifflait à vos oreilles, le cœur cognait à tout rompre. Aussi loin que la vue portait, la mer était semée d'îles. Au fond, à cent kilomètres de là, il y avait les montagnes. On était morts de trouille.

Il y a aussi ce qu'ils ont appelé *le baptême*.

Et soit : il s'agissait bien d'un sacrement. Non pas que nous ayons vraiment connu le sens de ce mot, à l'époque. Mais voilà, instinctivement, le caractère sacré de cette cérémonie nous imprégnait, là, au fond des bois.

J'ai pleuré la fois où j'ai été *baptisé*. J'avais treize ans, ce n'est pas si vieux. J'ai pleuré parce que je savais qu'en agissant ainsi, ils me révélaient la part la plus secrète de leur connexion. Ils me manifestaient la plus grande preuve de confiance et d'amour qu'ils témoigneraient jamais à un étranger. Ils avaient grandi ensemble, ils étaient comme des animaux grégaires ou certains insectes sociaux. Et voilà que, par ce rite, ils m'acceptaient dans leur cercle. Pour toujours.

En elle-même, la cérémonie n'avait rien de bien spectaculaire. Ils m'ont précédé sur le sentier à travers la forêt, vers la rivière, ce jour-là. Puis, une fois sur la rive, ils m'ont bandé les yeux.

« Déshabille-toi, ont-ils dit tous en chœur.

— Quoi ?

— Déshabille-toi, a répété doucement Naomi.

— N'aie pas peur, Henry, a dit Kayla. On n'est pas en train de se moquer de toi.

— Personne n'est en train de filmer, a dit Charlie. Tu as ma parole. »

J'ai obtempéré.

« Le slip aussi. »

J'ai hésité, puis je l'ai retiré. Mes mains tremblaient.

« Entre dans la flotte. »

J'ai fait ce qu'ils me demandaient. En trébuchant et en glissant maladroitement sur les galets trop lisses et inégaux dans le fond, l'eau glacée s'enroulant autour de mes mollets. Le duvet de mes bras et de mes jambes s'est hérissé comme de la limaille sur un aimant. Je me sentais vulnérable, ridicule. Personne ne m'avait vu nu depuis des années, même pas Liv et France. J'ai senti mon pénis se recroqueviller de froid et de honte.

« Avance encore. »

J'ai atteint un endroit où il y avait très peu de courant, un endroit où l'eau stagnante était bien moins froide, presque chaude, en fait. Les rayons du soleil caressaient ma nuque et mon dos. Le courant tiède glissait sur ma peau, j'avais de l'eau jusqu'au nombril.

Quelqu'un a retiré le bandeau. Ils étaient nus aussi. En cercle autour de moi.

Ils se sont approchés, chacun leur tour.

Mon semblable, mon frère, a dit Johnny en m'étreignant.

Mon semblable, mon frère, a dit Charlie en m'étreignant.

Mon semblable, mon frère, a dit Kayla en m'étreignant.

Mon semblable, mon frère, a dit Naomi en m'étreignant.

Chacune de ces étreintes était pure et innocente, évidemment.

C'est pourtant ce jour-là que je suis tombé amoureux d'elle. En la voyant nue dans cette eau claire, au cœur de l'été, au cœur de cette forêt. En sentant sa peau satinée et douce contre la mienne, rafraîchie par l'eau de la rivière mais réchauffée par les rayons du soleil, tandis que ses cheveux trempés ruisselaient sur mon épaule et que son palpitant battait contre ma poitrine, léger comme un oiseau, la pointe de ses seins comme deux bourgeons. En la voyant nager, puis tordre et essorer ses cheveux noirs en torsades dégoulinantes, son regard sombre, améthyste et lumineux rivé au mien.

« Te voilà des nôtres, a dit Johnny en ressortant de la flotte et en se séchant. Tu viens d'être baptisé. »

Même Charlie, qui, d'ordinaire, ne se prive pas de déconner sur les bigots d'East Harbor, n'a fait aucune vanne, ce jour-là. Je ne l'avais jamais vu aussi sérieux.

Il m'a souri. Et – de la même façon que je suis tombé amoureux de Naomi – j'ai senti que notre amitié avait pris le pas sur le groupe lui-même.

Si bizarre que cela puisse paraître, c'est à l'occasion d'un enterrement que nous avons commencé à devenir potes, Charlie, Johnny et moi. Auparavant, nous nous étions déjà croisés en ville, sur la plage et au collège, mais j'étais un étranger à leurs yeux : un mec venu sur le tard du continent, élevé par deux mères lesbiennes – autant dire une créature à mi-chemin entre un garçon et un alien…

Tout a changé le jour de l'enterrement de Jared Larkin, ou plutôt au cours du repas qui a suivi, chez les Larkin. Jared avait douze ans, comme nous. Il s'est suicidé.

Lui non plus, je ne le connaissais pas vraiment. Il était dans notre classe, mais il n'avait rien de remarquable qui aurait pu attirer l'attention : élève moyen, timide, frêle, un physique passe-partout – les filles l'ignoraient. Il jouait de la trompette dans l'orchestre du lycée. Il n'était jamais de ceux qu'on choisissait quand il s'agissait de former les équipes en sport – plutôt l'inverse, il faisait partie de ceux qui attendent encore qu'on les choisisse quand le banc est presque vide, et qui font grimacer les arrogants leaders de l'équipe en soupirant : « Oh non, m'sieur, pas lui ! C'est pas juste : on a déjà Fink dans notre équipe ! » Le soir, il rentrait directement chez lui sans parler à personne.

On l'a appris plus tard, Jared était dépressif. Quand j'ai demandé, en ce temps-là, à maman Liv ce que cela signifiait, elle m'a répondu : « C'est une maladie de l'esprit, Henry, une maladie de l'âme – elle t'enlève le goût des choses, le goût de vivre… » Je me rappelle avoir demandé si c'était contagieux. Il avait déjà fait une tentative : son père l'avait aperçu à temps, paraît-il, immobile au bout de leur ponton, dans le clair de lune, comme hypnotisé par l'immensité de l'océan qui scintillait devant lui, puis il avait plongé, les bras serrés le long du corps. Son père avait couru et plongé à son tour. Il l'avait sauvé in extremis, cette fois-là. Une terreur absolue devait l'envelopper – la certitude que le combat était perdu d'avance. Imaginez : avoir un fils, un petit garçon, le chérir et ne pas savoir comment le protéger des ombres qui rôdent autour de lui…

La deuxième tentative a été la bonne.

À en croire Bree Westhersby, sa seule amie, il est resté étendu sur son lit, il a attendu que ses parents roupillent profondément, et puis il est passé par la fenêtre et il a marché tranquillement jusqu'au bout du ponton. Mais qu'est-ce qu'elle en sait ? Si ça se trouve, il ne s'est même pas arrêté, il est allé droit au but et *plouf* !

Je me demande si, dans les tréfonds de son être, il ne percevait pas plus clairement que nous notre monde, s'il n'en appréhendait pas mieux que nous la vanité et la cruauté, s'il n'avait pas compris avant tous les autres que par notre égoïsme nous sommes condamnés…

Au cours du repas qui suivit la cérémonie au cimetière, toute la classe de Jared était présente et, à un moment donné, j'en ai eu assez : les plus jeunes avaient l'air déguisés pour quelque spectacle de l'école, avec leurs cravates noires trop serrées ; les adultes ne trouvaient rien à dire – un garçon qui s'est donné la mort à douze ans ; Liv et France étaient parmi les rares personnes à entourer les parents. J'ai eu besoin de respirer un peu, alors je suis sorti de la maison et j'en ai fait lentement le tour. Croyez-le si vous voulez, mais c'était quasiment le premier jour du printemps et on n'avait jamais vu un printemps pareil, aussi plein de fleurs, une brise aussi parfumée, un ciel aussi pur. La nature renaissait – elle avait survécu à l'hiver – et je me suis demandé si Larkin n'aurait pas survécu lui aussi si seulement il avait tenu bon quelques jours de plus. C'est idiot, je sais, mais j'avais douze ans. J'ai suivi l'allée latérale, entre le mur de bardeaux peint en jaune et la haute palissade en bois. Une tondeuse bourdonnait de l'autre côté. Je me suis immobilisé quand j'ai vu la balançoire inerte, que probablement plus personne n'utiliserait et qui ne tarderait pas à rouiller, et surtout le vélo et le ballon de basket délaissés, abandonnés contre un tronc d'arbre – *le vélo et le ballon de Jared*… Je les ai fixés un moment, bouleversé, les yeux recouverts d'une pellicule de larmes, puis j'ai continué. Je suis parvenu à l'angle de la maison, là où l'ombre d'un grand tilleul s'étalait sur le mur jaune, et je me suis arrêté quand j'ai entendu les voix à l'arrière :

« Ce pauvre Jared, a dit la première, et il m'a semblé reconnaître un garçon de ma classe.

— Si on avait pu savoir ce qu'il avait dans la tête, a dit une autre et, cette fois, j'ai reconnu la voix nasillarde de Charles Scolnick, qui était dans ma classe cette année-là.

— Comment qu'on aurait pu ? a dit une voix de fille. Il ne parlait à personne.

— Personne ne faisait attention à lui, tu veux dire, a répliqué Charlie. C'est comme s'il existait pas... »

Il y a eu un silence, un peu de fumée de cigarette a flotté devant moi, dans l'air printanier tout pommelé d'ombre et de soleil, puis Charlie a repris la parole :

« Vous avez vu ? Pearson n'est même pas venu à l'enterrement...

— Il aime peut-être pas les enterrements, a dit la fille.

— C't'enculé de Pearson, c'est vraiment qu'un gros con, ouais », a rétorqué Charlie.

Pearson était notre professeur de langues et j'étais bien d'accord avec Charlie : un esprit conservateur, pompeux, sectaire, qui m'avait conseillé un jour de lire autre chose que du Stephen King. Je savais que Pearson avait publié un livre ; il y en avait deux exemplaires à la bibliothèque du collège, probablement les deux seuls vendus par son éditeur. Ça s'intitulait : *Peut-être les fantômes de cités disparues*, et je suis sûr que c'était une citation d'un auteur quelconque, car ce genre d'individu est incapable de la moindre pensée originale.

« Un bâtard, je l'ai tout d'suite su, la première fois que j'l'ai vu, a approuvé la première voix.

— Qu'est-ce que vous pensez d'Henry Walker ? » a tout d'un coup demandé Charles Scolnick.

J'ai retenu mon souffle et mon cœur s'est mis à cogner violemment.

« Il a l'air cool, a dit la première voix.

— *Il est zarbi*, ouais, a corrigé Charlie – et j'ai rougi jusqu'aux oreilles.

— Pourquoi ça ?

— Ce mec, a continué Charlie, il ne prend jamais la parole sauf quand les profs l'interrogent, mais il a chaque fois la bonne réponse, putain. Il a de supernotes, mais il ne fait jamais de la lèche. Vous avez remarqué ? Ce que pensent les profs, il donne l'impression de s'en foutre.

— Ça, c'est la méga classe, a dit la première voix, et j'ai senti ma poitrine s'enfler de fierté.

— Moi, je le trouve sympa, a estimé la fille et mon cœur s'est mis à battre encore plus vite.

— On devrait lui parler, a dit Charlie, lui proposer de venir avec nous, juste une fois… pour voir… Qu'est-ce que vous en pensez ?

— C'est pas lui qu'a des mères gouines ? a voulu savoir la première voix.

— Pour quoi faire ? » a demandé la fille, perplexe.

Un silence.

« Larkin, a répondu Charlie tristement. Ce qui vient de se passer m'a fait réfléchir… Qu'est-ce qu'on en sait ? Peut-être que si Jared avait eu des amis comme nous, s'il avait été moins seul, s'il avait eu quelqu'un à qui parler, ça serait pas arrivé. (Une pause.) Non, sérieusement, je veux pas d'un autre suicide sur cette île de nazes.

— Invite-le à ton anniv', c'est dans quinze jours, a proposé la fille. Tu verras bien… »

Je les ai entendus bouger et j'ai détalé en vitesse. Et c'est ainsi que j'ai reçu ma première invitation à une fête d'anniversaire en deux ans et demi.

« Tu aimes cette musique ? »

Elle coulait des baffles comme un fleuve de métal en fusion, un torrent brut et sauvage de voix éraillées et gouailleuses et de riffs de guitare.

« Carrément, j'ai dit, c'est quoi ?

— Nirvana. »

Il m'a tendu deux albums – pas des CD, encore moins du MP3, des *vinyles*… La première couverture représentait un bébé nageur essayant d'attraper un billet de banque flottant dans une piscine, la seconde, une statue de femme très gracieuse, avec des ailes comme un ange – sauf qu'on voyait ses os, ses veines et surtout ses intestins. J'ai trouvé ça hyper beau.

« J'ai des affiches de films d'horreur dans ma chambre », j'ai dit.

Nous étions assis dans un coin du canapé, près des baffles – il y avait moins de monde que je n'aurais cru à son anniversaire, mais quand même une demi-douzaine de garçons et seulement deux filles.

« Sur les murs ?

— Yep.

— Quels films ? »

J'en ai cité une bonne quinzaine. J'ai vu ses yeux s'allumer.

« Tant que ça ? Bordel ! Et elles sont grandes ?

— Il y en a d'autres… Comme ça, j'ai répondu en ouvrant les bras.

— Quels autres films ?

— Des vieux trucs : *Dracula*, *Frankenstein*, *Hellraiser*, *Candyman*…

— Connais pas les deux derniers… mais ça m'a l'air vachement cool. Elles recouvrent les murs ? Partout ? Sans déc ? La vache !

— Et la porte aussi.

— Ouah ! Ça doit être carrément l'hallu ! Des affiches de *Saw* et de *Hostel*… je crois que ma mère me tuerait si j'accrochais ça dans ma chambre ! Tes… euh… tes *mamans* sont vraiment cool, tu sais ? Oh, ouais. Dis… je pourrais la voir ? Ta chambre, je veux dire. Pas ta mère… Ça te dérange pas ? J'aimerais vraiment voir ça.

— Pas de problème.

— Super. Si j'avais su qu'on avait un musée du film d'horreur à East Harbor, je t'aurais invité plus tôt ! »

Il a ri. Moi aussi. Ça a commencé comme ça.

« T'as des nouvelles de Naomi ? » a-t-il demandé dans la voiture.

J'ai fait un geste de dénégation.

« Moi non plus. »

Nous avons gardé le silence en descendant Main Street qui s'éveillait à peine, l'un comme l'autre taciturnes, puis, en approchant du port, j'ai tourné à droite dans la 1re Rue pour rejoindre le parking des ferries.

Tous les matins, nous autres habitants de l'île observons le même rituel. Nous allons prendre notre place dans la file du ferry. Bien avant que sa silhouette ramassée de pitt-bull des mers se présente à l'entrée de la baie. Il ne peut contenir que cent quarante voitures et personne n'a envie d'attendre le suivant. Ceux qui habitent à côté laissent même leurs clés sur le volant et abandonnent momentanément leur véhicule pour aller terminer leur petit déjeuner.

Elle n'était pas là…

Machinalement, j'ai noté simultanément plusieurs choses en arrivant sur le parking, les unes habituelles, les autres non :

1°) des collégiens descendaient du bus scolaire, leurs sacs en bandoulière, et se dirigeaient vers la passerelle pour piétons, en caquetant bruyamment – comme tous les matins.

2°) le père de Malcolm Barringer, ce poivrot, se préparait à faire la circulation avec son gilet jaune – comme tous les matins.

3°) un grand type aux cheveux gris vêtu de noir mettait une pièce dans l'une des boîtes à journaux devant le Blue Water Ice Cream Fish Bar (*« Appelez et récupérez votre commande Blue Water, 425-347-9823 »*), puis il est retourné vers sa Crown Victoria gris métallisé, le *Seattle Times* et l'*Islands' Sounder* à la main. Il ne s'agissait pas d'un habitué, mais ce n'en était pas moins la troisième fois cette semaine que je le voyais, à la même heure.

4°) Naomi n'était pas sur le parking.

En revanche, Kayla et Johnny étaient déjà sur place, dans le vieux pick-up GMC mangé de rouille de celui-ci, tandis que le ferry illuminé de partout vomissait un fleuve de phares blêmes venu du continent et que trois files de véhicules attendaient pour les remplacer. La plupart de leurs propriétaires les avaient abandonnés pour aller boire un café, mais ils revenaient à présent se mettre au volant, leur gobelet à la main, et faisaient tourner leur moteur. Le brouillard ne s'était pas levé, la nuit commençait tout juste à pâlir, c'est à peine si on devinait le profil des collines autour de la baie, leurs pentes couvertes de sapins.

Où était Naomi ?

Mon esprit s'est mis à battre la campagne. Elle avait un rencard secret avec Nate Harding, son prof d'art dramatique, la quarantaine, qui portait beau et qui – disait-on – s'était tapé presque toutes les meufs *baisables* passées par son cours. Elle était devenue la jeune maîtresse d'un homme marié – peut-être Matt Brooks, un pêcheur frimeur, coureur et bagarreur dont tout le monde ou presque sur l'île savait qu'il avait couché avec la femme du pharmacien, qu'on appelait ainsi quand bien même elle bossait aussi à la pharmacie et avait des diplômes supérieurs à ceux de son mari. Ou, pis encore, elle était avec cet enculé de Shane. Une image insoutenable m'a traversé l'esprit. *Naomi embrassant Shane... se serrant contre lui... Naomi faisant l'amour avec Shane...* L'été dernier, Shane était venu parler à Naomi pendant qu'on était à la plage. En maillot, il avait déjà un corps d'homme ; ses pectoraux, ses abdominaux et ses cuisses étaient ceux d'un homme, et j'avais cruellement conscience de ma maigreur à côté. Leurs hanches se frôlaient pendant qu'ils blaguaient et riaient, leurs orteils se recroquevillaient à cause du sable brûlant, et la jalousie m'avait presque poussé à commettre un geste stupide, comme le provoquer d'une manière ou d'une autre, ce qui aurait été suicidaire... Les images se sont succédé. Et, l'espace d'un instant, j'ai pris un plaisir paradoxal à la souffrance qu'elles me procuraient.

Les bagnoles démarraient devant nous quand j'ai attrapé mon téléphone pour appeler Johnny. « Qu'est-ce que tu fous ? » s'est enquis Charlie. Tandis que nous quittions notre file et montions à bord, guidés par les employés en gilets jaunes, la sonnerie a retenti et c'est Kayla qui a répondu.

« Henry ? »

Il y avait toujours dans sa voix étonnamment rauque et sensuelle, lorsqu'elle s'adressait à moi, comme une douceur suspecte, une invite implicite – et je n'avais pas oublié cette nuit où, ivre et défoncée, elle avait collé ses lèvres sur ma bouche et l'avait forcée avec sa langue alors que Naomi et Johnny étaient à quelques mètres à peine, dans l'obscurité des bois. Kayla était une très jolie fille, plus jolie sans doute pour les autres que Naomi elle-même. Aucun gars de l'île à part moi ne pouvait rester insensible à sa chevelure rousse, à ses sourcils sombres et épais qui se rejoignaient au-dessus de deux immenses yeux verts et à son corps agile à la taille étroite, parfaitement proportionné, et surtout doté de deux bons gros seins qui avaient poussé bien avant ceux de toutes les autres filles.

« Tu sais où est Naomi ? » ai-je demandé.

Malgré moi, ma voix a trahi mon angoisse.

« Non, je croyais que *toi*, tu le savais…

— Elle… t'a pas appelée ? »

Un silence.

« Non.

— Kayla, est-ce qu'elle t'a dit quelque chose… au sujet de nous deux ? »

Un silence.

« Henry… je suis désolée… elle m'a demandé de ne pas en parler.

— Putain, Kayla !

— Elle m'a fait promettre…

— Elle a un rencard, c'est ça ?

— Henry…

— C'est pour ça qu'elle est pas là ?

— Henry, s'il te plaît.

— Elle a… elle a quelqu'un d'autre ?

— J'en sais rien.

— Kayla, bordel !

— Écoute. J'ai promis…

— Est-ce qu'elle a quelqu'un d'autre ?

— Henry, je…

— Dis-moi juste ça, Kayla.

— Je sais pas… (Puis, après une hésitation :) *Tout ce que je sais, c'est qu'elle voulait rompre... voilà.* »

J'ai soudain eu l'impression que tout mon univers volait en éclats. Je suis resté prostré, les mains sur le volant, alors que Charlie était déjà dehors, sur le pont. J'ai regardé à travers le pare-brise les voitures entassées dans les coursives venteuses du ferry, mais je n'ai rien vu d'autre que des images de Naomi.

C'est au cours de l'été 2011 – le second le plus chaud de l'histoire des États-Unis, le plus chaud en soixante-quinze ans – qu'on l'a fait pour la première fois. Quarante-six des quarante-huit États furent touchés par des températures supérieures à la moyenne de juin à août. Les seules exceptions : l'Oregon et l'État de Washington. Cet été-là, Naomi n'avait jamais été aussi belle. Elle avait beaucoup nagé, avait fait de la voile du côté de Crescent Harbor et les exercices physiques avaient musclé et affiné sa silhouette, les jours de soleil avaient encore foncé sa peau déjà naturellement hâlée. Cet été-là également, Johnny et Kayla commençaient à sortir ensemble et ils étaient tout feu tout flamme ; ils ne rataient jamais une occasion de se mettre à l'écart. De son côté, Charlie aidait ses parents au Ken's Store & Grille tous les après-midi. C'est ainsi que nous nous sommes souvent retrouvés seuls, Naomi et moi, pendant ces longs mois de juillet et d'août, quoique ayant dégoté tous les deux des jobs d'été à mi-temps. Nous rentrions souvent tard. Sa mère comme les miennes se montraient peu regardantes, dans la mesure où une partie de nos journées était occupée à travailler et où c'était l'été. Un vent de liberté soufflait pendant les vacances – et il contaminait même les parents. Il était dû à la douceur provisoire du climat, aux chansons qui fleurissaient sur les ondes, aux longues soirées trop arrosées, au monde lui-même – qui semblait observer une légère accalmie.

C'est arrivé deux jours avant le Labor Day et la fin des vacances.

Un soir où nous nous étions réfugiés sous les branches touffues d'un sapin, au fond de la plage déserte, à cause d'un gros orage. Il y avait un creux dans le remblai, entre les racines et les branches basses, où les kayakistes rangeaient leurs embarcations. Un endroit douillet et discret, presque invisible depuis la plage. Un trou de mousse sèche et de sable sous la voûte d'épines. Peut-être fut-ce dû à l'atmosphère de fin de vacances ? Au sentiment de nostalgie qu'elle instillait en nous ? Nous allions rentrer au lycée : un saut dans l'inconnu. C'est là que nous l'avons fait, à quelques mètres seulement des grappes de moules bleues, de balanes et d'étoiles de mer prisonnières des trous d'eau laissés par la marée. Je me souviens de la tiède pluie d'été dégoulinant sur son visage et sur ses seins quand elle a enlevé son maillot, de l'eau pure sur sa bouche, de mes frissons et de mon érection dans mon maillot trempé. Cet été-là, je lisais *L'Ange exilé*, *Moins que zéro* et *Sexus*.

J'avais quatorze ans.

Je suis descendu de la Ford et je me suis faufilé, hagard, entre les rangées de voitures pour suivre

Charlie dans l'escalier. Parvenus en haut des marches, nous nous sommes dirigés vers notre table habituelle, celle qui se trouve loin du bar, de ses effluves de mauvais café et de consommé de palourdes (rien que l'aspect de ce dernier dissuaderait le plus affamé des voyageurs : quand l'employé le verse dans le grand récipient, on dirait du vomi récupéré parmi ceux qui ont eu le mal de mer la veille). En m'asseyant sur la banquette, j'ai lancé un regard furibond à Kayla qui a détourné le sien vers les fenêtres d'un air gêné.

Chacun a ensuite feint de se plonger dans ses activités du matin, Johnny et Kayla essayant d'effectuer à la hâte les révisions qu'ils n'avaient pas faites plus tôt, Charlie rattrapant son sommeil en retard, la tête enfouie dans ses bras croisés. Quant à moi, je ne pensais qu'à une chose.

Finalement, c'est Charlie qui a relevé la tête et a posé la question : « Vous ne trouvez pas bizarre qu'elle ne soit pas là ? » Tout le monde savait que la notion d'absentéisme était aussi étrangère à Naomi que celle d'humanité à un taliban. Naomi était une élève bien plus sérieuse que nous tous. Elle n'était pas de celles ou de ceux qui, selon le mot de Charlie, « lèchent le cul des profs tellement profond que, si l'un d'eux tirait la langue, on se demanderait à qui elle appartient », mais elle n'en avait pas moins les meilleures notes à peu près partout. Nous étions très différents – Naomi était enthousiaste, spontanée, loquace, démonstrative, elle s'investissait dans un tas d'activités au lycée, elle avait une âme de meneuse ; j'étais plus réservé, moins enclin à accorder ma confiance et assurément moins grégaire – mais, elle comme moi, nous accaparions les premières places au tableau d'honneur. Naomi aimait les grandes phrases et les grands mots, des mots sonores comme « révolution », « désobéissance civile », « résistance », « totalitarisme », « contre-pouvoirs » ; elle aimait refaire le monde en compagnie de Charlie, de Kayla et de quelques autres, toujours prêts à relever l'étendard de l'utopie tombé dans la poussière. Pour ma part, je les écoutais, j'émettais de temps à autre un *hun-hun* ou un *oh !* prudent et je voyais en eux d'indécrottables dons Quichottes, des révolutionnaires de salon, dépourvus de tout sens des réalités – le genre qui, si on leur avait confié les rênes d'un pays, l'auraient mis à genoux en moins d'une semaine. « Si, a dit Kayla, je trouve ça très bizarre... Henry, vous vous êtes dit quoi, hier soir, sur le ferry ? »

J'ai hésité.

« Elle m'a dit qu'elle voulait faire une pause...

— Et comment t'as réagi ?

— Je... je me suis un peu énervé.

— Énervé comment ?

— Quoi ? Enfin, Kayla, comment veux-tu que je m'énerve ! On s'est engueulés, c'est tout. Et puis elle s'est mise à chialer et elle est partie. »

J'ai omis de préciser que, l'espace d'un instant, elle avait failli passer par-dessus bord.

« Quelqu'un a eu de ses nouvelles depuis ? » a demandé Charlie.

Nous avons tous répondu négativement.

Abîmé dans mes pensées, j'ai tourné la tête – et je l'ai aperçu. Sa haute silhouette accoudée au bar. *L'homme du parking.*

Cette fois, j'en étais certain : il nous observait. Il

avait détourné le regard quand j'avais levé les yeux. Je l'ai observé à mon tour pendant un moment, tandis qu'il buvait son café. Il était grand : pas loin de deux mètres, avec un maintien d'ancien militaire ou d'ancien flic et des vêtements sombres. Sa tête, elle, était étroite et allongée au bout d'un long cou puissant. Même à cette distance, je pouvais deviner la carrure athlétique sous le manteau. Un *professionnel* – mais de quoi ?

Ridicule, je sais.

De la pure parano, voilà ce que c'était – sans doute à mettre sur le compte de la nervosité provoquée par le souvenir de la nuit dernière…

Je me sentais toujours aussi nauséeux. Je me suis levé et dirigé vers les toilettes. Debout devant la cuvette nauséabonde, j'ai frissonné sans pouvoir m'arrêter et j'ai eu envie de me cogner le crâne contre les cloisons, de hurler, de supplier, de donner des coups de poing. Bien sûr, je n'ai rien fait de tout ça. Je me suis contenté de pisser dans la cuvette et, en ressortant, j'ai avisé, à côté des lavabos, le réceptacle pour les seringues usagées – je me suis toujours demandé s'il était à l'usage des diabétiques ou des junkies.

Puis je me suis penché sur le lavabo pour me rincer les mains et j'ai scruté mon visage dans le miroir. *Je ne m'aime pas*. Je n'aime pas ma tronche, bien que je la sache au goût de pas mal de meufs du bahut. Je n'aime pas l'allure que j'ai. J'aurais voulu ressembler à Mickey Rourke dans *Rusty James* – avant ses opérations de chirurgie réparatrice – ou à Steve McQueen dans *Bullitt*. Au lieu de ça, je ressemble à une espèce de gendre idéal à la con… Et, ce jour-là, j'avais vraiment une sale tête. La tête de quelqu'un qui a la trouille.

De quelqu'un qui a mal.

Naomi, oh non, Naomi, ne me fais pas ça, s'il te plaît, ne me fais pas ça.

Mes paupières étaient tendues et gonflées comme si j'avais pleuré – ce qui n'était pas le cas.

En ressortant des toilettes, j'ai manqué lui rentrer dedans.

Le grand type en noir.

Il se tenait debout devant la porte. Immobile. Il avait l'air de regarder la pointe de ses chaussures. « Excusez-moi », j'ai dit – car sa haute silhouette me barrait le passage.

Il a levé les yeux vers moi. J'ai éprouvé un choc. Ses yeux marron brillaient d'une curiosité déplacée dans la pénombre. Les néons étaient éteints à l'intérieur du ferry et la cabine plongée dans l'ombre en ce jour gris où le brouillard – toujours aussi épais – collait aux hublots, si bien que son visage était à contre-jour. Il me dépassait d'une bonne tête : on aurait dit un totem ou une statue de l'île de Pâques. L'espace d'une seconde, il m'a dévisagé.

Un regard d'une intensité inouïe, presque hypnotique.

Il m'a souri.

Disons plutôt que ses lèvres minces ont esquissé une grimace qui évoquait vaguement un sourire. Puis ce sourire évanescent s'est figé comme une sauce au fond d'un plat.

En cet instant précis, j'ai su – d'une certitude absolue – qu'il n'était pas là par hasard.

4

Pencey High School

La première heure – algèbre – m'a paru longue, la seconde – biologie marine –, interminable. Chaque minute me donnait l'impression de couler à travers un filtre. J'avais enfreint le règlement de l'école – qui interdit dans son enceinte non seulement les téléphones portables, mais aussi les tablettes, les iPod et tout gadget autre que les ordinateurs mis à la disposition des élèves par l'établissement avec le concours de Bill et Melinda Gates – et mon téléphone était allumé au fond de ma poche. Mais il restait désespérément silencieux. Je n'entendais rien de ce que disait Sam Brisker – que les élèves ont surnommé le Poulpe et qui, d'habitude, arrive à me passionner, même pendant la première heure où je dors à moitié, avec ses anecdotes sur les orques, les saumons, les crabes, les anémones de mer, les baleines, les nudibranches et toutes les incroyables créatures qui peuplent les eaux du Pacifique Nord et qui prouvent qu'à côté de dame Nature, J.R.R. Tolkien avait une imagination chétive. Le Poulpe est un type barbu avec des lunettes rondes – une vraie caricature d'océanographe –, et il a un solide sens de l'humour et aussi le sens du spectacle. Une fois, il s'est pointé en classe avec un gros poulpe dans un réservoir. Il lui fallait un cobaye pour son expérience et, bien entendu, il a choisi Shane. C'est à croire que Brisker a un sixième sens. Shane est un dur – mais il a une sainte horreur des créatures marines, à commencer par les poulpes.

Pas question pour autant de passer pour un dégonflé devant toute la classe. Shane a pris son courage à deux mains et s'est crânement approché du bureau de Brisker et de l'aquarium, en évitant soigneusement de regarder le poulpe de quatre-vingt-dix centimètres qui se trouvait à l'intérieur.

« Le poulpe est un animal remarquablement intelligent, a commencé Brisker. En fait, après le dauphin et la baleine, c'est l'habitant le plus malin de tout l'océan… »

Le fait d'apprendre que ce truc gluant à huit pattes était en plus intelligent n'a pas dû rassurer Shane, à mon avis. Brisker a attrapé un hareng dans un seau et le lui a tendu en le tenant par la queue. « Tiens, donne-le-lui. » J'ai vu la grimace de Cuzick. Il est devenu subitement couleur de lait caillé ; il a saisi le hareng comme s'il manipulait du plutonium radioactif et il a tendu le bras vers l'aquarium. Je ne sais pas si vous avez déjà vu de près une bouche de poulpe, ce n'est pas une bouche, en vérité : c'est une sorte de bec de perroquet capable de broyer une moule. Le bec en question a englouti le hareng. « Merde », a expiré Shane d'une voix blanche. « Maintenant, pose ta main sur le bord de l'aquarium », a dit Brisker. On aurait pu entendre une mouche voler, Shane a hésité pendant dix interminables secondes avant d'obtempérer. Un tentacule sinueux s'est alors aventuré par-dessus le bord du réservoir et il a entouré tendrement son poignet, tel le bracelet d'une montre, avec une infinie douceur. Shane est devenu vert. Brisker a fait les présentations : « Brad, voici Shane… Shane, je te présente Brad. Dis bonjour à Brad ; tu ne risques absolument rien… – M'sieeeeuuur… », a émis Shane le plus bas possible sur un ton suppliant que je ne lui avais encore jamais entendu. Brisker l'a examiné de ses petits yeux plissés derrière ses lunettes et il a hoché la tête. « On applaudit Shane, a-t-il lancé, et on applaudit aussi Brad ! Tu peux retourner à ta place… » Shane ne lui en a pas tenu rigueur : les mecs adorent Brisker, les filles le trouvent *flippant*, ou *chelou*, ou *dégoûtant*. D'ordinaire, le cours de biologie marine est un de mes préférés. Je l'aime pour la raison inverse de celle qui me fait aimer les films d'horreur. Chaque chose a une place dans le monde de Brisker, tout y est ordonné – le chaos du monde réel reste à l'extérieur de sa classe. Mais, ce jour-là, il aurait aussi bien pu m'annoncer qu'il s'était battu toute la nuit avec un grand requin blanc : rien ne m'atteignait. J'ai dû jeter une centaine de coups d'œil vers la porte – en espérant que Naomi allait apparaître et justifier son retard d'une manière ou d'une autre –, mais sa place est restée vide.

Lorsque la sonnerie de 10 h 30 a retenti, je me suis précipité dehors. J'ai envoyé un énième texto :

Où es-tu ?

Puis un deuxième :

Tout le monde s'inquiète ici, appelle au moins Kayla

Puis, après une hésitation, un troisième :

Je t'aime

Appuyé contre le tronc d'un arbre, à l'écart, j'ai remis mon téléphone dans ma poche, guettant la petite vibration sur ma cuisse qui m'annoncerait une réponse. Mais l'appareil est demeuré aussi silencieux qu'une pierre.

Tout à coup, un grand remue-ménage s'est produit du côté du hall et j'ai vu qu'on se mettait à discuter et à gesticuler, là-bas. J'ai entendu des exclamations et je me suis demandé de quoi il s'agissait jusqu'au moment où Charlie et Johnny se sont extraits de la cohue pour marcher rapidement dans ma direction. Même à travers la brume, je distinguais la mine sinistre de Charlie : le visage de Johnny exprimait la même angoisse. Plus ils approchaient, plus je pouvais voir la lueur inquiète dans leurs regards et j'ai commencé à flipper grave. En arrivant à ma hauteur, Charlie a sorti sa tablette tactile de son sac à dos, m'a lancé un coup d'œil et me l'a tendue.

« Regarde ça ! »

J'ai frissonné. Il y avait dans sa voix une note de panique. J'ai zieuté la caméra de surveillance hémisphérique, semblable à celle du ferry, qui embrassait le campus. Il s'était déjà fait coller deux fois depuis le début de l'année, une pour avoir roulé avec son skate sur une allée – les skates sont interdits sur le campus, tout comme les tablettes et les téléphones portables –, l'autre pour avoir joué à *Candy Crush* en classe, mais apparemment cela ne l'avait pas dissuadé.

« Qu'est-ce qu'il y a ? »

Il m'a mis la tablette sous le nez.

Le titre et le chapeau de l'article m'ont sauté à la figure :

Mort suspecte sur Glass Island

Crime ou accident ? Le corps d'une jeune femme découvert sur une plage de l'île.

L'édition en ligne d'un journal quelconque, le *Seattle Times,* l'*Anacortes News* ou le *San Juan Islander*…

« Elle est arrivée ? a demandé Charlie. Naomi, elle est là ? » (Charlie, Kayla et Johnny se trouvaient dans une autre classe que la mienne, cette année – mais pas Naomi. Cependant, nous n'étions pas assis l'un à côté de l'autre, non : Naomi était assise à côté d'une des sœurs Purdy, moi à côté d'un garçon prénommé Kyle.)

J'ai fait signe que non. Pendant une demi-seconde, j'ai eu l'impression que tout mon système digestif se transformait en siphon tandis que mon centre de gravité se déplaçait vers mes testicules. J'ai dû m'appuyer au tronc de l'arbre.

« Qu'est-ce qui s'passeeee ? Bordel de merde, qu'est-ce qui s'passeeeee ? » (La voix de Charlie brusquement montée dans les aigus, aussi instable que celle d'un préado qui mue.)

Je lui ai arraché la tablette des mains et j'ai parcouru le reste de l'article – qui, faute d'infos plus consistantes, était bref, plein de non-dits et de points d'interrogation.

Ce matin, les services du shérif de Glass Island ont trouvé un corps sans vie sur l'une des plages de l'île. Selon certaines sources, il s'agirait de celui d'une jeune fille de dix-sept ans, mais l'identité de celle-ci ne nous a pas été communiquée. Le corps a été découvert par un habitant de l'île qui promenait son chien. Les premières constatations orienteraient la police vers la thèse de la noyade, sans qu'il soit possible de dire s'il s'agit d'une noyade accidentelle ou non. Les services du shérif se sont refusés à tout autre commentaire dans l'immédiat et la plage a été bouclée. L'assistance de la patrouille de l'État de Washington et des services médico-légaux du comté de Snohomish a été sollicitée par le chef Krueger.

Un terrible pressentiment m'a envahi. Me laissant sans force ni courage.

« Naomi », ai-je dit.

J'ai vu le visage de Charlie se défaire.

« Oh, non ! Non, non, non, Henry, me dis pas que… Tu crois quand même pas…

— Elle n'était pas en retard… elle n'est… elle n'est pas venue…

— C'est une coïncidence, a gémi Johnny d'un ton plaintif. C'est *forcément* une coïncidence…

— Ouais, sans doute, n'empêche que je n'arrive pas à la joindre…

— Moi non plus, a renchéri Charlie d'une voix bizarre. Oh, non, non, non ! Putain, l'angoisse ! »

Il s'est empoigné les cheveux et a grimacé, en se pliant en deux.

J'ai maté Charlie. J'avais une frousse de tous les diables. On l'avait cherchée partout, en vain. « Elle a trouvé quelqu'un d'autre pour la ramener », avait conclu Charlie. Mais aucun de nous ne l'avait vue descendre du ferry…

L'espace d'une seconde, on s'est tus, abîmés dans nos pensées.

J'ai sorti mon téléphone portable. J'ai consulté l'heure sur l'écran. Je connaissais par cœur les horaires des ferries ; il y en avait un qui partait pour Glass Island dans exactement sept minutes. Sans plus attendre, j'ai filé ventre à terre à travers les pelouses, vers le parc de stationnement. « Henry ! » ont-ils gueulé derrière moi. Puis je les ai entendus qui piquaient un sprint à leur tour. Je ne me suis pas retourné, la sonnerie de fin de pause a retenti.

« Le ferry dans six minutes ! » ai-je lancé en me laissant tomber derrière le volant tandis qu'ils s'engouffraient dans l'habitacle.

On a quitté le campus à toute blinde et roulé à tombeau ouvert le long de School Road. Nous sommes passés devant la Pencey Middle School, nous avons longé la piste de l'aérodrome puis tourné à droite devant le petit port de plaisance. On a remonté Crescent Beach Drive à fond la caisse, fait irruption bien trop vite sur le parking du ferry. La dernière bagnole était déjà à bord, ils allaient tirer la chaîne.

J'ai foncé.

« Hé ! a beuglé l'employé au gilet jaune en s'interposant. Non mais vous êtes complètement malades ! C'est fermé, vous ne voyez pas ? Attendez le suivant, bon Dieu ! »

J'ai passé la tête par la portière.

« Je vous en supplie, m'sieur ! Ma mère vient de se faire renverser par une voiture ! Ils l'ont amenée à la clinique ! Je n'arrive plus à la joindre ! Je vous en prie ! Je suis super inquiet ! »

Il nous a regardés l'un après l'autre, l'air soupçonneux, à travers le pare-brise. Visiblement, il se demandait si on était en train de se foutre de sa gueule ou si on était sincères. Il a découvert les mines défaites des deux autres occupants et il est retourné parlementer avec son collègue, sur le pont avant. Celui-ci n'avait pas encore été relevé.

Ils nous ont fait signe d'avancer.

Je suis sorti respirer sur le pont mouillé par une pluie fine, qui donnait à la mer l'aspect blanc et brillant du chrome. La brume s'était levée. La pluie estompait cependant le profil des îles les plus proches, dont les pentes hérissées de sapins tombaient presque à la verticale dans la mer. À l'instant où je sortais mon téléphone, j'ai perçu, par-dessus le bruit de la pluie et celui des machines, un bourdonnement. J'ai levé la tête. Un hydravion. Le sigle de la patrouille de l'État sur son cockpit. Il volait à basse altitude, sur notre gauche, note claire sur la forêt sombre et touffue que nous longions. Il nous a dépassés, puis ses ailes se sont inclinées et il a viré et disparu vite fait entre deux îles couronnées de nuages. Les îles, les caps, les criques, les passes et les falaises glissaient le long du ferry, dans la grisaille.

Je suis retourné à l'intérieur.

De nouveau, l'attente.

De nouveau, l'angoisse.

Charlie s'était connecté au wifi du ferry avec sa

tablette, en quête d'infos supplémentaires, mais, si deux journaux en ligne avaient déjà relayé l'information, aucun n'apportait de détail nouveau. Finalement, j'ai composé un autre numéro.

« Liv Myers, a répondu une voix ferme et autoritaire.

— Maman ? C'est moi…

— Henry, qu'est-ce qu'il se passe ? Tu ne devrais pas être au lycée ? »

J'ai hésité sur la façon de lui présenter les choses, puis j'ai parlé de l'article dans le journal et de l'absence de Naomi en classe – omettant bien sûr l'épisode de la veille.

« Allons, Henry, il s'agit d'une simple coïncidence, tu te fais du souci pour rien, a dit maman Liv d'un ton rassurant. Qu'est-ce que tu vas imaginer ? Un corps découvert sur Agate Beach, vraiment ? Quelle horreur !

— Est-ce que tu peux quand même essayer de joindre le shérif ou appeler la mère de Naomi ? ai-je demandé et, aujourd'hui encore, j'ignore comment j'ai réussi à ne pas laisser transparaître mon absolue terreur.

— Pour lui dire quoi ? a-t-elle voulu savoir.

— Je ne sais pas… ce que tu veux…

— Très bien, mais je t'assure que tu t'inquiètes à tort. Je vais voir ce que je peux faire, d'accord ? (Elle a dû consulter sa montre, car elle a ensuite ajouté :) Est-ce que tu ne devrais pas être en classe ? La pause de 10 h 30 ne devrait pas être terminée depuis longtemps ?…

— Je suis dans les toilettes du lycée, maman.

— C'est donc ça, ce bruit de fond que j'entends ?

Henry, je m'en occupe ! Mais, s'il te plaît, retourne en classe tout de suite.

— D'accord, m'man. Envoie-moi un texto, je laisse mon téléphone allumé.

— C'est autorisé, ça ? »

J'ai raccroché sans répondre. De son côté, Charlie était parvenu à joindre son frère. « Il m'a dit qu'il ne pouvait pas me parler pour le moment, a-t-il annoncé d'un ton sinistre. Quel connard ! »

Le frère aîné de Charlie, Nick, était adjoint au shérif depuis moins d'un an. Charlie détestait son frère. Qui le lui rendait bien. J'ai vu que mon vieux pote avait viré au vert.

« Charlie, qu'est-ce qu'il t'a dit exactement ? Comment il avait l'air ? *Charlie !* »

Charlie m'a lancé un regard alarmé, aux abois : « Il a pris une drôle de voix quand j'ai parlé de Naomi… Henry, je… j'ai un mauvais pressentiment. »

Un rideau de pluie plus compact que les autres s'est approché comme nous entrions dans la baie et notre île noire, montagneuse et vêtue de sapins s'est précipitée vers nous à travers les averses comme une mère infanticide accueillant ses enfants. Des nuages couleur de suie noyaient les deux sommets de l'île : Mount Gardner et Apodaca Mountain. Quand nous avons émergé de l'entrepont sur le parking, la pluie a redoublé ; elle s'est déversée sur le pare-brise comme si quelqu'un avait ouvert un robinet. Tandis que nous traversions la ville, l'œil rouge et malveillant d'un feu de signalisation m'a obligé à stopper et, malgré une furieuse envie d'aller de l'avant et de le griller, j'ai obéi, car un camion de boissons gazeuses venait d'émerger sur ma droite, ses feux de croisement allumés – suivi d'une voiture de police qui a donné un coup de sirène avant de le dépasser. Tous deux paraissaient enveloppés d'une brume de gouttelettes avec toute cette eau qui rebondissait sur les carrosseries. J'ai rongé mon frein. Puis, une fois reparti, j'ai viré à droite en haut de Main Street, roulé un peu trop vite dans Eureka Street inondée avant de foncer carrément sur Miller Road, dans la forêt ensuite. « Eh merde, Henry, DOUCEMENT ! » a gueulé Charlie quand nous avons manqué verser dans un virage. À l'arrière, Johnny se cramponnait. Nous avons longé les riches propriétés d'Eagle Cliff – la plupart fermées en cette saison. Les bois s'épaississaient dans cette partie septentrionale de l'île ; les sapins Douglas, les pruches et les grands cèdres rouges y étaient plus hauts, plus nombreux, plus touffus ; au-dessus de nos têtes, ils formaient une canopée qui masquait presque le ciel nuageux. Les sous-bois se sont remplis de mousse et d'ombre. La chaleur de nos respirations embuait les vitres. Un texto est arrivé et je l'ai consulté en roulant :

Pas pu joindre mère de Naomi et services shérif refusent commentaires. Qu'est-ce qu'il se passe ? Où tu es ?

J'ai serré les dents en jetant mon téléphone sur le tableau de bord lorsqu'il a vibré de nouveau.

Henry Walker où êtes-vous ?? Où sont vos camarades Scolnick et Delmore ? Tout va bien ??? Lovisek

Jim Lovisek était le proviseur du lycée. Mrs Gieringer, ma prof d'anglais, avait dû lui signaler mon absence ; ceux de Charlie et de Johnny avaient probablement fait de même. « Henry », a soudain lancé Charlie. J'ai reporté mon attention sur la route, à travers le va-et-vient des essuie-glaces. Droit devant nous, des lueurs tournoyaient entre les arbres, au niveau du parking sur lequel débouche le chemin d'Agate Beach. Des voitures aux couleurs de la police – c'étaient elles qui lançaient des éclairs – et des véhicules banalisés. Il y avait aussi une ambulance. Mon cœur a battu plus fort.

5

Banana slug

J'ai fixé l'ambulance. La panique injectait du ciment à prise rapide dans mes membres jusqu'au moment où une main s'est posée sur mon épaule – Johnny ou Charlie – et où je me suis secoué, ébroué. Je sentais les gouttes grosses comme des pièces de monnaie sur mon crâne. Il y avait un bourdonnement à l'intérieur, sur une fréquence basse, entre quarante et cent hertz. J'ai tracé ma route à l'aveugle en direction de la sente qui descend vers la plage. Cette sente longe l'échelle à saumons et la forêt pluviale qui forment la bordure septentrionale de Crippen Park. Elle mesure environ trois cents mètres de long. Asphaltée dans sa première partie, elle devient ensuite un chemin de terre qui se change en piste sablonneuse dans ses cinquante derniers mètres.

Sous les arbres dégoulinants, le départ de la piste grouillait de badauds, de parapluies, d'adjoints au shérif en cape de pluie, mais aussi d'agents de la Washington State Patrol en uniforme et d'hommes en civil, parmi lesquels il y avait sans doute un attorney et peut-être un coroner ou un médecin légiste venu du comté voisin de Snohomish. C'est comme ça que ça se passe par ici : les îles n'ont ni morgue ni service de médecine légale. Il y avait aussi plusieurs journalistes, reconnaissables aux microphones et aux caméras qu'ils agitaient sous le nez de tout le monde. Je me suis faufilé sans que personne me prête attention, Charlie et Johnny dans mon sillage, comme si nous étions dans une fête foraine.

Le ruban antifranchissement était tendu quelques mètres plus bas, à l'endroit où l'étroite route goudronnée devient une sente. Des curieux s'étaient massés devant, surveillés par Dominick Silvestri, l'un des adjoints du chef Krueger, le shérif de Glass Island. Je me suis présenté devant lui. Je devais être blanc comme un linge, trempé, titubant et tremblant, mais Silvestri m'a à peine calculé ; il avait d'autres chats à fouetter qu'un ado de seize ans : il avait une petite foule de badauds et surtout de journalistes à surveiller.

« *Deputy*, *deputy !* lui ai-je lancé, écartant de mes yeux une mèche de cheveux collée par la pluie. Qui est-ce ? Qui est-ce qu'ils ont trouvé là-dedans ? »

Il m'a enfin regardé. Ce fut comme si tout son visage s'affaissait d'un seul coup.

« Je… eh bien… euh… salut, Henry – désolé, mais je… eh bien… je n'ai pas le droit d'en parler, tu vois ? S'il te plaît, n'encombre pas le chemin…

— C'est Naomi ? j'ai dit. C'est elle ? »

J'avais du verre pilé dans la bouche. Silvestri, lui, a donné l'impression d'avoir reçu un coup de poing sur le pif. Il m'a fixé un quart de seconde de trop sous sa visière dégoulinante.

« Je n'ai pas le droit d'en parler, je suis désolé », a-t-il dit, avec une contrition sincère.

Sa voix était triste, je le sentais bien. Très triste même. Ici, comme je l'ai dit, tout le monde se connaît. J'ai compris qu'il m'avait sciemment ignoré quand je m'étais présenté à lui – parce qu'il redoutait mes questions et les réponses qu'il devrait apporter. J'ai eu l'impression que j'allais devenir dingue. J'ai repoussé une, deux, trois personnes en jouant des coudes, le long du ruban plastifié. Du coin de l'œil, je surveillais Silvestri qui me suivait des yeux. Quand il s'est détourné pour s'occuper de quelqu'un d'autre – un problème à la fois, comme ils doivent dire dans la police –, je me suis plié en deux et je me suis glissé sous le ruban. Cette fois, le mouvement ne lui a pas échappé. « Hé, Henry ! Où tu vas ? REVIENS ! » Je me suis élancé avant qu'il ait pu m'arrêter – *« Stop ! »* –, j'ai foncé tête baissée, épaules en avant, comme un joueur de football, le long de la piste, zigzaguant entre les joueurs adverses qui venaient à ma rencontre et essayaient de m'intercepter, dévalant la sente à toutes jambes, puis orientant subitement ma course vers les bois ; et j'ai entendu de plus en plus de cris derrière moi, les cris de la meute lancée à mes trousses. Au-dessus de ma tête, la pluie produisait un bruit très doux, presque apaisant, sur les feuillages de plus en plus denses et dégouttant d'eau pure. L'humidité faisait briller la forêt – chaque cime, chaque branche, chaque feuille, chaque épine – d'un éclat soyeux malgré le manque de clarté. Ce n'était pas une forêt ordinaire : c'était une forêt *ombrophile*. Les arbres géants, qui pouvaient atteindre jusqu'à cinquante mètres de haut à certains endroits, privaient le royaume d'en bas de lumière. Sous ce dais, tout était ombre, silence. Dans cet océan vert, vie et mort, croissance et décomposition étaient indissociables. De jeunes fougères alertes jaillissaient des troncs morts, des arbrisseaux sains et vigoureux poussaient sur les carcasses d'arbres décapités par les tempêtes. Cette sensation de paix qui m'a envahi un instant dans ma course n'a pas duré : elle a été brisée par le fracas du torrent bouillonnant et rapide qui est apparu devant moi, longeant les cloisons en bois de l'échelle à saumons.

Je traçais toujours, entrant jusqu'aux genoux dans les fougères, glissant sur les rochers recouverts de mousse, dérapant sur le sol détrempé et spongieux, m'écorchant les mollets sur les branches pointues qui dépassaient des troncs couchés. Mes baskets s'étaient remplies d'eau, mon visage couvert de sueur était fouetté par des branches de sapin gorgées de pluie qui sentaient la résine. J'ai aperçu quelqu'un qui me fonçait dessus sur ma droite, venu de la piste, et je l'ai évité de justesse avant de sauter par-dessus l'un des bassins de l'échelle à saumons, dévalant la pente à travers la forêt en direction de la plage, vers les silhouettes en combinaisons blanches que je voyais là-bas, entre les arbres, et une voix a hurlé : « Mais arrêtez-le, bon Dieu ! » J'ai enfin émergé du couvert des arbres, et mes semelles se sont enfoncées dans le sable meuble et collant. Il y avait une forme allongée plus loin, au bord de l'eau. Les vagues s'affaissaient près du rivage. J'étais sur le point de réussir, je n'étais qu'à quelques mètres, lorsqu'un barrage de gens s'est formé devant moi. J'ai foncé dans le tas avec un cri désespéré de rage et de douleur, parvenant presque à franchir l'obstacle – puis des bras et des mains se sont refermés, m'emprisonnant comme une cage de chair, mais j'étais assez près pour…

… *voir*…

… cette chose…

De petits crabes allaient et venaient tout autour, des goélands battaient des ailes au large, attendant qu'on leur rende leur repas. Elle était étendue entre deux trous d'eau, dans lesquels j'ai aperçu des laitues de mer, des astéries écarlates et un oursin géant. J'ai reconnu ses boucles brunes répandues comme des algues sur le sable criblé de petits cratères par l'averse, le dessin d'une épaule et ses… scarifications. Mais *le reste*… Le reste était une image tout droit sortie de mes films préférés, dans la lumière crue des halogènes portatifs disposés comme si on tournait une scène. Au centre de leurs faisceaux convergents – qui rendaient par contraste le reste de la plage obscure –, son visage luisait, couvert d'hématomes et tuméfié, ses yeux… ses yeux avaient sans doute déjà été dégustés comme des morceaux de choix par les goélands qui s'impatientaient au large, car il n'en restait que deux orbites vides, sa bouche s'était affaissée sur elle-même. La pluie lavait son corps, criblait les flaques d'eau et fumait au contact des halogènes ; la lumière de ceux-ci faisait briller ses cuisses ruisselantes, scarifiées en de multiples endroits.

Elle n'était pas *totalement* nue, cela dit.

En vérité, elle était habillée d'un filet de pêche comme d'un grossier accessoire de mode. J'ai senti le sang quitter mon visage, la salive a giclé dans ma bouche. Mon front s'est couvert d'un voile de sueur et mes jambes se sont emplies de coton. Entre les mailles du filet, ses petits seins étaient offerts à la vue de tous ces gens – de même que son sexe…

Soudain, le vent a tourné et j'ai senti son odeur :

une odeur de cadavre. J'ai dit : Non, ce n'est pas possible, non…

Oh, Seigneur, non, non, non

Je me suis débattu. J'ai tenté de repousser les bras qui m'étreignaient et qui me tiraient en arrière. Mais ils n'allaient pas me lâcher, cette fois. Brusquement, à travers le brouillard de mes larmes, j'ai noté un détail qui a fait sauter les dernières digues. Un mouvement furtif ; quelque chose de jaune et de visqueux, long comme un doigt, a tranquillement glissé hors de sa bouche ouverte.

Banana slug – « limace-banane »… Je me suis souvenu alors de ce que Brisker nous avait appris en cours de biologie : que les limaces-bananes ont vingt-sept mille dents minuscules sur la langue et que leur bave est si épaisse qu'elles pourraient se déplacer sur le tranchant d'un couteau sans se couper.

Et là, tandis que les flics, les techniciens de scène de crime ou Dieu sait qui m'emportaient, je me suis vomi dessus.

6

Deux mois plus tôt

La rangée de boîtes aux lettres – une dizaine en tout – se dressait au bout du chemin, sous le soleil écrasant du Kansas, dans les Flint Hills, comté de Chase, quasiment au centre géographique des États-Unis.

Le Dodge Ram bringuebalant s'arrêta en plein midi. Il n'y avait pas un souffle de vent, pas le plus petit nuage dans le ciel uniformément bleu, comme solidifié. Le Kansas pouvait connaître de terribles orages et des tornades destructrices en été mais, très souvent, dans cette partie de l'État, le ciel était vide ; les masses d'air qui passaient au-dessus de la région sans s'arrêter – tout comme les voyageurs – s'étaient déchargées de leur humidité dans les montagnes de l'Ouest avant de filer vers l'Est.

La femme repoussa la portière qui grinça, sortit un mouchoir et souleva la visière de sa casquette pour éponger son front en sueur. Elle portait un short orange et un corsage bleu sans manches ; elle mit pied à terre et regarda autour d'elle le paysage brûlé.

C'était un paysage certes monotone mais pur, ouvert,

immensément vide, presque dépourvu d'arbres – bien loin de la luxuriance corruptrice de sa Virginie natale. Les hautes herbes se mêlaient aux fleurs : gentiane, silphium, faux-indigo ; la route filait, droite et claire ; la prairie dominait un petit val calcaire où micocouliers, peupliers et noyers longeaient un ruisseau rachitique. C'était le cœur de l'Amérique. L'endroit où elle avait enfin trouvé la paix. Après toutes ces années passées à *le* servir, à ramasser derrière lui la merde, le sang, les larmes et l'ordure… Les étrangers jasaient sur l'ennui que distillait un tel paysage, sur l'ignorance de ses habitants, mais elle savait qu'il n'en était rien – préjugés de citadins – et surtout, ici, elle pouvait enfin les oublier, *lui* et son âme damnée. Ici, il n'y avait rien pour lui rappeler Grant Augustine.

Elle ne cherchait pas à lui échapper : il aurait aisément pu la retrouver – il avait à sa disposition tous les moyens possibles et imaginables et elle ne se cachait pas. Elle s'était juste construit une vie loin de lui, une vie sans lui, une vie qui – par sa simplicité même – était la négation de celle qu'elle avait connue à ses côtés. Du reste, elle avait parfois l'impression d'être suivie quand elle empruntait la 177 pour se rendre à Council Grove ou à Topeka, mais cela ne la préoccupait guère. S'il avait voulu entrer en contact avec elle, il l'aurait fait depuis longtemps. Après tout, c'était lui qui l'avait licenciée seize ans plus tôt, après cette triste histoire…

C'était la seule chose qu'elle regrettait de ce temps-là – ou plutôt la seule personne…

Au cours des cinq dernières années, elle en était arrivée à penser que Grant Augustine l'avait définitivement oubliée, rayée de sa vie. Mais elle était bien placée pour savoir qu'il n'oubliait jamais rien – ni personne. Et parfois, quand les éclairs illuminaient le ciel du Kansas et que la nuit était saturée de grondements sinistres, elle se réveillait et s'asseyait dans son lit, le cœur oppressé, en s'attendant presque à le voir s'encadrer sur les lueurs de la foudre.

Seize années…

Seize années sans un signe de lui et sa pensée arrivait encore, par moments, à lui ôter le sommeil.

Elle marcha dans la poussière jusqu'à la rangée de boîtes aux lettres. Elles portaient des noms comme Merryman, Puchalski, Boyle, elles étaient en métal et brûlantes, tout comme le capot de son Dodge, malgré l'ombre d'un orme rouge. Car, il y a quelques minutes encore, elles étaient en plein soleil. Elle ouvrit la sienne avec précaution. La sueur avait dessiné des auréoles sous ses aisselles et sous ses seins. Il y avait une paye que la clim du Dodge était en panne, qu'il consommait trop d'huile et que la transmission craquait comme si elle allait tomber en morceaux. Elle devait se décider à le remplacer.

Il y avait une carte postale au fond de la boîte.

C'était plus de courrier qu'elle en recevait la plupart du temps. Elle plongea une main dans la bouche d'ombre. Sortit la carte en pleine lumière.

La regarda – étonnée.

Une photo aérienne. Des îles verdoyantes posées sur une mer brillante, couvertes de forêt, et un minuscule ferry qui traçait sa route entre elles, laissant derrière lui plusieurs V scintillants. Elle retourna la carte. C'était bien son adresse : *Martha Allen, 2200 Highway 177, Strong City, KS 66869.*

Elle commença à lire. Fronça les sourcils – ce qui

eut pour effet, sous ce soleil vertical, de dessiner plusieurs rides profondes sur son front ruisselant.

Elle fixa les mots, qui dansèrent devant ses yeux. Étouffa un cri.

Après toutes ces années. C'était impossible. D'un coup, les larmes lui montèrent aux paupières, débordèrent sur ses joues. Elle mordit son poing serré. Le message disait :

Il va bien, Martha. C'est devenu un bon garçon, aussi beau et fort que sa mère. Brûle cette carte après l'avoir lue. Et ne cherche pas à en savoir plus.

La carte n'était pas signée. Martha se demanda qui l'avait écrite. La carte parlait de *lui* mais pas d'*elle* – était-elle morte ?

« Meredith », murmura-t-elle, et les larmes coulèrent de plus belle sur ses joues, brillantes comme du verre dans la lumière de l'été.

Aussitôt, elle regarda autour d'elle, presque effrayée, le cœur tel un oiseau qui se cogne à une vitre, comme si quelqu'un avait pu se dissimuler dans ce désert pour l'épier.

Pendant un long moment, elle resta plantée là, la carte à la main, les joues humides, la sueur ruisselant dans son dos sous ce soleil de plomb, perdue dans une sorte de brouillard. *Pourquoi ? Pourquoi maintenant – après tout ce temps ?* Pendant des années, elle avait espéré un signe, ouvert chaque matin sa boîte aux lettres avec un minuscule sursaut d'espoir – invariablement suivi de la petite déflagration de la déception –, des centaines, des milliers de matins à espérer ; autant de désillusions…

Et, à présent qu'elle n'attendait plus rien, à présent qu'elle s'était fait une raison – mais s'en fait-on vraiment une au tréfonds de soi-même, là où le cœur chuchote encore ? –, cette carte…

Elle refoula un sanglot, essuya son visage de ses deux mains. Déchira la carte en autant de morceaux qu'elle put, puis les lança rageusement dans le vent chaud qui faisait frissonner les hautes herbes sèches. Elle referma la boîte.

Sans se retourner, elle rejoignit le Dodge dont les chromes flamboyaient, mit le contact et démarra dans un nuage de poussière. Sur la vitre arrière, des autocollants clamaient FREE TIBET ou PAIX ET TOLÉRANCE. Une fois sur la route, elle accéléra, le regard fixé droit devant elle, à travers le pare-brise poussiéreux et constellé d'insectes morts.

Cet après-midi, elle irait nager dans la piscine du Maximus Fitness de Topeka, puis elle s'épuiserait sur les machines. Plus tard dans la soirée, quand l'air serait devenu un peu plus respirable, elle s'installerait sur sa véranda avec une bouteille de vin blanc qu'elle aurait préalablement mise à rafraîchir, un bon livre et ses chats, et, face à elle, le soleil prendrait tout son temps pour se coucher, dans la paix dorée des soirs d'été.

C'était tout ce qu'on pouvait attendre de la vie, n'est-ce pas ? Un peu de paix…

7

Interrogations

« Comment tu te sens, Henry ? »

Les traits épais, le visage cerné d'un collier de barbe et des cils longs et noirs, le chef Bernd Krueger ressemblait à un acteur shakespearien dans un costume de shérif – ce qui, je vous l'accorde, est un pur anachronisme.

« Café ? a-t-il proposé de sa voix de stentor.

— Non, merci, j'ai dit.

— Coca ? Coca Zero ? Ocean Spray ?

— Non. Merci.

— Tu as faim ? Il y a des biscuits fourrés au beurre d'arachide dans le distributeur et il nous reste quelques pâtisseries danoises au fromage.

— Non, merci, chef… Ça ira…

— D'accord. Un joint alors ? »

J'ai relevé la tête.

« Hein ?

— Tu ne fumes jamais, Henry ? »

J'ai rougi. Réfléchi. Une demi-seconde de trop.

« Tu sais, on peut faire le test…

— C'est arrivé, j'ai finalement répondu, consterné

par tant de perfidie. Pas souvent… pas souvent. Quel rapport avec… ? »

Et là, en levant les yeux, j'ai découvert que ce n'était pas comme au cinéma ou dans un jeu vidéo. Krueger n'avait pas la tronche de l'agent Smith dans *Matrix* ou de Steve Haines dans *Grand Theft Auto V*. Il avait l'air… *normal*. Cool, attentif, empathique. Et c'était encore plus flippant.

« Henry, il est inutile que j'insiste sur ce point mais la façon dont tu as agi sur cette plage… Bon Dieu, tu as forcé un barrage de police dans un état d'hystérie manifeste ! Tu t'en es pris aux forces de l'ordre, tu as contaminé une… enfin, tu as peut-être bousillé des indices… »

Je n'ai rien répondu. J'aurais voulu être loin d'ici, j'aurais voulu être ailleurs ; j'aurais voulu être hier : j'aurais ramené Naomi saine et sauve chez elle – et rien de tout cela ne serait arrivé.

« Henry…, a dit le shérif Krueger, me tirant de ma rêverie, Henry… tu m'écoutes ?

— Euh… je ne m'en suis pas pris aux forces de l'ordre… chef, j'ai bafouillé. Et je n'étais pas drogué, si c'est ça que vous voulez savoir… Shérif, qu'est-ce qui… qu'est-ce qui est arrivé à Naomi ? » (Ces derniers mots presque arrachés à mes cordes vocales.)

Le shérif Bernd Krueger s'est rejeté sur son siège, très pâle.

« Oui, oui… », a-t-il dit tout doucement.

Il s'est tourné vers Nick Scolnick, le frère de Charlie, qui se tenait debout près de la porte et qui avait l'air si jeune dans son uniforme d'adjoint qu'on l'aurait dit déguisé.

« Henry est un copain de mon frangin, a dit Nick.

C'est un bon gars. Pas vrai, Henry ? » Je n'ai pas du tout aimé la façon dont il a dit ça et le ton supérieur qu'il a pris – comme s'il s'adressait à un demeuré. Ni le regard qu'il m'a lancé. Je l'ai soutenu un instant. Puis quelque chose en moi a lâché prise et je me suis recroquevillé d'un coup sur ma chaise, mains pressées entre mes cuisses, le jean plein de boue, d'herbe et déchiré aux genoux, mon tee-shirt souillé de vomi.

Je tremblais – mais je ne crois pas que ce fût à cause de la température, ni de mes vêtements mouillés. J'essayais de retenir les larmes qui menaçaient de déborder de mes paupières gonflées.

« Bon Dieu, a dit Krueger, elle vient, cette chemise propre ? Nick, va voir ce qui se passe. Et dis à Chris de venir. »

Chris Platt était un des enquêteurs maison. Les services du shérif en comptaient deux, plus deux sergents, cinq adjoints, deux mecs au standard et un officier chargé des transferts de prisonniers – le tout pour plusieurs dizaines d'îles dont la plupart ne sont certes que de vulgaires cailloux inhabités. Ils disposaient aussi, en plus du parc de véhicules, de trois embarcations à moteur. Comment je le sais ? Parce qu'on avait visité leurs locaux avec le bahut. Nick est sorti de la pièce à contrecœur, dans une attitude lourde de ressentiment – mais je n'avais pas envie de me prendre la tête avec lui. Pas aujourd'hui. Il est probable qu'à l'image de ses parents il appréciât moyennement le fait que son frère eût pour meilleur ami un garçon élevé par deux gouines.

Chris Platt est entré.

Petit, un visage rond, de grosses lunettes et d'épais cheveux blonds hirsutes, il ressemblait étonnamment à feu l'acteur Philip Seymour Hoffman. Il tenait un cahier à spirale d'une main et un gobelet fumant de l'autre. Il s'est assis à la table, à côté du chef Krueger, a ouvert son cahier, bu une gorgée de café et sorti un stylo de la poche de sa veste. « Tu as seize ans, Walker, c'est bien ça ?

— Oui.

— Tu habites 1600 Ecclestone Road.

— Oui...

— Tu vis avec...

— Chef... chef... (J'ai levé les yeux vers Krueger d'un air désespéré.) À quoi on joue, là, chef ? Vous savez tout ça...

— À quoi on joue ? a relevé Platt sèchement. On ne joue pas, jeune homme ! On n'est pas dans un de vos jeux vidéo ! Nous avons ici ce qui a tout l'air d'être...

— Chris, ça suffit », a dit Krueger assez brusquement.

Platt l'a fermée.

« Je ne crois pas qu'Henry ait besoin de ça en ce moment », a ajouté le chef en me regardant de nouveau avec une tristesse sincère.

J'ai baissé la tête, mes mains tremblaient. Il y avait des égratignures au dos de mes doigts et dans mes paumes. Mes ongles étaient noirs. J'étais à bout de nerfs, à bout de souffle, à bout de tout.

Nick est revenu avec une serviette-éponge et une chemise sans insigne mais de la couleur des uniformes de police. Il les a tendues au shérif, lequel m'a fait signe et j'ai ôté mon tee-shirt. Mon torse maigre portait les stigmates de ma course folle dans les bois, là où des branches m'avaient écorché sans même que je m'en rende compte. Je me suis essuyé la poitrine, la nuque, le visage et les cheveux avec la serviette qui sentait un peu le renfermé, puis j'ai enfilé la chemise propre – qui, bien entendu, était trop grande pour moi.

Krueger a tendu mon tee-shirt souillé à Nick Scolnick, qui l'a pris du bout des doigts en pinçant les narines.

« Il y a cependant quelques points à éclaircir, a objecté Platt une fois que le frère de Charlie a eu refermé la porte de la salle de réunion (qui était aussi le bureau du chef Krueger).

— Oui, a admis le shérif. Oui, c'est vrai, Chris. Henry… je ne peux pas me mettre à ta place, bien sûr, mais je peux imaginer ce que tu traverses en ce moment. Et… te voilà ici, avec nous, alors que tu aimerais tellement être ailleurs. Chez toi. Ou avec tes amis. Ou seul avec ta peine… »

J'ai levé les yeux, en boutonnant la chemise trop grande d'au moins trois tailles, surpris par le ton de son discours.

« Seulement, ça nous aiderait beaucoup si tu répondais à quelques questions. Tu comprends, on doit se débarrasser de ça maintenant. On veut juste essayer de comprendre ce qui s'est passé là-bas, c'est tout. »

J'ai acquiescé en silence.

« Super. Merci. Chris, a-t-il dit en se tournant vers Platt, tu y mets les formes, tu veux bien ? » J'ai trouvé que ça ressemblait de plus en plus à un numéro qu'ils se jouaient tous les deux.

Ça a été au tour de Platt d'acquiescer.

« Très bien. Allons-y. À toi de jouer, Chris. »

Chris Platt s'est levé et s'est dirigé vers une petite caméra posée sur un trépied, dans un coin.

« Ça ne te dérange pas si on filme ? C'est juste la procédure pour les auditions. »

Audition. Le mot m'a fait l'effet d'une gifle. Est-ce que ce n'était pas le moment où je devais demander un avocat ? Ou appeler maman Liv ? J'étais mineur – est-ce que je n'avais pas droit à un coup de fil ? Bon sang, pourquoi est-ce que ça avait l'air si simple dans les séries télé ?

« Si c'est, euh… *officiel…* », j'ai commencé. Krueger a balayé la question d'un geste. « Rien d'officiel. » Il a regardé Platt : « Pas vrai, Chris, rien d'officiel ?

— Rien d'officiel, a confirmé Platt. Une simple conversation.

— Alors, pourquoi vous filmez ?

— C'est vrai ça, pourquoi est-ce qu'on filme, Chris ? »

Chris Platt s'est relevé et a arrêté la caméra. Un numéro, me suis-je dit. Un numéro bien huilé. Platt s'est rassis et a fait semblant de consulter son cahier. « Henry, nous essayons de reconstituer les dernières heures de Naomi. Quand l'as-tu vue pour la dernière fois ?

— Hier soir, à bord du ferry, en rentrant du lycée… »

J'ai pensé à notre engueulade, à sa disparition.

« Elle a dû rentrer chez elle ensuite, ai-je ajouté. Vous avez parlé à sa mère ? »

Naomi vivait avec sa mère sur Glass Island, dans le camp de mobil-homes ; son père, un Indien de la nation Lummi, était mort quand Naomi avait six ans – il en avait cinquante – d'une fibrose pulmonaire dévastatrice après avoir fumé trois paquets de clopes par jour pendant trente-cinq ans.

Ils ont échangé un regard, avant de se tourner vers moi.

« Justement, a dit Krueger. On n'arrive pas à la joindre…

— Comment ça ?

— Son téléphone ne répond pas. On tombe sur un répondeur. Tu as une idée de l'endroit où elle pourrait être ? »

J'ai secoué la tête. La mère de Naomi était croupière au casino de la réserve Lummi, sur le continent. Naomi et elle formaient une cellule familiale réduite mais fusionnelle : à la fois mère et fille, copines, sœurs jumelles… La mère de Naomi était une belle femme, mais on ne lui connaissait aucune relation masculine depuis la mort de son mari – et ce en dépit des shorts et des tee-shirts moulants qu'elle arborait l'été venu et des tentatives répétées de tous les mâles de l'île ayant un service trois-pièces en état de marche.

« Donc, a repris Platt. À bord de ce ferry, vous vous êtes dit quoi ? »

J'ai hésité. « On s'est… pris la tête. » Platt n'a pas bronché ; le chef Krueger m'a lorgné d'un drôle d'air. « À quel sujet ?

— Elle… elle parlait de… faire une pause…

— Une pause ?

— Oui… dans notre relation…

— C'était déjà arrivé ?

— Non.

— Elle a dit pourquoi ? »

(Je l'ai revue, quasi hystérique, disant : *Henry, j'ai découvert la vérité*.)

« Non.

— Mais encore ? »

(Je l'ai revue disant : *Henry, je veux qu'on fasse un*

break. Une pause... pendant un moment... Le temps d'y voir plus clair.)

« Juste ça : elle voulait faire un break… pendant quelque temps…

— Et tu ne sais pas pourquoi ? »

(Je l'ai revue, disant : *Il est arrivé quelque chose. J'ai besoin de réfléchir... J'ai besoin de... comprendre... j'ai découvert qui tu es...*)

« Le temps d'y voir plus clair, c'est ce qu'elle a dit, j'ai ajouté. C'est tout.

— Et ensuite ?

— Ensuite, on est partis chacun de notre côté.

— Tu ne l'as pas revue ?

— Non… En réalité, on l'a cherchée, Charlie et moi. Et on ne l'a pas trouvée…

— Charles Scolnick ? Le frère de Nick ?

— Oui.

— Pourquoi est-ce que vous l'avez cherchée ? » De nouveau, j'ai hésité : « Parce que je voulais qu'elle s'explique, je voulais lui parler, mais elle était introuvable…

— Donc, c'est toi qui as demandé à Charlie de t'aider à la retrouver, c'est ça ?

— Oui.

— Et elle n'était nulle part ?

— Non. Charlie a dit qu'elle s'était sûrement enfermée dans les toilettes pour dames…

— Et ensuite ?

— Ensuite, le ferry est arrivé à East Harbor, on est montés en voiture et on s'est barrés.

— Elle rentrait avec vous, d'habitude ?

— Oui…

— Tu n'as pas trouvé ça bizarre ? »

Je lui ai décoché un regard prudent. Il ne s'était pas départi de son air à la fois neutre et attentif. « Si, bien sûr – mais je me suis dit qu'elle m'évitait… »

Platt a hoché la tête d'un air compréhensif.

« Henry, pour être honnête, on ne comprend pas bien pourquoi tu t'es précipité comme ça vers la plage, pourquoi tu as franchi le barrage, pourquoi tu as refusé de t'arrêter…

— Je vous l'ai dit, je… j'ai déconné, je… je ne sais pas ce qui m'a pris. »

Platt a réussi l'exploit de paraître à la fois compréhensif et dubitatif, attendant visiblement une suite.

« J'ai pété un câble, me suis-je cru obligé d'ajouter.

— Tu as pété un câble ?

— Euh… oui.

— À cause de Naomi ? » Entendre son nom prononcé par ce type m'a fait monter le sang au visage.

« Oui…

— Mais qu'est-ce qui t'a fait penser que c'était elle sur cette plage ? Tu vois, c'est ça qui me chagrine : comment tu le savais ? L'information n'avait pas circulé.

— Elle… elle n'était pas venue au bahut. Elle ne répondait pas à mes messages… Alors quand… quand on a lu cet article sur une jeune fille de dix-sept ans trouvée morte… j'ai tout de suite pensé… je me suis dit… j'ai cru… »

Ils ont gardé le silence, j'ai surpris un regard de Platt à l'adresse du shérif et j'ai soudain pris conscience que j'évoluais sur une corde raide. « Tu as lu cet article et tu as aussitôt pensé que ça pouvait être elle ? » Son ton ne pouvait être plus ouvertement dubitatif.

« Euh… oui.

— Parce que, tu vois, on pourrait penser que tu as fait exprès de contaminer la… euh… *l'endroit…*

— Quoi ? Comment ça ?

— Eh bien, vois-tu, si tu avais… enfin, je sais bien que ce n'est pas le cas, c'est juste une hypothèse de travail, mais, bon, admettons que… que tu aies fait *le truc* et que tu aies eu peur qu'on trouve ton ADN sur place. En agissant ainsi, tu te dédouanes en quelque sorte de tout ce qu'on pourra trouver par la suite – tu vois ce que je veux dire ? En supposant qu'il s'agisse bien d'une… d'un… »

J'ai pâli. Il venait d'émettre très ouvertement l'hypothèse de ma culpabilité, là, dans cette pièce.

« Il y a aussi… le *deputy* Sil… Silvestri, j'ai bégayé.

— Silvestri, qu'est-ce qu'il vient faire là-dedans ?

— C'est lui qui surveillait l'entrée de la piste. Quand je lui ai demandé si c'était Naomi que vous aviez trouvée, il a refusé de répondre… mais j'ai, comment dire ?… *j'ai lu la réponse dans ses yeux*, vous voyez ? Vous comprenez, il savait pour Naomi et moi… Tout le monde sait… et… ce n'est pas un très bon comédien.

— Et c'est à ce moment-là que tu as décidé de foncer tête baissée », a commenté Krueger.

J'ai secoué le menton.

« Je n'ai pas vraiment *décidé*, chef. J'ai fait ça sans réfléchir. Je voulais juste… la voir… une dernière fois. Je savais qu'ils… que vous ne me laisseriez pas la voir autrement, vous comprenez ? »

Krueger a hoché tristement la tête. Il avait l'air bouleversé.

« Alors, elle a été assassinée, c'est ça ? j'ai dit,

avec une boule dans la gorge presque aussi grosse qu'un rocher de l'Utah. *C'est bien ça ?* »

Krueger a pincé les lèvres. « On n'en est pas encore tout à fait certains, a-t-il admis. Mais c'est possible… en effet.

— C'est lui qui lui a fait toutes ces… *horreurs* ?

— Tu parles des blessures ? Non, non… Elle a dû se les faire quand elle a été prisonnière de ce filet dans l'eau : en heurtant des rochers, tu vois. C'est pour ça qu'on a encore un doute…

— Mais elle était nue !

— Elle a très bien pu… *se déshabiller elle-même* », a suggéré Platt.

J'ai écarquillé les yeux.

« Pourquoi elle aurait fait un truc pareil ?

— Va savoir ce qui passe dans la tête des gens qui se suicident…

— Vous voulez dire qu'elle… qu'elle se serait jetée à la flotte toute nue ? Depuis le ferry ? C'est absurde ! Naomi n'était pas suicidaire ! (En étais-je si sûr ? Tout à coup, j'ai revu les stigmates sur son corps.) Et puis, dans ce cas, on aurait retrouvé ses vêtements, non ? Vous avez retrouvé ses vêtements ?

— Non, a reconnu Krueger. C'est aussi ça qui nous chagrine. Ça et le filet : comment aurait-elle fait pour se retrouver prise dans un filet de pêche ? Et, si c'est vraiment le cas, où sont passés le bateau et son propriétaire ? Ont-ils pris peur et abandonné le corps sur la plage – ou bien quelqu'un l'a-t-il fait monter à bord de ce bateau ? Tu vois, on n'en sait rien… »

Platt m'a examiné.

« Tu sortais avec elle depuis combien de temps, Henry ? »

Il avait parlé d'une voix douce, mais je n'étais pas dupe. J'ai fixé mes mains tremblantes en répondant.

« Deux ans, environ.

— Ça se passait bien entre vous ?

— Oui.

— Pas d'autres engueulades auparavant, de différends ?

— Hein ? Comme quoi ?

— Je ne sais pas, moi. Par exemple, ma femme et moi, on n'est jamais d'accord sur rien : la peinture des murs, les arbres à tailler, la marque de la prochaine bagnole, où passer les vacances… On s'engueule tout le temps. C'est vrai. Ça n'empêche pas qu'on s'aime, tu vois ?

— Je vous ai déjà dit que non.

— Tu l'aimais ? »

J'ai hoché la tête catégoriquement.

« Et elle, *elle t'aimait* ? »

Il ne m'a pas quitté des yeux. J'ai rougi. La question m'avait pris au dépourvu. *Bang !* Aussi brutale qu'un uppercut. Pourtant, j'aurais dû la voir venir. Remonter ma garde. Je ne sais pas combien de temps il m'a fallu pour répondre – mais je suis convaincu que mon trouble ne leur a pas échappé. « Oui…

— Pourtant, *elle s'apprêtait à te quitter…* »

J'ai tressailli. Là non plus, ce n'était pas vraiment une question. Son regard toujours planté dans le mien.

« Qui vous a dit ça ? Elle voulait juste faire un break…

— Pas qui, *quoi.* » Platt a sorti de sa poche un sachet transparent avec une lenteur qui m'a donné envie de le lui arracher des mains. J'ai frissonné : mon téléphone portable – depuis quand mon téléphone était-il devenu une pièce à conviction ? « Tu le reconnais ? » Une remontée d'acide – j'ai fait signe que oui. « On a juste jeté un coup d'œil à tes textos et à tes appels.

— *Vous avez lu ce qu'on s'écrivait ?* ai-je tout de même fini par dire d'un ton scandalisé, en les dévisageant l'un après l'autre. De quel droit ?

— Henry, a dit Krueger, tu dois bien comprendre qu'une seule chose nous intéresse : retrouver celui qui a fait ça.

— En lisant notre correspondance ! me suis-je insurgé. Qu'est-ce que vous pensiez trouver là-dedans ?

— Par exemple, le fait qu'elle a brusquement cessé de t'écrire des textos il y a quelques jours, a articulé Platt. Et que tu as désespérément cherché à savoir ce qui se passait. »

Il a ouvert mon téléphone et a lu à haute voix :

« *Rien ne nous séparera jamais. Je t'aime. Je t'aimerai toujours. Bonne nuit.* (Il a marqué une pause.) Envoyé avant-hier. Pas de réponse. *Où es-tu ?* (Nouvelle pause.) Envoyé ce matin. Pas de réponse. *Je t'aime.* (Il m'a fixé.) Envoyé ce matin. Pas de réponse… »

Il a éteint le téléphone, me l'a rendu à travers la table. « Nous n'avons pas retrouvé le sien. Il a disparu. Comme ses vêtements…

— Doucement, Chris, a marmotté Krueger. Doucement. »

Je lui ai lancé un regard furibard.

« Vous ne croyez pas que si c'était moi, j'aurais effacé ces SMS ? » me suis-je écrié.

Mais à peine ces mots prononcés, je les regrettais déjà.

Platt s'est figé ; le chef Krueger m'a observé en plissant les yeux.

« Henry, a-t-il dit d'une voix étrange. Tu n'es soupçonné de rien. Qu'est-ce qui te fait croire que tu pourrais l'être ? »

Enfoirés d'hypocrites ! Je me suis demandé à quel moment la situation avait basculé. Et si j'étais suspect… Je me sentais perdu. Et eux : est-ce qu'ils savaient où ils en étaient ? Et comment ! Ils avaient une marche à suivre et ils s'y tenaient. Aussi réglé qu'un match de tennis, leur truc ; ils étaient les joueurs, l'arbitre, les juges de ligne et j'étais la balle.

« C'est vrai ça, Henry, a répété Platt, tu as quelque chose à nous dire ?

— Tu as travaillé à bord d'un bateau de pêche l'été dernier, n'est-ce pas, Henry ? » a ajouté Krueger.

Je les ai regardés l'un après l'autre, éberlué ; j'entendais ma propre respiration dans mes tympans.

« Nous, on a quelque chose à te montrer, en tout cas », a dit Platt en se levant.

J'ai alors remarqué qu'il y avait un ordinateur posé sur une table dans un coin. Platt a allumé l'appareil, orienté l'écran vers moi, attendu quelques secondes. Il a ensuite cliqué sur une icône et un écran de lecture vidéo s'est ouvert. J'ai fixé l'écran. Incapable de bouger. Je savais ce qu'ils allaient me montrer.

Une vue du pont inférieur du ferry balayé par la pluie et les embruns, et deux silhouettes dont l'une reculait et l'autre avançait, comme dans un tango sinistre : Naomi et moi… Les caméras de surveillance… L'image en noir et blanc était de mauvaise qualité, il n'y avait pas de son – mais la fureur se lisait sur nos traits et nos lèvres qui s'agitaient témoignaient de la violence de nos propos.

Puis les reins de Naomi ont heurté le plat-bord.

Elle a secoué la tête. Elle pleurait. Elle paraissait aux abois. Là, sur l'écran, je l'ai brusquement attrapée par les poignets. Elle a hurlé. S'est débattue. Pas besoin de son pour deviner ce qu'elle criait : « LÂCHE-MOI ! » Devant ces hommes attentifs au moindre signe accusateur, un autre moi-même l'a violemment secouée, son corps dangereusement incliné au-dessus des flots. J'ai senti mon sang quitter mon visage. Les yeux de Platt et de Krueger allaient de l'écran à moi et retour : moi / l'écran / moi / l'écran. Sur l'écran, Naomi m'a repoussé, s'est libérée. J'ai atterri sur les fesses. J'avais l'air fou de rage sur cette vidéo ; mon expression était celle d'un meurtrier.

Naomi s'est enfuie. Platt a appuyé sur « pause » et l'image s'est figée. Immobilisant mon visage plein de colère.

L'heure s'affichait dans un angle : 18 h 02.

« Alors ? » a-t-il fait.

Une boule obstruait ma gorge. Je fixais la table. Incapable de proférer le moindre son.

« Tu as joué au puzzle sur le ferry, Henry ? »

J'ai levé les yeux vers lui. « Quoi ? »

Il a sorti un deuxième sachet transparent de sa veste – une vraie veste de magicien : il y avait une unique pièce de puzzle à l'intérieur du sachet, et quelques grains de sable.

« On a trouvé ça sur la plage, près du corps de Naomi… »

Cette histoire de puzzle a résonné en moi : *quelque chose que j'avais vu sur le ferry* –, mais j'ai été incapable de mettre le doigt dessus. Mon esprit était sens dessus dessous.

À cet instant, un grand remue-ménage s'est fait

de l'autre côté de la porte et j'ai reconnu la voix de maman Liv : *« Où est-il ? Vous n'avez pas le droit de le garder là-dedans ! Je veux le voir ! TOUT DE SUITE ! »* Krueger a maté Platt, qui a émis un long soupir et haussé les épaules, puis le shérif s'est levé et il est sorti. Je les ai entendus discuter à travers la porte, le shérif à voix basse, ma mère hurlant presque et prononçant des mots tels que « droits civiques », « justice », « abus policiers », « presse »…

Finalement, la porte s'est rouverte en grand et Krueger s'est tourné vers moi, sa grosse patte sur la poignée.

« Tu peux y aller, Henry. Nous avons fini. Pour le moment. »

Je me suis levé en m'appuyant à la table. Mes jambes étaient en coton, elles me portaient à peine. J'ai croisé le regard de Platt en sortant, puis celui du chef Krueger. J'ai eu la certitude, en quittant leurs bureaux, que j'étais devenu leur suspect n° 1.

8

Un message

La pluie dégoulinait toujours. J'ignore quelle influence elle a sur nos vies, sur nos pensées. Nous rend-elle plus renfermés, plus isolés les uns des autres ? Nous roulions en silence, Liv et moi. Vers Agate Beach où j'avais laissé la Ford avant que les flics ne m'embarquent. Oui, les silences ont toujours fait partie de nous – je me demande si ce n'est pas à cause de toute cette flotte, de la façon qu'elle a de les meubler… Ou peut-être est-ce dû à l'exemple de France… Il flottait un parfum âcre dans la voiture. Les yeux fixés sur le pare-brise, je regardais les essuie-glaces repousser les averses. Mais elles revenaient toujours.

Tout comme mes pensées – qui, toutes, me ramenaient à Naomi.

Une vérité à propos de Naomi :
elle n'était pas parfaite.

Elle aurait voulu l'être : bonne copine, excellente élève, sportive accomplie, appartenant à tous les clubs dont il fallait être au lycée et toutes ces conneries.

Elle adorait être le centre de l'attention…

Mais le fait est que Naomi évoluait au bord d'un gouffre depuis un certain temps. Nous l'avions découvert au cours de l'été. Ou plutôt Charlie, Johnny et Kayla avaient commencé à le soupçonner lorsqu'elle avait refusé de se mettre en maillot.

Car, moi, je savais, bien sûr.

J'avais vu, désemparé, le processus s'aggraver au fil des mois. Incapable de la raisonner, de comprendre ce qui se passait, en dépit de ses tentatives d'explications. Je l'avais entendue employer les mots « stress », « trop d'attentes », « point de rupture »… Je l'avais écoutée m'expliquer que, contrairement à ce que beaucoup de gens pensent, ce sont souvent les *valedictorians* et les *salutatorians* – les meilleurs élèves – qui s'automutilent pour faire face à la pression.

Il n'empêche : j'étais terrifié par ces marques de plus en plus nombreuses sur son corps. Là où personne d'autre que moi ne pouvait les voir.

La première fois, elle avait utilisé un compas. Et gravé le mot :

ÉPUISÉE

Sur son bras…

C'était en hiver. Pas de danger que quelqu'un le voie. À part moi. Je l'avais regardée, atterré. « Qu'est-ce que c'est ? » Elle avait l'air tellement triste. « Pardonne-moi », avait-elle dit. *Lui pardonner quoi ?* Je l'avais prise dans mes bras. Deux semaines plus tard, il y avait cinq traits rouges et profonds qui entaillaient son autre bras.

« Pourquoi tu fais ça, Nao ? — Ça me soulage. — Ça te… *soulage* ? — Oui. — De quoi ? — De tout… — C'est… c'est douloureux ? — Au début seulement, après on s'habitue… »

Au fil des jours, des semaines, les traits s'étaient faits de plus en plus nombreux, de plus en plus serrés – en même temps qu'elle passait du compas à la lame de rasoir ; la cadence s'était accélérée jusqu'à devenir quotidienne. Son corps ressemblait de plus en plus à un hiéroglyphe, à un papyrus couvert de signes cabalistiques. Un gribouillis effrayant.

Les derniers temps, je redoutais de la déshabiller – et, de son côté, Naomi appréhendait ma réaction. Elle trouvait des prétextes : elle avait ses règles, mal au ventre, au crâne.

Sur quoi l'été était arrivé et elle avait continué de porter des jeans, des pulls et des sweats manches longues alors que la chaleur s'installait et que toute l'île l'accueillait en reléguant les vêtements d'hiver au fond des placards – elle avait aussi arrêté le sport pour ne pas avoir à se mettre en short. Et, un jour où nous étions à la plage et où, malgré le soleil et la chaleur ambiante, elle refusait de se déshabiller, Kayla lui avait posé la question. Frontalement. En la saisissant par le bras.

Je suis descendu de la Volvo.

Assise au volant, Liv m'a regardé et a dit : « Rentre à la maison. » Puis elle a démarré. Des bruits de pluie partout – comme la véritable voix de cette île. J'ai lancé un dernier coup d'œil vers l'entrée de la sente en regagnant ma voiture : il y avait moins de monde, mais les gyrophares des véhicules de police continuaient de cisailler la pénombre.

Je me suis assis au volant, perdu dans un labyrinthe de pensées qui ne menaient nulle part. La douleur les colorait toutes. J'aurais aimé que ça s'arrête. Mais ça ne s'arrêtait pas… Et là, dans la voiture, j'ai eu ma première vraie crise de larmes. Il y en aurait d'autres, mais celle-ci a été d'une violence que rien, l'instant d'avant, ne laissait présager. Elle m'a soulevé comme une vague arrière et a duré peut-être une minute ou deux, me laissant hors d'haleine, la respiration rauque, le front écrasé contre le volant.

Naomi.

Son nom m'a échappé. Il est sorti de ma bouche comme un souffle – comme si un ventriloque s'était emparé de moi. J'ai tourné la tête et j'ai violemment sursauté. Un visage était collé à la vitre et ses yeux m'observaient dans l'ombre d'une visière ruisselante. Dominick Silvestri, l'adjoint au shérif. J'ai appuyé sur le bouton et la vitre s'est abaissée.

« Ça va, Henry ? »

J'ai fait signe que oui, j'ai essuyé mes larmes et ma morve. Il a posé une main sur mon épaule, l'a serrée amicalement. Étonnamment, ce simple geste m'a fait un bien fou.

« Rentre chez toi », a-t-il dit.

J'ai acquiescé de nouveau et démarré à mon tour. En me garant devant la maison, j'ai vu que la pluie faisait déborder caniveaux et gouttières. En pénétrant dans le hall, j'ai entendu le son grave du violoncelle de Liv qui s'élevait du salon. J'ai reconnu le morceau : *Le Cygne,* de Camille Saint-Saens (elle l'avait répété des centaines de fois), et sa bouleversante mélancolie a rendu mon désespoir encore plus insoutenable. *Oh, Liv !* ai-je pensé. *Ça ne pouvait pas attendre ?* Mais dès que j'ai eu refermé la porte, la musique s'est arrêtée. Je l'ai entendue qui stoppait le métronome, appuyait le lourd instrument quelque part et se levait. J'ai perçu ses pas qui approchaient sur le parquet, et ceux – plus légers, plus élégants – de France qui descendaient l'escalier.

« Henry », a dit Liv.

Rien d'autre. Je l'ai suivie.

La maison était grande. Elle possédait un salon à la fois pour les clients et pour nous, avec une cheminée en marbre veiné surmontée d'un grand miroir et entourée d'un mur de livres et de DVD, que les clients pouvaient emprunter (il y avait un lecteur dans chaque chambre), et une baie vitrée qui donnait sur la terrasse, couronnée d'un vitrail en demi-lune. Pour l'heure, la vue était complètement bouchée.

C'est là qu'elles m'ont serré – fort – l'une après l'autre, pendant une bonne minute, m'embrassant, me tenant à bout de bras, m'étreignant à nouveau.

« Henry… Henry… Henry, a chuchoté Liv dans mon oreille. Mon homme à moi. »

France m'a étreint à son tour. Elle avait un beau visage que, depuis que j'avais vu le film, j'associais à celui de Lee Remick, l'actrice blonde aux yeux clairs qui tenait le rôle de la mère adoptive dans *La Malédiction*, un film d'horreur des années 70, et il était capable d'une gamme de mimiques et d'expressions presque inépuisable. Elle m'a prodigué ses marques d'affection dans le langage gestuel qui était le sien et son regard triste ne m'a pas lâché une seconde.

Je les ai laissées m'envelopper de leur douceur, mais je me sentais dur, indifférent et glacé à l'intérieur, comme si une partie de moi se détachait pour observer cliniquement tout ce cirque. Le monde auquel j'avais cru, celui dans lequel j'avais grandi, n'existait plus. Il venait d'imploser avec la mort de Naomi. Et j'ai compris que celui que j'étais jusqu'alors avait cessé d'exister lui aussi, il était mort avec elle. Et que j'ignorais tout du Henry à venir.

Je lui ai souri. Elle a effleuré ma joue, reculé d'un pas – c'était à nouveau au tour de Liv d'entrer en scène. Et j'ai repensé au duo Krueger/Platt.

« Henry ? Il y a quelque chose que tu n'as pas dit à la police ? »

D'ordinaire, elle aurait dit « flics ». Il faut croire que l'instant était solennel. J'ai fait signe que non.

« Tu en es sûr ? »

Décidément, personne n'avait l'air de me croire.

« Non, ai-je dit fermement. Je leur ai tout dit, maman. »

Coup d'œil aigu de Liv.

« Très bien, très bien… Tu sais combien nous aimions Naomi… Je… je ne sais pas quoi te dire, mon fils… Nous sommes totalement bouleversées, j'ose à peine penser à ce que tu endures. Cela me terrifie, tu as envie d'en parler ? »

De nouveau, j'ai fait signe que non.

Elle m'a repris dans ses bras, m'a murmuré à l'oreille :

« Nous serons toujours là pour toi, tu le sais ? Ne reste pas seul avec ta douleur, Henry. Ne te coupe pas de nous. »

Elle me connaissait. Elle savait que, dans les moments

difficiles, j'avais tendance à chercher un endroit où me terrer, tel un bernard-l'hermite se réfugiant dans une coquille de turbo. Elle m'a serré contre elle et j'ai craqué.

« Oh, maman, c'est affreux, j'ai dit.

— Oui, mon chéri…

— Est-ce que vous savez quand auront lieu les funérailles ?

— Après l'autopsie, a répondu Liv doucement. C'est ce que le shérif a dit. »

L'autopsie. Pendant une fraction de seconde, j'ai vu Naomi sur une table brillante, glacée, son torse grand ouvert…

Je me suis écarté.

« On est sans nouvelles de sa mère, a-t-elle ajouté.

— S'il vous plaît, j'ai besoin d'être seul. »

Elle a hésité, m'a regardé. « D'accord. »

Elles ont fait un pas en arrière. J'étais sonné. Groggy. Je suis monté dans ma chambre avec une seule question à l'esprit : comment allais-je faire pour vivre maintenant ? Je me sentais anesthésié, la sensation que plus rien ne pourrait me toucher. Joie ou peine. J'ai poussé ma porte et actionné l'interrupteur. La petite lampe à abat-jour sur la table de nuit a jeté une douce lueur orangée sur les murs. Il faisait déjà noir derrière les vitres. On était en octobre et les jours raccourcissaient salement vite. Le phare de Limestone Point a balayé la fenêtre de son pinceau lumineux. J'avais depuis longtemps pris l'habitude de cette palpitation nocturne ; je la trouvais même réconfortante en temps normal mais, ce soir-là, elle m'a fait l'effet d'une menace. J'ai contemplé les posters qui tapissaient les murs, alignés exactement comme ceux du musée de la Science-Fiction à Seattle, ce paradis pour *nerds* : l'abeille au bord d'une paupière de *Candyman*, la longue griffe sinistre de *Hostel*, le crâne ricanant d'*Evil Dead 2*, l'inquiétant visage d'enfant aux yeux noirs de *The Grudge*, la silhouette hurlante sur fond rouge de *30 Jours de nuit*, le cercle lugubre de *The Ring*, les yeux blancs de *The Eye*…

Il m'en avait fallu, du temps, pour réunir cette collection. Toutes ces images cauchemardesques. Naomi les adorait. Elle aimait bien s'attarder ici les soirs d'hiver, quand le vent gémissait contre la fenêtre et qu'on entendait la mer gronder. Elle se blottissait contre moi en frissonnant et demandait d'une voix intranquille : « Tu ne fais jamais de cauchemars, Henry ? »

Curieusement, je ne lui ai jamais dit. Au sujet de mon cauchemar. Celui que je fais presque chaque nuit.

Celui du petit garçon.

Pourquoi ? Nous n'avions pas de secret l'un pour l'autre – du moins, je n'en avais pas pour elle. Alors, bordel, pourquoi je ne lui en ai jamais parlé ?

Quand la vie vous écrase, quand le poids de la douleur est trop important, on a tendance à vouloir s'aplatir pour lui échapper, à s'asseoir, à se coucher par terre, à se rapprocher du sol. C'est ce que j'ai fait. Je me suis laissé glisser et je me suis couché en chien de fusil sur la moquette, au pied du lit. Je suis resté comme ça longtemps, mon corps agité de soubresauts, mon esprit en cendres.

Le violoncelle s'est tu.

Le seul bruit dans la maison était celui d'une gouttière percée qui dégorgeait son eau juste devant ma fenêtre. La maison est comme un organisme vivant ; quand il pleut, le bois gonfle, la charpente, les planchers s'étirent, les châssis des fenêtres travaillent. Il m'est venu cette pensée étrange qu'elle était vivante et que Naomi était morte.

Je me suis relevé, je me suis assis à mon bureau. J'ai allumé l'ordinateur. Je me suis connecté à Facebook. Sur mon compte, la photo est remplacée par une vignette représentant une silhouette blanche sur fond bleu et mon nom n'apparaît pas (je suis *Fan de films d'horreur* pour le réseau social). Je m'attendais à des condoléances, à des messages de sympathie.

Au lieu de ça, il y avait un message privé envoyé par un certain *Islander723* dont j'ignorais tout.

Il était on ne peut plus clair.

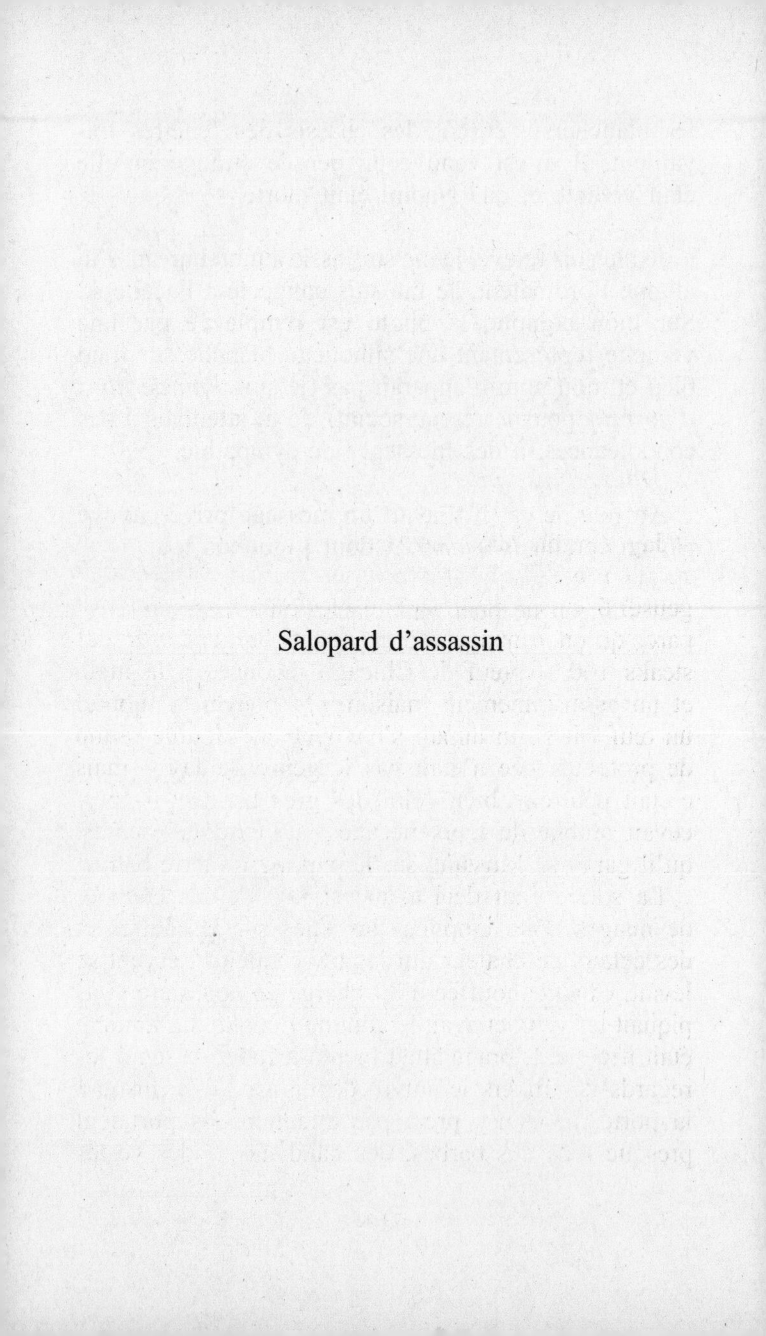

Salopard d'assassin

9

Douze jours plus tôt

Jay s'arrêta dans un patelin nommé Hollymead, sur la route de Charlottesville, en cette soirée orageuse. Il y avait un endroit où les bikers descendaient parce qu'on y mangeait d'excellents burgers, avec des steaks 100 % bœuf de Chicago façonnés à la main et un assaisonnement maison. On pouvait y ajouter un œuf frit si on aimait s'envoyer une double ration de protéines ; ce n'était pas le genre de Jay – mais c'était peut-être bien celui des gros bras qu'il apercevait autour de leurs bécanes, à l'extérieur, tandis qu'il garait sa Mustang sur le parking en terre battue.

La soirée était déjà avancée. Jay vit des couches de nuages noirs empilées les unes sur les autres et des éclairs de chaleur qui les traversaient. Le vent se levait. Chaque bouffée d'air chargé de poussière vous piquait les yeux et avait le goût de l'ozone. La lumière était irréelle. L'orage allait bientôt éclater. Il sentit les regards des bikers le suivre depuis sa caisse jusqu'à la porte, mais n'y prêta pas attention. Ils portaient presque tous des barbes, des bandanas et des vestes en denim déchirées aux manches. Jay aperçut leurs emblèmes dans leurs dos : un grand crâne aux orbites pleines de flammes, une épée enfoncée à son sommet, le chiffre « 4 », qui signifiait « Vie et Mort », le « 5 », qui voulait dire « SS », et le nombre « 13 ». Les Sons of Death étaient l'un des principaux gangs de motards de la côte Est avec les Hells Angels – qu'ils affrontaient régulièrement pour le contrôle de territoires. En 2002, plusieurs de leurs membres avaient trouvé la mort à Long Island au cours d'une bataille rangée avec leurs rivaux et un de leurs leaders, Robert Carl Reddick, soixante-six ans, avait été arrêté en 2012 par plus de soixante membres de la police d'État et des forces de police locale.

Jay se fichait bien des Angels comme des Sons of Death. Il entra et s'assit à la seule table libre. Il mangea son hamburger dans son coin, indifférent au boucan, à la musique trop forte, aux rires, aux cris rauques, aux odeurs de bière et de gin, aux éclairages criards, à la menace latente qui émanait de toute cette testostérone comprimée dans un si petit espace. Il le fit passer avec de l'eau plate et un café. Puis il sortit un cigare de la poche de poitrine de sa chemise et se leva quand l'un des bikers se dirigea vers les toilettes. Il entra en sifflotant à sa suite et s'arrêta, dos à la porte, pour allumer son cigare. Puis il cogna à la seule porte fermée.

« Sors de là, Hank. »

Silence.

« J'ai dit : sors de là. Maintenant. »

La porte s'ouvrit d'un coup et Jay se retrouva face à la lame courte et incurvée d'un petit couteau Sharpfinger. Le type qui se tenait de l'autre côté de l'arme avait dans les soixante ans, un visage massif mais un peu mou, une tignasse blonde et un petit bouc blanc au bout du menton. Ses lèvres étaient rouge cerise, ses yeux injectés et son haleine empestait l'œuf frit, la cigarette et le gin.

« Écoute-moi bien, sale fils de pute. Tu vas dire à ton *maître* que c'est fini, je ne jouerai plus les gros bras pour lui. »

Jay fixa la lame pointue en forme de croissant, il expira un nuage de fumée, le cigare coincé entre les lèvres.

« Ah ouais ? Ben, mince alors, j'étais justement venu te dire la même chose… qu'il voulait plus entendre parler de votre bande de gros connards. »

La voix de Jay était douce et caressante, même quand elle insultait ou proférait des menaces.

« Ouais, ben, tu vois, qui s'en branle de ce qu'il veut ou pas ? Dis-lui d'aller se faire mettre. Et toi aussi, tu vas te faire mettre, Jay – p'tite merde, le *chien-chien* à son patron. Maintenant, tu te casses… avant que je me mette vraiment en rogne. »

Le biker fit un pas en avant, mais Jay ne bougea pas et la pointe de la lame vint heurter son abdomen à travers la chemise à carreaux. Son visage n'exprimait rien. Jay avait une bouche large et étroite comme une blessure, un nez osseux et des joues creusées sous des pommettes saillantes. Mais, sous ses sourcils noirs et broussailleux, ses yeux délavés et gris brûlaient d'un feu permanent. Deux billes incolores avec une minuscule tête d'épingle noire au centre. Les rides sur son front dégarni lui donnaient quinze ans de plus et des veines grosses comme des câbles saillaient dans son cou. « Toi et tes petits nazillons, vous avez merdé, dit-il. On vous avait dit de foutre la trouille à ces colleurs d'affiches, pas d'en envoyer un à l'hosto, pauvre débile.

— Désolé, mon pote, ce sont des choses qui arrivent. Maintenant, tu te tires.

— Non, Hank, je veux que tu nous rendes le fric qu'on t'a filé. »

L'homme au bouc se fendit d'un sourire.

« Tu rêves, mon pote ! T'as vu où t'es ? Tu t'es regardé, putain ? À qui tu crois parler, bordel ?

— À un gros naze et à une tantouze », répondit Jay.

Il vit le visage du biker se décomposer et ses petits yeux flamber de haine. La lame parut vouloir s'enfoncer sous son sternum.

« Espèce d'enculé, je vais te fumer ! Je vais t'arracher la langue pour avoir dit ça… Personne ne me parle comme ça. T'entends, sale raclure de merde ?

— On m'a dit que ta gonzesse adorait sucer des bites de Blacks, c'est vrai, Hank ? La tienne ne lui suffit pas ? Elle est trop… *petite* ? »

La bouche mince de Jay souriait – mais son regard gris et fixe était mort. À l'instant où le biker fit le geste de le planter, Jay attrapa son poignet à une vitesse stupéfiante et le tordit vers la cloison. Avant que Hank ait eu la moindre chance de comprendre ce qui se passait, les os de son carpe avaient craqué et il hurla de douleur, mais la musique qui pulsait dans le rade, de l'autre côté de la porte, couvrait ses hurlements. En même temps, Jay lui assena un coup de genou violent dans la rotule droite puis lui balança un coup de poing dans les côtes. Le biker s'écroula sur le sol, le dos contre l'urinoir. Cela n'avait pas duré plus d'une seconde.

Jay le chopa par le cou, serra et poussa jusqu'à ce que – sous l'effet de l'horrible douleur provoquée par ses vertèbres comprimées contre la lunette des chiottes – Hank s'arc-boute en arrière, le bassin en avant, la nuque renversée au-dessus de la cuvette, grimaçant affreusement. Puis Jay pressa avec son pouce un point juste sous la pomme d'Adam et les yeux d'Hank jaillirent de leurs orbites. Jay remarqua avec dégoût qu'il n'avait pas tiré la chasse et qu'un mégot flottait dans une flaque jaune. Les longs cheveux filasse du biker trempaient dedans. « Tu m'écoutes, à présent ? »

Le biker haletait. La voix de Jay était plus douce que jamais. L'autre hocha la tête – du moins il essaya, ses carotides broyées par la poigne d'acier de Jay.

« Regarde. »

Jay sortit son téléphone portable de sa main libre, l'alluma avec l'index et afficha une vidéo avec le pouce. Puis il tourna l'écran vers le type.

« Tu le reconnais ? »

Sur le petit écran, Hank Russell Locke, président du chapitre de Virginie du très redoutable gang des Sons of Death, embrassait à pleine bouche un jeune homme très blond, très efféminé et à l'évidence très maquillé. Les deux hommes étaient nus et se caressaient. Jay vit toute couleur quitter le visage de Locke, pourtant écarlate une seconde auparavant. « Tu imagines l'effet que cette vidéo fera sur ton… chapitre ? »

Les pupilles de Hank n'étaient plus que deux trous noirs qui mangeaient tout l'iris. Jay se demanda s'il pourrait l'étrangler et ressortir sans se faire remarquer.

Il relâcha le biker et sortit du cabinet pour se laver les mains.

« On veut le fric dans une semaine, Hank. Démerde-toi. »

Aucun son ne monta du cabinet derrière lui – dont Jay surveillait prudemment la porte dans le miroir.

« J'ai rien entendu… »

Un grognement lui répondit.

Jay s'en alla, écœuré.

Il entra dans Charlottesville peu après le coucher du soleil. La soirée d'octobre était toujours aussi lourde et moite. Des éclairs de chaleur continuaient de luire dans les nuages, au-dessus des toits, et de temps à autre on entendait un coup de tonnerre lointain, mais l'orage ne se décidait pas à éclater. La permanence électorale de Grant Augustine se trouvait dans le centre-ville, un mail piétonnier plein de magasins et de terrasses de restaurants, et Jay laissa la Mustang à l'entrée, sur le parking d'Old Preston Avenue. Il marcha tranquillement jusqu'à ce qu'il aperçoive la grande banderole GRANT AUGUSTINE POUR GOUVERNEUR et les portraits de son patron en vitrine. Un visage plein de méplats, taillé à la serpe, un front haut et large, des joues osseuses mais une mâchoire carrée et surtout des yeux plissés étincelants de ruse, de dureté et d'humour : Augustine avait la tête de celui qu'on n'a pas envie d'emmerder mais qui peut résoudre n'importe quelle situation, même les plus compromises – en gros, le type qu'on préfère avoir avec soi que contre soi. Et c'était exactement ce que recherchaient les électeurs par ces temps d'incertitude.

Il y a encore un an, cela aurait ressemblé à une blague : Grant Augustine se présentant aux élections de gouverneur. Un type qui avait fait fortune grâce aux subsides de l'État. Mais Jay avait coutume de penser que seul le diable en personne était plus double que Grant. Son patron avait surfé sur deux particularités d'un État qu'il connaissait mieux que quiconque : quoique globalement conservatrice et républicaine, la Virginie avait depuis 1977 pris la curieuse habitude d'élire au poste de gouverneur un homme dont la couleur politique était à l'exact opposé du locataire de la Maison-Blanche : républicain sous le mandat de Carter, démocrate sous ceux de Reagan et de George Bush père, républicain à nouveau du temps de Clinton et ainsi de suite. Lors de l'élection de 2009, un an après l'entrée d'Obama à la Maison-Blanche, la tradition avait de nouveau été respectée avec l'élection du républicain Bob McDonnell. Or Obama avait été réélu en 2012. Et c'est là qu'on en venait à la deuxième particularité de cet État qui ne faisait rien comme les autres : la Virginie était le seul et unique État dans toute l'Amérique qui interdît à son gouverneur d'exercer deux mandats successifs. Deux traits fantasques qu'Augustine comptait bien exploiter.

Ça bourdonnait comme dans une ruche là-dedans ; les membres du staff et les bénévoles filaient entre les bureaux, s'interpellaient, répondaient au téléphone, avec des ralentissements et de brusques accélérations, comme dans un foutu mouvement brownien. Les jeunes filles étaient majoritaires, avec leur badge AUGUSTINE épinglé sur le sein, leur bel enthousiasme et leur façon de prendre la lumière. Jay reconnut l'homme au cou de taureau et à la carrure d'ancien athlète debout derrière l'un des bureaux : Graham Boyce était le diacre chargé des finances d'une des principales Églises de Virginie. Il discutait avec l'une des jolies bénévoles. Quand il vit Jay, il s'écarta un peu, se redressa et afficha un sourire aussi sincère qu'une publicité pour une compagnie d'assurances. Personne n'aimait Jay, à part Grant lui-même, mais tout le monde le craignait.

« Il est là ? » demanda Jay.

Boyce acquiesça et lui montra l'escalier dans le fond. Jay grimpa les marches rapidement. Il n'y avait personne à l'étage et il remonta le couloir silencieux jusqu'à la porte close, frappa et entra.

« Oh, merde ! » s'écria-t-il en se retournant aussitôt.

Mais trop tard. L'image était déjà imprimée sur la rétine de Jay : sa grande ombre projetée sur le mur derrière lui, Grant Augustine, pantalon de lin crème et slip bordeaux baissés sur les cuisses, en train de se faire tailler une pipe par une bénévole qui ne devait pas avoir plus de vingt ans. Il avait ôté veste et cravate et les pans de sa chemise pendaient mollement sur ses jambes. La faible clarté jaunâtre d'une ampoule jouait sur les cheveux blonds de la fille, aussi lisses et soyeux que ceux d'une poupée. Jay sentit la moutarde lui monter au nez. Il attendit une seconde, fit volte-face et, saisissant la fille qui reboutonnait son corsage par le col, il la traîna sans ménagement vers l'escalier : « Si tu parles de ça à qui que ce soit, je te tue », lui glissa-t-il à l'oreille. Puis il retourna dans le bureau de son patron et claqua la porte. Il était furieux.

« Le diacre est en bas, putain ! Tu imagines s'il était monté à ma place ! »

Augustine referma tranquillement sa braguette, boucla sa ceinture.

« L'appel de la chair, pontifia-t-il. Il a été donné comme un fardeau à l'homme, Jay. Si on ne s'y soumet pas de temps à autre, c'est non seulement le corps mais encore le cerveau qui s'empoisonne. Il s'infecte de mauvaises pensées, de terribles pensées… Mieux vaut les purger que de les laisser prospérer. »

Il avait dit cela tout sourire. Grant Augustine était un homme pétri de paradoxes : rigide et exubérant, puritain et hédoniste, autoritaire et enjôleur, sincère et menteur, intelligent et fou… Il prétendait descendre d'une longue lignée d'écrivains, de militaires et de politiciens, mais Jay savait que c'était un mensonge de plus : le père d'Augustine avait travaillé à la raffinerie ExxonMobil de Bâton-Rouge pendant plusieurs décennies et aujourd'hui il croupissait dans une cage dorée : une maison de retraite de luxe où une infirmière veillait sur lui jour et nuit pour éloigner les curieux éventuels. Comme l'a dit Faulkner, les gens du Sud n'étudient pas le passé, ils l'absorbent.

« Tu saignes », fit observer Jay.

De fait, un mince filet écarlate coulait d'une des narines de Grant. Jay avait remarqué que, chaque fois que son patron était en proie à une émotion violente, il saignait du nez peu de temps après. De près, le visage de son patron était moins engageant que sur les photos : sa peau laiteuse avait quelque chose de malsain, ses lèvres étaient rouges – mais d'un rouge de champignon vénéneux – et, comparé au portrait dans la vitrine, l'éclat de ses yeux bruns, d'une désagréable fixité, prouvait à quel point la photographie est l'art du mensonge.

« C'est le sang du péché, dit Augustine en s'essuyant avec un mouchoir brodé. Ces filles, ajouta-t-il, c'est une honte, elles sont la tentation même.

Pourquoi Dieu leur a-t-il donné des nichons, un cul et une chatte, Jay, si ce n'est pour nous mettre à l'épreuve ? »

Jay ne dit rien.

« Cette fille, elle fait tout ce que je lui demande, tu comprends, Jay ? »

Jay comprenait. Il connaissait son *maître* mieux que personne. Il lui était fidèle comme un clebs depuis l'adolescence. Grant et Jay approchaient aujourd'hui tous les deux de la cinquantaine, mais le second avait toujours vécu dans l'ombre du premier. Jay était de loin le plus indispensable des collaborateurs de Grant Augustine. Il comprenait les gens. Il savait détecter une faiblesse ou deviner une craque encore plus vite que Grant lui-même. Augustine avait toujours su tourner les faiblesses des autres à son avantage. Il avait bâti sa fortune sur ce talent – mais Jay était têtu comme un fox-terrier lorsqu'il s'agissait de tester les limites de quelqu'un et d'obtenir de lui quelque chose.

Et, cependant, Jay n'aspirait qu'à ceci : rester dans l'ombre de son patron, être le premier de ses pions : homme à tout faire, bras droit, aide de camp, *nettoyeur*... Car, entre eux, l'amitié n'avait jamais été au-delà d'une relation maître-esclave.

Parfois, Augustine l'appelait ainsi : « mon esclave blanc ».

Quand il était sûr qu'aucune caméra, aucun micro, aucun dictaphone ne traînait...

Il était mieux placé que quiconque pour savoir qu'il n'y avait plus de vie privée possible désormais en Amérique.

Bureau petit et meublé d'un profond canapé en cuir

marron, d'une table de travail en acajou, d'une petite bibliothèque et d'un service à café en argent. Rien de trop ostentatoire. Derrière le store en bois, on apercevait les branches d'un sassafras caressées par la lueur des éclairs. Il y avait une grande carte dépliée et étalée sur le bureau. Depuis qu'il avait décidé de se présenter à l'élection, Grant Augustine passait ses soirées à étudier la géographie de l'État : comté d'Alleghany, comté de Franklin, comté de Rappahannock, comté de Shenandoah… Il aurait pu se servir d'un moteur de recherche, mais il se méfiait d'Internet.

Augustine se versa une large rasade de bourbon dans un gobelet en plastique.

« Tu veux quoi ?

— Rien », répondit Jay.

Grant se demandait parfois si Jay n'était pas la réincarnation d'un cathare. Il ne lui connaissait qu'un seul vice : les cigares.

« Tu as vu les derniers sondages ? » Les chaînes locales donnaient toujours son adversaire gagnant, mais l'écart n'avait cessé de se resserrer depuis leur premier débat en juillet à Hot Springs, parrainé par l'Association du barreau de Virginie.

« Si tu emportes le prochain débat, tu peux passer devant », estima Jay en se laissant tomber dans le canapé.

Le prochain débat se tiendrait le 25 octobre à McLean. Il serait organisé par la chambre de commerce du comté de Fairfax et par la chaîne NBC4. Un journaliste de la chaîne servirait de modérateur.

« Tu dois appuyer là où ça fait mal. Personne n'est enthousiaste à l'idée de voter pour un pion dévoué à son parti. Et c'est précisément ce qu'est ton adversaire : la quintessence du politicien démocrate obéissant. Ton problème, c'est ton image. Tu restes un inconnu pour la plupart des Virginiens. Et ceux qui te connaissent soit approuvent nos activités, soit les jugent antidémocratiques.

— Répète-moi les éléments de langage.

— Nos activités protègent l'Amérique depuis plus d'une décennie mais, aujourd'hui, tu as décidé de mettre tes compétences au service de l'État qui t'a vu naître, tu n'es pas un politicien blanchi sous le harnais mais un bâtisseur, un businessman et un patriote.

— Alors, WatchCorp est une entreprise patriotique ? plaisanta Augustine.

— Patriotique et prospère, le corrigea Jay très sérieusement. C'est ton œuvre, ton bilan. Mets-le en avant. »

Ils savaient tous deux comment WatchCorp était devenue prospère : grâce à l'argent du contribuable. Il y avait chaque année plus d'Américains qui mouraient en glissant dans leur salle de bains que victimes du terrorisme mais les fabricants de tapis de bain antidérapants n'avaient pas touché du gouvernement les milliards de dollars qu'il avait généreusement octroyés à des boîtes comme WatchCorp après le 11 Septembre.

« Et s'il me décrit comme un adversaire de la démocratie ? Quelqu'un qui s'immisce dans la vie privée des gens ? Qui braque sur eux ses micros, ses logiciels, ses caméras, ses ordinateurs ? S'il me dépeint comme un putain de Big Brother, Jay ?

— Il ne le fera pas, répondit Jay. Il aurait trop à perdre. La CIA, le Département de la Défense, le NRO[1],

1. Le National Reconnaissance Office est l'une des agences de renseignements américaines.

la base navale de Norfolk : ils sont tous implantés sur le sol de Virginie. Tu crois qu'il a envie de se les aliéner ? Il ne dira pas un mot là-dessus... Et, de toute façon, il nous reste une dernière carte si les sondages ne s'inversent pas, ajouta Jay. Mais gardons-la pour le dernier débat. Si on ne peut pas faire autrement. Évitons de l'humilier... »

Augustine hocha la tête en souriant. Il savait à quoi Jay faisait allusion. C'était l'avantage dans ce métier. On savait tout sur tout le monde. Tant qu'il en serait ainsi, rien ne pourrait les arrêter. Tout le monde a un vilain petit secret. Ou plusieurs. Or, aujourd'hui, les opinions publiques ne pardonnaient rien : elles voulaient des politiciens vierges, immaculés, sans tache : émasculés...

« Grant, il faut que je te parle de quelque chose. »

Le ton de Jay alerta son patron. Il leva les yeux de la carte.

« Si c'est pour cette fille...

— Ça n'a rien à voir avec cette pute », le coupa Jay.

Cette fois, Augustine oublia la carte. Son bras droit avait haussé le ton.

« De quoi s'agit-il, alors ?

— De Martha. »

Grant Augustine se figea. L'impression qu'une couleuvre venait de se réveiller dans sa poitrine. Il avala une gorgée de bourbon. Un coup de tonnerre plus proche que les autres fit trembler les vitres.

« Qu'est-ce que tu veux dire ?

— Tu te rappelles ce type de la poste de Strong City à qui on graisse la patte ? »

Grant haussa les épaules.

« Non, j'avoue que non... On paye un type à la

poste du Kansas pour surveiller le courrier de Martha, c'est ça ? »

Jay opina.

« Depuis combien de temps ?

— Des années… Pour que dalle jusqu'à aujourd'hui… Jusqu'à il y a un mois et demi, du moins… »

Augustine avala sa salive.

« Elle a reçu une carte postale non signée des îles San Juan, dans l'État de Washington », articula lentement Jay.

Jay se souvenait de Martha avec tendresse : pendant des années, ils avaient ramassé ensemble la merde que Grant laissait derrière lui. Martha était efficace, fiable et discrète. Ils avaient même eu une brève aventure sans lendemain. Sans que Grant en ait jamais rien su. Mais elle n'était pas comme eux. Et, un jour, elle en avait eu marre et elle était partie.

Jay savait ce qui avait déclenché le départ de Martha : *Meredith*. C'était Martha qui avait été chargée de gérer le cas Meredith et un lien très fort était né entre les deux femmes, à l'insu de Jay. À l'insu d'Augustine. La seule fois où la fiabilité de Martha avait été prise en défaut.

Le regard d'Augustine flamba tel celui d'un serpent entre ses lourdes paupières.

« Qu'est-ce qu'il y avait dessus ? »

Jay sortit de sa poche un bout de carton fait d'une multitude de petits morceaux maintenus ensemble par du ruban adhésif. Il le tendit à son patron par-dessus le dossier du canapé. Il manquait juste l'angle inférieur gauche : le type de la poste qui avait fouillé le champ pendant des heures sous le cagnard ne l'avait pas retrouvé, malgré la récompense offerte. Augustine examina brièvement la photo puis la retourna pour lire le texte au verso.

« Cet abruti vient juste de nous l'envoyer, précisa Jay, il l'avait oubliée au fond d'un tiroir !

— Mon Dieu, prononça Augustine. (Il avait changé de couleur.)

— Ne nous emballons pas, dit Jay.

— Les micros sont toujours en place ? »

Jay fit signe que oui.

« J'ai simplement dû renvoyer la cellule de surveillance là-bas. Ça fait des années qu'on n'écoutait plus, tu penses bien. Mais, d'après eux, les micros sont toujours opérationnels. Et ils sont formels : Martha n'en a parlé à personne.

— Ça pourrait être une preuve supplémentaire, fit Augustine d'une voix sans timbre, une preuve que cette carte parle bien de... de *qui* on pense... »

Jay le regarda. Son chef avait l'air perdu en lui-même.

« Du calme. Ne nous emballons pas. Je suis d'accord : c'est le premier signe depuis des années...

— C'est elle, dit Augustine avec une soudaine ferveur. "C'est devenu un bon garçon, aussi beau et fort que sa mère." Bon Dieu, de qui d'autre pourrait-il s'agir ! Elle n'est pas bête, Jay : elle sait que nous pouvons tout contrôler, coups de fil, e-mails, recherches sur Internet... tout – sauf une bonne vieille carte postale écrite à la main et envoyée par la poste... Seigneur Jésus, la première imprudence de Meredith en seize ans ! Enfin...

— Jamais elle n'aurait pris un risque pareil avant, fit remarquer Jay, songeur. Elle a dû croire que tu avais fini par renoncer.

— Il faut se mettre à sa place. Seize années… Personne n'aurait patienté aussi longtemps.

— Personne sauf toi », dit Jay.

Grant Augustine hocha la tête.

« Le cachet provient de la poste de Bellingham, précisa Jay.

— Même après seize ans, Meredith n'aura certainement pas pris le risque de la poster trop près de chez elle. Elle doit être dans une de ces îles qu'on voit sur la photo… »

Le regard d'Augustine brillait d'une lumière quasi démente, à présent.

« Je veux que tu les localises, Jay. Laisse tomber tout le reste et trouve-les. S'il y a la moindre chance, trouve Meredith. »

10

Le repaire

J'ai regardé la façade sous ma capuche dégoulinante :

Ken's Store & Grille
Épicerie, Essence & Diesel,
Boissons, Vidéos
Depuis 1904

À la nuit tombée, le Ken's Store & Grille devient notre repaire. Le magasin des parents de Charlie ressemble à un décor de western avec sa façade en planches et l'immense écriteau peint au-dessus de l'entrée. Il est presque aussi profond que large. Et il y a un corps d'habitation de deux étages à l'arrière, avec une arrière-cour sur le côté, fermée par une haute palissade côté rue, par les bois de l'autre, qui commencent derrière la maison.

Je m'y suis traîné, ce soir-là, parce que Charlie m'avait envoyé un texto me disant qu'il était important que je vienne. *Traîné*, c'est le mot. Et pourtant, j'étais à la fois lourd, accablé – et plus léger que l'air, aussi immatériel qu'un fantôme.

La pluie cinglait les deux rangées de fenêtres à petits carreaux de part et d'autre de la porte, qui est dans un renfoncement. Quand j'ai frappé à la vitre, Charlie est venu tirer le loquet. Il y avait un système d'alarme, mais les parents de Charlie ne l'activaient que de juillet à septembre, quand les touristes débarquaient – et avec eux des jeunes de la ville qui, le soir venu, picolaient, se battaient et faisaient des trucs stupides.

À l'intérieur flottait une fragrance familière, complexe et riche : légumes, graines, fruits, bois ciré, confiseries, poussière, mêlés au fantôme d'odeur des cafés que Wendy, l'employée, sert derrière un comptoir, au fond à droite après les bacs à surgelés. La caisse enregistreuse est à gauche. La lueur du seul réverbère traversait les fenêtres et tombait sur le départ des rayons, qui dessinent quatre allées parallèles depuis l'entrée jusqu'au fond du magasin.

Kayla et Johnny étaient assis dans l'ombre, à l'arrière, à l'une des trois tables où les parents de Charlie servent des petits déjeuners et des burgers six jours par semaine. Sans un geste, sans un mot. Le seul éclairage provenait des vitrines de bières et de sodas derrière eux.

Même dans l'obscurité, je devinais combien ils étaient accablés. J'ai aperçu le bout rougeoyant d'une clope. D'habitude, Charlie aurait gueulé, mais là il n'a pas moufté. Les petits interdits avaient volé en éclats face à la plus grande des transgressions : le *meurtre*. Je me suis laissé tomber sur une chaise, en proie à un abattement qui se traduisait par une fatigue corporelle tout à fait réelle. Johnny a poussé une bière devant moi et j'en ai avalé une gorgée, puis une autre, avant de la lui rendre.

« Henry, mon pote, je suis tellement triste, a-t-il dit. Tellement triste… Putain, j'arrive toujours pas à y croire… »

Il avait la gorge nouée, sa voix ressemblait au couinement éraillé d'un vieux robinet qu'on n'a pas tourné depuis des lustres et, malgré la pénombre, je pouvais voir à quel point il était nerveux. Il tremblait comme une feuille et il n'arrêtait pas de tordre machinalement l'un des cordons blancs de sa capuche, qui était rabattue sur sa tête – peut-être pour cacher ses larmes.

« On est avec toi, Henry. C'est tellement… tellement affreux… », a dit Kayla à son tour, à voix hyper-basse – comme si quelqu'un pouvait nous entendre alors qu'il n'y avait personne d'autre que nous dans tout ce fichu magasin : les parents de Charlie s'étaient depuis longtemps retirés dans leurs appartements, dans la grande maison, laquelle ne peut être atteinte de l'intérieur de la boutique qu'en grimpant deux marches et en remontant un long couloir sur lequel donnent les toilettes hommes et dames et également les cuisines. Sa voix était pâteuse, et j'ai deviné que l'un comme l'autre avaient picolé et peut-être aussi avalé d'autres trucs.

« Je n'arrive pas à croire qu'elle est morte, a poursuivi Kayla. Je n'arrive tout simplement pas à le croire. J'ai l'impression qu'elle sera là demain… sur le parking du ferry… (Elle a émis un gloussement triste.) Merde, je n'arrive pas à croire que quelqu'un comme elle puisse mourir, putain… »

Elle s'est mise à pleurer, en essuyant son nez de temps à autre.

« Jésus, je voudrais tellement qu'elle soit là avec nous », a renchéri Johnny de sa voix de crécelle.

Kayla s'est blottie contre lui et elle a étreint son bras. Un geste de tendresse. Une réflexion affreuse m'a traversé : eux allaient continuer à s'aimer, à sortir ensemble, au moins pendant un moment.

Ils étaient si semblables, avec leurs visages minces, leurs grands yeux transparents – souvent embrumés par l'herbe, l'acide ou les ecstas –, leurs fringues bon marché, leurs pieds nus dans le sable et leur indolence qui cachait pourtant des blessures profondes. Kayla McManus avait hérité d'un beau-père qui avait dix ans de moins que sa mère, qui était sorti de prison deux ans plus tôt et qui était un enculé de première. Quand il était bourré, il pouvait se montrer violent et foutrement collant, si vous voyez ce que je veux dire. Je le savais parce que c'est Johnny qui me l'avait dit ; il parlait tout le temps de casser la figure à *ce fils de pute*, à *ce foutu pervers* – mais je sais qu'il avait peur du bonhomme, lequel avait tiré huit ans ferme à Walla Walla pour avoir fait sauter un œil à un biker canadien avec une queue de billard et en avoir suriné un autre dans un rade du comté de Whatcom. À Walla Walla, cette ordure s'était forgé une solide réputation et une musculature genre sèche et nerveuse – et il avait couvert son corps de tatouages, comme De Niro dans *Les Nerfs à vif*. De son côté, le père de Johnny était charpentier quand, avec la crise de la construction, il avait dû prendre un emploi à la raffinerie d'Anacortes. Il était dans l'usine Tesoro le jour où a eu lieu l'explosion de 2010. Bilan : cinq morts et deux blessés dans un état critique, victimes de brûlures étendues au troisième degré. Le père de

Johnny était l'un d'eux. Depuis, il passait ses journées dans un fauteuil avec une perfusion dans le bras et refusait toute visite. Il n'avait plus de nez et son visage ressemblait à un patchwork ou à un dessin d'enfant. Ils ont un dicton, là-bas, à Anacortes : « Nous ne cuisons pas des cookies, nous faisons bouillir du pétrole. » Quelques mois avant l'explosion, l'usine Tesoro s'était vu infliger une amende de 85 700 dollars pour dix-sept « manquements graves à la sécurité ». Condamnation mystérieusement ramenée à trois violations seulement et une amende de 12 250 dollars peu après.

Avant l'accident, le père de Johnny était une personne affable, un bon voisin et un bon père. À sa sortie de l'hôpital, ce n'était plus le même homme. Il était devenu agressif et – depuis son fauteuil Eames – il passait son temps à maudire son fils et à le traiter de bon à rien. Johnny continuait malgré tout de le soigner et de s'occuper de lui. Parce qu'il n'y avait personne d'autre pour s'en charger : sa mère avait refait sa vie avec un baratineur, un vendeur de bagnoles de Sedro-Wooley.

« Tu l'as vue… sur la plage… Elle… elle était comment ? » a voulu savoir Charlie.

Oh, merde, Charlie ! Pendant un moment, je n'ai rien dit ; je suis resté immobile, les coudes sur la table. *Elle était comment ?*

« C'était moche, j'ai finalement répondu, très moche…

— Qu'est-ce qui s'est passé ? a demandé Kayla. Il y a tout un tas de rumeurs qui circulent. »

Je l'ai regardée, mais sans vraiment la voir. Je me suis humecté les lèvres. Je n'avais pas envie d'en parler.

« Elle s'est noyée… Dans un filet de pêche… Je ne sais pas exactement ce qui s'est passé… Ils ne le savent pas non plus…

— *Noyée ?* a répété Charlie. Tu crois qu'elle est tombée du ferry, l'autre soir ?

— Ils font semblant de croire qu'elle a peut-être sauté… Volontairement… »

Il y a eu un silence.

« Comment ça : *ils font semblant* ? a relevé Charlie.

— En vérité, ils pensent que c'est un meurtre. Ils en sont quasiment certains. Et il est probable que l'autopsie le confirmera… », j'ai ajouté d'une voix spectrale.

MEURTRE

Le mot nous a glacés après que je l'eus prononcé. Sa saveur sinistre a installé entre nous un silence accablé, seulement troublé par le léger bourdonnement des réfrigérateurs et le bruit de la pluie. *Meurtre.* Aucun de nous n'arrivait à se pénétrer de la réalité de la chose. C'était un mot de fiction : un mot pour séries télé, pour romans policiers. C'était comme la mort elle-même : elle restait un concept jusqu'au jour où quelqu'un mourait devant vous – ou jusqu'au jour où vous mouriez vous-même.

Dans notre île, une telle chose ne pouvait arriver, voilà ce que nous nous disions. Et, pourtant, non seulement c'était arrivé, mais cela avait frappé l'une des personnes qui nous étaient le plus proches.

Johnny a sorti une pilule de la poche de son sweat et l'a déposée sur sa langue. Il l'a fait passer avec un peu de bière.

« Je t'ai déjà dit que je voulais pas de ça ici, a dit Charlie.

— Naomi est morte aujourd'hui. Tuée par un cinglé. Alors, fais pas chier », a-t-il riposté.

Charlie a accusé le coup. J'ai vu ses épaules se soulever et, bien que ne distinguant que vaguement son profil dans la pénombre, j'ai deviné qu'il pleurait. En silence. Cela a duré plusieurs secondes. « Je suis désolé, a bredouillé Johnny d'un ton contrit. Charlie, je suis vraiment désolé ! Quel connard je fais ! » Charlie a hoché la tête, comme pour dire : *c'est bon, y a pas de mal.*

J'avais les yeux secs et gonflés après avoir pleuré toutes les larmes de mon corps dans ma chambre ; j'observais tout avec un étrange détachement qui était peut-être un réflexe de survie.

« Ils t'ont pas demandé quand est-ce que tu l'avais vue pour la dernière fois ? a-t-il voulu savoir ensuite, la voix étranglée.

— Si. »

Je leur ai narré toute l'entrevue dans la salle de réunion du shérif : les attaques de Platt, leur petit numéro de duettistes, leurs questions sur mes textos et surtout la vidéo accablante du ferry.

Cette dernière a jeté un froid.

« Tu crois que t'es suspect ? a demandé Kayla d'une voix bizarre.

— Je crois que je suis le suspect n° 1.

— Tu nous as dit que tu t'étais disputé avec elle, a-t-elle poursuivi, mais tu ne nous avais pas dit que ça avait été aussi violent…

— Et alors ? Où tu veux en venir, Kayla ? »

Un malaise s'est installé autour de la table.

« C'est moche », a dit Charlie.

Nous avons acquiescé.

« Maintenant qu'ils tiennent un coupable, ils ne vont pas chercher plus loin, ils ne vont pas te lâcher », a-t-il fait remarquer d'un ton lugubre.

Cette perspective m'a rempli de terreur.

« Qu'est-ce qu'on peut faire ? a demandé Johnny.

— Je ne vois qu'un seul truc à faire si on veut aider Henry, a dit Charlie, et aussi si on veut… *rendre justice à Naomi…* »

On l'a tous regardé en attendant la suite.

« Il nous faut trouver le coupable.

— Quoi ? (Kayla.) C'est une blague ?

— Tu crois que j'ai envie de blaguer dans un moment pareil ?

— Et comment on va faire ça, hein ?

— J'en sais rien ! Mais il doit bien y avoir un moyen… En tout cas, on doit essayer…

— Charlie, la patrouille de l'État de Washington et les services du shérif sont sur le coup ! Ils vont sûrement mettre le paquet. Que veux-tu qu'on fasse de plus, tous les quatre ? Tu nous vois jouer les enquêteurs ?

— On doit essayer…, a-t-il répété obstinément. Au moins tenter de découvrir quelques éléments qui pourraient aider la police.

— Et pourquoi on les trouverait, *nous*, hein, ces éléments ? On n'est pas dans *Scooby-Doo*, putain ! »

Le ton de Kayla était monté dangereusement. Kayla était capable de colères monumentales, qui éclataient sans prévenir, comme des orages d'été. Johnny pouvait en témoigner. La fois où elle l'avait surpris à flirter avec une autre fille dans une soirée, elle s'était d'abord écrasée puis, au moment le plus inattendu, elle avait fondu sur lui et lui avait ouvert le crâne avec une bouteille de Bud sous les yeux de la fille horrifiée. Johnny avait eu quatre points de suture après ça. À ma connaissance, il se tenait à carreau depuis.

« Pourquoi ? a relevé Charlie. Parce que Henry est la dernière personne à avoir vu Naomi… euh… *vivante !* a-t-il réagi en énumérant sur le bout de ses doigts. Parce que tout s'est certainement joué à bord du ferry hier soir ! Parce qu'on était justement à bord au même moment, contrairement aux flics ! Parce que, tous les deux, on a fouillé le bateau à sa recherche et que – même si on s'en souvient pas tout de suite – on a peut-être vu quelque chose qui pourrait être important… »

J'ai cherché le regard de Kayla dans la pénombre, mais elle évitait le mien.

« Je suis d'accord avec Charlie, ai-je dit. On doit au moins essayer… On le doit à Naomi. C'était votre amie, non ? (J'ai marqué une pause.) Vous n'avez quand même pas oublié le baptême ?

— Bien sûr que non, a répliqué sèchement Kayla, piquée au vif.

— *Ma semblable, ma sœur,* ai-je récité solennellement, et les larmes me sont de nouveau montées aux yeux.

— *Ma semblable, ma sœur,* a répété Charlie après un instant.

— *Ma semblable, ma sœur,* a enchaîné Johnny à voix très basse.

— Eh merde. D'accord, d'accord, c'est bon, putain, a-t-elle abdiqué. Comment qu'on s'y prend ? »

11

Puzzle

La question a flotté dans l'air un moment.

« Le point de départ, c'est le ferry, j'ai dit. C'est de là qu'on doit partir.

— Quelqu'un l'aurait jetée par-dessus bord et elle aurait ensuite été prise dans un filet ? » a suggéré Johnny.

L'hypothèse nous a aussitôt paru irréaliste. Comme elle avait dû le paraître à la police : la route des ferries ne croisait pas les zones de pêche. Sur combien de milles marins un corps peut-il dériver en une nuit ? Cela doit évidemment dépendre des courants. Et, dans le cas improbable où Naomi s'était retrouvée prise dans un filet dérivant (était-elle morte ou vivante à ce moment-là ?), comment les pêcheurs à bord du chalutier auraient-ils pu ne s'apercevoir de rien ? Ou, dans l'hypothèse où ils avaient découvert le corps au milieu du poisson (j'ai eu un hoquet de dégoût à cette pensée), comment auraient-ils pu l'abandonner près d'une plage et rentrer chez eux comme si de rien n'était ? « Elle a pu quitter le ferry en compagnie de quelqu'un d'autre, ai-je suggéré.

— Dans ce cas, les caméras l'auraient filmée et la police saurait qui c'est… »

J'ai regardé Charlie : « Est-ce que tu ne pourrais pas sonder un peu ton frère pour savoir si les caméras ont filmé Naomi en train de quitter le ferry ? »

Mais je connaissais déjà la réponse : leurs questions, leurs intonations indiquaient clairement sur qui se portaient leurs soupçons – et cela impliquait que personne ne l'avait vue descendre.

« Il y a un truc qu'ils m'ont dit », ai-je continué.

Ils se sont tous tournés vers moi.

« Ils ont trouvé une pièce de puzzle près du corps de Naomi. Sur la plage… »

J'ai fourragé dans mes cheveux, le coude sur la table, la tête inclinée sur le côté, sourcils froncés.

« Ça me fait penser à quelque chose… quelque chose que j'ai vu sur le ferry, mais je n'arrive pas à savoir quoi…

— Il y a des puzzles sur tous les ferries, a fait remarquer Kayla.

— Taggart », a laissé tomber Charlie.

Je l'ai dévisagé. Et j'ai frissonné.

Il avait raison : Jack Taggart.

Il était à bord, ce soir-là. Je l'ai revu : assis devant un des puzzles étalés sur les tables, seul, comme toujours, et de nouveau un frisson m'a parcouru. Taggart était un sale type, tout le monde savait ça. Des rumeurs circulaient sur les viols qu'il aurait commis au sein de l'armée pendant qu'il était recruteur dans les Marines mais, selon ces mêmes rumeurs, l'armée, qui a son propre système judicaire, aurait étouffé l'affaire, tout comme elle avait dissuadé de porter plainte bon nombre des vingt-six mille militaires (femmes et hommes) victimes d'agressions sexuelles en son sein au cours de l'année passée. En la quittant, Taggart avait utilisé ses compétences pour se lancer dans divers trafics, mais il s'était fait prendre et il avait purgé une peine de trois ans dans une prison de l'Oregon – puis il était venu s'installer sur Glass Island.

À l'ouest de l'île, au fond des bois, au pied de Mount Gardner. Dans sa partie la plus inhospitalière. *Pas très loin d'Agate Beach*...

« J'ai vu Taggart assis devant un puzzle dans le ferry, a dit Charlie.

— Et alors ? Il y a des puzzles dans tous les ferries, a-t-elle répété. Il n'est pas le seul à s'en servir.

— Mais je parle du ferry dans lequel Naomi a disparu, le soir où elle a disparu, a insisté Charlie.

— Et c'est de Jack Taggart qu'on parle, a dit Johnny en se tournant vers Kayla, le mec le plus chelou de toute cette île après ton beau-père... »

Elle l'a fusillé du regard.

« Z'avez qu'à le dire à la police, alors.

— Et ils feront quoi ? Quel juge va délivrer un mandat parce qu'un garçon de seize ans l'a vu assis devant un puzzle, d'après toi ?

— Putain, ce type est même sur OffenderWatch ! s'est exclamé Johnny.

— Et sa cabane n'est pas très loin de la plage », j'ai dit.

La base de données OffenderWatch répertoriait les délinquants présents sur l'archipel. Elle était régulièrement mise à jour par les services du shérif. Selon cette base, il y avait vingt-six délinquants sexuels représentant un risque faible et cinq représentant un risque moyen – pour ce que cela voulait dire – rien que dans le comté des îles. Je me suis souvenu d'une autre histoire qui avait ému la communauté deux ans plus tôt : en 2011, peu de temps avant l'installation sur Glass Island d'un autre délinquant sexuel qui avait purgé sa peine, le *Journal of the San Juan Islands* avait titré : *Un délinquant sexuel de niveau 3 va bientôt s'installer sur Glass Island*, avec un portrait du type en première page, et une partie de la communauté avait aussitôt manifesté devant le palais de justice de l'île. Ce genre de papier faisait hurler Liv de rage : « S'ils présentent un risque, alors pourquoi ils sont dehors ? Et s'ils n'en présentent pas, alors pourquoi on ne leur fiche pas la paix ? "Niveau 3"... Bon sang ! C'est quoi, ce charabia ? »

Mais j'étais moins affirmatif : qu'est-ce qui était plus important, la tranquillité de ces types ou la sécurité des enfants ? Est-ce que leurs parents n'avaient pas le droit de savoir qu'il y avait un pédophile dans le coin, les femmes, un ancien violeur à proximité ? Je sais ce que Liv m'aurait objecté : « Bon sang, Henry, tout le monde a le droit à une seconde chance ! Ils ont fait leur temps... » Mais je n'en étais plus si sûr.

Ce dont j'étais sûr, en revanche, c'est qu'il y avait un paquet de gens qui se délectaient de colporter ce genre de rumeurs, des gens bien moins concernés par la sécurité des mômes que par le délicieux poison de la médisance déguisée en vertu.

J'ai hésité, considéré l'avant du magasin où la pluie ruisselant sur les carreaux projetait des cordes noires et miroitantes sur le plancher.

« Ça mérite quand même qu'on aille jeter un coup d'œil, vous ne croyez pas ?

— Qu'on aille jeter un coup d'œil à quoi ? a dit Kayla.

— À la bicoque pourrie de ce connard », ai-je lâché froidement.

Un volet a battu quelque part et tout le monde a sursauté en même temps.

« T'es sérieux ?

— Jeter un œil comment ? a voulu savoir Johnny.

— En entrant chez lui pendant qu'il est pas sur l'île, pardi, a répliqué Charlie d'une voix atone.

— Vous me faites marcher, là, a suggéré Kayla.

— PUTAIN, KAYLA, EST-CE QUE TU CROIS QU'ON A ENVIE DE PLAISANTER DANS UN MOMENT PAREIL ? » C'était Charlie, sa voix pleine d'une fureur si inhabituelle chez lui que nous avons tous tressailli.

J'ai vu Kayla baisser la tête de confusion.

« Alors ? a dit Charlie. Qui est pour ? »

Il a levé la main ; je l'ai imité. Johnny a suivi après un instant d'hésitation. Kayla a vigoureusement secoué la tête en signe de dénégation, les yeux baissés vers la table.

« Trois contre un, a décrété Charlie. On peut pas faire ça ce soir. On ira demain… On attendra qu'il soit sur le continent. (Taggart bossait dans une casse de Mount Vernon.) On se démerde pour rentrer plus tôt du bahut. Johnny, tu surveilleras l'arrivée des ferries ; Henry et moi, on se charge d'aller là-bas…

— En espérant que la police aura fait le boulot avant vous », a commenté Kayla d'un ton glacial.

Le téléphone portable de Johnny a choisi ce moment pour vibrer au fond de sa poche et il l'a sorti ni une ni deux pour consulter ses messages, comme si nous étions au milieu d'un bavardage amical. L'écran a éclairé ses traits pâles par en dessous.

« Putain de merde ! s'est-il exclamé.

— Qu'est-ce qu'il y a ? » a demandé Charlie.

Dans la lueur de l'écran, j'ai nettement vu Johnny me zieuter en douce.

« Je le crois pas ! »

Kayla s'est penchée sur l'écran et je l'ai vue pâlir, non sans m'avoir lancé à son tour une œillade furtive. La trouille a siphonné mon estomac.

« Qu'est-ce qu'il y a, Johnny ? »

Il a levé les yeux vers moi, confus.

« On vient de m'envoyer ça : ça circule sur les réseaux sociaux, apparemment… »

Johnny a retourné son appareil pour nous le présenter et Charlie et moi nous nous sommes penchés sur l'écran, épaule contre épaule. J'ai sursauté. Une page Facebook. Une page avec *ma* photo. J'ai avalé ma salive… Prise à mon insu par un téléphone, de loin – mais j'étais aisément reconnaissable. J'avais une sale tronche sur cette image, la tête d'un gus qui a des trucs à se reprocher. Le regard fuyant, hostile, du mec pas clair du tout. Je rentrais le cou dans les épaules sous la pluie battante. Et, surtout, j'étais tenu par deux policiers.

Elle avait de toute évidence été prise sur le chemin menant à la plage après mon irruption sur celle-ci. Mais par qui ? La page s'intitulait sobrement : « Je suis un assassin ». Et il y avait déjà une avalanche de posts :

je l'ai toujours trouvé chelou ce mec

il a été interogé par la police tout l'am

un mec élevé par deux goudous

comment vous pouvez accuser quelqu'un sans preuve ? Vous devriez avoir honte

toujours été un connard arogant, il calculé personne

pas de fumée sans feu

Naomi était une meuf géniale. Ça me donne envie de gerber

je le crois pas, les keufs l'ont relaché

arrêtez vos délires merde l'enquête fait que commencer !

vous êtes des abrutis irresponsables

J'ai compté une quarantaine de posts du même acabit avant de dire : « C'est bon, ça suffit. » Johnny s'est empressé d'éteindre. « Bande de connards, a-t-il lâché.

— Tu dois répondre à ces crétins ! a dit Charlie.

— S'il le fait, il est foutu, a dit Kayla.

— S'il le fait pas aussi », a dit Johnny.

Était-ce le début d'une campagne de cyberintimidation ? Cette perspective me terrifiait plus que n'importe quelle menace physique. On a tous en tête ces histoires de collégiens poussés au suicide parce qu'ils étaient gays, différents – ou pas assez méchants pour pouvoir se défendre dans la jungle de leur bahut. Dans la plupart des cas, ceux qui les ont poussés dans la tombe ne ressentent pas la moindre culpabilité ; et eux, me suis-je dit, ne venaient pas de perdre l'être aimé. J'ai soudainement eu conscience d'être infiniment vulnérable, fragile comme une porcelaine en cet instant précis. Comment allais-je pouvoir résister à un tel tsunami de bêtise, de malveillance et de cruauté s'il survenait ? Je me sentais aux abois. Je me suis rappelé avoir lu quelque part qu'un million d'enfants et d'adolescents avaient été harcelés, menacés, avaient fait l'objet de commentaires haineux ou été soumis à d'autres formes d'intimidation et de cruauté sur Facebook l'année passée. Les discours de haine se propageaient comme la flamme sur l'essence au sein du réseau social.

J'ai cherché leurs regards dans l'obscurité. J'étais terrifié.

« J'ai peur », ai-je dit.

Ma voix avait tremblé. Kayla s'est penchée en avant, les coudes sur la table, soudain radoucie, et elle a pris mes deux mains dans les siennes. Les a pressées.

« On est là…

— On sera toujours là, mec, a renchéri Johnny. Les autres, on s'en tape, pas vrai ?

— *Mon semblable, mon frère*, a répété Kayla.

— À partir de maintenant, on doit s'organiser, a décrété Charlie. On doit faire gaffe à tout ce qu'on dira aux autres, à tout ce qu'on fera. Aujourd'hui, c'est Henry qui est dans l'œil du cyclone, mais peut-être que demain ce sera nous. Et il faut aussi faire gaffe avec les textos et les téléphones. Ces enfoirés de flics pourraient très bien mettre Henry sur écoute. À partir de ce soir, tout ce qu'on a à se dire, on se le dit de vive voix, pigé ? »

On a tous opiné.

« On se retrouve demain, ici, à 17 heures. Démerdez-vous pour quitter plus tôt. »

Puis Charlie a passé un bras autour de mes épaules, et il m'a serré contre lui. J'ai vu leurs regards sur moi et je me suis senti entouré, *aimé*. J'ai senti la chaleur de cet amour sans arrière-pensées qui n'existait qu'entre nous ; il est passé d'eux à moi comme un courant électrique. J'étais vivant et je n'étais pas seul, contrairement à ce que j'avais pensé. « T'en fais pas, mec : ils vont pas réussir à nous baiser, a dit Charlie. C'est la vie. Elle est cruelle, elle est injuste. Mais nous, on est des frères, pas vrai ? Nous, on est une famille. »

On a tous acquiescé.

« Une vraie famille… », a-t-il ajouté, faisant sans doute référence à la sienne.

Il y avait des mois que l'un d'entre nous n'avait pas prononcé phrase semblable. Nous étions parvenus à un âge où l'expression de tels sentiments nous aurait paru un peu ridicule, où on aurait eu honte de les étaler de la sorte. Mais pas ce soir. Ce soir, nous étions de retour au bord de la rivière et nous avions de nouveau treize ans – frères, et sœur, et famille… unis comme les doigts de la main. Ce soir, nous croyions à nouveau aux chimères de l'enfance, aux vampires et aux loups-garous. Ce soir, Naomi était de nouveau parmi nous.

En cet instant, il m'est venu une pensée bizarre : j'avais douze ans quand je suis devenu leur ami, et des amis comme ceux-là – des amis comme on s'en fait à cet âge –, j'ai su que je n'en aurais jamais plus. Dussé-je vivre cent ans…

12

Insomnie

J'ai fait la route du Ken's Store & Grille à la maison dans un état semi-comateux. En même temps, mon humeur oscillait entre l'envie d'aller sur-le-champ jeter un coup d'œil à la bicoque de ce salopard de Jack Taggart et le découragement à l'idée qu'on ne trouverait rien, qu'avec son passé – même si c'était lui – il ne serait pas assez con pour avoir laissé la moindre trace.

J'avais piqué une bière Alaskan dans l'une des vitrines et je picolais en conduisant, le regard posé sur le ruban de route qui défilait dans la lueur des phares, avec la double ligne jaune au centre et les arbres illuminés sur les côtés, qui m'évoquaient une haie d'honneur pour le pauvre petit fiancé éploré : *Bou-hou-hou-hou, les gars ! Voyez, c'est lui : pauvre-pauvre-petit-gars ! Bou-hou-hou-hou-hou...*

N'empêche qu'il est quand même chelou, non ?

Un mec élevé par deux goudous...

Toujours été un connard arrogant... il calculait personne...

Pas de fumée sans feu...

Ainsi parlaient les érables et les sapins baumiers, sur le bord de la route. Les commentaires sur la page Facebook me hantaient.

Il ne pleuvait plus et, bizarrement, la chaussée paraissait déjà sèche, en dépit de quelques écharpes de brouillard ici ou là qui flottaient au ras du bitume et se déchiraient dans le halo des phares. La nuit était très noire au-delà. Je me demandais si, perdu dans mes pensées, je n'avais pas loupé l'embranchement d'Ecclestone Road quand j'ai aperçu une silhouette, au bout de la ligne droite, qui traversait la route. On en voyait souvent par ici : des chevreuils ou des sangliers, raison pour laquelle on roulait mollo et pourquoi certains avaient des pare-buffle à l'avant de leurs 4 × 4. Mais ce n'était pas un chevreuil, cette fois, et mon sang n'a fait qu'un tour. Cette silhouette-là m'était *incontestablement familière… Du calme*, ai-je dit à mon cœur qui s'emballait un peu trop. On a tous vécu ça : cette impression de reconnaître quelqu'un de dos dans une foule – et, quand la personne se retourne, on se demande comment on a pu se fourvoyer à ce point. Le cerveau est un vilain farceur – et parfois notre ennemi.

Vilain farceur…

Mais mon cœur battait la chamade en roulant vers l'apparition et, quand elle s'est enfoncée dans les fourrés à gauche, j'étais convaincu que c'était *elle…* J'ai pilé à la hauteur où elle avait disparu et j'ai aperçu une ombre pâle s'enfuyant dans les bois. Elle ne portait qu'une très légère robe blanche qui voletait en laissant voir ses mollets et ses pieds nus.

J'ai ouvert la portière et je suis descendu.

« Naomi ! »

Elle a paru s'arrêter un instant, puis elle a repris sa course. Je me suis lancé à sa poursuite. « Naomi, c'est moi ! » En bondissant dans les fourrés seulement éclairés par la clarté de mes phares et en sautant par-dessus les branches et les troncs couchés, j'ai repensé au cadavre sur la plage, à ses cheveux bruns, mais aussi à son visage déformé par les hématomes et les plaies ouvertes – presque… *méconnaissable*.

« Naomi ! »

J'ai bondi, couru ; les fourrés, les branches tentaient de me retenir, puis l'espace s'est dégagé, il n'y a plus eu que de hauts fûts droits et un sous-bois plus aéré et j'ai accéléré. Je gagnais du terrain. Puis, d'un coup, elle a disparu. La pleine lune baignait l'endroit d'une lumière poudreuse, éthérée, mais elle demeurait invisible. Je me suis avancé. Un hibou a hululé. J'ai fait le tour d'un hêtre et elle était là – assise sur la mousse, le dos appuyé contre le grand tronc cylindrique et rugueux.

J'ai sursauté.

« Naomi ! C'est toi ?

— Va-t'en, Henry, a-t-elle dit. Va-t'en…

— Naomi, qu'est-ce que tu fais là ?

— Va-t'en, je te dis. »

Ses yeux voletaient en tous sens, incapables de se fixer.

« Mais alors, qui est-ce qu'ils ont trouvé sur la plage ?

— Quelqu'un qui me ressemble.

— Pourquoi tu n'es pas allée à la police ?

— Je ne leur fais pas confiance, il y a quelqu'un parmi eux dont il faut se méfier.

— Et tu te méfies de moi aussi ? »

Elle m'a souri, mais c'était un sourire piteux, maladroit. Triste. Elle avait l'air effrayée. Plus que ça : terrifiée. Ses genoux étaient repliés contre elle, son cou gonflé, et on y distinguait des traces bleues – comme la brûlure d'une corde ou comme si de gros doigts avaient cherché à l'étrangler.

Elle respirait très vite. Sa poitrine se soulevait et j'ai vu ses tétons durcis par le froid à travers le fin tissu de sa robe. À ma grande honte, j'ai senti que je bandais. Pas une banale érection : un vrai manche de pioche coincé dans mon jean.

Soudain, elle a sursauté et ses yeux blancs se sont exorbités. J'ai vu sa bouche noire s'ouvrir de terreur.

Je l'avais entendu aussi…

Quelque chose se rapprochait dans les bois. Quelque chose de gros. Plus lourd qu'un homme. Un ours ? Il y avait bien des ours noirs dans les montagnes, sur le continent, mais pas dans l'île. Et c'était trop gros pour être un daim.

« C'est moi qu'il cherche, pas toi, a-t-elle dit. Va-t'en, ou il va me repérer à cause de ton odeur. Va-t'en !

— Non, je ne partirai pas sans toi. »

Mais j'avais très envie de lui obéir et de prendre la poudre d'escampette, en vérité. Le bruit a retenti de nouveau. Beaucoup plus près. Un énorme froissement de feuilles et de branches. J'ai regardé autour de moi mais je ne voyais rien, à part les troncs droits, les sous-bois vides et le clair de lune.

J'avais si peur que j'aurais pu me pisser dessus.

« HENRRRYYYY ! » a-t-elle hurlé à l'instant où un filet de pêche s'abattait sur moi.

Je me suis réveillé en nage, dans ma chambre, et il m'a fallu un moment pour recouvrer un semblant d'assurance et apaiser les battements de mon cœur. La lueur du phare allait et venait. Une pluie lourde continuait de noyer le monde de l'autre côté de la fenêtre. Il n'y avait que dans mes rêves qu'il ne pleuvait pas. Et il n'y avait que là qu'elle était vivante.

13

Onze jours plus tôt

Jay avait envie d'un cigare. Plus de cinq heures qu'il n'avait pas fumé. Mais il était enfermé ici. Dans une pièce sans fenêtre d'un bâtiment en béton qui en comportait fort peu.

WatchCorp Security occupait quatre étages d'un immeuble qui faisait tout pour ne pas attirer l'attention, si ce n'est par le nombre inhabituel de caméras de surveillance et la hauteur de la clôture grillagée qui entourait son parc de stationnement, à huit cents mètres du carrefour entre le Baltimore-Washington Parkway et la route 32 de l'État du Maryland. Autrement dit, à en croire un ancien responsable du renseignement américain, « la plus forte concentration de cyberpouvoir de la planète ». Le parc d'activité qui s'étendait à proximité n'abritait pas des sièges de banques, de compagnies pétrolières ou de constructeurs automobiles, mais les principaux sous-traitants de la NSA, l'Agence nationale de sécurité. Le siège de WatchCorp était comme les autres peuplé de jeunes informaticiens habillés de façon décontractée mais aussi d'anciens responsables gouvernementaux en costume. Outre leur expertise, ils permettaient à la firme – par les relations qu'ils conservaient dans les hautes sphères – de s'assurer que la politique du gouvernement en matière de surveillance continuait de s'infléchir dans le bon sens. L'après-11 Septembre avait vu une explosion des ressources consacrées à la surveillance, et une bonne partie de ces fonds étaient passés directement des poches du contribuable aux comptes en banque d'hommes tels que Grant Augustine.

Le téléphone sonna sur le bureau et Jay fronça les sourcils. Personne n'était censé l'appeler ici.

« Non, je ne suis pas M. Joseph Turner, répondit-il. Non, je ne sais pas quel est son numéro. Non, j'ignore où vous pouvez le joindre… »

Raccrochant violemment, il se leva, fit quelques pas autour de l'unique table et s'étira – ses mains pouvant presque toucher les murs de chaque côté. Ses yeux étaient rougis à force de fixer des lignes en petits caractères sur un écran. Il sortit de la pièce, remonta le couloir jusqu'au distributeur de boissons et se servit un Coca bien frais.

De retour dans le petit bureau, il déboutonna le col de sa chemise et se pencha de nouveau sur le moniteur. Son visage éclairé par le halo de l'écran se fendit d'un sourire. Dix ans auparavant, le pouvoir qu'il détenait ici n'existait que dans les films et les romans de science-fiction. Depuis son poste de travail, Jay avait tout simplement accès à la vie de n'importe quel citoyen connecté de la planète – ou possédant un téléphone. *Il était Dieu.* Dieu s'appelait Jay – ou n'importe lequel des employés de cette foutue firme. Généralement jeunes, ayant souvent connu l'échec scolaire mais développé des compétences informatiques remarquables. Le fantasme de tous les pouvoirs au cours des siècles – celui de l'omniscience – était sur le point de devenir réalité grâce au progrès technologique.

Cela se passait *ici et maintenant*. Dans un périmètre de quelques kilomètres carrés, au sein d'une poignée d'entreprises qui se consacraient toutes, pour le compte du gouvernement américain, à la surveillance de ce que le reste de l'humanité disait, faisait ou pensait.

salut, je suis DIEU
non, c'est moi DIEU *– et vous qui êtes-vous ?*
vous devriez le savoir si vous êtes DIEU
en effet, je le sais : vous êtes DIEU

Une des blagues récurrentes qu'on entendait autour des machines à café. Jay était trop vieux – et trop ringard – pour frayer avec ces gamins. Il n'avait aucune compétence informatique particulière et encore moins envie de discuter des dernières applications de l'iPhone 5s ou du prochain *Star Wars*. Il savait juste se servir des programmes qu'on mettait à sa disposition – comme X-KEYSCORE, qui permettait de surveiller une cible donnée : le contenu de ses mails, l'historique de ses recherches, ses navigations sur le Web, son activité sur les réseaux sociaux, et autorisait même le *monitoring en temps réel* de n'importe quel quidam en ligne dans le monde entier, comme s'il se trouvait dans la même pièce, penché par-dessus son épaule.

Seigneur, Jay avait grandi à une époque où les téléphones portables et les ordinateurs domestiques n'existaient même pas. Il était à la fois fasciné et terrifié par la quantité d'informations qu'une boîte comme WatchCorp détenait sur la vie privée de milliards d'individus.

Que se passerait-il si ce pouvoir tombait un jour en de mauvaises mains ? Il ne lui était pas venu à l'idée que c'était peut-être déjà fait.

Il fixa l'écran, où s'affichaient les données démographiques de l'archipel :

Population totale : 16 409
Hommes : 8 056
Femmes : 8 353
Moins de 18 ans : 3 296
Race blanche : 12 323
Noirs ou Afro-Américains : 1 649
Indiens ou natifs d'Alaska : 148
Asiatiques : 591
Natifs d'Hawaï ou d'autres îles du Pacifique : 16
Hispaniques ou Latinos : 1 682

Jay entra deux chiffres pour afficher de nouvelles données :

Âgés de 16 ans : 193

Il effectua quelques manipulations supplémentaires et le résultat suivant s'afficha :

Âgés de 16 ans, race blanche, hommes : 68

Jay fixa longuement ce nombre. Réfléchit. Tapa une autre requête.

Âgés de 15-16-17 ans, race blanche, hommes : 167

Il s'enfonça dans son fauteuil, les mains derrière la nuque. Qui sait si Meredith n'avait pas changé son âge – tout comme elle avait forcément changé son nom. Il pianota encore. Les cent soixante-sept noms apparurent. En face de chacun : un numéro de téléphone. Un coup d'œil à l'horloge : presque 13 heures. Il en avait encore pour plusieurs heures. Il parcourut lentement la colonne de noms – une fois, deux fois –, mais aucun ne lui était familier. Jay lança une impression, puis il mit en route PROTON, un programme de collectes des métadonnées, sur les numéros qui s'affichaient. Pour des gens comme Jay, les métadonnées – c'est-à-dire les données *relatives* à un appel téléphonique : qui appelle qui ? quand ? combien de temps ? où ? –, c'était le pied. Elles présentaient autant d'intérêt sinon plus que le contenu des conversations elles-mêmes. Imaginez un homme marié qui reçoit tard le soir un appel d'une femme autre que la sienne, une jeune femme qui a joint le même jour son gynécologue, sa meilleure amie et une clinique spécialisée dans les avortements. Nul besoin du contenu des conversations pour avoir une idée de toute l'affaire.

Parallèlement, Jay lança une recherche d'*antériorité* : grâce aux gigantesques capacités de stockage de la NSA, il aurait non seulement accès aux métadonnées en temps réel mais également à celles des années passées. Les métadonnées collectées par l'Agence nationale de sécurité et par ses sous-traitants comme WatchCorp finissaient stockées dans deux bases de données : *Marina* et *Mainway,* la première renfermait le trafic Internet, la seconde était capable de stocker jusqu'à 1,1 milliard d'enregistrements téléphoniques/jour. Dans le budget secret des agences de renseignements, des centaines de millions de dollars étaient versés chaque année aux géants privés des télécommunications.

Tous les numéros écoutés commençaient par l'indicatif 360 – qui correspond à la partie occidentale de l'État de Washington hors la ville de Seattle –, mais la requête officielle de Jay mentionnait que le pays ciblé était la Hongrie, dont le code international est le 36. De la sorte, s'ils se faisaient prendre, ils invoqueraient une simple erreur de manipulation. La loi FISA (Foreign Intelligence Security Act) de 2008, qui protégeait la vie privée des citoyens américains, n'autorisait à contrôler le contenu des communications d'un de ces citoyens que si ce dernier entrait en contact avec un ressortissant étranger préalablement identifié comme une menace pour la sécurité du pays. Précaution superflue, Jay le savait. Dans les faits, il n'y avait pas une chance sur un million que quelqu'un vînt fourrer le nez dans leurs affaires : la cour fédérale FISA avait été créée en 1978 par le Congrès américain pour éviter les abus dans la surveillance électronique. Cette cour était l'une des institutions les plus secrètes du pays et ses arrêts étaient tous classés « ultra-confidentiel ». Jay savait qu'elle n'était là que pour rassurer l'opinion et qu'elle n'exerçait aucun contrôle sérieux. Au cours des six années écoulées, elle n'avait pas rejeté une seule requête formulée par les services de renseignements.

Quant à expliquer pourquoi il surveillait des ados sur une poignée d'îles, il avait inventé de toutes pièces une menace émanant de teenagers fans d'Unabomber qui avaient téléchargé des recettes de bombes sur Internet. C'était le truc chouette avec le mot « terrorisme » : il était bien plus efficace qu'« abracadabra » pour faire sortir un méchant de votre chapeau.

Il continua de croiser des informations pendant plus d'une heure : garçons entre quinze et dix-sept ans vivant avec une mère seule (mais Meredith s'était peut-être recasée, auquel cas il se demanda si elle avait parlé de son passé à son nouveau mari : Jay en doutait), garçons non natifs des îles mais arrivés au cours des seize années précédentes (mais il manquait de données pour les années les plus lointaines), etc. Il entrait les résultats dans des diagrammes pour avoir une vue synoptique des choses. Il passa une heure supplémentaire à examiner les métadonnées des cent soixante-sept numéros cibles, essayant de les interpréter, de détecter une anomalie, un schéma récurrent – mais il y avait trop d'informations à absorber d'un coup. Il faudrait qu'il y revienne, encore et encore, avant que certaines récurrences commencent à lui sauter aux yeux. Les impressions papier allaient dans une chemise estampillée SAR *(Special Access Required)* suivi du nom qu'il avait choisi pour le programme : « Poussin ». Bien entendu, il allait aussi faire appel à PRISM, le programme phare de l'Agence, collectant courriels, fichiers, photos et vidéos en ligne, de même que tout statut, message, commentaire laissés sur les réseaux sociaux.

C'était l'avantage d'avoir des ados pour cible, songea-t-il : Internet était le centre de leur monde. Contrairement aux gens de sa génération, il ne constituait pas pour eux un domaine périphérique, mais bien le cœur de leur activité, de leurs affects et de leur existence. L'endroit où tout se passait, où ils se confiaient, se faisaient de nouveaux amis, stockaient leurs infos les plus personnelles et se mettaient à nu.

Il était impensable qu'un ado de seize ans n'eût pas recours à Internet pour communiquer et exister. Par conséquent, Jay avait au moins une certitude : *il était là*, celui qu'ils cherchaient, caché quelque part dans ces paquets de données.

Il faisait nuit quand Jay parvint à Leeds Mansion, au sud de Clifton, dans la campagne de Virginie. Une heure vingt en voiture depuis Fort-Meade. La propriété, planquée dans les bois, n'était pas facile à trouver, mais Jay aurait pu faire la route les yeux fermés. Sa Mustang vrombissait tandis qu'il zigzaguait au milieu des vastes domaines délimités par des barrières, des propriétés que jouxtaient des écuries et des courts de tennis. Des routes en croisaient d'autres, et il n'y avait aucun panneau indicateur aux carrefours pour vous orienter : soit vous saviez où vous alliez, soit vous ne le saviez pas – et, dans ce cas, vous n'aviez rien à faire dans le coin.

La Mustang passa sous un tunnel d'arbres au bout duquel elle stoppa devant un portail massif en fer forgé. Pas d'interphone mais deux caméras. Là aussi, vous saviez pourquoi vous étiez là ou vous ne le saviez pas. Il attendit que le type de la société de surveillance ait identifié à la fois sa plaque et son visage : le système vidéo à infrarouge était équipé d'un logiciel de reconnaissance faciale.

La grille franchie, il fit descendre sa vitre pour respirer les parfums d'herbe coupée et écouter le chant des grillons, mais c'est autre chose qu'il entendit :

un bourdonnement au-dessus de la voiture, dans la nuit. Le drone… Le dernier joujou de WatchCorp. Pas seulement destiné aux théâtres d'opérations en Afghanistan ou en Irak. Les drones étaient sur le point d'envahir notre quotidien. Dans très peu de temps, ils livreraient les pizzas et nos commandes en ligne, veilleraient sur nos résidences plus efficacement que des bergers allemands, pollueraient le moindre site touristique. Et, à l'occasion, permettraient à des petits malins de venir mater dans votre jardin.

La route serpenta au milieu des pelouses taillées court et des bosquets de grands aulnes qui se détachaient sur le ciel nocturne. Personne en vue – mais il ne s'en savait pas moins observé. Puis, après un ample virage, le manoir de style Tudor apparut. Au coucher du soleil, c'était un spectacle charmant mais, une fois la nuit tombée, la façade de pierre présentait un visage farouche. La bâtisse avait moins de quinze ans d'âge mais elle singeait la vieille Europe avec ses fenêtres à meneaux, ses créneaux de château fort, ses grands toits en pente et ses hautes cheminées surmontées d'ornements biscornus. Les petites lampes disposées sur la façade renforçaient l'effet théâtral. Ce jeu d'ombre et de lumière impressionnait peut-être les visiteurs, mais pas Jay. Jay vivait dans un appartement spartiate plus petit que le vestibule de cette demeure, dormait sur un matelas à même le sol et n'avait presque aucun mobilier. Il n'avait pas lu les philosophes grecs, mais il serait sans doute tombé d'accord avec eux s'il l'avait fait : il était un homme aux besoins étonnamment modestes – et donc faciles à satisfaire.

L'entrée principale consistait en un grand porche

de pierre en haut d'un perron de six marches flanqué d'une herse médiévale aux épais barreaux d'acier : on se serait cru dans *Ivanhoé*. Par cette chaude soirée d'été, la herse était grande ouverte. Jay descendit et sortit un cigare. Il savait que son patron avait déjà été informé de son arrivée mais parfois l'esclave prenait des libertés avec le maître. Le vent tiède portait vers lui l'odeur de l'écurie ouverte et éclairée. Comme d'habitude, tout était silencieux. Grant Augustine détestait le bruit ; il prétendait qu'aujourd'hui le seul luxe véritable est le silence. Ses employés de maison portaient des semelles spéciales et ils avaient pour consigne de ne jamais élever la voix en sa présence. Jay s'endormait presque tous les soirs avec les basses d'un club d'Adams Morgan – le quartier chaud de Washington où il résidait – traversant les murs. Il alluma son cigare avec les précautions d'usage et le téta voluptueusement. Les grillons stridulaient, enfreignant la consigne.

Puis il grimpa les marches, dépassa le vestibule et l'enfilade des salons silencieux – presque tous lambrissés de caissons en bois sombre – ainsi qu'une bibliothèque victorienne sans croiser personne, conscient néanmoins du fait que, depuis qu'il avait franchi la grille, pas une seule minute il n'avait échappé à la vigilance des caméras.

La dernière pièce était plongée dans l'ombre, hormis une mince rampe lumineuse qui courait au ras du sol. Une faible odeur de caoutchouc et de transpiration flottait dans l'air et on devinait les formes géométriques – acier et chromes – des appareils de musculation : *butterfly*, presse à cuisses, banc pour développé, vélo elliptique… Augustine courait sur un tapis, au centre de la pièce. Nu à part un slip, tous ses muscles soulignés par le halo de lumière. Un silence absolu régnait – hormis le bruit de sa respiration un peu rauque et le bourdonnement léger du tapis roulant.

« Entre, Jay », dit-il d'une voix un brin essoufflée.

Elle semblait désincarnée, spectrale, dans cette obscurité.

Jay s'avança. Il nota le sparadrap sur le triceps gauche d'Augustine, entre l'épaule et le coude. WatchCorp testait sa dernière génération de puces sous-cutanées et, comme souvent, Grant faisait partie des cobayes. La puce RFID, de la taille d'un grain de riz, avait été implantée sous sa peau à l'aide d'une seringue. Elle était révolutionnaire à plus d'un titre. D'abord, elle était alimentée par le corps humain, utilisé comme source d'énergie. Ensuite, elle renfermait une quantité de données considérable et toute personne munie du lecteur idoine pourrait obtenir des informations précieuses sur son porteur – dossier médical, casier judiciaire, mais aussi numéro de Sécurité sociale, comptes bancaires, achats en ligne ou dans des boutiques équipées, déplacements, appels, liste des films et des livres téléchargés… Le jour où la technologie se serait répandue – et ce jour viendrait bientôt –, plus aucun domaine de la vie courante n'échapperait aux puces implantées. C'était juste une question de temps. Plus besoin de codes-barres, de mots de passe, de digicodes, de GPS, de papiers d'identité… Ce qui la rendait encore plus révolutionnaire, c'était que la puce WatchCorp pouvait être lue et captée à des distances importantes avec la technologie appropriée. Et WatchCorp veillerait aussi, comme l'avaient fait par le passé la plupart des grandes sociétés du Web, à introduiïre des portes dérobées et des failles dans le système pour les agences de renseignements américaines.

Tôt ou tard, Jay le savait, les puces implantées seraient du dernier chic, tout comme les objets connectés – de la montre à la voiture en passant par les lunettes, la télévision, les vêtements et même la brosse à dents… Il y aurait bien les habituels lanceurs d'alertes pour signaler que toutes ces technologies mettaient en danger la liberté de chacun, mais ils seraient ultra-minoritaires, comme toujours. Et le jour où cela arriverait, WatchCorp serait là… Jay ne put s'empêcher de sourire : la révolution numérique était en train de bâtir brique par brique le rêve millénaire de toutes les dictatures – des citoyens sans vie privée, qui renonçaient d'eux-mêmes à leur liberté…

Les muscles de ses cuisses et de ses mollets saillant comme des câbles, Grant accéléra encore, les mâchoires serrées, son corps en sueur irradiant d'énergie et de chaleur dans le halo qui montait du sol.

Le regard de Jay pivota.

Face au tapis de course se déployait une brillante muraille d'écrans. Des dizaines et des dizaines d'images de caméras de surveillance. En noir et blanc ou en couleurs. Parkings, cabines d'ascenseur, espaces publics, bureaux en open space. D'autres encore montraient des scènes beaucoup plus personnelles : une charmante jeune femme, de dos, à califourchon sur son partenaire – un membre conservateur du Congrès des États-Unis ayant cinq enfants et huit petits-enfants – au bord d'une piscine ; un journaliste défenseur des libertés individuelles fumant du shit sur son balcon de Georgetown en compagnie d'une fille mineure ; un groupe d'anarchistes complotant dans un squat de

South Side, à Chicago ; un flic de Minneapolis touchant un pot-de-vin dans un parc. Toutes ces images composaient une mosaïque muette, un ballet primitif, bizarrement inhumain bien qu'il fût comme un instantané de l'humanité tout entière – réduite à l'activité d'une fourmilière. Le regard agrandi d'Augustine les reflétait. Halluciné. Il les buvait comme si son cerveau absorbait une drogue violente, sa poitrine luisante se soulevait en rythme.

« Alors ? demanda-t-il sans cesser de courir.

— Cent soixante-sept garçons âgés de quinze à dix-sept ans, répondit Jay. J'ai mis trois personnes dessus : elles vont analyser tous leurs appels entrants et sortants, leurs textos, leurs mails, leurs profils Facebook, leurs dépenses à partir de leurs cartes de crédit, leurs connexions, leurs dossiers scolaires et médicaux, leurs sauvegardes dans le *cloud*, leurs téléchargements, l'historique de leurs requêtes sur les moteurs de recherche, ainsi que ceux de leurs parents, de leurs potes, de leurs copines, de leurs profs, de tous ceux avec qui ils sont ou ont été en contact... Si certains se connectent au Web caché, s'ils utilisent Tor ou des logiciels de cryptage, on le saura également. S'il est là, on finira par le trouver. Mais ça va prendre du temps.

— Mets plus de personnel sur le coup. Autant qu'il en faudra.

— C'est aussi mettre plus de personnes dans le secret », fit remarquer Jay.

Augustine réfléchit, et son rythme de course s'en ressentit pendant une demi-seconde, puis il repartit de plus belle.

« On a quelqu'un là-bas ? Quelqu'un qui pourrait enquêter sur place ? Quelqu'un de sûr ? »

Jay n'hésita pas longtemps. « Oui, je crois que j'ai la personne qu'il nous faut.

— Appelle-la. (Augustine marqua une pause.) *Il est là*, Jay. Sur une de ces îles… C'est l'un d'entre eux, l'un des cent soixante-sept… »

Il s'arrêta de courir et se saisit de la serviette pour s'essuyer.

« Trouvez-le. Trouvez mon fils, Jay. »

14

Dans les bois

Je suis resté éveillé toute la nuit jusqu'à ce que j'entende les premiers bruits dans la maison, le lendemain. Assis dans mon lit, le dos calé contre les oreillers, j'ai hésité à me lever. Liv et France s'activaient en bas, dans la cuisine. D'ordinaire, elles m'auraient déjà appelé en me disant que j'allais être en retard.

Je regardais le réveil sur la table de nuit quand un klaxon a retenti dehors, puis des voix familières se sont élevées, à quoi a répondu celle de Liv. J'ai souri faiblement et je me suis senti soulagé : Charlie, Johnny et Kayla étaient venus me chercher. C'était la première fois qu'ils faisaient ça. On s'était toujours retrouvés sur le parking.

« Henry ! » a lancé Liv.

J'ai descendu les marches avec l'impression de flotter. Nouvelles accolades silencieuses. Liv m'a scruté intensément ; France m'a couvé des yeux d'un air doux et maternel.

« Je dois prendre ma douche, les gars.

— Magne, a dit Charlie. Sinon, on va louper le

ferry. On aura déjà de la chance si on peut monter à bord.

— Du pain perdu en attendant, Charlie ? a demandé Liv.

— Oh, ça oui, m'dame », a-t-il répondu avec un enthousiasme qui sonnait faux – sa voix creuse, caverneuse.

Tandis que je remontais, je les ai entendus prononcer le nom de Naomi à voix basse et puis converser doucement, gravement, avec effusion…

Une surprise nous attendait sur le port : l'île était envahie par les flics, les journalistes et les équipes de télévision. Tout ce beau monde se baladait par petits groupes comme si la ville leur appartenait, des gobelets de café et des canettes de Coca à la main, passant d'un trottoir à l'autre sans se préoccuper des feux, des passages piétons, de la circulation. Ils entraient et sortaient des bars et des boutiques pareils à des touristes en goguette. J'ai compté au moins quatre uniformes différents parmi les forces de police. Des types barbus avec des caméras Sony sur l'épaule filmaient tout ce qui présentait un quelconque intérêt et même ce qui n'en présentait pas, et une demi-douzaine de cars de régie surmontés d'antennes paraboliques étaient garés n'importe comment sur le parking des ferries. Visiblement, un seul meurtre comme il y en a plusieurs dizaines chaque année rien qu'à Seattle, mais commis celui-là sur une petite île pittoresque et tranquille, était du pain bénit pour les médias. Je voyais d'ici les gros titres : « L'île sanglante », « Murder Island », « Peur sur l'archipel », etc.

« Jésus, a dit Charlie. T'as vu la meuf avec le micro et les gros nibards ? »

Il parlait d'une des commentatrices qui avait été choisie de toute évidence autant pour sa plastique que pour sa diction. C'est autre chose qui a attiré mon attention : dans le port, des flics de la patrouille d'État passaient d'un ponton et d'un bateau de pêche à l'autre – ceux-ci bien moins nombreux que les bateaux de plaisance dans la marina. Puis le ferry a quitté la baie sous les objectifs d'une dizaine de caméras et d'au moins trois fois plus d'appareils photo. Certains passagers comme M. Bojarski – qui était embaumeur au Melville Funeral Home de Mount Vernon – étaient sortis sur le pont, ce qu'ils ne faisaient jamais d'ordinaire, dans l'espoir sans doute de passer au JT. Nous l'aurions peut-être fait nous-mêmes en d'autres circonstances.

« Bordel à cul, a réitéré Charlie quinze minutes plus tard. Le monde est vraiment rempli d'enculés. »

Johnny et lui étaient penchés sur sa tablette numérique et j'ai demandé à voir. Ils l'ont poussée vers moi à contrecœur. La page Facebook. Elle comptait de plus en plus de monde. Et il y avait quelque chose de nouveau dessus. Un sondage… Il s'intitulait : *Qui a tué Naomi ?* Chacun pouvait voter.

Avec 48 % des voix, « Henry » arrivait largement en tête.

Suivi de « la mère de Naomi » : 22 %.

« Un tueur en série qui passait par là » : 17 %.

« Sans opinion » : 13 %.

J'ai fixé l'écran, incrédule. Charlie a frappé du poing sur la table.

« Il faut signaler ça aux keufs ! Qu'ils fassent fermer cette saloperie !

— On risque d'attirer l'attention sur nous en faisant ça, a fait remarquer Johnny.

— Et alors ? On était ses amis, merde ! s'est emporté Charlie dont la voix s'est brisée à la fin.

— Henry, il faut que tu préviennes Liv, a dit Kayla. Elle fera le nécessaire. »

J'ai hoché la tête. Je n'avais plus tellement envie d'aller au lycée, tout à coup. J'ai regretté de ne pas être resté à la maison.

C'est ainsi que nous sommes arrivés au bahut, ce jour-là. Charlie, Johnny et Kayla ont formé une sorte de garde rapprochée autour de moi, pendant le trajet jusqu'aux casiers. Dans le souvenir que j'en ai, nous remontons les couloirs et tous les regards se tournent vers nous – vers *moi* plus exactement : tout le monde me mate, me dévisage ; certains le font en douce, d'autres plus ouvertement, voire de manière carrément hostile. Je devine des murmures, des propos échangés sur mon passage, des bouches qui se penchent vers des oreilles réceptives. Je me demande combien d'entre eux ont voté – et pour qui.

Je me suis arrêté à un mètre de mon casier.

Il y avait un mot dessus.

J'ai retenu mon souffle. J'hésitais à aller plus loin, puis je me suis penché pour lire :

Viens me voir dans mon bureau. Lovisek.

J'ai arraché le mot.

Me suis retourné.

Les regards étaient toujours sur moi. En filant tête baissée vers le bâtiment de l'administration, j'ai de nouveau aperçu des journalistes, cette fois massés sur le parking du lycée, et je me suis dit qu'ils n'auraient pas de difficultés à trouver des volontaires pour leur quart d'heure de célébrité.

Jim Lovisek est plutôt cool comme proviseur. Je parle de son aspect extérieur parce que, pour le reste, il n'hésite pas à sanctionner durement les comportements répréhensibles. Il mesure plus d'un mètre quatre-vingt-dix, ressemble à un Viking coiffé d'une épaisse tignasse blonde que je n'ai jamais vue autrement qu'ébouriffée ; des traits grossiers mais un franc sourire sous une moustache fournie qu'il n'a rasée qu'une seule fois – et tout le bahut a été plus choqué que s'il s'était présenté à poil. Du reste, peut-être que lui aussi l'a été, car il n'a jamais recommencé. Il connaît chacun des trois cents élèves du lycée. Et il est le premier à venir assister aux matches de nos équipes.

Ce matin-là, il affichait une mine sinistre quand je me suis pointé dans son bureau exigu et il m'a montré l'unique chaise sans un mot.

Pendant un moment, lui et moi, nous sommes restés sans parler. Mon regard s'est égaré sur l'affiche d'un vieux film des années 80 : *Le Proviseur*. On y voit James Belushi défoncer les portes d'un collège avec sa moto. La légende dit : *Collège recherche proviseur. Formé à tous les sports de combat. Bon tireur. Aimant les jeunes*. Jim Lovisek aussi a une moto.

Puis il a dit, avec une touchante sincérité :

« Henry, je suis vraiment désolé pour Naomi. Merde, je sais combien vous étiez proches. Cette histoire, j'en suis malade, ouais. »

Je l'ai considéré, surpris.

Je ne l'avais jamais entendu employer un tel langage devant un élève auparavant.

« Hier, a-t-il enchaîné, tu as quitté le lycée sans prévenir personne. Et tu n'as pas répondu à mon message… Tout comme tes amis. C'était à cause de Naomi, n'est-ce pas ? »

J'ai fait oui de la tête.

« D'ordinaire, ce genre de comportement est… mais bon, on oublie ça, d'accord ? Est-ce que tu te sens d'attaque ? Parce que si tu préfères prendre un jour ou deux… »

J'ai repensé à tous ces regards et j'ai fait signe que non. Je ne voulais pas avoir l'air encore plus coupable.

« D'accord. Tu peux retourner en classe, dans ce cas… Mais sache que si tu as besoin de quelqu'un à qui parler, je suis là, OK ? Je te demande d'y réfléchir. Et… (Il s'est éclairci la gorge avant de continuer.) Quelqu'un m'a informé pour cette saleté qui circule sur la Toile. Je suppose que tu es au courant. Nous avons prévenu la police… Et aussi le réseau social. La page devrait être supprimée très vite. Enfin, j'espère… »

Il s'est levé et m'a mis une de ses grosses pattes sur l'épaule en me raccompagnant jusqu'à la porte – qui était pourtant à moins de deux mètres de ma chaise. Les couloirs étaient déserts, tout le monde était entré en classe, et je me suis dirigé vers celle d'études sociales sans me presser.

Je n'ai pas réussi pas à me concentrer. Mon esprit était glissant. Rien ne parvenait à s'y accrocher. Je dérivais loin du lycée. Des images de Naomi surgissaient et s'enfuyaient, comme des bouts de bois flottant sur la mer. Je sentais des regards sur moi, y compris celui de la jeune prof d'études sociales. Puis est venue l'heure de la cafèt'. De nouveau, les regards… Nous nous sommes retrouvés à notre table habituelle, le meilleur moment de la journée en temps normal – mais, soudain, nous avons fixé la chaise vide et c'était couru : plus personne n'a eu faim.

« Fait chier », a simplement laissé tomber Charlie.

Et pourtant, ce chagrin-là, me suis-je dit, incliné sur mon assiette, c'était encore Naomi en nous. Ce qui me terrifiait, c'était que même cette présence-là allait disparaître. Elle s'allégerait de jour en jour, la douleur deviendrait progressivement moins atroce ; je me remettrais à vivre, doucement au début, comme un grand convalescent, il y aurait de nouveau des moments de joie, de l'envie, de l'espoir – peut-être même une rencontre –, et Naomi s'enfoncerait lentement dans le passé. Au début, son souvenir ressurgirait fréquemment. Affreusement net. Au détour d'une phrase, d'une silhouette qui lui ressemblerait dans la rue, d'une chanson entendue à la radio. Son visage, sa voix, son sourire… L'espace d'une minute, je connaîtrais de nouveau la morsure d'un chagrin insoutenable. Et puis, ces moments eux-mêmes se feraient de plus en plus distants. Et, un beau matin, dans deux ans ou dans dix, je l'aurai oubliée. Naomi ne sera plus qu'un prénom dans nos esprits. Un fantôme.

Lointaine et inaccessible.

Définitivement morte.

C'est ça le plus intolérable.

J'ai traversé cette journée comme un bateau qui a rompu ses amarres, évoluant dans une sorte de brouillard, léchant mentalement mes plaies, me demandant quelle divinité perverse a pu faire de la vie ce jeu aux règles faussées d'avance, quand – en remontant le couloir qui longe le gymnase – j'ai été happé par une main qui m'a tiré à l'intérieur.

« Viens là. On a à causer », a dit la voix de Shane Cuzick dans mon oreille.

Plusieurs paluches m'ont soulevé de terre jusqu'au milieu du gymnase. J'ai jeté un coup d'œil inquiet autour de moi : il était désert. Personne près des agrès, des barres parallèles et des lourds médecine balls attendant, inertes, de torturer quelque garçon aussi rétif que moi à l'exercice physique.

« Qu'est-ce que vous voulez ? ai-je dit.

— Du calme, a fait Ryan McKeon, l'âme damnée de Shane, qui a la peau grêlée et plein de boutons d'acné à vif.

— Calme-toi, OK ? a dit Shane alors que je n'avais encore rien fait.

— Calme, a dit Paulie Wilson – mais quand le sadique du lycée vous invite à vous calmer, je vous jure que vos pulsations ont plutôt tendance à s'accélérer. T'en fais pas, mauviette. On n'est pas là pour te faire du mal, p'tit con. »

Je me suis demandé si c'étaient eux qui avaient créé la page Facebook – et qui m'avaient envoyé ce message. Possible. Mais ils étaient plutôt du genre à assumer leurs actes, en général – il fallait leur reconnaître ça –, et ils l'auraient probablement signé.

« Hé, l'insecte ! a dit Ryan. C'est toi qui l'as tuée ?

— Du calme, les mecs », les a tempérés Cuzick.

Ryan m'a fixé, puis il a secoué la tête d'un air profondément dégoûté.

« Tu devrais te présenter aux élections », a raillé

Shane sans la moindre joie – et j'ai compris qu'il faisait allusion à la page Facebook. J'ai senti une colère sourde chasser ma peur, mais toutes deux étaient amorties par le chagrin, qui rendait toute chose vaine.

« Naomi, a-t-il commencé d'une voix très froide, je l'aimais beaucoup, tu sais. Une sacrée meuf, c'était… Tu vois, j'ai jamais compris pourquoi elle traînait avec votre bande de petits pédés. »

Shane s'est mis à tourner lentement autour de moi.

« J'ai jamais compris non plus ce qu'elle te trouvait. Mais, tu vois, je respecte. C'est toi qu'elle avait choisi, alors, OK, bon, je respecte. Je me dis : Naomi, elle sait ce qu'elle fait, sûr. Parce que… tu vois… j'avais beaucoup de respect pour elle, tu comprends ? Ouais… Et ça me déglingue, putain, ce qui lui est arrivé. » J'entendais à sa voix qu'il jouait les durs devant ses potes, mais qu'il devait arracher chaque mot prononcé à sa propre douleur. « Ça me fout la rage, je te jure. »

Cuzick a un visage trompeur : un visage d'ange. De longs cils presque féminins, une bouche délicate, un regard de biche – même si personne au bahut ne serait assez fou pour lui faire remarquer qu'avec une perruque et un peu de maquillage, il pourrait brancher n'importe quel client de prostituée. Mais je l'ai déjà vu péter les plombs. J'ai vu sa physionomie changer, comme si un nuage venait de passer devant le soleil et d'assombrir un paysage jusque-là idyllique ; j'ai vu ses traits se déformer sous l'effet de la colère et son regard devenir aussi noir et mat que celui d'un squale. Croyez-moi : vous n'avez pas envie de voir ça.

Or ce nuage, il était là en cet instant.

« Pourquoi ?

— Pourquoi quoi ? » j'ai dit, et ma pomme d'Adam a fait un aller-retour.

Il m'a toisé. On aurait vraiment dit qu'il voulait m'ouvrir la gorge à mains nues.

« Pourquoi tu t'es pris la tête avec elle sur le ferry ? »

J'ai écarquillé les yeux.

« Hein ? Comment tu sais ça ?

— Shanna vous a vus par les fenêtres... »

Cette salope de Shanna McFaden, ai-je pensé.

« Ça ne te regarde pas, j'ai dit.

— C'est toi ? » a-t-il grincé, les dents serrées.

Je n'ai rien répondu.

« Hé, on te cause ! a gueulé Paulie.

— La ferme, Paulie, a dit Cuzick. Je t'ai posé une question, Walker. Tu la trouves trop compliquée ?

— NON. Non, c'est pas moi, pauvre débile ! Pourquoi j'aurais fait ça ?

— Pourquoi je te croirais ?

— Rien à foutre que tu me croies ou pas, rien à branler... »

Ryan et Paulie n'en sont pas revenus ; je le voyais à leurs yeux tout ronds.

« Qu'esssseee-t'as dit, l'insecte ? a sifflé Paulie.

— La ferme, putain ! » a répété Shane.

Il m'a fixé intensément.

« Et qu'est-ce que tu vas faire ?

— Quoi ?

— Tu comptes rester là les bras ballants ?

— Non.

— Je t'écoute...

— Quoi ? Va chier ! En quoi ça te regarde ?

— Henry, *je t'écoute*... qu'est-ce que tu comptes faire ? »

Il y avait une nuance de menace dans sa voix – mais aussi, m'a-t-il semblé, une tentative de rapprochement.

« Je vais retrouver celui qui a fait ça », j'ai dit.

Ricanement des deux larbins.

« Ah ouais ? a fait Shane, mais il n'y avait pas une once de sarcasme dans sa voix à lui. Et comment tu vas faire ça ?

— J'en sais rien… Il faut reconstituer ce qui s'est passé cette nuit-là, sur le ferry, pour commencer… Après, on verra où ça nous mène…

— *Je veux t'aider*, a-t-il soudain déclaré.

— Quoi ?

— Naomi, c'était mon amie. Je veux t'aider à choper le fils de pute qui a fait ça. »

Je n'ai rien répondu.

« T'es au courant que t'as un mobile ? a-t-il ajouté. La police ne le sait peut-être pas encore, mais ils vont pas tarder à le découvrir… »

Mon estomac s'est retourné.

« Un mobile… lequel ? »

Il s'est approché de moi et a murmuré à mon oreille : « *Elle voulait te quitter…* »

Un essaim d'abeilles dans mes tympans, j'ai cligné des yeux.

« Q… q… quoi ? Elle te l'avait… dit ?

— Non. Pas directement… pas comme ça… C'était pas son genre, tu le sais bien : elle t'en aurait parlé d'abord… Mais elle avait des doutes, c'est clair…

— Des doutes sur quoi ?

— Sur votre relation. Sur… *toi*. On en a parlé une fois… » Il a hésité, m'a lancé un coup d'œil sincèrement embarrassé. Je me suis demandé si c'était vraiment Shane Cuzick – *le* Shane Cuzick – qui était en train de me parler comme ça. J'ai senti les muscles de mes jambes se mettre à trembler. Il s'est retourné vers ses deux âmes damnées.

« Tirez-vous, leur a-t-il dit. Faut qu'on parle, Henry et moi.

— Putain, Shane…

— Tirez-vous ! (Puis il a pivoté vers moi.) Si vous enquêtez, je veux participer. Demande-moi n'importe quoi, OK ? À partir de maintenant, je suis des vôtres, Henry. Enfonce-toi bien ça dans le crâne. »

« On est bien d'accord ? a commencé Charlie à bord du ferry. (Il nous a regardés l'un après l'autre.) Johnny et Kayla, vous restez à la terrasse du Blue Water et vous surveillez toutes les bagnoles qui descendent des ferries. Henry et moi, on s'occupe du reste… Dès que vous voyez Taggart, vous nous prévenez.

— T'es sûr que le réseau passe derrière la montagne ? s'est enquis Kayla d'une voix pas franchement rassurée.

— On vérifiera dès qu'on y sera…

— Et s'il passe pas ? »

Charlie n'a pas répondu. Il a tourné son regard vers le hublot strié de pluie. Ce soir-là, comme souvent l'hiver, les îles disparaissaient dans la grisaille et la nuit qui tombait déjà. Il était à peine 16 heures. Nous avions tous invoqué le besoin d'être seuls et de nous recueillir pour fuir les activités physiques de l'après-midi. Aucun prof n'avait eu le front de refuser.

Les lumières d'East Harbor se rapprochaient.

On n'a plus dit un mot jusqu'au moment où on a rejoint les voitures. Sur la terre ferme, les flashes de la presse nous ont de nouveau accueillis, en moins grand nombre cependant : seuls deux cars de régie stationnaient encore sur le parking des ferries. Johnny a garé son pick-up près du Blue Water, devant le magasin de souvenirs et de fringues, et Kayla et lui sont descendus. J'ai abaissé ma vitre et on a vérifié qu'aucun des véhicules qui nous dépassaient n'était celui de Taggart.

« Vous êtes sûrs de vouloir y aller ? » a dit Kayla.

Charlie s'est penché pour la regarder par-dessus mes mains posées sur le volant et il a hoché la tête.

« Allons-y », a-t-il dit.

Je leur ai fait un signe et j'ai hissé la vitre. Puis on a démarré. On a remonté Main Street, tourné à droite dans Eureka Street et on a quitté East Harbor par le nord. Ni Charlie ni moi ne parlions. Je savais que nous étions pareils : plus le but se rapprochait, plus la trouille mixait nos estomacs, comme des fruits dans un blender. J'ai quitté la route des yeux pour lui lancer un coup d'œil à la dérobée : il fixait le pare-brise d'un air sombre et concentré, la lèvre inférieure en avant – ce qui était toujours chez lui un signe de concentration, de colère ou d'inquiétude.

« Merde, a-t-il finalement lâché, comment tu te sens ?

— Pas terrible.

— Tu veux toujours le faire ? »

J'ai deviné qu'il était tiraillé entre deux sentiments contradictoires : d'un côté, il voulait aller jusqu'au bout ; de l'autre, il espérait que j'allais me dégonfler, ce qui lui fournirait une excuse pour renoncer.

« Ouais, j'ai dit. Et toi ?

— Sûr, a-t-il répondu à contrecœur. Qui sait si Naomi n'est pas quelque part là-haut à nous observer… Qu'est-ce qu'elle penserait si on se dégonflait, hein ? »

J'ai trouvé cette remarque étrange de sa part, lui qui ne croit pas en grand-chose et certainement pas au fait que nos âmes – ou quel que soit le nom que l'on donne à la vie après la mort – puissent errer à mi-chemin entre, disons, l'« au-delà » (qui serait quoi, je vous le demande un peu : l'enfer ? le paradis ? le purgatoire ? un centre commercial infini avec des milliards de films à l'affiche, des millions de jeux vidéo inédits et des Dick's Drive-In, des Taco Bell et des Steak'n Shake gratuits ?) et le monde ici-bas, en passant leur temps à scruter les activités des humains tel le plus indiscret de vos voisins. De surcroît, ai-je pensé, à quoi aurait-elle ressemblé dans ce cas ? À la Naomi d'*avant* ou d'*après* les scarifications ? À son cadavre défiguré sur la plage ? Ou bien à un esprit volatil, une petite fumée, un paquet de molécules dispersées dans l'air ? Penser à ces choses était aussi nuisible pour ma santé mentale que coucher avec la fille d'un membre de gang l'aurait été pour ma santé tout court – aussi me suis-je efforcé de me concentrer sur ma conduite.

Pour parvenir au cabanon de Taggart, il faut rouler environ trois kilomètres vers le nord sur Miller Road ; de là, une fois sorti des bois, on continue à travers de douces collines et des pâturages et on dépasse la ferme des Bates – qui élèvent des alpagas, cet animal laineux originaire des Andes proche du lama et de la vigogne. Ce soir-là, elle se fondait lentement dans l'obscurité. On arrive ensuite au carrefour de Grafton et d'Adams, à la hauteur d'Eagle Point, où, à la belle saison, devant les yeux ravis des touristes, un adjoint au shérif nourrit les aigles chauves en sortant des morceaux de poulet du coffre de son GMC et en les balançant dans le champ de l'autre côté de la clôture. Après quoi, on s'enfonce dans les bois par Clark Cabin Road – vers le nord-ouest. La partie la plus sauvage et la plus sinistre de l'île… surtout un soir d'hiver. Sur Clark Cabin Road, on a dépassé la vieille station-service Texaco désaffectée – avec ses deux pompes mangées par la rouille, ses carreaux cassés et ses herbes folles poussant dans les lézardes du terre-plein. Son enseigne au néon en haut d'un mât est éteinte depuis deux décennies mais toujours en place. Les ombres bleues des grands sapins se profilaient sur les planches de sa façade éclairée par une lune à son dernier quartier. Peu de temps avant de parvenir à Seymour Bay, on a croisé une discrète piste forestière avec un panneau « Privé – Accès Interdit » cloué de traviole sur un tronc ; elle creusait un tunnel de verdure en direction du sud-ouest, derrière Mount Gardner, qui sépare la côte ouest du reste de l'île. Elle était à peine carrossable et hautes herbes et fétuques poussaient en une étroite bande au milieu, chuintant d'une voix quelque peu mystérieuse et inquiétante contre le bas de caisse, tandis que, dans la lueur des phares, nous roulions dans un paysage de plus en plus estompé par la brume et bondissions sur nos sièges en nous cramponnant.

À deux reprises, le châssis a heurté le sol ou une pierre et je me suis dit que nous aurions mieux fait d'emprunter le pick-up de Johnny. Plus loin, les roues ont patiné dans des ornières boueuses, mais j'ai appuyé sur l'accélérateur et la Ford a bondi en avant sans s'enliser. Alors que nous approchions, Charlie a appelé Johnny.

« Ouais, on y est presque, l'ai-je entendu répondre.

Hein ?... Quoi ?... Allô ?... Quoi ?... Je t'entends à peine... C'est bon, ça passe », a-t-il dit après avoir coupé la communication, mais je n'étais pas franchement convaincu.

Je m'efforçais de respirer calmement, certain que, si je me laissais aller, j'allais faire une véritable crise de tachycardie. La silhouette de la maison – si on peut appeler ainsi un préfabriqué posé sur des moellons – est enfin apparue entre les arbres. Nous l'avons dépassée et nous avons roulé encore une centaine de mètres avant de stopper la Ford.

Le silence est tombé sur nous et, pendant une seconde, nous avons été saisis d'une sorte de paralysie des sens, provoquée par la brume qui dérivait devant le pare-brise, par l'absence de bruit et par l'excès d'adrénaline dans notre sang. Puis j'ai ouvert ma portière et je suis descendu. J'ai humé l'air humide et pénétrant qui envahissait les sous-bois à l'approche de la nuit. Charlie a allumé sa lampe torche car on n'y voyait presque plus rien, et nous avons marché jusqu'à la bicoque de Taggart, la torche creusant un puits de lumière dans le brouillard. La maison qui est sortie de la pénombre donnait l'impression de vouloir s'effondrer sur elle-même d'un moment à l'autre tout en se faisant progressivement digérer par la forêt. Il y avait une clairière sur le côté ; un canapé au velours hideux y était posé au beau milieu des hautes herbes, avec une vieille lampe à l'abat-jour cabossé, comme si la clairière avait été transformée en un salon miteux ; il y avait également des palettes en bois en train de pourrir, de vieux sommiers, des chaises en plastique imbriquées les unes dans les autres, des cages à hamster vides, des planches pleines de clous et même la carcasse d'un canot à moteur que les ronces, le lierre et la mousse avaient presque entièrement colonisée.

Dans l'obscurité, les planches délavées de la façade avaient la couleur d'ossements au fond d'un charnier, la mousse sur la toiture était plus épaisse qu'une fourrure d'ours et une partie du toit était même recouverte d'une grande bâche verte, sans doute pour éviter qu'il ne pleuve dans une pièce. Une des fenêtres était tout simplement bouchée par du contreplaqué, les autres éteintes. Nous les avons scrutées pendant quelques secondes ; Taggart était censé vivre seul – mais personne n'était allé vérifier.

Charlie a de nouveau appelé Johnny au milieu du silence de la forêt et je l'ai écouté coasser : « Quoi ?... Quoi ?... J'entends rien ! » Puis il a dit : « C'est bon. » Mais ça ne me paraissait pas bon du tout, en vérité.

« Qu'est-ce qu'il t'a dit ? ai-je demandé.

— Je sais pas... j'ai pas tout compris.

— Charlie, putain !

— T'inquiète : de toute façon, s'il nous rappelle ou si on reçoit un texto, ça voudra dire qu'il faut dégager en vitesse... »

Sur ces mots, il a sorti de sa poche un trousseau de petits crochets.

« D'où est-ce que tu sors ça ?

— Je l'ai commandé sur Internet y a quelque temps, avec le mode d'emploi. Le manuel du parfait petit cambrioleur. Je me suis entraîné à la maison. C'est trop cool... »

J'imaginais Charlie jouant les cambrioleurs dans sa propre maison. Ne soyez pas étonnés : Charlie a toujours aimé expérimenter tout un tas de trucs, comme cette fois où on a failli se faire exploser en mettant le feu à une bombe aérosol dans la décharge : la bombe a éclaté tellement fort que nos tympans ont sifflé pendant dix bonnes minutes. Ou encore celle où il a voulu que nous fabriquions un radeau avec de vieilles planches et un bout de voile (et pourtant il n'a jamais lu Thor Heyerdahl) : il a coulé à peine mis à l'eau.

Il s'est avancé vers la baraque au milieu du chaos d'objets mis au rebut ; la torche qui se balançait dans sa main envoyait des signaux lumineux dans toutes les directions. « Tiens-moi ça », a-t-il dit en me la tendant et en s'inclinant sur la serrure.

Il y a eu un bruit dans la forêt, sans doute un chevreuil ou une autre bestiole, et j'ai violemment sursauté.

« Merde, tu veux bien m'éclairer, bordel ! »

J'ai braqué le faisceau sur la serrure par-dessus son épaule et il s'est mis au travail. La porte semblait munie d'une serrure simple, pour ce que j'en savais, mais Charlie s'est escrimé dessus pendant un bon moment avec ses foutus crochets – il a même dû s'interrompre pour essuyer la sueur sur son visage avec le haut de son tee-shirt.

Les minutes défilaient, me rendant de plus en plus nerveux. Pendant qu'il grommelait, j'entendais tout un tas de bruits dans la forêt et je n'aimais pas ça. Et puis, il y a eu un déclic, il a tourné la poignée et la porte s'est ouverte.

« Et voilà. » Il est demeuré immobile dans l'encadrement, me barrant le passage. De là où j'étais, j'ai senti un âcre relent de renfermé et de tabac froid jaillir de l'obscurité comme la mauvaise haleine d'une bouche à l'hygiène insuffisante. J'ai aussi reniflé une autre odeur : shit. Il a tâtonné, tourné un interrupteur et la pièce est apparue. À côté de celui qui régnait à l'intérieur, le chaos à l'extérieur avait presque l'air ordonné. Des vêtements, des pantoufles et des sous-vêtements traînaient sur la moquette grise et sale, sur les fauteuils et sur la table basse, ainsi que des emballages de pizzas ; le papier peint des murs – qui, à en juger par les motifs d'arabesques, devait dater des années 70 – était si sombre qu'il semblait recouvert de suie, sans compter les taches noires d'humidité. Un rameur trônait au milieu de la pièce, ainsi que des haltères ; une télé grand écran était posée sur une commode. Il y avait des cendriers pleins partout et des bouteilles de bière vides, dont certaines couchées sur la moquette. L'autre côté de la salle servait de chambre. Le plumard était défait et une grande armoire en chêne s'appuyait contre le mur. Par une porte entrouverte, j'ai aperçu l'émail blanc des W-C ainsi qu'une cabine de douche dont le plexiglas était fendu.

Je me suis approché de la table de nuit. Rien de particulier. Un réveil, un cendrier, une lampe bon marché, une bouteille de Jameson, un carnet. Je l'ai ouvert. Des numéros de téléphone et des initiales. J'ai cherché celles de Naomi, mais elles n'y étaient pas. J'ai ouvert le tiroir. Des chewing-gums, des Kleenex, des préservatifs Trojan « plaisir prolongé, contrôle de l'orgasme », un peu de shit dans du papier sulfurisé...

En dessous de la petite table de nuit, à même le sol, une pile de magazines. Il ne m'a fallu qu'un coup d'œil pour comprendre de quoi il retournait et j'ai avalé ma salive.

« Regarde ça », a dit Charlie d'une voix écœurée.

J'ai pivoté dans sa direction. Il désignait des

jaquettes de DVD en vrac sur le lit. En m'approchant, j'ai constaté que toutes relevaient de la pornographie la plus extrême : fétichisme, bondage, avilissement, soumission, violence, animaux… Sur certaines, on distinguait des femmes attachées les bras en croix à des chaînes, feignant de grimacer – ou grimaçant réellement – de douleur sous leurs bâillons-boules et mes poils se sont hérissés sur ma nuque. Charlie, qui, d'ordinaire, était émoustillé par le plus petit bout de chair féminine, avait sur le visage une expression de profond dégoût ; je me sentais de plus en plus mal à l'idée que Naomi ait pu être conduite ici, mais rien pour l'instant – pas même le souvenir de son parfum – ne venait confirmer cette hypothèse. J'ai contourné le lit et ouvert la grande armoire. Des vêtements suspendus à des cintres, mais aussi plusieurs uniformes : une tenue de combat en tissu de camouflage, un uniforme de parade bleu nuit à ceinture blanche et boutons dorés, un autre composé d'un manteau et d'un pantalon verts, d'une chemise et d'une cravate kaki. Plusieurs paires de chaussures noires alignées au fond de l'armoire. J'ai également aperçu des casquettes, posées sur l'étagère du dessus : les tenues de Taggart quand il était dans les Marines… Je commençais à me sentir de plus en plus mal à l'aise. Si Taggart découvrait que nous avions violé son intimité, il nous tuerait – sans l'ombre d'un doute.

J'ai avisé une autre porte entre le pieu et l'armoire et je l'ai désignée à Charlie. Il a hoché la tête et nous nous sommes dirigés vers elle.

En tournant la poignée, j'ai eu un instant d'appréhension. Et un second en pressant l'interrupteur.

Une cuisine…

Comme la pièce principale, celle-ci était dans un grand désordre : des couverts et des assiettes sales dans l'évier, le plan de travail également encombré par la vaisselle de plusieurs jours. Un ordinateur était posé sur une petite table d'angle.

Charlie s'est penché dessus.

« Du matériel de pro, a-t-il dit. Putain, on dirait que Taggart s'y connaît en informatique… Il a pas peur de garder ça ici…

— Qui aurait le courage de lui rendre visite à part nous ? » ai-je objecté en respirant difficilement.

Charlie a haussé les épaules. Tout à coup, j'ai eu envie de décamper sans plus attendre, de prendre la poudre d'escampette et de retourner fissa au monde normal. La vision de cet antre exerçait une pression déplaisante sur mon crâne. Mais Charlie avait déjà allumé l'appareil.

J'ai regardé ma montre.

L'heure tournait.

S'il était ponctuel, le prochain ferry accosterait dans… *quatre minutes*…

Et si le téléphone ne passait pas ?

Charlie a cliqué sur les icones une par une.

Taggart se livrait à toutes sortes de trafics mais, visiblement, il n'était pas assez stupide pour en garder trace ici. Il avait sans doute une autre cache ailleurs. Un box sur le continent ? Mais où ? Charlie a ensuite passé en revue l'historique de navigation. Des sites de cul SM baptisés *no-limits-ultraviolence.com*, *porno-violent.com* ou encore *porn-hell.com*. J'ai frissonné. On était loin des minauderies de *Cinquante nuances de Grey*. Le visage de Naomi s'est imposé et j'ai brusquement eu envie de vomir.

J'ai consulté une nouvelle fois ma montre.

Le ferry devait être en train d'accoster. À l'instant même. Si Taggart était à bord, Johnny n'allait pas tarder à appeler…

C'est alors que j'ai remarqué la clé USB sur la table, posée près de l'ordi. Sa petite coque en plastique brillait et j'avais l'impression étrange qu'elle m'attendait. Qu'elle me disait : *vas-y, ouvre-moi*. Je l'ai attrapée, j'ai cherché la prise sur le côté et je l'ai enfoncée dedans. J'ai repoussé Charlie pour faire glisser le pointeur sur « continuer sans analyser » puis « ouvrir le dossier et afficher les fichiers ».

The Razors Edge, d'AC/DC, a retenti dans la poche de Charlie.

« Ouais ? a-t-il dit. Hein ?… Quoi ?… J't'entends mal ! Taggart ?… Tu as bien dit Taggart ?… Johnny ?… Allô !… Merde ! »

Le fichier s'est lancé.

Une vidéo…

Elle mettait un temps infini à se charger.

« Je crois que Taggart a débarqué, a dit Charlie.

— Comment ça : tu crois ?

— J'entendais très mal.

— C'était Johnny ?

— Oui. Je crois bien qu'il a prononcé le nom de Taggart. Mais je n'en suis pas sûr… Après, on a été coupés. »

L'affolement était perceptible dans sa voix. La vidéo s'est enfin ouverte. Sur l'écran, des silhouettes vêtues de tee-shirts sans manches et de pantalons noirs. Un détail a immanquablement attiré mon attention : toutes portaient des masques. Pas des masques de carnaval, non : de simples masques blancs, avec un nez, une bouche et deux trous pour les yeux. La plupart n'exprimaient rien de particulier ; un petit nombre manifestait de la tristesse ou de la joie.

On aurait dit une troupe de théâtre… *Théâtre*. Le mot a résonné en moi. Mon pouls s'est emballé. Naomi suivait des cours de théâtre.

Ceux de Nate Harding… Un play-boy prétentieux qui se la jouait artiste.

J'ai reporté mon attention sur la vidéo. Les regards brillaient derrière les masques, comme si une émotion particulière les habitait. Au-delà, j'ai aperçu des murs en bois sombre et j'ai compris qu'elle avait bien été tournée dans l'ancienne église méthodiste reconvertie en atelier de théâtre par Harding, sur Mud Bay Road. Puis il y a eu un reflet et, pendant une seconde, j'ai entrevu une silhouette en surexposition : la vidéo était prise à travers une vitre ! Le cameraman a bougé et j'ai alors vu des rideaux tirés : les personnes présentes à l'intérieur ne savaient pas qu'elles étaient filmées et ne tenaient visiblement pas à être surprises…

« Henry, faut éteindre ce machin maintenant… Tout de suite ! On n'a plus le temps !

— Une seconde… juste une seconde… »

Le mystérieux cameraman a repris sa position et les silhouettes aux masques blancs sont réapparues. Elles se parlaient, s'étreignaient, s'encourageaient. Il y avait dans cette gestuelle quelque chose qui m'échappait… Leurs attitudes évoquaient celles d'athlètes qui s'échauffent, qui se préparent pour un événement. Une répétition ? La réponse devait se trouver plus loin.

« Henry, merde, viens ! Dépêche !

— Un instant », j'ai dit.

Il a gémi comme un animal blessé.

« Putainnnn ! Il sera là dans cinq minutes ! J'aurai jamais le temps de reverrouiller la porte ! »

Il a éteint l'ordinateur et a arraché la clé.

« Rends-moi ça ! j'ai gueulé en attrapant son bras.

— NON !

— Rends-moi ce truc !

— Henry, tu peux pas l'emporter ! »

On s'est débattus dans la petite pièce, lui essayant de libérer son bras, moi une main refermée autour de son poignet, l'autre tentant de saisir la clé USB, quand un bruit de moteur est monté.

Cette fois, je l'ai lâché.

« Oooohh, meeerdeeeee... », a geint Charlie.

Il était pâle comme un linge. Je ne devais guère valoir mieux. On s'est regardés pendant un dixième de seconde, puis on a tracé vers la porte. J'ai éteint la lumière de la cuisine. On a contourné le lit défait et couru comme des dératés vers la porte d'entrée. Charlie a renversé la lampe de chevet au passage. Par chance, elle ne s'est pas brisée. Il s'est arrêté pour la remettre en place et s'est rué ensuite vers la sortie. J'ai appuyé sur l'interrupteur, tout est retombé dans l'obscurité et nous nous sommes retournés à temps pour voir des phares clignoter entre les arbres. Plus le loisir de verrouiller la porte – on s'est contentés de la refermer et on a foncé à toute bride vers les fourrés les plus proches, au fond de la clairière, bondissant comme des cabris par-dessus les vieux fauteuils, les planches, les carcasses et les détritus... Plus le temps de regagner la Ford non plus : il nous verrait sur la piste bien avant qu'on ait pu rejoindre la voiture !

On s'est planqués dans les massifs.

À peine quelques secondes plus tard, la caisse de Taggart a tourné dans le petit chemin en cul-de-sac sur le côté de la maison, à quelques mètres seulement de notre position, ses phares nous aveuglant un instant, et j'ai distingué une plaque d'immatriculation avec écrit en haut : « SEMPER FIDELIS » et en bas : « US MARINE CORP ». On s'est aplatis encore davantage dans les buissons quand il a ouvert sa portière, qu'elle a grincé dans le silence nocturne et qu'il a mis une botte à terre. Je crois que je n'avais jamais connu une telle peur. Mon cœur donnait l'impression de vouloir exploser comme une grenade dans ma poitrine ; il battait si fort que je le sentais jusque dans ma gorge.

S'il nous trouvait, Dieu sait de quoi un homme comme Taggart était capable…

Il a claqué la portière. Taggart ne ressemblait pas à un ancien militaire : il avait des cheveux blonds et fins dont une mèche balayait son front jusqu'aux sourcils et des lunettes rectangulaires aux verres épais qui lui donnaient l'air trompeusement inoffensif d'un étudiant ou d'un lycéen – le genre qu'on aime chahuter dans la cour de récré. Il avait passé la quarantaine, mais sa silhouette et son allure étaient celles d'un adolescent. Il portait une veste sans manches de chasseur sur une polaire à col montant. Il a tiré sur la ceinture de son pantalon trop grand pour lui et s'est dirigé d'un pas pressé vers la baraque. Quand il a introduit la clé et qu'il l'a tournée, il s'est brusquement figé.

De là où j'étais, j'ai vu son dos se raidir. Puis il a lentement pivoté sur lui-même et il m'a semblé que son regard se braquait dans notre direction tandis qu'il attrapait un flingue coincé dans sa ceinture, contre ses reins…

J'avais presque envie de bondir hors de ma cachette et de me précipiter en courant dans les bois. L'instant d'après, un deuxième bruit de moteur s'est élevé, bien plus puissant que le premier.

Le monstrueux pick-up tout-terrain F-350 Super Duty noir est venu se garer derrière le Dodge Ram de Taggart, ses six roues – dont quatre motrices – creusant de profondes ornières dans la boue du chemin. J'ai aperçu un grand pare-buffle qui, couplé à la puissance du moteur Power Stroke, aurait pu envoyer valser un bison dans les plus hautes branches, et un faux bouchon de radiateur en forme de bouledogue.

Ensuite, le conducteur a coupé les quatre cents chevaux de son monstre, la portière conducteur s'est ouverte et nos couilles se sont encore rétractées – si cela était possible – en découvrant les bottes pointues puis la haute silhouette de… Darrell Oates ! Ma pomme d'Adam a fait le yo-yo et Charlie a eu un petit hoquet de terreur à côté de moi. Si Jack Taggart est un sale type, Oates, lui, est la quintessence du malade mental et du sociopathe – lui, ses deux frères, son père et tout le reste de sa cinglée de famille… À ma connaissance, il n'y a pas de fratrie plus dangereuse dans tout l'État de Washington : même les flics les craignent. Les Oates n'habitent pas sur l'île – mais ils possèdent une petite maison de « vacances » au nord où ils débarquent tous les étés pour faire la fête, se soûler et bronzer sur leur petit bout de plage comme si l'île tout entière leur appartenait. D'innombrables rumeurs circulent sur leur compte et Charlie sait par son frère Nick des tas d'histoires sur eux ; ils sont connus de toutes les polices de l'État : un clan sauvage qui vit dans les montagnes au-dessus de la Skagit River, entre Marblemount et Newhalem, sur la route du lac Diablo. Au milieu de chiens, de carcasses de voitures (officiellement, ils sont ferrailleurs) et de plusieurs baraques plus ou moins délabrées. Le père, dans la cinquantaine, a passé plus de temps en prison que dehors ; la mère est presque aussi féroce, une vraie harpie, de même que leurs trois cinglés de fils qui ont entre trente et quarante ans, dont Darrell, le plus jeune, tous avec des casiers judiciaires plus longs que le manuscrit original de *Sur la route*, plus cinq filles et belles-filles et une tripotée de petits-enfants. Personne n'ose s'aventurer du côté de chez les Oates, pas même la police, qui les évite autant qu'elle peut, bien que les Oates soient notoirement mêlés à toutes sortes de trafics et qu'ils aient connu la prison pour des faits de viol, des bagarres, un meurtre et des actes de barbarie. Quand ils débarquent à East Harbor, je pense toujours au clan de *Massacre à la tronçonneuse.*

Planqué dans mon fourré, un long frisson glacé m'a parcouru l'échine : Darrell Oates et Jack Taggart ensemble le lendemain de la mort de Naomi. Deux ordures, dont l'une avait été soupçonnée de viols au sein de l'armée et l'autre déjà condamnée pour plusieurs agressions, dont certaines sur des femmes.

Ça ne pouvait être une coïncidence…

Naomi avait-elle été violée ?

Pris dans la tourmente de l'interrogatoire, je n'avais pas eu le temps ni le courage de poser la question à Krueger, mais elle était revenue me hanter par la suite…

J'ai senti la colère et la nausée ressurgir en voyant ces deux crapules.

Apparemment, Darrell Oates avait l'air pressé.

Il a passé la main dans ses cheveux blond-roux clairsemés qui bouclaient sur sa nuque et sur son crâne. Darrell Oates avait de petits yeux en amande, étroits, limpides et très pâles, et une bouche minuscule comme celle d'un bébé au milieu d'un visage gros comme une souche. Mais ce qui permettait de le reconnaître au premier coup d'œil, c'était le large tatouage qui faisait tout le tour de son cou puissant. Une phrase ornée de fioritures, elle disait : LOVE, SPRAY AND PRAY *(Aime, canarde et prie)*. La légende voulait que le tatouage dissimulât une vilaine blessure que lui avait faite un membre d'un gang du comté de Whatcom affilié aux Bandidos et que ledit membre eût ensuite été retrouvé mort égorgé en contrebas de la route menant au lac Diablo. Malgré la température automnale, il portait un blouson en cuir léger sur un maillot des Seahawks. Darrell a remarqué l'arme dans la main de Taggart.

« Qu'est-ce que tu fous ?

— Ma porte était ouverte…

— Et alors ?

— Je n'oublie jamais de la fermer. »

Darrell Oates a balayé à son tour la clairière de ses petits yeux clairs et déments, son regard est passé à l'endroit où nous nous trouvions et a continué plus loin. J'entendais Charlie respirer de plus en plus fort à côté de moi.

« On n'a pas le temps, a dit Darrell d'un ton impérieux. Les flics peuvent débarquer d'une minute à l'autre… T'as peut-être oublié pour une fois…

— Non. »

Le benjamin des Oates a également sorti une arme.

Une branche me chatouillait le nez, mais je n'osais pas bouger d'un millimètre, tous mes muscles tellement contractés que je n'allais pas tarder à avoir une crampe. Je me demandais par quel miracle ils ne nous avaient pas encore repérés, accroupis dans notre buisson. Sans doute parce que c'est la dernière chose qu'ils auraient imaginée.

« Le plus urgent, c'est l'ordinateur, il faut s'en débarrasser tout de suite », a-t-il dit, et on s'est regardés, Charlie et moi.

Ils ont disparu à l'intérieur et j'ai inspiré l'air nocturne. La fenêtre de la cuisine s'est allumée et on a distingué leurs deux silhouettes derrière. Taggart a tendu quelque chose à Oates : la clé USB… Oates l'a glissée dans sa poche puis il a saisi l'ordinateur portable, a retraversé le salon-chambre et a émergé sur les planches devant l'entrée. Taggart l'a rejoint quelques secondes plus tard, portant une pelle, une masse et un bidon d'essence.

Ils sont ensuite passés tout près de nous et, pendant un instant, quand les bottes ont piétiné le chemin à quelques centimètres de nos genoux, leurs jambes seulement séparées de nos visages par un maigre rempart de feuilles – en tendant le bras, j'aurais pu les toucher –, nous nous sommes sentis comme des Hobbits cernés par des Orques.

Après quoi, Taggart et Oates ont emprunté une sente presque invisible au milieu des fougères et se sont fondus dans l'obscurité des bois. Nous avons épié la lueur vacillante de leur torche qui s'éloignait dans les ténèbres.

« Putain de merde, a expiré Charlie, j'ai cru que j'allais chier dans mon froc ! » Puis il a ajouté : « Le monstre, là : il était sur le ferry… » Je me suis alors souvenu de l'avoir vu moi aussi, parmi les autres véhicules, comme un doberman au milieu d'épagneuls, avec le petit bouledogue en guise de bouchon de radiateur.

« Viens, ai-je dit en m'élançant sur leurs traces.

— Qu'est-ce que tu fous ? Il faut filer d'ici maintenant ! C'est l'occasion ou jamais ! »

Mais j'étais déjà en train de glisser mes pas dans les leurs.

Par chance, s'il ne pleuvait pas, le vent s'était mis de la partie et le murmure des feuillages autour de nous couvrait les bruits éventuels que nous pouvions produire pendant notre progression. La lueur de la torche – qu'ils avaient dû poser à terre, car elle ne bougeait plus – nous servait de point de repère. Un autre son s'élevait : celui d'un fer de pelle mordant un sol meuble.

Et, tout à coup, un grand fracas a rompu le silence de la forêt au moment où nous nous rapprochions.

J'ai vu Oates abattre sa grosse masse sur l'ordinateur encore et encore, jusqu'à le réduire en une crêpe informe de métal et de plastique. Puis il a ouvert le bidon d'essence, l'a arrosé et a sorti son Zippo.

Les flammes ont illuminé leurs visages tandis que, de son côté, Taggart creusait un trou dans la terre, entre les racines et les fougères. Une fumée noire est montée en colonne parmi les feuillages brassés par le vent et une odeur de caoutchouc brûlé a envahi le sous-bois. J'ai sorti mon téléphone portable et j'ai filmé – mais j'étais trop loin et on ne voyait que quelques vagues lueurs dans les ténèbres. Ils ont éteint les dernières flammèches avec leurs bottes, ont jeté le magma noirâtre dans le trou et l'ont recouvert de terre et de feuilles.

« Barrons-nous », a ensuite dit Oates.

Nous avons attendu dans la forêt que Darrell Oates soit reparti à bord de son monstre et que toutes les lumières se soient éteintes dans la bicoque de Taggart. Puis nous avons rejoint la voiture. Je me sentais déprimé, malade, vidé de toutes mes forces et de tout mon courage en pensant à Naomi seule et sans défense entre les mains de ces fauves. Mon cerveau brûlait de fièvre à l'idée de ce qu'elle avait pu endurer, de la terreur et de l'horreur qui avaient dû être les siennes dans ses derniers instants, de la façon laide et odieuse dont s'était terminée sa vie. Je me sentais habité par un désir de vengeance sans limites, mais, en même temps, j'avais cruellement conscience que nous n'étions pas de taille face à ces deux prédateurs professionnels, ces experts de la cruauté et de la dépravation. En me laissant tomber derrière le volant, j'ai perçu la vanité de notre tentative et j'ai pleuré de rage.

15

Trente-six chandelles

J'ai passé la journée suivante comme dans un rêve. Géométrie, mythologie, histoire des États-Unis... Les visages de Jack Taggart et de Darrell Oates ne cessaient de me hanter. J'étais incapable de penser à autre chose. Partout – à la cafétéria, en classe, pendant les pauses –, je sentais des regards sur moi, certains teintés de compassion, d'autres de soupçon, d'autres encore en forme de question.

La page Facebook n'avait toujours pas été supprimée ; le nombre de commentaires avait même explosé. Mais dans le jeu *Qui a tué Naomi ?*, une deuxième personne venait concurrencer « Henry » par son score : « la mère ». Car la mère de Naomi n'avait toujours pas reparu. Où était-elle passée ? Personne ne semblait en avoir la moindre idée... Était-elle mêlée à la mort de sa fille ? Ou bien avait-elle été victime du même assassin ? Mais, dans ce cas, n'aurait-on pas déjà retrouvé son corps ?

Je la revoyais, une belle femme, qui avait la même chevelure noire et soyeuse que sa fille mais la peau plus claire – sauf l'été – et des yeux plus écartés.

Elle nous avait toujours accueillis avec bienveillance, mais elle ne se mêlait jamais à la population de l'île. Comme je l'ai dit, son père était mort quand Naomi avait six ans et elle vivait depuis sur Glass Island avec sa mère. Une mère solitaire mais qui s'amusait de notre compagnie, qui pouvait nous distraire avec des grimaces ou faire rougir Charlie et Johnny par ses remarques, tant elle connaissait nos points faibles. Jamais rien de bien méchant – mais elle lisait en nous à livre ouvert et semblait considérer de son devoir de faire de nous des adultes ou à tout le moins autre chose que des crétins acnéiques. Leur mobil-home, au camp des caravanes, était des plus modestes.

J'ai envisagé pendant une fraction de seconde de me connecter à la page sous un pseudonyme et d'ajouter le nom de Jack Taggart à la liste. Rien que pour voir ce qui se passait. J'étais sûr que la police surveillait cette page et chaque contribution : c'était peut-être la raison pour laquelle elle n'avait pas été fermée : ils devaient espérer que le coupable se trahirait en venant dessus.

Étrangement, alors que je me repassais mentalement l'épisode de la veille – et que je m'imaginais menaçant les deux salopards d'une arme à feu et même les abattant après les avoir fait mettre à genoux et qu'ils m'eurent supplié de les épargner –, cette journée est passée en un clin d'œil, tant j'étais ailleurs, perdu en un lieu où n'existaient que ma rage et mes fantasmes de justice expéditive.

Pendant l'entraînement de basket de l'après-midi, j'étais si distrait qu'à un moment donné le ballon m'a heurté violemment au visage. Une douleur cuisante m'a brûlé la joue quand la surface rugueuse est entrée en contact avec elle et j'ai vu trente-six chandelles. J'ignore si c'était dû à mon inattention ou si quelqu'un m'avait volontairement pris pour cible, mais le silence s'est fait autour de moi et le coach a demandé un temps mort. Après quoi, il m'a gentiment invité à rentrer chez moi.

J'étais dans le vestiaire quand mon téléphone a vibré. C'était le chef Krueger.

« Henry ? a-t-il dit. Tu es où ?

— Au lycée, j'ai répondu. Où voulez-vous que je sois ?

— Tu peux te libérer ?

— J'allais rentrer…

— Très bien. Passe au bureau avant.

— Il y a du nouveau ? ai-je demandé avec un poids sur la poitrine.

— Pas au téléphone. »

Et il a raccroché.

16

Dix jours plus tôt

Sur le trottoir de la 3e Avenue, Noah Reynolds fut accueilli par la pluie. De gros nuages noirs bouchaient le ciel au-dessus de la baie, entre les gratte-ciel. Il releva son col et se dirigea vers le parking le plus proche, celui qui se trouve sous les cinquante-cinq étages de granit et de verre du 1201.

Sa Crown Victoria – la même qu'il conduisait quand il était encore enquêteur à la Criminelle de Seattle et qui accusait aujourd'hui le poids des ans et des kilomètres – l'attendait au cinquième niveau. Noah rangea sa grande carcasse derrière le volant et l'enveloppe dans la boîte à gants. Cent dollars de l'heure pour suivre le mari d'une des chefs d'entreprise les plus réputées de la ville, une femme autoritaire et cassante, d'amphithéâtre en bibliothèque (l'époux en question était prof à l'université de Washington) et de salle de fitness en café Tully's, Noah trouvait que ce n'était pas cher payé. Après douze jours d'une filature soporifique, le seul vice qu'il avait déterré était une collection de bandes dessinées de super-héros dont madame ignorait l'existence. Monsieur possédait plus de dix mille titres DC, Marvel et All-American qu'il planquait dans un box. Il y en avait pour une fortune. Noah avait découvert sur Internet que certains exemplaires très rares pouvaient atteindre les quatre-vingt mille dollars. Il est vrai que monsieur aurait sans doute aimé se dédoubler : mari docile le jour, vengeur masqué la nuit, se défoulant sur toutes les crapules de la ville des mortifications qu'il endurait au quotidien.

Noah rejoignit l'I-5 en bâillant d'ennui. Il habitait Fremont, au nord de la ville – autoproclamé *Centre de l'Univers connu* par ses habitants –, une maison de bois rouge au pied du viaduc à six voies d'Aurora Bridge : la dernière avant le Troll. Le Troll attirait aussi bien les touristes que les enfants. Il se tenait dans l'ombre, là où le pont rejoint la terre ferme, et il avait la taille d'une maison. Un vrai Troll. En ciment. Son œil unique foudroyant tous ceux qui s'arrêtaient pour le contempler. De ses fenêtres, Reynolds voyait à la fois les voitures qui passaient sur le viaduc, là-haut, et le Troll sous le pont, ainsi que les touristes et les enfants venus le photographier.

Et il y avait aussi la statue de Lénine. En bronze. Celle qui trônait sur Fremont Place – un Lénine au regard perçant, fidèle à l'iconographie, dont quelqu'un avait teint la main gauche avec de la peinture rouge. Un type qui s'appelait Lewis Carpenter, qui enseignait l'anglais et qui habitait Issaquah, l'avait rapportée de Russie en 1994 pour quarante et un mille dollars. Carpenter était mort depuis, mais la statue de cinq mètres de haut était toujours là, trônant sur Fremont Place. Un troll et une statue de Lénine : vous voyez le topo ? Les habitants de Fremont se vantaient d'être des iconoclastes, des artistes, des libres-penseurs, des *freaks* – du moins dans le temps, quand Noah s'était installé là : aujourd'hui, le quartier était racheté morceau par morceau par les cadres d'Adobe et de Google. À tout prendre, il préférait encore les hippies et les cocos…

Le téléphone sonna dans sa poche, mais il avait envie de profiter de cette soirée pour une fois, et il l'ignora. Le téléphone se lassa de sonner. Fort bien. Noah parvint devant sa baraque rouge qui évoquait une maison de poupée, gara la Crown Victoria le long du trottoir et descendit. La pluie faisait frissonner les dernières feuilles. Malgré tout, le quartier gardait ses bons côtés : on y cultivait le sens de l'humour et du bon voisinage ; et puis, il y avait le marché du dimanche, où on trouvait toutes sortes de trucs bizarres et des gens qui ne l'étaient pas moins.

Le téléphone se remit à sonner.

Eh merde : on ne pouvait plus être tranquille nulle part, de nos jours. La faute à la technologie. Grâce ou à cause d'elle, la chasse était ouverte toute l'année pour les raseurs. Nuit et jour. Noah sortit son appareil de sa poche et jeta un coup d'œil au numéro qui s'affichait.

« Salut, Jay », dit-il quand il eut fait glisser le bouton vert de la gauche vers la droite.

Jay Szymanski…

Les gouttes de pluie froide qui frappaient le crâne de Noah ne furent pas la cause de ses frissons quand il raccrocha. Hobbes avait coutume de dire que l'homme est un loup pour l'homme, mais Jay Szymanski était un loup parmi les loups ; un loup solitaire et impitoyable… Et pourtant, Noah l'avait vu s'incliner toute sa vie devant le même mâle alpha. Il revit Jay à trente ans, à l'époque où Noah travaillait dans la D.C. Police – la police métropolitaine du district de Columbia à Washington –, ils s'étaient rencontrés au cours d'une affaire dans laquelle un sénateur était impliqué : une pute avait claqué d'une overdose dans sa salle de bains. Mince, de taille moyenne, le crâne déplumé et les joues creuses, Jay ne payait pas de mine, avec son regard fiévreux profondément enfoncé sous des sourcils broussailleux – et pourtant, dès le premier instant, il l'avait jaugé et il avait su à qui il avait affaire. Il avait perçu la dangerosité et l'intelligence du lascar. Tout comme Jay l'avait cerné en retour. Ledit sénateur était victime d'un chantage. Noah avait réussi à étouffer l'affaire et à identifier le maître chanteur. Puis il avait transmis l'info à Jay. L'homme n'avait jamais été traduit en justice ; il avait fini à l'hôpital avec un œil pendant sur sa joue au bout des muscles oculomoteurs, la moitié des dents brisées (il en avait carrément chié deux, en or, le lendemain) et la langue coupée. Noah avait été le voir à l'hôpital. Le type était un dur, un salopard, un mac cruel et sans pitié avec les filles – mais la terreur que Noah avait lue dans son œil valide, il ne l'avait jamais rencontrée auparavant.

Par la suite, il avait souvent travaillé en douce pour Szymanski – et par voie de conséquence pour Augustine. Jay était une ombre, apparaissant quand on s'y attendait le moins, appelant au beau milieu de la nuit sans se soucier le moins du monde de savoir si son interlocuteur dormait, à cette heure où tout appel téléphonique ne peut être qu'une erreur, une tentative d'intimidation ou une très mauvaise nouvelle et fait flipper même les plus endurcis. Noah retrouvait parfois ses traces au hasard d'une enquête : un mafieux congelé dans une chambre froide, un cadavre dans le Potomac, un type qui, un beau matin, quittait son domicile, sa femme, ses enfants pour aller bosser et ne rentrait jamais…

Et voilà que Jay avait de nouveau besoin de lui.

Pour retrouver un môme. Sur une île… Noah savait que ce serait bien payé, mais il se demandait ce qu'ils voulaient à ce gosse. Jay lui avait assuré qu'ils ne feraient pas de mal au gamin. C'était l'avantage avec Jay : il ne mentait jamais. Et il n'avait jamais forcé Noah à faire quoi que ce soit contre son gré. C'était le prix de leur association… Et de leur « amitié ». Il savait toutefois que Jay n'aurait pas hésité à lui faire subir le même sort qu'aux autres si Grant Augustine le lui avait demandé.

Il déverrouilla sa porte. Les murs de la pièce principale étaient entièrement recouverts de livres du sol au plafond. Des tours de Pise de bouquins qui menaçaient de s'effondrer partout : sur les tapis poussiéreux, la table basse, les chaises, le canapé avachi et les rebords des fenêtres. Des livres achetés d'occasion et abondamment annotés. Bacon, Thomas d'Aquin, Jacob Boehme, Maïmonide, Avicenne, Averroès… Des penseurs chrétiens, juifs, musulmans… Des paroles de sagesse dans une époque de déraison – Noah avait vu tant de choses en une vie de flic. Des enfants battus à mort par leurs parents, des filles de vingt ans qui se prostituaient pour une dose de crack et qui n'avaient plus une dent saine, des types enterrés vivants dans la forêt, des bébés jetés dans des poubelles, de vieilles mères séquestrées par leurs rejetons – une gamme inimaginable de tortures et de sévices… Était-ce là la créature qu'avait choisie le Créateur ? « J'étais devenu pour moi-même une grande question », avait écrit saint Augustin.

Il marcha jusqu'à son petit bureau et alluma l'ordinateur en évitant de regarder le chaos autour de lui. Il était veuf depuis douze ans. Auparavant, sa femme et lui vivaient dans un appartement bien tenu qui donnait sur les écluses de Ballard. Été comme hiver, Elizabeth aimait à prendre son petit déjeuner sur son balcon, en contemplant les innombrables bateaux dans le port.

Un exemplaire du *Seattle Times* de la veille traînait dans l'entrée, un article entouré au marqueur fluo. On y parlait des chefs de gouvernements européens furieux de découvrir que la NSA espionnait toutes leurs conversations. Hypocrisie, pensa Noah. Est-ce qu'ils n'essayaient pas de faire de même ? Ce qui les rendait furieux, en vérité, c'est qu'ils n'y parvenaient pas aussi bien. Mais il ne lui plaisait pas de savoir que ses propres conversations et ses propres mails étaient accessibles aux âmes grises de l'Agence.

Il était un citoyen américain… Ça allait trop loin, cette fois…

Noah considéra l'écran. Il vit qu'il avait déjà reçu les infos de Jay, via un VPN, un réseau privé virtuel. Bien entendu, elles étaient cryptées selon une clé sûre propre à WatchCorp et à la NSA.

Il cliqua sur les pièces jointes. Non seulement Jay lui avait envoyé toutes les infos dont ils disposaient déjà sur les cent soixante-sept garçons de quinze à dix-sept ans qui vivaient dans ces îles, mais il avait aussi ajouté un abonnement pour le ferry au départ d'Anacortes, les horaires de celui-ci et même les adresses des gargotes du coin. Ce bon vieux Jay… Il ne faisait jamais les choses à moitié.

Noah ouvrit le fichier principal. En face de chaque nom, il y avait une photo : des garçons souriants, comme ils auraient pu en avoir avec Elizabeth si elle n'avait pas obstinément refusé d'être mère… Et, aujourd'hui, quelle trace avait-elle laissée ? Un ou deux tableaux qui prenaient la poussière dans le salon de collectionneurs avertis ? Ni frère, ni sœur, ni enfants… Il ne restait que lui pour chérir sa mémoire, et même lui commençait à se lasser.

Il se leva et attrapa la bouteille dans le placard de la cuisine. Un jus de fruits. Noah n'avait pas bu une goutte d'alcool depuis trois ans. Il était clean. Il s'assit dehors, sur la minuscule terrasse. La rue était calme, la pluie froide chuchotait sur les feuilles. Il commença à passer en revue les informations que lui avait envoyées Jay. Là-haut, au-delà du parapet en béton, il apercevait la lueur de milliers de phares ; il pensa à tous ces automobilistes filant vers Seattle, aussi aveugles qu'une espèce en route vers sa propre extinction.

17

Adoption

Dans le bureau du shérif, il y a un mur entièrement tapissé d'écussons appartenant à des polices de tout le pays et même du monde entier : LAPD, NYPD, Montana Highway Patrol, Alaska State Troopers, Blues Knights de l'État de Washington, mais aussi la Bundespolizei allemande, la gendarmerie française, la Crime & Security Branch irlandaise, les carabiniers italiens, la police métropolitaine de Tokyo, la Policia Militar do Estado do Rio de Janeiro et même la police de Tasmanie. Je me suis abîmé un moment dans leur contemplation. Me demandant combien il aurait fallu de flics sur terre pour éradiquer le crime. Un pour vingt personnes ? Un pour dix ? Un pour cinq ? Ou bien est-ce que le crime était inévitable, inscrit dans les circonvolutions de notre cerveau primitif ? Il n'y avait pas beaucoup d'habitants sur terre à l'époque de Caïn et Abel et pourtant l'un d'eux avait trouvé le moyen de tuer son frère.

Ce genre de rêverie me permettait de ne pas penser à ce qui m'attendait. Cela faisait bien dix minutes qu'ils m'avaient abandonné dans ce bureau. Pourtant, ça m'avait paru plutôt urgent tout à l'heure, quand Krueger avait appelé…

Le chef Krueger avait baissé le store, sans doute pour éviter qu'un journaliste ne me prenne en photo. Il y en avait plusieurs qui campaient devant ses locaux, la caméra en embuscade.

« Désolé pour l'attente », a-t-il dit en ouvrant la porte.

Il a traversé la pièce et s'est assis. Il était seul. Il s'est calé dans son fauteuil.

« Comment tu supportes tout ça ? Mal, je suppose… Je suis navré pour les journalistes. On n'a pas vraiment l'habitude de ce genre de choses, par ici… »

Je lui ai lancé un regard appuyé.

« Vous m'avez dit que vous aviez du nouveau ? »

Il m'a rendu mon regard, a hoché la tête.

« À ce stade, nous devons éviter de nous focaliser… Garder ouvertes toutes les options… Mais tu sais, Henry, les meurtres ne sont pas aussi mystérieux que dans les séries télé, en général. Très souvent, le mobile est facile à trouver : la jalousie, la colère, l'appât du gain… J'ai travaillé comme enquêteur pour le comté de King avant d'atterrir ici. La plupart du temps, soit il s'agissait de règlements de compte liés au trafic de drogue et à des questions de territoire, soit d'un proche – le mari, ou l'amant. Ou bien d'un membre de la famille… »

Son téléphone a sonné. Il a répondu : « Oui… Non… Oui », puis a raccroché.

« Comment ça se passe avec tes deux mamans ?

— Quoi ?

— Est-ce que ça se passe bien entre vous, est-ce que tu sais ce qui est arrivé à tes parents ?

— Ils sont morts dans un accident de voiture, j'ai dit.

— Et il ne t'arrive pas d'avoir envie d'en savoir un peu plus sur eux ? »

Je lui ai fait signe que non – mais c'était un mensonge.

« J'avais deux ans, j'ai dit. Ou peut-être trois… Je n'en garde aucun souvenir.

— Je vais te raconter une histoire, Henry : *moi aussi, je suis un enfant adopté.* »

Il s'est penché en avant : « Quand j'avais ton âge, je me suis mis en tête de retrouver ma mère. C'était devenu une obsession. Pourtant, j'avais une chouette famille, mes parents adoptifs étaient des gens merveilleux, et jamais je n'ai été traité différemment de mes frères et sœurs. Peut-être même qu'ils m'entouraient encore davantage, tu vois, faisaient preuve d'un peu plus… d'indulgence avec moi qu'avec eux. »

J'ai regardé le chef Krueger avec sa barbe et ses traits taillés à la serpe et j'ai essayé de l'imaginer ado. Je n'y suis pas parvenu.

« Et puis, je suis entré à la fac et, comme je te l'ai dit, c'est devenu une obsession. J'y pensais tout le temps. J'essayais de l'imaginer, là où elle se trouvait, vivant son autre vie, sa vie d'*après moi* : est-ce qu'elle avait des enfants ? Est-ce qu'elle pensait souvent à moi ? Est-ce qu'elle avait conservé une photo ? »

Encore une fois j'ai essayé de visualiser la scène, mais ce n'était pas Bernd Krueger que je voyais – c'était moi.

« Bref, j'ai fini par sauter le pas. J'ai retrouvé sa trace. Faut avouer qu'elle avait réussi sa deuxième vie : elle s'était mariée à un type plein aux as, qui travaillait dans le cinéma, et ils avaient une luxueuse villa juste au-dessous de Point Lobos, un endroit incroyable, avec vue sur le Pacifique. Finalement, un beau matin, je débarque sur place. Je m'attends à des larmes, des excuses, des regrets et tout et tout. Mille quatre cents kilomètres, quatorze heures de route, tu penses : j'ai eu le temps de me faire mon cinoche… Au lieu de ça, elle me fait asseoir, me sert un café dans le luxueux salon de sa luxueuse maison et me balance : "Qu'est-ce que tu veux ? De l'argent ?" Je lui dis : "Non, *maman*. Je veux pas d'argent, je voulais juste te voir, te connaître, c'est tout." Quelque chose comme ça. J'ai un trac terrible, je dois être blanc comme un linge et elle, elle me regarde et elle reste de marbre. Elle est superbe, cela dit, très chic, très classe dans son tailleur, très belle – et moi, je ne suis qu'un pauvre étudiant sans le sou, avec mes cheveux longs et mes baskets usées jusqu'à la corde. Et puis, elle finit par se radoucir… Elle commence à me poser des questions sur ma vie, mes parents adoptifs, si j'ai une petite amie, ce que je veux faire dans la vie… Je lui raconte tout – du moins tout ce qu'il y a à raconter, c'est-à-dire pas grand-chose –, elle fait mine de s'intéresser, elle hoche la tête, elle éclate même de rire à mes blagues, bref, je suis aux anges. Ça dure peut-être… quarante minutes… Finalement, elle regarde sa montre et dit : "Ah, zut ! Je suis désolée, Bernd, j'ai un rendez-vous important." Et elle a vraiment l'air désolée d'interrompre ce moment. Elle se lève, elle me tend une carte avec son adresse et son numéro de téléphone dessus, pas de mail en ce temps-là… "Tu n'as qu'à m'écrire, me dit-elle en me raccompagnant, je te répondrai, je te le promets. Et on pourrait essayer de se voir, de temps en temps, si tu veux bien ?" Tu parles que je veux ! Elle me serre très fort, je vois ses yeux humides, moi aussi j'ai envie de chialer. Elle me regarde partir et je la vois, debout sur le seuil de sa maison, dans le rétroviseur. Je commence à y croire, je la trouve merveilleuse, si belle, si classe, et c'est ma mère, nom de Dieu ! Je me sens si fier et si heureux en repartant, tu n'imagines pas. Je mets la musique à fond, je chante à tue-tête pendant tout le trajet. Vingt-huit heures de route aller-retour, plus une nuit dans un motel minable, pour quarante minutes d'entretien. Mais je ne me dis pas que je me suis fait avoir, à ce moment-là, qu'elle ne m'a même pas proposé de rester une nuit, de me reposer avant de repartir, non, je me dis que ça valait le coup : on va s'écrire, on va se voir… J'ai des parents formidables, une mère extraordinaire, une petite amie à la fac et je suis le plus heureux des gamins. »

Il s'est interrompu pour boire à sa bouteille d'eau minérale – mais j'ai deviné que c'était juste pour se donner une contenance. Je me suis demandé ce que je foutais là, à écouter ses confessions au lieu de l'inverse, et je me suis senti de plus en plus mal à l'aise.

« Je lui ai écrit… Une longue lettre… Je l'ai réécrite au moins six fois avant de l'envoyer. J'ai choisi chaque mot avec soin. Une très belle lettre. Enfin, peut-être qu'elle n'était pas si belle que ça, mais, à l'époque, j'étais très content de moi. Dans les semaines qui ont suivi, j'ai ouvert ma boîte aux lettres chaque matin avec un petit pincement au cœur. Au bout d'un mois, comme je n'avais pas de réponse, je me suis dit que la lettre s'était peut-être égarée. J'en ai écrit une deuxième. Un peu moins belle, mais jolie tout de même. Je n'ai jamais eu de réponse. Alors, je l'ai appelée. Une fois, deux fois, trois fois… Mais, là encore, je tombais toujours sur un répondeur… J'ai bien envisagé de refaire la route une deuxième fois. Mais Carmel, ce n'est pas la porte à côté. Alors, j'ai renoncé. Elle n'a jamais rappelé, jamais écrit. Ça m'a brisé le cœur. Il m'a fallu des années pour m'en remettre… »

Je me suis demandé pourquoi il me racontait tout ça mais, malgré moi, je me suis senti ému par son histoire. C'était une belle histoire, triste mais belle. Et j'étais aussi triste pour lui, car je sentais bien que, même après toutes ces années, il n'était toujours pas guéri.

« Je sais ce que c'est que d'être un enfant adopté, Henry. Ce n'est pas une chose facile, les autres ne peuvent pas comprendre. »

J'ai hoché la tête tristement.

« Henry, on va devoir prendre ton ADN… »

Je me suis redressé, je l'ai regardé.

« Hein ? Pour quoi faire ? »

Il a froncé les sourcils, serré les lèvres.

« Comme je te l'ai dit, il y a du nouveau. »

Ses yeux : deux billes de mercure.

« *Naomi était enceinte.* »

J'ai ouvert la bouche, tel un poisson sorti de l'eau. Pendant une seconde, je me suis demandé s'il n'avait pas prononcé un autre mot. Il guettait la moindre de mes réactions.

« Tu ne le savais pas ? »

J'ai secoué la tête. Incrédule. J'avais l'impression de manquer d'air. Une bouffée de chaleur est remontée vers mon visage comme d'une bouche d'aération dans le trottoir.

« On l'a découvert aujourd'hui à… *l'autopsie* », a-t-il ajouté.

J'ai senti que j'allais me trouver mal. La pièce

s'est mise à tourner… J'ai entendu Krueger gueuler : « Larry ! » La porte s'est ouverte. « Apporte un verre d'eau à Henry, s'il te plaît. Grouille-toi ! » Le temps s'est contracté bizarrement. J'ai bu l'eau qu'on me tendait à peine une fraction de seconde plus tard – puis un type a été là, avec un masque chirurgical sur le bas de la figure, tenant une sorte de long coton-tige dans sa main gantée, et il m'a dit d'ouvrir la bouche. Chris Platt était là aussi, debout, les bras croisés, contre le mur. Et je me suis aperçu que je ne savais pas à quel moment il était entré.

Le type au coton-tige s'est cassé. J'ai refermé la bouche.

« Elle… elle a été violée ? j'ai enfin trouvé la force de dire.

— Non.

— Vous… vous en êtes sûrs ?

— Oui. »

Enceinte… Mon crâne bourdonnait. Platt et lui ont échangé un de ces regards muets qui m'avaient fait flipper la dernière fois. Puis Krueger est revenu à la charge.

« Tu es certain qu'elle ne t'en avait pas parlé ?

— Hein… quoi ?

— Elle ne t'en avait pas parlé ? »

J'avais envie de fuir, de me boucher les oreilles.

« Puisque je vous le dis !

— D'accord… d'accord… »

Il a hoché la tête.

« Tu ne me demandes pas si on a reconstitué son emploi du temps ?

— Quoi ?

— Son emploi du temps… Tu l'as bien vue pour la dernière fois à bord du ferry ? »

Est-ce qu'il a perçu mon hésitation ?
« Oui. »
Il a hésité à son tour.
« Il y a autre chose », a-t-il ajouté.
Ah bon, quoi encore ? Allez, shérif. Au point où j'en suis…
« Dernièrement elle faisait des recherches sur toi. »
J'ai levé la tête, dévisagé tour à tour Krueger et Platt, en fronçant les sourcils.
« Comment ça, "des recherches sur moi" ? Qu'est-ce que vous voulez dire ?
— On a examiné son ordinateur, l'historique de ses recherches, tout ça : parmi les dernières recherches qu'elle a effectuées, elle a tapé des mots-clés comme *adoption*, *adoption couple gay*, *lois adoption Texas*… Le Texas, c'est bien là d'où vous venez, tes mamans et toi, n'est-ce pas ? »
Je n'ai pas bougé.
Je ne comprenais plus rien. Naomi enceinte. Elle faisait des recherches sur moi…
J'ai levé les yeux.
Ils attendaient… J'ai acquiescé. « Et elle avait aussi noté ça dans son journal », a alors dit Platt.
Il s'est avancé, a poussé un cahier devant moi. Ouvert. Une seule phrase, en grosses lettres rondes, au milieu de la page :

QUI EST HENRY ???

18

Rubicon

« TU VAS QOÂ ? a coassé Charlie.

— Je vais demander à Darrell Oates ce qu'il y a sur cette clé USB…

— *Tu vas quoi ?* ont-ils répété tous en chœur.

— Même les Oates n'oseraient pas buter cinq ados d'un coup…, ai-je dit, tout en essayant de m'en convaincre moi-même. Surtout si nous enregistrons au préalable une vidéo disant où nous sommes, qui sera expédiée automatiquement au bureau du shérif si on n'est pas rentrés à temps pour la désactiver…

— Tu sais faire ça ? a dit Johnny.

— Il suffit qu'eux le croient…

— Cinq ? a relevé Charlie. On est que quatre à ce que je sache.

— Shane Cuzick vient avec nous. »

Ça leur a définitivement cloué le bec.

« Henry, t'es dingue, a conclu Kayla. J'irai pas là-bas.

— Très bien. Qui d'autre veut se dégonfler ? Pensez à Naomi qui nous regarde peut-être », ai-je ajouté, perfidement.

J'ai vu Charlie et Johnny baisser la tête.

« Quand ? a demandé ce dernier.

— Demain matin. (On était vendredi.) D'après le chef Krueger, les funérailles de Naomi auront lieu dimanche. Il y aura un entrefilet dans le journal de demain…

— Et s'il refuse de te le dire ?

— Je le menacerai de révéler la petite scène à laquelle nous avons assisté hier soir.

— Ils vont te tuer, Henry, a dit Johnny.

— Pas en présence de trois témoins. »

En étais-je vraiment si sûr ? Si Darrell Oates avait participé au meurtre de Naomi, il n'hésiterait pas à fumer quatre personnes qui pourraient l'envoyer sur la table d'injection létale. Sauf que, peut-être, il n'y était pour rien. Darrell Oates comme Jack Taggart étaient deux individus extrêmement dangereux qui ne savaient rien faire d'autre que dealer, cogner, intimider, racketter et… violer. Or…

« *Elle n'a pas été violée*, ai-je repris. C'est le shérif qui me l'a dit.

— Et alors ? »

Je me suis penché vers eux.

« Alors ? Alors, à votre avis, si elle était tombée entre les mains d'un Darrell Oates et d'un Taggart, seule avec eux, la nuit, que croyez-vous que ces deux malades lui auraient fait ? »

Ils y ont réfléchi un moment.

« Admettons que t'aies raison, a finalement admis Kayla, n'empêche que ces types sont dangereux, Henry. Les Oates sont complètement tarés, tout le monde sait ça… Tu crois vraiment que tu vas arriver à les raisonner ? »

J'ai hoché la tête en essayant d'afficher la conviction qui me faisait défaut.

« Kayla a raison, a renchéri Johnny, cette famille-là, elle craint, putain... Ce sont tous des débiles profonds ! Des violents... Personne ne s'aventure là-bas, même pas les flics !

— Vous n'êtes pas obligés de venir, ai-je dit. J'irai seul avec Shane.

— Je viens, a dit Charlie. Bien sûr qu'on va pas te laisser y aller seul... Kayla, vaut mieux que tu restes ici. T'as raison : ce sont tous des malades, là-haut, et la vue d'une jeune femme pourrait leur faire péter les plombs. Mais toi, Johnny, si tu te dégonfles, on t'adressera plus jamais la parole... »

J'ai vu Johnny baisser la tête et la secouer d'un air accablé. Il a fourragé des deux mains dans son épaisse tignasse rousse, a grincé des dents, puis il a frappé du poing sur la table. Il avait peur. Nous avions tous peur.

« C'est quoi, votre problème ? s'est-il finalement écrié. Faites chier !... C'est bon, je viens. Mais je la sens pas, votre histoire... Non, sérieusement, les mecs, on fait une belle connerie. »

Le lendemain, Shane nous attendait sur le parking des ferries, il fumait une clope adossé à la portière de son vieux Silverado, les cheveux au vent. Il avait l'air d'un James Dean à deux balles quand il s'est avancé vers nous avec son blouson à capuche et ses sneakers. Paulie et Ryan étaient invisibles.

« Salut, les fiottes », a-t-il lancé vers l'arrière en s'asseyant à côté de moi.

Charlie et Johnny n'ont pas bronché.

« Salut, mon pote, m'a-t-il dit ensuite en me serrant la pince, et cette familiarité nouvelle entre nous m'a quelque peu décontenancé.

— Tu es prêt ? ai-je demandé.

— Et toi, Henry ? Tu veux toujours le faire ? »

Était-ce une illusion ou y avait-il une pointe d'admiration dans sa voix ?

« Et comment, j'ai dit.

— Très bien. »

Il a sorti de la poche de son blouson un paquet enroulé dans un chiffon, l'a posé sur ses genoux et il a lentement déroulé le chiffon. Un .38 !

« Putain de merde, c'est quoi, ça ? a glapi Charlie qui s'était penché entre les deux sièges.

— À ton avis, tête de gland ? Est-ce que ça ressemble à un gode ?

— On n'a pas besoin de ça, ai-je dit.

— Bien sûr que si, a-t-il rétorqué. Les mecs, je vous explique : c'est les Oates qu'on va voir !

— Je crois qu'on en est assez conscients, a répliqué Charlie. Je crois qu'on en est *foutrement, vachement, sacrément conscients* même, mec… Bon Dieu de merde, Jésus-Marie-Joseph et tous les anges du ciel, je me demande si je vais pas avoir toute une boîte de Twix au fond du slip avant la fin du voyage, les gars… »

Un bref instant, Shane Cuzick s'est retourné et il a considéré Charlie comme s'il venait de voir un extraterrestre. Et je me suis demandé s'il n'allait pas lui coller un beignet. Mais il a souri, puis carrément ri. Charlie l'a regardé, et il s'est mis à se bidonner aussi. Ça a été plus fort que moi : le rire m'a gagné ; il a emporté Johnny de la même façon – un fou rire hystérique, irrépressible, inextinguible, qui a résonné dans tout l'habitacle. « Hé, Darrell, suce ma bite ! a gueulé Charlie dans la voiture en gesticulant, provoquant de nouveaux rugissements. Darrell, Darrell, viens là, ma poule ! C'est quoi ce truc autour de ton cou, Darrell, ça fait un peu gonzesse, non ? Darrell, *je suis ton père* ! » Et ainsi de suite.

Là-dessus, nous sommes devenus carrément hystériques, les joues inondées de larmes de joie, bourrant le tableau de bord et les dossiers des sièges de coups de poing, nous balançant d'avant en arrière, unis dans le rire mais aussi dans la peur – la peur qui attendait son heure, juste au-dessous, telle une source souterraine qui rejaillit plus loin…

Il faisait soleil lorsque nous avons débarqué du ferry à Anacortes, une heure plus tard, et les rires s'étaient tus depuis longtemps. On a gagné le continent par la 20, empruntant le double pont qui relie Fidalgo Island à la côte. Au printemps, lorsque éclosent les tulipes par milliers, la région est une explosion de couleurs.

Burlington…

Sedro-Woolley…

On a regardé défiler les panneaux…

À Concrete, nous nous sommes arrêtés en face de l'église de l'Assemblée de Dieu pour pisser au bord de la route. Nul doute que l'angoisse qui montait en nous n'était pas étrangère à ce besoin. En remontant en voiture, j'ai maté l'église, furtivement – comme si nous nous apprêtions à nous aventurer, tels des conquistadors, sur un territoire abandonné de Dieu.

Nous avons dépassé l'Eatery Drive-Inn et le campement Clark's, sur les berges de la Skagit, avec ses chalets, ses fanions multicolores et ses guirlandes de Noël à l'entrée – et, pendant un instant, la gaieté qui émanait du lieu nous a donné envie de nous arrêter et de renoncer à cette expédition suicidaire.

À partir de Marblemount, bicoques aux toits effondrés, casses automobiles, taudis et stations-service abandonnées se sont succédé, tandis que les branches des arbres au bord de la route se couvraient de mousse comme des manchons de fourrure verte sur des bras noueux. La rivière coulait, large et turbulente, entre deux murailles d'arbres, et la brume à sa surface ressemblait à de la fumée. Une force malsaine – comme un irrésistible appel au déclin et à la mort – émanait de cet endroit, même en plein soleil. Puis les montagnes se sont faites de plus en plus proches, de plus en plus hautes, leurs sommets enneigés et emplumés de nuages.

« Naomi, a brusquement dit Charlie, la première fois que je l'ai vue, c'était au magasin, j'avais sept ans et j'aidais ma mère à tenir la caisse. » Nous avons tous chassé la peur de nos esprits pour écouter la suite. « Elle arrivait à peine au comptoir, elle m'a souri et elle a demandé : "C'est à toi, ce magasin ?" Et moi, tout fier, j'ai répondu : "Oui", et alors elle a dit : "Tu es un menteur : il n'est pas à toi, il est à tes parents." Je suis devenu tout rouge et je me suis énervé, j'ai dit : "Non ! Il est à moi aussi !" Et là, elle a dit : "Prouve-le." "Comment ?" j'ai demandé. "Fais-moi cadeau des bonbons..." »

Nous avons tous ri. Et chacun y a été de sa petite anecdote sur Naomi. Au début, c'était amusant, et puis ça a rendu l'atmosphère pour le moins pesante.

Il était près de midi lorsque nous avons quitté la

North Cascades Highway qui mène au lac Diablo et franchi la Skagit sur un grand pont métallique. La petite route s'est tout de suite mise à grimper le flanc de la montagne, parmi les sapins.

Ce paysage presque riant n'occultait pourtant pas mon sentiment que nous roulions vers une catastrophe. Mais il était trop tard pour faire demi-tour, et pour rien au monde je n'aurais avoué à mes compagnons de route que j'avais envie de prendre la poudre d'escampette.

Tandis que les rayons du soleil clignotaient sur le pare-brise, entre les branches, je leur ai jeté un coup d'œil dans le rétroviseur : Charlie se rongeait les ongles, sourcils froncés ; Johnny matait dehors mais son regard était absent, aussi vide que celui d'un zombie. Plus personne ne parlait.

Seul Shane paraissait vivant dans cette voiture.

Il n'en était pas moins de plus en plus nerveux, les doigts de sa main gauche jouant une partition de Dave Grohl ou de Lars Ulrich sur sa cuisse, fumant cigarette sur cigarette près de la vitre ouverte, avant de jeter les mégots par la fenêtre.

« C'est là », a-t-il dit soudain.

Il y avait une grosse barrière en bois sur la droite, entre deux troncs, d'où partait une piste forestière. Une demi-douzaine d'écriteaux « PROPRIÉTÉ PRIVÉE », « ENTRÉE INTERDITE », « CHASSE INTERDITE », « FRANCHISSEMENT INTERDIT », « RESTEZ EN DEHORS », « CHIENS MÉCHANTS » étaient cloués sur la barrière et sur les troncs alentour – et cette profusion d'avertissements et de menaces avait une résonance indubitablement dissuasive.

« Tu es déjà venu ? » ai-je demandé.

Il a hoché la tête, les mâchoires serrées. Puis il est descendu. Il y avait une chaîne pour maintenir la barrière fermée mais pas de cadenas. Il a défait la chaîne, a ouvert la barrière et m'a fait signe de passer. Dans le rétroviseur, je l'ai vu caler la barrière en position ouverte avec un morceau de bois. Après quoi, il est revenu s'asseoir sur le siège passager.

« À partir de maintenant, va falloir faire vachement gaffe, les mecs. »

Sur le bord de la piste, les signes de « civilisation » ont commencé à s'accumuler : cadavres rouillés de machines à laver, de fours micro-ondes, batteries de voitures, jouets abandonnés par des enfants – puis des carcasses de voitures sur le côté mais aussi entre les arbres, transformant la forêt en une vaste décharge à ciel ouvert. J'ai aperçu un raton-laveur. La sente a décrit un premier lacet, un deuxième, grimpant toujours plus, et les silhouettes des baraquements sont apparues.

Et soudain, une ombre a fondu sur nous.

Une masse puissante a heurté la carrosserie, qui a tremblé sous le choc, des griffes ont raclé la vitre et on a tous sauté en l'air. Un american staffordshire terrier – avec son poitrail massif, son poil beige pâle si ras qu'on aurait dit la peau à vif, sa tête de boxeur carrée et aplatie, ses petites oreilles repliées comme des serviettes sur une table de gala et surtout ses yeux ronds, noirs, sans éclat, bien séparés, posés sur des méplats symétriques, qui lui donnaient un regard terne et effrayant de chien de l'Enfer tandis qu'il hurlait et s'égosillait à s'en mettre la gorge en sang.

« Bordel ! » a glapi Charlie quand un deuxième

monstre a bondi de son côté, à quelques centimètres de son visage.

J'ai senti mon palpitant s'affoler et ma jauge de sang-froid entrer dans la zone rouge quand j'ai immobilisé la voiture devant les baraques, sur le terre-plein poussiéreux cerné par les bois. Il n'y avait pas âme qui vive – et ça m'a paru encore plus flippant que si les Oakes au grand complet avaient été réunis pour célébrer en famille l'arrivée des « Jeunes et Joyeux Inconscients de Glass Island »… Les deux principaux corps d'habitation étaient deux bâtiments en rondins qui nous surplombaient, adossés à la pente et presque incorporés à la forêt. Une longue terrasse courait devant et reliait les deux édifices entre eux. Elle était posée sur de gros pilotis qui disparaissaient dans la végétation et faisait le tour de plusieurs hauts pins encerclant les bâtiments et ombrageant leurs toitures. Sur ces dernières, la mousse poussait sous forme de boules vertes grosses comme de moelleux oreillers. La balustrade en bois était fermée par un filet, peut-être pour de jeunes enfants. Un fauteuil à bascule attendait, inoccupé, sur la terrasse, dans un rayon de soleil oblique qui l'éclairait comme un projecteur. Aux alentours, noyées dans la jungle des hautes fougères, il y avait des carcasses – Ford, vans, Chevrolet, tous recouverts d'une épaisse couche de crasse marron – et aussi des roues, des remorques, des bicyclettes rouillées et même une vieille caravane posée sur le toit d'une camionnette au bord du terre-plein comme une vigie – et je me suis demandé si ce n'était pas précisément à ça qu'elle servait, car j'ai entrevu une échelle et, de là-haut, la vue devait porter sur toute la vallée jusqu'à Marblemount.

Ils nous avaient vus arriver…
Depuis longtemps…

J'en étais persuadé à présent. Alors, pourquoi ne se montraient-ils pas ? J'ai avalé ma salive. Les rayons du soleil qui inondaient le terre-plein et se glissaient plus timidement dans l'ombre des sous-bois commençaient à chauffer sérieusement l'intérieur de la voiture, mais je me sentais glacé. Les deux molosses pâles aux yeux noirs et ternes continuaient de courir autour de la caisse et de bondir, leurs pattes avant crissant rageusement sur les vitres.

« Merde, trop galère ! Qu'est-ce qu'on fait ? a demandé Johnny.

— Y a un truc qui cloche », a commenté Shane.

J'ai scruté les fenêtres obscures. Et subitement, j'ai tressailli. Je venais d'entrevoir une ombre derrière l'une d'elles.

« Putain, c'est quoi ce cirque ? a glapi Charlie. Pourquoi ils se montrent pas ? Chuis sûr qu'ils le font exprès pour nous flanquer les jetons…

— Eh ben, c'est réussi », a dit Johnny, qui n'éprouvait plus aucune honte à l'idée de montrer sa trouille devant Shane.

J'ai essuyé la sueur qui coulait sur ma nuque dans la chaleur grandissante de l'habitacle. Aucun de nous n'osait ouvrir les vitres, encore moins descendre. Les hurlements des deux amstaffs enragés résonnaient dans la voiture et nous blessaient les tympans. Pendant de longues minutes, on a rissolé dans notre jus et j'ai senti la transpiration couler sous mes aisselles et dans mes reins.

Puis un coup de sifflet a retenti.

Les deux monstres se sont immobilisés, leurs

oreilles orientées comme des paraboles vers l'origine du son.

L'instant d'après, ils se sont élancés vers l'escalier menant à la terrasse et ils ont grimpé les marche quatre à quatre. La porte d'un des chalets s'est ouverte. Darrell est apparu… Il a sorti un paquet de clopes et en a allumé une tranquillement en nous regardant. Charlie n'avait plus la moindre envie de faire une vanne sur lui, à présent. Il s'est immobilisé sur la terrasse et nous a contemplés fixement de là-haut ; Blayne Oates l'a ensuite suivi, plus petit que son frère, avec un visage cireux, un bouc noir et des cheveux luisants réunis en catogan. Ils étaient si dissemblables qu'on aurait pu les croire issus de deux mères différentes – ce qui était peut-être le cas. Une seule chose les réunissait : leur folie meurtrière. Le troisième frangin – Hunter – est apparu à son tour et j'ai eu l'impression que mes couilles cherchaient à disparaître dans mon scrotum. Avec son nez en bec d'aigle, son crâne chauve, sa bouche mince et ses lunettes noires, l'aîné des Oates était sans nul doute le plus effrayant des trois.

Darrell, Hunter et Blayne… Ils étaient là tous les trois – ne manquait plus que le Vieux.

Je me suis souvenu de ce qu'un adjoint du shérif avait dit un jour, après une de leurs innombrables frasques sur Glass Island : « Le plus dangereux, le plus cinglé, *c'est le Vieux…* »

Darrell portait le même blouson en cuir que la veille, Blayne et Hunter, des maillots de basket sans manches : Blayne avait des bras décharnés, parcourus de veines saillantes, Hunter, des bras musclés et des tatouages verts d'ancien taulard.

« Sortez de cette bagnole ! » a-t-il lancé.

Nous nous sommes exécutés, sans oser nous étirer malgré le long trajet en voiture qui avait laissé nos membres courbatus, dansant d'un pied sur l'autre. J'ai entendu le tonnerre gronder sourdement sur les montagnes et un brusque coup de vent chargé de poussière nous a aveuglés. J'ai battu des cils et j'ai aperçu des nuages noirs qui approchaient à grande vitesse, par-dessus les sommets, comme une armée fondant par surprise sur un territoire.

Là-haut, sur la terrasse, les trois frères se sont écartés et le Vieux a enfin fait son apparition. Nous avons senti le soudain changement d'atmosphère quand il s'est montré ; même l'attitude de ses fils s'est subtilement modifiée, comme celle de courtisans à l'apparition du roi. Du théâtre shakespearien, je me suis dit. *Richard III*, *Macbeth* et *Le Roi Lear* réunis, bordel. Il était petit mais trapu comme une armoire. Sa grosse tête couronnée d'un buisson dru de cheveux blancs. Avec sa face plate et carrée, son nez épaté et ses petits yeux ternes, le Vieux ressemblait plus à ses chiens qu'à ses fils. Et il paraissait aussi dangereux qu'eux.

Il s'est assis pesamment dans le fauteuil à bascule, ses cuisses écartées, encadré par sa progéniture, sans un mot.

Alors, les enfants de la tribu sont apparus à leur tour et ils ont dévalé les marches pour venir nous entourer et tirer sur nos vêtements, riant et piaillant. Puis ça a été le tour des femmes, une par une ; j'ai pensé encore une fois à Shakespeare, ou à une tragédie grecque. Et voici que la dernière à faire son entrée sur scène a été la mère, qui avait l'air plus féroce que tous les hommes réunis avec sa silhouette massive, sa tignasse emmêlée et grisâtre tombant sur ses épaules et sa poitrine qui s'écroulait jusqu'à son nombril sous sa robe-blouse informe.

« Qui vous a laissés entrer ? a-t-elle glapi d'une voix forte et aiguë.

— On a franchi la barrière, m'dame ! a lancé Shane.

— Tu sais pas lire, mon garçon ? » a dit le Vieux d'une voix nonchalante mais où perçait une menace diffuse.

J'ai pensé : *on est vraiment vraiment vraiment dans une merde noire.*

Les nuages ont gagné tout le ciel – et celui-ci a changé de teinte, passant en quelques secondes de l'azur au gris fer et, par endroits, au noir charbon. Le vent s'est mis à souffler plus fort, agitant les hautes branches. La peur soufflait pareillement sur nous.

« Shane, qui sont tes amis ? » a demandé Darrell.

Shane nous a fixés. Il était d'une pâleur terrifiante.

« C'est des amis à la fille qu'on a trouvée morte, a-t-il lancé vers la terrasse. Celle qu'ils ont découverte sur la plage de Glass Island !

— C'est marqué "Propriété privée", a braillé la mère de nouveau, comme si la conversation ne l'intéressait pas, deux grosses taches rouges sur ses joues. Savez pas lire ? Z'avez pas l'droit d'être ici... On pourrait vous tirer comme des lapins, bande de merdeux !

— Ha ha, m'man ! s'est réjoui Hunter derrière ses lunettes noires. Ça, pour des p'tits merdeux, c'est des p'tits merdeux ! T'as déjà vu des p'tits merdeux com' ceux-là venir jusqu'ici, Darrell ?

— Non, jamais, a dit Darrell en souriant. Tout se perd, frangin. Tout se perd... Même le respect.

— Ouais, a renchéri le petit Blayne en caressant son bouc noir. Des p'tits morveux qui respectent que dalle. C'est quoi, ce bordel, hein ? Depuis quand des gosses de riches, des p'tits pédés de la ville se permettent de venir chez nous ? Non mais où va le monde !

— Moi, je dis que le respect, ça s'apprend, pas vrai, chérie ? a lancé Hunter à l'une des femmes, la plus jolie. (Il l'a serrée contre lui, et elle nous a contemplés méchamment avant de sourire comme une givrée.) Y leur faut une bonne é-du-ca-tion…

— Une bonne éducation, yeap, a approuvé Blayne.

— Fermez-la ! a soudain dit le Vieux. S'ils nous disaient d'abord pourquoi ils sont là… Tu connais ce jeune morveux, Darrell ? Celui que t'as appelé Shane… Il me semble l'avoir déjà vu par ici.

— Il est déjà venu, a admis Darrell, gêné, on a fait quelques affaires ensemble…

— Depuis quand tu fais des affaires avec des mômes qui ressemblent à des gonzesses et qui ont vu plus de films de cul que de cramouilles, Darrell ? T'es devenu pédé ou quoi ? a voulu savoir Hunter et les femmes se sont marrées.

— Demandes-z'y c'qu'y veut », a dit le Vieux à Darrell en désignant Shane.

Un éclair est tombé dans les bois, immédiatement suivi par l'écho de la foudre. Une goutte a frappé mon crâne, comme un doigt, puis une autre, et puis tout un bataillon – et une ondée glacée a subitement balayé le terre-plein et nous a rincés tandis que tout le paysage se voilait.

Shane m'a regardé, l'air inquiet.

« Il veut parler à Darrell, a-t-il dit d'une voix de plus en plus faible, une main au fond de sa poche.

— Pourquoi tu gardes une main dans ta poche, fiston ? a fait le Vieux. Les enfants, revenez ici. »

La marmaille est remontée sur la terrasse et nous avons vu un garçon d'à peine douze ans, pâle et le visage criblé de taches de rousseur, émerger des bois avec un fusil d'assaut pointé sur nous, sur notre gauche.

« Sors ton feu, Shane, a dit Darrell d'un ton patelin. Et jette-le par terre. Lentement. »

Shane a obéi, sa lèvre inférieure tremblait.

« Z'avez d'autres armes ? a voulu savoir le Vieux de sa voix râpeuse.

— Non, m'sieur, j'ai lancé.

— Qui tu es, toi ?

— Je m'appelle Henry Walker, Naomi était ma copine.

— Qui ça ?

— La… la fille trouvée morte sur la plage… »

Le Vieux a cillé. Ses yeux luisaient comme deux bouts de métal embouti.

« Qu'est-ce que ça a à voir avec nous ? »

J'ai hésité.

« C'est peut-être à votre fils qu'il faut le demander… »

J'ai vu le regard du Vieux changer.

« Lequel ?

— Darrell… »

À ce moment-là, j'ai vu tous les sourires se figer – et le visage de Darrell est devenu très sombre à travers la pluie. Ses paupières se sont étrécies. Il a dévalé les marches dans ma direction, livide, les pupilles étincelantes.

« Espèce de petit enculé ! a-t-il lancé. Qu'est-ce que t'as dit ? »

J'ai reculé d'un pas mais il a avancé sur moi, très vite. Il m'a saisi par le col et m'a jeté d'une bourrade dans la boue, puis la pointe d'une botte m'a heurté dans les côtes et mes poumons se sont vidés d'un coup, tandis que la douleur embrasait toute ma cage thoracique.

« Sales petits bâtards de merde ! Je vais tous vous envoyer à l'hosto ! Z'entendez ?

— Ça suffit, Darrell, a ordonné le Vieux, mais j'ai quand même reçu un dernier coup qui m'a fait tousser et rouler-bouler. Relève-toi, petit », a-t-il ajouté.

J'ai obéi tant bien que mal – à genoux d'abord, debout ensuite – en me tenant les côtes, plié en deux. L'orage grondait au-dessus de nous, le vent nous assaillait. J'ai cligné des yeux à la fois à cause de la douleur et de la pluie qui rinçait mon visage fangeux ; j'avais la sensation que des griffes me serraient les côtes sous la peau.

« Explique-toi. »

J'ai hésité. Ils pouvaient aussi bien nous buter tous les quatre pour ce que j'allais dire. Surtout si Darrell avait tué Naomi. Mais je ne le croyais pas. Du moins, pas directement. Comme je l'ai dit, il l'aurait violée d'abord. Mais Darrell savait peut-être quelque chose… J'ai avalé ma salive, oublié la boule de ciment durci dans mon ventre et je me suis mis à parler – de la scène à laquelle nous avions assisté la veille, Charlie et moi –, et j'ai entendu Charlie gémir : « Oh, mon Dieu, non… » dans mon dos.

Tout le monde me fixait, à présent. Femmes et hommes. Des regards plus qu'hostiles : meurtriers. Plus j'avançais dans mon récit, plus le silence se faisait pesant, à peine troublé par les grondements de l'orage et le vent tourbillonnant qui chahutait les branches, et je me suis dit que je venais de signer mon arrêt de mort.

« Je suis venu pour savoir ce qu'il y a dans cette clé USB, ai-je conclu. C'est tout. Je sais que vous n'êtes pour rien dans le meurtre de Naomi et, de toute façon, je n'irai rien dire à la police, vous avez ma parole, ai-je conclu d'une voix tremblante.

— Vous entendez ça ? a ironisé Darrell en se retournant vers la terrasse. Il n'ira rien dire à la police. On a sa *parole* ! »

Puis il m'a envoyé valdinguer une nouvelle fois dans la gadoue d'une mandale dont j'ai bien cru qu'elle m'avait arraché la tête. Je l'ai secouée, j'ai fait jouer mes mâchoires – la douleur a explosé dans mes tempes et dans ma nuque. J'ai senti le goût du sang et de la boue sur ma langue.

Il m'a soulevé par le col, décollant mes fesses trempées de la fange.

« Je vais te tuer ! a-t-il dit et, en cet instant, je crois bien qu'il le pensait.

— Darrell, c'est quoi cette histoire de clé USB ? » a demandé Hunter Oates derrière lui.

Il m'a lâché. J'ai atterri de nouveau dans la boue.

« Pas devant eux, a-t-il dit.

— Est-ce que t'as quêq'chose à voir avec la mort de cette fille ? a demandé le Vieux.

— Quoi ? (Il s'est retourné et a craché par terre.) Cette *pute*, je sais même pas qui c'est ! Je l'ai peut-être baisée un jour, mais je m'en souviens pas. Si je devais me souvenir de toutes les chattes que j'ai tringlées… »

J'ai serré les dents, essayant d'évacuer la haine qui

m'aveuglait. Le regard perçant du Vieux ne me quittait pas un seul instant, à travers la pluie. Elle avait collé ses cheveux blancs sur son front et trempait sa chemise sur son large poitrail.

« Qu'est-ce que tu veux, au juste, gamin ? » a-t-il dit.

Je me suis agenouillé, les mains sur mes genoux crottés, les fesses sur les talons, et j'ai repoussé ma mèche dégoulinante.

« Je veux savoir ce qu'il y a sur cette clé USB et ce qu'il y avait dans cet ordinateur qu'ils ont cramé, Taggart et lui. Rien d'autre…

— Pourquoi ?

— Parce que votre fils et Taggart étaient sur le ferry le soir où ma copine a disparu. (J'ai toussé, craché du sang dans la gadoue.) Et que je pourrais très bien aller raconter ça à la police si vous ne me donnez pas ce que je veux… »

J'ai vu le visage du Vieux se durcir, son regard se vider de toute chaleur, de toute humanité, et un vent glacial est passé sur ma nuque. Ça y est, cette fois tu es allé trop loin, me suis-je dit.

Tu es mort.

On est tous morts…

Tout le monde surveillait le Vieux, à présent, attendant sa réaction.

« Tu joues un jeu très dangereux, sale petit merdeux… Je pourrais très bien lâcher mes chiens sur deux d'entre vous, petits connards, ils vous arracheraient la gorge en un clin d'œil… Ensuite, deux ou trois balles perdues pour les autres en voulant les stopper et voilà – un terrible, terrible accident, ce serait… Un drame, oui… (Il a secoué la tête.) Bien sûr, il me faudrait euthanasier Bashar et Kim Jong, ça me fendrait le cœur – mais il faut parfois savoir faire des sacrifices… »

Sa voix douce et râpeuse était aussi noire que les nuages là-haut. Nous avons tous frissonné. Ma pomme d'Adam restée coincée à mi-hauteur de mon larynx, je me suis éclairci la gorge.

« Si je ne suis pas de retour pour la désactiver, une vidéo filmée hier soir arrivera directement sur l'ordinateur du shérif. Elle est programmée pour ça. Par ailleurs, il y a à Glass Island quelqu'un qui sait que nous sommes là…

— Et si on les torturait pour savoir où est cette vidéo et qui est cette personne ? a suggéré Darrell, ses yeux en amande posés sur moi – le pire étant qu'il ne plaisantait pas.

— Tu es comme mes fils, petit : tu as des couilles, a estimé le Vieux, songeur. Des couilles, mais pas de cervelle… Ton histoire de vidéo, c'est bidon. »

J'ai jeté un coup d'œil discret à Hunter et à Blayne sur la terrasse. S'ils s'éclipsaient maintenant, cela voudrait dire que nous ne ressortirions jamais vivants d'ici.

« Darrell, va faire une copie de cette clé et donne-la au petit, a ordonné le Vieux. Ensuite, emmenez-les au-dessus du lac, Hunter et toi, et… faites en sorte qu'ils n'aient jamais, *jamais*, envie de revenir, pigé ? (Darrell a hoché la tête d'un air entendu : apparemment, l'expression *au-dessus du lac* avait fait mouche ; Charlie, Shane, Johnny et moi, nous avons échangé un regard.) Mais pas de conneries, c'est compris ? » a ajouté le Vieux.

Il s'est ensuite tourné vers Shane.

« Toi, t'es déjà venu… »

Le Vieux s'est légèrement penché en avant dans son fauteuil.

« Tu es donc responsable pour les avoir amenés ici sans notre autorisation. Tu vas rester avec moi… On va parler, tous les deux, en attendant leur retour… Tu comprends bien que tu ne peux pas faire n'importe quoi, que ça mérite une punition, tu comprends ça, petit ? »

Je crois bien que je n'avais jamais vu Shane aussi pâle, aussi décomposé.

« Oui, m'sieur », a-t-il articulé et, tout à coup, j'ai eu très peur pour lui.

19

Une semaine plus tôt

Noah glissa une pièce dans deux boîtes à journaux devant le Blue Water Ice Cream Fish Bar, sur le parking des ferries, à East Harbor, puis il retourna vers sa Crown Victoria gris métallisé, le *Seattle Times* et le *Islands' Sounder* à la main.

Le vent salé soulevait ses cheveux gris, ainsi que les pans de son manteau noir, et s'agrippait à son pantalon – noir également – comme des doigts d'enfant. Noah se rassit derrière le volant et prit son café dans le porte-gobelet, en regardant les collégiens descendre du bus scolaire, leurs sacs en bandoulière, troupe indisciplinée et chahuteuse se dirigeant vers la passerelle pour piétons. Comme tous les matins. *Ceux-là étaient trop jeunes*… Il y avait aussi, comme tous les matins, le type en gilet jaune qui s'apprêtait à faire la circulation : un visage de poivrot, des yeux injectés, la peau constellée d'un réseau de veinules bleues sur le nez et les pommettes. À moins que ce teint fleuri ne fût dû à l'air du large.

Noah reporta son attention sur les autres habitués :

une grande femme aux longs cheveux gris et aux traits chevalins, un gros type en costume qui avait l'air d'un cadre de banque, un barbu en chemise de bûcheron avec une casquette d'Orcas Island, un couple dans la trentaine qui, trois matins de suite, s'était disputé dans sa voiture, la femme criant sur l'homme qui rentrait la tête dans les épaules, serrait les dents et fronçait les sourcils. D'autres encore. Et puis il y avait ce groupe d'ados. Ils arrivaient à bord d'un vieux pick-up GMC et d'une vieille Ford : deux très jolies filles, l'une rousse, l'autre brune, et trois garçons – un rouquin, un rondouillard qui devait être le rigolo de service et un autre… plus mince, plus sombre… Le rouquin sortait avec la rouquine ; le ténébreux avec la jolie brune. À part ça, ils avaient l'air de drôlement bien s'entendre, tous les cinq. Visiblement, ils se connaissaient depuis longtemps. Ça se sentait à la façon simple et naturelle qu'ils avaient de communiquer. Il y avait d'autres adolescents du même âge qui attendaient le ferry mais, sans savoir pourquoi, l'attention de Noah revenait toujours à ceux-là en particulier. Parce qu'ils dégageaient une aura de secrets partagés. Parce qu'ils étaient à l'évidence unis comme les doigts de la main. Et aussi pour une autre raison.

À bord du ferry, Noah s'était connecté au wifi, puis il avait passé en revue un certain nombre de groupes Facebook créés par les ados d'East Harbor et de Glass Island. De fil en aiguille, il avait pu identifier quatre des cinq jeunes gens : Charles Scolnick, Johnny Delmore, Kayla McManus, Naomi Sanders. *Quatre sauf un*… Le troisième garçon – le ténébreux – semblait n'avoir aucune existence sur Internet : pas de profil Facebook à son nom, pas de blog, pas de compte tweeter, aucune appartenance aux différents clubs de l'île – et il n'apparaissait pas non plus sur les photos de classe…

Quel ado de seize ans fait ça ? Quel ado de seize ans est à ce point invisible sur la Toile ?

Sauf si on lui avait ordonné de l'être…

La fois suivante, Noah s'était approché du poivrot au gilet jaune. Il lui avait offert une cigarette.

« Quel temps ! Fait pas chaud, hein ? »

Le gilet jaune avait tapé dans ses mains.

« Vous êtes pas d'ici, vous, hein ?

— Non, c'est vrai. Je cherche un commerce à acheter dans le coin, avait répondu Noah. En fait, je viens de vendre mon bar à Seattle. Ça marchait au poil, mais trop de boulot et des horaires impossibles… Et j'aimerais bien en ouvrir un ici : un truc sympa avec des cuivres et des boiseries, de la bonne musique et surtout de la bonne bière et du bon scotch, vous voyez ? »

Le poivrot voyait très bien. Une telle perspective allumait déjà une lueur dans ses yeux injectés.

« Dites, le gamin là-bas, celui avec les cheveux bruns, j'ai l'impression de le connaître, on dirait le fils de mes amis, les Webster. »

Le poivrot avait rigolé.

« Ça m'étonnerait. Ce gosse-là, il vit avec deux mamans. Un ado élevé par deux femmes, vous pouvez imaginer ça ?… S'appelle Henry. Henry Walker… »

Noah avait appelé Jay et lui avait rapporté l'histoire. Il était sûr que Jay et Augustine allaient mettre en branle toute la puissance de l'Agence – un peu comme de bombarder un moustique avec une arme thermonucléaire : s'il y avait quelque chose à trouver sur ce gosse, ils le trouveraient.

Une fois à bord, Noah continuait de les observer, l'air de rien, accoudé au bar avec son mauvais café. Puis il faisait un tour et se faufilait entre les passagers, en laissant traîner une oreille…

Malgré cela, il n'avait pas beaucoup avancé. Cette île n'aimait pas les étrangers. À part un ou deux ivrognes et la pipelette qui tenait le magasin de souvenirs, les habitants ne s'épanchaient pas facilement. Difficile de leur tirer les vers du nez. Mais il fallait voir le bon côté : il avait une chambre avec vue sur la baie – splendide les rares fois où elle n'était pas noyée dans le brouillard ou la pluie –, l'air était moins pollué qu'en ville, et c'était mieux payé et infiniment moins dangereux que d'enquêter sur un membre des gangs, sur des bikers défoncés avec leur propre marchandise ou sur un policier ripou.

Trois jours plus tard, Noah Reynolds eut pour la première fois, en ouvrant le journal, le sentiment que quelque chose se passait. Il y avait cet article à la une du *Seattle Times* :

Une jeune fille assassinée à Glass Island

Et, surtout, le lendemain, ce nouvel article avec la photo au-dessous.

C'était la fille brune, pas de doute : celle qui sortait avec l'ado ténébreux. Ils l'avaient appelée Naomi. C'était bien elle : Naomi Sanders. Son nom écrit dans le journal. On avait trouvé son cadavre sur une plage de Glass Island. *Assassinée*… Ça changeait tout ! En sortant sur le balcon de sa chambre, ce matin-là, il put le constater : l'armada des journalistes télé, radio et presse écrite avait déjà débarqué. Ils erraient autour de la marina et dans le centre comme des fourmis qui ont trouvé un accès au garde-manger. Dorénavant, il pourrait se fondre plus facilement dans la foule des nouveaux venus, mais pas sûr que ça facilite ses investigations auprès d'îliens déjà viscéralement méfiants.

Il fallait qu'il parle à Bernd Krueger. Le plus vite possible.

20

Diablo

« Ralentis », a dit Hunter Oates.

Il était assis sur le siège passager, Charlie et Johnny à l'arrière. Darrell Oates suivait, au volant de son monstrueux F-350 Super Duty noir.

Le virage est apparu, tout en haut de la montagne. Et, en contrebas, le lac Diablo niché entre des pentes drapées d'épais sapins, avec ses deux îles. Ses eaux avaient pris une teinte grisâtre, et il y avait de la neige sur les montagnes dans le fond – les cimes se perdaient dans les nuages.

Le vent sifflait autour de la voiture.

« Avance sur le terre-plein », a dit Hunter en désignant le petit parking en terre battue, de l'autre côté du virage.

J'ai traversé la route.

« Avance tout droit. *Avance encore…* »

Ma pomme d'Adam s'est prise pour un ascenseur à grande vitesse. J'ai avancé jusqu'au bord du terre-plein. Au-delà commençait une courte pente abrupte à l'herbe rase, puis un à-pic vertigineux dévalait en direction du lac, avec de grands sapins tout autour, sentinelles altières.

« Si vous essayez de descendre, je vous abats », a dit Hunter – et il est sorti.

Dans le rétroviseur, je l'ai vu se hisser à bord du Super Duty, dont la masse menaçante envahissait toute la lunette arrière. Darrell et lui ont bavardé en nous observant à travers le pare-brise.

« Qu'est-ce qu'ils foutent ? » a dit Charlie.

Et soudain, j'ai vu le Super Duty bouger. Son pare-buffle a heurté mon pare-chocs arrière et la Ford s'est mise à avancer.

« Oh, nonnnnnnnnnnn ! a hurlé Johnny. Ils vont pas écouter le Vieux ! Ils vont nous tuer, putain ! »

J'ai écrasé la pédale de frein. En vain. La Ford continuait d'avancer, irrésistiblement poussée par les quatre tonnes et demie du monstrueux 4 × 4 vers la pente, vers une inévitable série de tonneaux puis une chute de plusieurs centaines de mètres.

« Je sors de là ! Tant pis s'ils me flinguent ! » a lancé Charlie en ouvrant sa portière.

Les roues avant ont mordu la pente herbeuse, puis perdu de l'adhérence. Presque debout sur la pédale de frein, j'ai crié : « Sautez ! Sautez ! » Le Super Duty nous poussait toujours en avant… Johnny a ouvert sa portière à son tour, et ils se préparaient à sauter quand le F-350 s'est brusquement immobilisé. J'ai entendu qu'ils coupaient le moteur. J'ai aspiré une grande goulée d'air, le visage et le cou liquéfiés, la nuque contre l'appuie-tête, et je me suis senti comme Betty Lou Oliver[1].

---

1. Le 28 juillet 1945, Betty Lou Oliver travaille au 80e étage de l'Empire State Building quand un bombardier B-25 Mitchell percute le gratte-ciel à l'étage au-dessous et explose. Grièvement brûlée, elle est évacuée par l'ascenseur, qui se décroche et fait une chute de 75 étages ! Elle a néanmoins survécu aux deux accidents et figure dans le Livre des records pour la plus longue chute en ascenseur connue.

Dans le rétro, Hunter et Darrell Oates ont bondi à terre.

« Toi, m'a dit Darrell, tu descends. Les autres, vous restez là-dedans. Essayez encore une fois de sortir de cette caisse, les mecs, et je vous jure qu'on vous jette nous-mêmes dans ce foutu lac. »

J'ai ouvert la portière et je suis descendu. Le vent qui soufflait sur les hauteurs m'a empoigné.

« Viens. »

Darrell est remonté à bord du Super Duty. « Monte. » J'ai obéi. J'ai grimpé dans la cabine, me suis assis à côté de lui. Il faisait si sombre qu'on aurait cru le soir arrivé alors qu'il n'était que 2 heures de l'après-midi ; le ciel était entièrement bouché, les sapins noirs et les montagnes presque invisibles à présent. J'ai distingué des lumières en bas, là où se trouve le village de Diablo : une poignée de baraquements sans doute destinés aux ouvriers du barrage.

Il a sorti la clé USB, l'a branchée et a allumé l'écran sur le tableau de bord.

« C'est pas une copie, c'est l'original, a-t-il dit. Mon père peut dire ce qu'il voudra : je te filerai pas de copie… Pas question. Ce vieux salaud croit qu'il commande mais je lui pisse à la raie… Tu vas regarder, maintenant, et après tu vas oublier c'que t'as vu. Et si tu parles de ça à la police, t'es un homme mort, t'entends ? Je veux dire *un petit puceau mort*… Si c'est pas moi qui te fais la peau, ça sera mes frangins. Et si on se retrouve tous en taule à cause de vous, on a suffisamment d'*amis* pour qu'un jour il vous arrive un méchant accident, tu piges ? Et ils s'en prendront aussi à tes deux mamans. Tu vois : *je sais qui tu es*… Ils leur feront mal, oh ouais, ils les feront souffrir, peut-être même qu'ils les violeront, tu comprends ? Ça leur ferait du bien, pour une fois, d'avoir une bite… Pareil pour vos copines et tes potes, là… Tu as pigé ? »

J'ai hoché la tête, dents serrées. Il a lancé la vidéo.

Les mêmes images que celles aperçues sur l'ordinateur de Taggart. Les mêmes silhouettes aux masques blancs. Vêtues de pantalons et de tee-shirts noirs. Hommes et femmes. La vieille église en bois transformée en atelier de théâtre par Nate Harding. La vidéo prise à travers une vitre, à l'insu des participants. J'ai dégluti. Ils se donnaient l'accolade, comme la dernière fois. Se congratulaient. S'encourageaient. Puis ils ont commencé à se… déshabiller.

… à se toucher…

… à se caresser…

La plupart avaient des corps de personnes mûres, mais il y en avait aussi quelques-uns de plus jeunes au milieu. Ces derniers étaient l'objet de toutes les attentions ; les mains des autres s'activaient sur leur peau, dans les moindres replis de leur anatomie. Je respirais de plus en plus fort, fasciné et nauséeux.

« Sacré spectacle, hein ? » a commenté Darrell.

Je ne pouvais détacher mon regard de l'écran, penché vers le tableau de bord.

Il n'y avait aucun son, mais ce n'était pas la peine : on devinait les soupirs, les gémissements…

Bientôt, ils sont passés aux pénétrations – un méli-mélo de corps et de membres, de sexes et d'orifices, une mêlée, une orgie, une bacchanale tumultueuse et frénétique…

Mais un détail, surtout, a attiré mon attention.

« Qui a filmé ça ? j'ai demandé, la gorge serrée.

— Taggart.

— Pourquoi vous avez fait cette vidéo ?

— À ton avis ? Pour faire chanter ces beaux messieurs-dames, ducon. On les a tous identifiés. Des *notables*, il a dit en insistant sur ce mot. Des gens bien comme y faut d'East Harbor. On s'apprêtait à leur envoyer un petit cadeau pour Noël : une jolie petite vidéo de derrière les fagots…

— Vous ne l'avez pas fait ? »

Il a secoué la tête.

« Quelqu'un nous a devancés.

— Qui ça ? »

Des éclairs zébraient le ciel sombre, à présent. Il a haussé les épaules.

« Si je le savais… (Puis il a souri.) Et tu sais quoi, tête de nœud ? C'est pas moi, le maître chanteur, en fin de compte, *c'est moi qu'on fait chanter*. Putain, c'est-y pas beau, ça ? Quelqu'un fait chanter Darrell Oates. Ça te la coupe, hein ? Faut en avoir une sacrée paire, c'est ce que tu te dis, et t'as raison…

— À cause de cette vidéo ? »

De nouveau, il a secoué la tête négativement.

« Non, bien sûr, ai-je dit en comprenant soudain, à cause de ce qu'il y avait sur l'ordinateur de Taggart, celui que vous avez cramé…

— Exact.

— Et il y avait quoi dessus ? »

Il m'a détaillé longuement.

« Tu deviens trop curieux, gamin. Disons qu'il y avait des preuves compromettantes sur nos petites activités, tu vois ? Nos petites affaires à Jack et à moi… Des preuves que Jack et moi, on avait reçues par mail…

— Des preuves en possession de l'autre maître chanteur ?

— C'est ça. »

La pluie a giflé d'un coup les vitres du 4 × 4, et je l'ai entendue chanter sur la tôle.

« Comment se les est-il procurées ?

— Ça, c'est la question à un million de dollars, mec. Si je le savais, je saurais qui c'est…

— Je vous ai entendu dire que les flics allaient débarquer, quand j'étais planqué dans les bois.

— Ça paraît logique, non ? Jack était à bord du ferry, et moi aussi, comme tu l'as fait remarquer. Et il a une sale réputation sur Glass Island, avec son passé et sa façon de vivre seul comme un con au fond des bois…

— Il n'y a pas que ça, ai-je insisté. Vous aviez l'air plutôt sûr de votre coup… »

De nouveau, il m'a dévisagé – puis il a souri, comme s'il s'apprêtait à m'en raconter une bien bonne.

« Quelqu'un nous a prévenus…

— Prévenus ?

— Que les services du shérif allaient fouiller la baraque de Jack à l'aube et les bois avec. C'est Jack qui a reçu le premier mail du corbeau sur son ordi, au sujet de nos petites affaires. Ensuite, j'ai reçu le même. Alors, je voulais m'assurer qu'il faisait bien ce qu'il fallait avec ce foutu ordinateur. Avant que les keufs ne débarquent…

— Quelqu'un au sein du bureau du shérif ? » ai-je dit, incrédule.

Il m'a jeté un coup d'œil méfiant.

« T'as pas besoin d'en savoir plus, gamin. Et arrête de me baratiner, p'tit con. Voilà, tu sais tout c'que t'as besoin de savoir. Y a rien d'autre… Maintenant, tu descends et tu te casses. Si jamais j'entends encore parler de vous…

— Et vous n'avez pas une petite idée de l'identité du maître chanteur ? » ai-je insisté.

Il a hésité. A secoué la tête.

« Pas la moindre, a-t-il lâché en soupirant. J'ai essayé de le trouver, c't'enculé, tu peux me croire : j'ai essayé, mais c'est un gros malin. Les livraisons ont chaque fois des modes opératoires différents ; la première fois, je devais laisser ma caisse ouverte avec l'enveloppe dans la boîte à gants, sur le ferry, et monter au bar. La deuxième fois, tu penses, j'avais collé une webcam dans la bagnole mais il m'a appelé avec un numéro masqué, il m'a demandé de jeter le fric dans une poubelle d'East Harbor et de repartir par le prochain ferry. J'avais un type à moi qui est resté sur l'île et qui a surveillé la poubelle toute la putain de journée et même la nuit suivante. Personne ne s'est pointé. Finalement, les éboueurs sont passés et le fric a fini dans la benne ! C't'enculé m'a rappelé et m'a dit que si je lui refaisais un coup pareil, les flics auraient les preuves de nos trafics dans l'heure. Puis il a exigé le triple de la somme…

— Sa voix, elle était comment ? Jeune ou vieille ?… Homme ou femme ?… »

Je le sentais s'échauffer à mesure qu'il parlait. Cette histoire le foutait en rogne, mais le fascinait aussi.

« J'en sais foutre rien, moi… Je reçois que des textos et des mails. Il est pas stupide. Peut-être que je le connais, c'est ce que je me suis dit. Mais je vais te dire autre chose, petit : si je chope ce fils de pute, il va regretter d'avoir été mis au monde par sa catin de mère. Parce que je vais le faire souffrir, et pas qu'un peu : je lui arracherai les yeux avec une cuillère, à ce sac à merde, et après je pisserai dedans, et je ferai des courroies de radiateur avec ses intestins. Et tout ça avant qu'il ait eu le temps de crever… »

Ça ne paraissait pas être des paroles en l'air, même s'il en rajoutait sûrement. Il s'est penché, m'a ouvert la portière.

« Allez, dégage… Hé, Walker ! a-t-il lancé quand j'ai eu mis pied à terre, ne m'encule pas, t'entends ? Surtout, n'essaie pas de m'enculer, p'tit con. »

Le vent a soulevé mes cheveux. J'ai opiné. Avertissement inutile : vouloir doubler les Oates, c'était comme s'amuser avec de la nitroglycérine ou du C4. Hunter m'a donné une grande tape dans le dos qui m'a secoué les os et il a pris ma place sur le siège passager. Les portières ont claqué et le Super Duty a fait marche arrière à toute vitesse. Puis ils ont décrit un demi-tour serré en faisant hurler les pneus et je les ai regardés s'éloigner.

J'ai marché lentement vers la Ford, le cerveau vide. Une seule image y demeurait, l'une des jeunes femmes nues et masquées sur la vidéo : sa peau était scarifiée.

21

Le chemin du retour

On a très peu parlé sur le chemin du retour. Quand Charlie et les autres ont voulu savoir ce qu'on s'était dit, Darrell et moi, et ce qu'il y avait sur la clé USB, j'ai parlé de la vidéo, du maître chanteur, de la partouze – mais j'ai omis de leur parler de Naomi.

Son souvenir me rendait malade. Je n'arrivais pas à décoller cette image de ma rétine et de mon cerveau : *Naomi nue et masquée au milieu de ces hommes et de ces femmes qui avaient le double ou le triple de son âge*… J'atteignais les derniers virages avant Concrete quand j'ai dû immobiliser la Ford en urgence et me précipiter dehors pour vomir.

Mais le pire était Shane : j'avais craint de le retrouver salement amoché, mais je ne voyais aucune blessure sur lui. Du moins, apparente… Car, pour le reste, il avait le teint grisâtre et son regard était comme vacant, perdu quelque part ou peut-être tout simplement resté là-haut. À bord du ferry, il a choisi de s'asseoir à l'écart, de l'autre côté de l'allée, ses poings serrés sous la table. Il semblait fatigué, triste, éreinté. Il regardait droit devant lui et tout son langage corporel nous invitait à nous tenir à l'écart. J'ai pourtant quitté notre table pour m'asseoir à côté.

« Retourne là-bas, Henry. Je veux être seul... »

Sa voix maîtrisée – mais sous laquelle affleurait une tension colossale – a fait courir un frisson tout le long de ma colonne vertébrale.

« Qu'est-ce qui s'est passé là-haut, avec le Vieux ? » j'ai demandé.

Il a tourné la tête vers moi. L'éclat noir et mat de ses yeux m'a répondu – et il m'a fait froid dans le dos.

« Tu as entendu ce que je t'ai dit ? » Mais il a paru soudain se souvenir d'un truc. « Tu n'as pas tout raconté, a-t-il ajouté. Qu'est-ce que tu as vu sur cette vidéo qui t'a mis dans cet état ? »

Je lui ai dit ; je l'ai vu s'assombrir encore plus si c'était possible, ses pupilles se sont éteintes. J'ai cru un instant qu'il allait me saisir par le col et me traiter de menteur. Il a secoué la tête. « Putain, Naomi avec ces porcs... J'arrive pas à le croire... Tu es sûr que c'était elle ?

— Est-ce que tu crois que je t'en parlerais, sinon ? Qu'est-ce que tu crois ? Ça me fout en l'air autant que toi... C'était elle, Shane, il n'y a pas le moindre doute... »

Il a donné un violent coup de pied dans la banquette opposée.

« On va aller voir cet enculé de Nate Harding et on va lui faire cracher le morceau... », a-t-il lancé.

J'ai acquiescé.

« Demain, après les funérailles, j'ai dit. Ça ne nous empêchera pas d'honorer son souvenir, pas vrai ? »

Il m'a regardé tristement, a approuvé.

« Sûr... Ce n'était pas la Naomi qu'on connaît,

de toute façon… C'est impossible… Ils ont dû la droguer ou quelque chose comme ça… »

J'ai hoché la tête. Mais je n'étais pas aussi affirmatif que lui. Je revoyais ses sautes d'humeur, ses silences, ses absences – et toutes ces marques sur sa peau… Il y a autre chose dont je n'ai pas encore parlé : les derniers temps, Naomi avait changé. Il n'y avait pas que l'automutilation. C'était un changement en profondeur. Elle était devenue plus sombre, plus secrète, moins spontanée ; même Johnny, entre deux volutes d'herbe lui enfumant la cervelle, l'avait noté. Ses pupilles vitreuses traversées d'un éclair de lucidité, il m'avait un jour donné un coup de coude et dit : « Qu'est-ce qu'elle a ? » J'ai oublié à quel sujet c'était, mais je me souviens de la réponse de Kayla : « Ses règles, probablement. Putain, elle est carrément bizarre en ce moment… »

Je suis revenu à la charge.

« Tu es sûr que tu ne veux pas parler de ce qui s'est passé ? »

Il m'a alors saisi par le col, m'a soufflé au visage : « Si j'ai un conseil à te donner, c'est de retourner à ta place », d'une voix si dure, si pleine de menaces, qu'elle m'a fait l'effet d'une gifle.

J'ai obéi.

La traversée vers Glass Island, alors que l'orage était descendu des montagnes, a été aussi sinistre qu'un cortège funèbre. Personne ne parlait. De temps à autre, je me tournais vers Shane. Il ne nous voyait pas. Il regardait droit devant lui et, par instants, ses lèvres tremblaient.

En arrivant devant la maison, j'ai hésité. J'avais eu beau me nettoyer dans les toilettes du ferry, mes vêtements étaient toujours trempés et crottés et la douleur dans mes côtes si vive que j'avais du mal à me tenir droit. J'ai garé la voiture un peu plus loin et je me suis glissé sous l'averse jusqu'à la véranda. J'ai jeté un œil par la fenêtre. Personne. C'était quitte ou double… En ouvrant tout doucement la porte, j'ai entendu la voix de Liv monter du salon par-dessus le bruit de la pluie : « Non, c'est un téléphone à carte prépayée, je l'ai acheté aujourd'hui… »

Je me suis demandé de quoi elle parlait. En même temps, le ton de sa voix – feutré, dissimulateur – m'a mis la puce à l'oreille. J'allais grimper directement à l'étage, mais je me suis ravisé et je me suis immobilisé en bas de l'escalier.

« Je crois qu'ils sont sur nos traces, je crois qu'ils nous ont retrouvées… J'ai fait une bêtise, Frank, j'ai été stupide… »

À qui diable parlait-elle ? Et de quoi ? Son ton était non seulement celui de quelqu'un qui complote, mais aussi de quelqu'un qui a peur.

« Qu'est-ce qu'on va faire ? Tu as une idée ? »

J'ai eu le désagréable sentiment que non seulement je n'aurais pas dû épier cette conversation, mais que le faire risquait d'avoir des conséquences désastreuses pour nous tous. Et puis, j'ai repensé à tout ce qui s'était passé depuis quarante-huit heures et j'ai senti une curiosité incontrôlable me gagner.

« Frank, on ne peut pas continuer de parler de ça au téléphone. Demain au Shirley's à 16 heures, d'accord ? »

J'ai noté l'heure et le lieu dans un coin de mon cerveau. Puis je me suis éclipsé.

22

Funérailles

Il y avait la foule des grands jours pour les funérailles de Naomi, le lendemain. La municipalité d'East Harbor et la paroisse St. Francis avaient décidé de prendre à leur charge les obsèques en l'absence de parents pour le faire : le service religieux était prévu à 11 heures dans l'église catholique mais, une heure avant, le petit parking était déjà plein, occupé non seulement par les habitants de l'île venus en nombre, mais aussi par les véhicules de presse, dont trois cars-régies qui jetaient une note profane avec leurs grandes corolles paraboliques.

La tempête s'était encore renforcée ; le ciel avait pris la couleur de la cendre, rafales et embruns tourbillonnaient dans les rues d'East Harbor comme des mauvais génies persécutant les passants, faisant gémir les enseignes et claquer les drapeaux. Aussi les personnes venues assister au service funèbre couraient-elles se réfugier dans les ténèbres de l'église. Les bancs à l'intérieur étaient déjà blindés quand nous sommes entrés mais – Charlie en tête – nous avons remonté l'allée centrale et obligé quelques personnes à se pousser un peu pour prendre place au deuxième rang. Il régnait une atmosphère électrique – moins du recueillement que de la nervosité – due sans doute à la façon dont Naomi était morte, et j'ai senti de nombreux regards peser sur mes épaules. J'ai cherché des yeux la mère de Naomi. *Elle n'était pas là.* Personne ne l'avait vue depuis la mort de sa fille… Je savais qu'au lycée les langues se déliaient et que les hypothèses les plus folles circulaient. Où était-elle passée ? J'étais sûr que tout le monde à l'intérieur de l'édifice ne pensait qu'à cette absence. Dans les rangées de droite, j'ai aperçu le shérif Krueger et ses adjoints : Chris Platt, Nick, le frère de Charlie… Les parents de celui-ci étaient juste derrière ; la mère de Charlie a tourné la tête vers moi et m'a fait un sourire. J'ai ensuite cherché Liv et France et, quand je les ai eu trouvées, France m'a regardé longuement, tendrement, et je me suis senti moins seul. Tout le lycée de Pencey Island était là aussi, massé dans les derniers rangs, les filles me foudroyant du regard depuis le fond, et j'étais convaincu que leurs téléphones portables les démangeaient dans leurs poches. Il y avait même de jeunes Indiens Lummi qui avaient connu Naomi enfant, quand toute la famille vivait sur la réserve, à l'ouest de Bellingham.

La voûte en bois de l'église St. Francis évoque la coque renversée d'un bateau. On y a accompagné dans sa dernière sortie plus d'un pêcheur mort, devant un cercueil vide, et il y a une plaque à la mémoire des disparus en mer sur un côté – dont la liste est à peine moins longue que celle du port de Ballard. Le cercueil de Naomi n'était pas vide mais scellé. Il n'y aurait pas d'exposition… Le type des pompes funèbres n'avait pas pu faire de miracles, et je me suis fait la réflexion que j'étais peut-être le seul à part les flics à avoir vu son visage *après*. Posée sur deux tréteaux, la bière croulait sous les monceaux de fleurs – œillets, roses blanches, lis orange – et un grand portrait en noir et blanc se dressait à côté, sur un chevalet. Elle souriait sur cette photo. Elle était belle, lumineuse. Ses lèvres brillaient d'un doux éclat et elle nous fixait sans détour. J'ai dû détourner les yeux. J'avais mal, dans mon âme et dans mon corps – qui gardait le souvenir des coups de Darrell. Je ressentais un étourdissement, une sensation de flottement, comme si mes vêtements étaient remplis d'air.

Momentanément ébloui par un rayon de soleil qui avait réussi à percer nuages et vitraux, j'ai tourné la tête et je l'ai aperçu : Nate Harding – cheveux teints en noir, petit bouc à la Méphisto. Il portait un fin pull noir trop ajusté sous une longue veste en porc suédé presque incongrue pour la circonstance. Comme s'il avait senti mon coup d'œil, sa tête a pivoté et nos regards se sont accrochés. Il n'a pas détourné le sien. Il m'a fixé et il m'a semblé voir un léger sourire errer sur ses lèvres. Pendant un instant, les braises de la colère se sont rallumées au fond de mon ventre.

Mes yeux ont continué de parcourir l'assistance. « Des gens bien comme il faut », avait dit Darrell Oates. Presque tout East Harbor était présent. Parmi eux se trouvaient forcément ceux que j'avais aperçus sur la vidéo, ces corps d'hommes et de femmes mûrs, ridés, ces corrupteurs qui se tenaient aujourd'hui dans l'église, crachant silencieusement leur mépris à la face du Christ que je voyais là-bas, sur le mur, le menton pendant sur la poitrine, portant le fardeau de l'humanité, et – quoique j'entretinsse avec la religion une relation distanciée – j'ai ressenti leur présence comme une épine dans ma chair. Comme une injure à la face de Dieu. J'ai de nouveau contemplé Nate Harding : à présent, il écoutait les intervenants, un calme insupportable posé sur ses traits.

Le premier a été Jim Lovisek. Il a parlé d'une voix pleine de compassion et de retenue de la Naomi brillante, excellente élève, s'investissant dans les activités annexes du lycée, et il a ému l'assistance en évoquant sa propre fille morte à l'âge de treize ans. « Naomi, a-t-il dit, est sans doute celle qui m'a fait le plus penser à elle, elle lui ressemblait beaucoup. » J'ai tourné la tête une nouvelle fois et j'ai surpris des regards humides, qui fixaient le vide, des mouchoirs dans des poings serrés, j'ai perçu des reniflements discrets. Kayla a ensuite pris la parole. Elle a parlé de façon amusante de « sa meilleure amie », son « âme sœur », « insupportablement perfectionniste », « horriblement tatillonne », « affreusement moralisatrice » et « géniale, tout simplement », puis leurs interminables discussions à treize ans pour savoir « qui, de Robert Pattinson et de Daniel Radcliffe, était le plus cool »… L'auditoire a ri, l'atmosphère s'est détendue. Merci Kayla. Un représentant de la nation Lummi a évoqué les séjours fréquents qu'elle avait faits dans la réserve quand elle était plus jeune, et comment les autres enfants l'adoraient.

Puis le prêtre s'est approché du lutrin.

« La vie est brève, a-t-il déclaré dans le micro, et l'ambiance s'est de nouveau chargée de gravité. La nuit nous attend. Nous n'avons pas demandé à naître, nous ne demandons pas à mourir. Nous sommes là pour souffrir, et nous faisons souffrir aussi. Certains plus que d'autres… »

Le ministre du culte a posé les yeux sur nous et a levé un bras, chacun de ses mots aussi distinct que le bruit de la batte frappant la balle.

« Le diable rôde. Vous vous demandez comment une si belle enfant, une jeune fille si pure (mes mâchoires ont joué sous la peau de mes joues et j'ai résisté à la tentation de lorgner à nouveau Harding), si honnête, si serviable, si aimée de tous, a pu subir un sort aussi odieux. Je ne le sais pas. Je n'ai pas de réponse à vous fournir. Nous ne sommes pas là, aujourd'hui, pour comprendre. Ce monde est incompréhensible. Et pourtant sa violence, ses massacres, ses injustices, ses horreurs n'ont qu'une seule origine : *nous*. Nous sommes les seuls responsables. Dieu nous a laissé cette liberté. Et ce fardeau… »

Les mots « nuit », « naître », « mourir » nous ont transpercés comme des clous dans un cercueil ; on se serait cru dans un de ces films de Bergman que mes deux mamans adoraient se repasser. L'homme au col romain a repris son souffle – et nous avec.

« La mort est toujours un scandale, a-t-il dit. Celle d'un enfant, d'une jeune fille de seize ans est un double scandale. Naomi, à jamais présente dans nos cœurs, symbole de vie et d'enthousiasme, symbole d'*avenir*… Cela nous paraît si illogique, si injuste. »

Je n'ai pas écouté le reste. C'était plus que je n'en pouvais supporter. Mes oreilles se sont fermées sans même que je m'en rende compte et mon esprit est parti ailleurs. J'ai pensé au maître chanteur… À Darrell Oates, à Jack Taggart, à Nate Harding, une nouvelle fois… La mort de Naomi était-elle à chercher de ce côté-là ? Son assassin se cachait-il derrière un de ces masques de théâtre ? Ou bien fallait-il le chercher parmi les passagers du ferry, ce soir-là ?

La cérémonie a duré environ deux heures. Des lecteurs se sont succédé au lutrin ; il y a eu des chants. Tout le monde espérait que les grandes portes de chêne allaient s'ouvrir et la mère de Naomi apparaître, mais elle n'est pas venue. À n'en pas douter, son absence était dans toutes les têtes. Était-elle seulement en vie ? Avait-elle quelque chose à voir avec ce qui était arrivé à sa fille ? Ces questions, tout le monde se les posait. Nous avons assuré le dernier voyage de Naomi au cimetière l'après-midi – quelques courtes prières, un peu de pluie, beaucoup de vent et tout a été fini.

Je n'ai pas pleuré, ni au cimetière ni à l'église. À la sortie de la messe, Liv et France m'ont entouré puis, après l'inhumation, elles ont filé en vitesse. À la fin, j'étais vidé, anéanti. Cette journée, c'était l'acte de décès définitif de Naomi. La vision de son cercueil dans l'église avait été encore plus éprouvante que celle de son cadavre sur la plage. À distance, les caméras de télévision filmaient tout – en permanence braquées sur notre île.

Charlie, Johnny, Kayla, Shane et moi, nous nous sommes dirigés vers nos voitures, Paulie et Ryan nous suivant en retrait.

« Rendez-vous au magasin à 18 heures », a dit Charlie.

À cet instant, un immense éclair a fait sursauter tout le monde et, devant nos yeux ébahis, un vieil arbre qui se trouvait à l'autre bout du terrain de base-ball a été fendu par la foudre. Des cris se sont élevés. Je suis sûr qu'il y en a eu certains pour y voir un signe. Mais je regardais déjà ailleurs. Le grand type vêtu de noir, celui qui ressemblait à une statue de l'île de Pâques, il se tenait un peu plus loin, près de sa Crown Victoria – et il ne matait pas le vieil arbre : il me zieutait, moi.

« Alors, c'est là que vous vous réunissez », a dit Shane.

Et il est entré dans le magasin. Il y était déjà venu, bien sûr, de jour, mais il n'en regardait pas moins partout, un petit sourire aux lèvres, comme s'il découvrait l'endroit pour la première fois. Il en a fait lentement le tour, humant les parfums d'épicerie, flânant entre les rayons, s'est arrêté devant celui des M&M's, des Kit Kat, des Milk Duds, des Bazooka et des Skittles, a ouvert une boîte de Twinkies, en a pris deux avant de marcher jusqu'aux tables du fond.

« C'est cool, le soir, comme endroit. »

Il s'est assis, a déchiré l'emballage et a porté le Twinkie à sa bouche. On l'a entendu mastiquer. Charlie n'a rien dit. J'ai bu une gorgée de Coca qui a pétillé sur ma langue.

« Il y a un truc qu'il faut que je vous dise, ai-je déclaré, la maigre clarté des vitrines de bières et de sodas peignant nos visages de couleurs sourdes. Il y avait Naomi sur cette vidéo…

— Quoi ? »

L'exclamation – incrédule – était venue de Kayla. Elle a reposé sa canette. Même dans l'ombre, je pouvais discerner le scepticisme dans ses yeux.

« Tu en es sûr ? Si j'ai bien suivi, tous les participants portaient des masques…

— Crois-moi, Kayla. Je n'ai pas eu besoin de voir son visage pour savoir que c'était elle… »

Elle n'a rien ajouté. Mais elle avait pris un air buté et méfiant. Pendant un moment, aucun de nous n'a parlé. Les images de la vidéo continuaient de me brûler le cerveau. Puis Shane a ouvert la bouche.

« Moi aussi, il y a quelque chose que je ne t'ai pas dit, Henry… (Il a hésité.) Au sujet de cette vidéo… »

Nous l'avons fixé à travers la pénombre, il a passé une main dans ses cheveux.

« Eh merde ! (Il a cogné du poing sur la table.) Bon… autant que vous le sachiez : moi aussi, j'ai participé à ces… *soirées*… Une ou deux fois… Et puis, je les ai envoyés se faire foutre, tous ces tordus et ces vieilles peaux…

— Tu as quoi ?

— Ils m'ont proposé de la thune, s'est-il justifié. Beaucoup. Enfin, suffisamment… »

J'ai repensé à l'amitié qui liait Shane et Naomi.

« Elle était présente quand tu…

— Non ! Non, je te le jure, jamais ! Je l'ai jamais vue là-bas !

— Comment ça a commencé ?

— Par la pharmacienne, a-t-il répondu.

— Explique-toi !

— C'est elle qui m'a approché en premier. » L'espace d'un instant, je me suis demandé s'il n'affabulait pas. La pharmacienne était la cougar sur laquelle tous les mecs du bahut fantasmaient. Une très belle femme, pas loin de la quarantaine, un corps d'enfer. Et, comme l'avait dit Charlie une fois : « Elle a des yeux qui sentent la chatte. »

« Approché ? Comment ça, “approché” ?

— Sur le ferry, un jour en mai ou juin, elle m'a plus ou moins dragué, je te jure… J'avais décidé de sécher le sport… C'était en milieu d'après-midi : le ferry était presque vide… » Il nous a adressé un sourire juvénile, un sourire qui le rajeunissait d'au moins cinq ans.

« Elle est venue s'accouder à côté de moi, sur le pont supérieur. Elle m'a demandé comment allait ma mère (la mère de Shane était atteinte de sclérose en plaques) et comment se passait le lycée. Elle était vachement bronzée et canon, ce jour-là… Elle souriait et je voyais la bretelle de son soutien-gorge parce que celle de son débardeur avait glissé sur son bras… On a bavardé, mais c'était plus qu'un simple bavardage : elle flirtait carrément, ouais. En partant, elle m'a glissé son numéro de téléphone. Elle m'a dit de l'appeler si j'avais besoin de quoi que ce soit, elle a même dit qu'elle espérait que je l'appellerais, et un de ses seins s'est appuyé contre mon bras quand elle a dit ça.

— C'était quand ?

— Il y a six mois environ…

— Putain, tu as seize ans et elle quarante ! me suis-je exclamé.

— Ouais, ouais, je sais… C'est ça, le truc. Comme je t'ai dit, elle était vachement bronzée et canon… On voyait la moitié de ses nichons, bordel !

— Et tu as fait quoi ? a demandé Charlie, non sans un tremblement dans la voix.

— À votre avis ? Je l'ai rappelée, tiens.

— Vous avez… *couché* ensemble ?

— Ouais. Ouais. On a baisé. Mais pas au début. Au début, on parlait et on se baladait dans les bois… Ou bien on roulait au hasard et on se garait quelque part, on s'asseyait au soleil, au bord d'une plage. Quelquefois, elle apportait de la bière fraîche dans une glacière et des sandwiches. C'était cool…

— Comment… comment ça s'est passé ? a demandé Charlie d'une voix quelque peu étranglée.

— Tu veux dire : la chose ? Ben, comme d'habitude. Un jour, je l'ai chopée et je l'ai embrassée. Elle attendait que ça. Putain, les mecs, cette salope, c'est un sacré coup ! Désolé, Kayla, mais c'est la vérité.

— Incroyable, a soufflé Charlie, comme si on venait de lui apprendre que le paradis existait et que l'entrée s'en trouvait à la pharmacie.

— Et après ? j'ai dit.

— Pendant quelque temps, on a continué : dans sa voiture, dans une cabane de pêcheurs… même une fois sur *leur* bateau, dans *leur* cabine ! Elle m'avait dans la peau, a-t-il ajouté, et je l'ai vu gonfler la poitrine comme tout mâle persuadé qu'il est un meilleur coup que son voisin. Et puis, elle m'a dit qu'il y avait un groupe d'adultes sur l'île qui organisait des soirées… Si ça m'intéressait, je pourrais coucher avec d'autres femmes. En plus, il y aurait de l'alcool et de la dope. Et on me donnerait de l'argent… Je pourrais même coucher avec des hommes, si ça me branchait. Je lui ai dit que j'étais pas pédé…

— Et tu y as été, ai-je conclu.

— Ouais… Deux fois… »

J'ai vu ses yeux luisants, dans la pénombre, sa lèvre inférieure qui tremblait. L'ombre au fond de son regard. Ce n'était pas le Shane que nous connaissions.

« Ces gens, a dit Shane, ils ont l'air bien élevés, cultivés, sympas – mais les choses qu'ils font… Je me sentais sale chaque fois que je rentrais chez moi…

J'ai dit à la pharmacienne que je voulais plus y aller. Elle m'a supplié ! Elle m'a même dit qu'elle était amoureuse de moi, tu parles... »

Il a baissé la tête puis l'a relevée. Sa voix a vibré de fureur contenue.

« Le pire était Nate Harding. Il aime le sexe brutal, mais surtout il aimait droguer les jeunes avant et, quand on était bien dans les vapes, il nous faisait faire des trucs de plus en plus dégueulasses. Lui, il se contentait de regarder. Il aimait bien que je sois violent avec mes partenaires, ça l'excitait... Plus c'était tordu, plus il aimait ça. Nate ne recherchait pas seulement son plaisir : il voulait nous faire du mal. Son plaisir à lui, c'était de nous corrompre, de nous *abîmer*... en tant que... personnes... qu'êtres humains... »

J'ai eu froid, tout à coup. J'ai frémi en songeant à Naomi passant entre leurs mains. À ce qu'ils avaient fait d'elle. À toutes ces ordures présentes à l'église, écoutant tranquillement le sermon du prêtre avec toute cette fange en eux.

« Les autres, c'était qui ? » j'ai demandé.

Il a haussé les épaules.

« Tu as vu, ils portent des masques... Et ils ne parlaient pas. Jamais. À part quelques bonnes femmes qui couinaient comme de vieilles truies...

— T'en as reconnu aucun ? »

Il a réfléchi.

« Si. Un pêcheur d'Orcas. (Il a donné son nom.) Et aussi Howie, le barman du Jolly Roger, à cause de son tatouage... C'est tout. »

Je n'en suis pas revenu. Le pub où nous allions presque chaque jour ! Notre deuxième repaire ! Quand Naomi s'asseyait avec nous, cette ordure *savait* – il avait participé, il l'avait vue à poil dans les bras d'autres hommes. Debout derrière son comptoir, il se repassait peut-être les meilleurs moments…

« Il y avait d'autres jeunes comme toi ?

— Ouais. Mais pas de mon âge, ça non, et pas d'ici non plus : je les aurais reconnus. D'ailleurs, la première fois, un type s'est embrouillé avec elle à cause de mon âge et elle lui a menti en disant que j'étais majeur, mais le mec l'a pas crue… »

J'ai soudain pensé à la période où étaient apparues les premières scarifications. À ces changements chez Naomi… Avait-elle menacé de les dénoncer ? Était-ce pour cela qu'on l'avait tuée ? Je leur ai fait part de mes doutes.

« Il n'y a qu'un moyen de le savoir, a dit Shane d'un ton glacial.

— Harding, a répondu Charlie tout aussi froidement.

— Il va nous jeter dehors, a dit Johnny. Il va halluciner.

— Et après ? a rétorqué Shane. Qui s'en branle si ça lui plaît ou pas ? Au cas où vous l'auriez oublié, elle a été *assassinée*, putain. Il me semble que ça justifie de prendre quelques mesures radicales, non ? Et il me semble aussi que c'est le moment ou jamais de montrer ce que vous avez dans le slip, les mecs. Pas toi, Henry. T'as déjà fait tes preuves, là-haut. »

Le cours d'art dramatique de Nate Harding se tient trois fois par semaine dans l'ancienne église méthodiste sur Mud Bay Road – la route de la Baie boueuse. Un nom approprié, vous ne trouvez pas ? La pluie avait cessé, tandis que nous roulions vers le sud de l'île, laissant derrière nous les éminences vertes de l'Eagle Ridge Golf and Country Club, sur une chaussée mouillée, pleine de trous, de lézardes et de feuilles mortes qui adhéraient aux pneus et qui avaient la couleur et la taille de gants de vaisselle.

L'église se dresse au bord de la route, devant une allée en demi-cercle avec une stèle au milieu. Un édifice en bois à peine plus grand qu'un pavillon de banlieue, avec un modeste clocheton au-dessus d'un fronton triangulaire.

Il faisait presque nuit quand nous y sommes arrivés. Une ampoule solitaire éclairait le perron. Il était écrit « 1905 » au-dessus de l'entrée. Au-delà, une prairie et puis la forêt drapée dans la nuit. Il y avait une douzaine de voitures garées devant.

Nous avons évité de claquer les portières et nous nous sommes approchés en silence des fenêtres, en marchant sur la pelouse détrempée et spongieuse ; j'ai jeté un coup d'œil rapide, imité par les autres, et le spectacle que nous avons découvert à l'intérieur nous a frappés de stupeur : dans la salle au plancher et aux murs de bois brut, des ombres évoluaient les unes autour des autres, avec des gestes mystérieux et lents ; pieds nus, toutes de noir vêtues, elles glissaient sur le parquet en silence. Comme sur la vidéo, chacune portait un masque blanc qui conférait à son regard un aspect particulièrement inquiétant. La plupart de ces masques n'exprimaient rien, ni joie ni peine, à trois exceptions près qui – fronts plissés, plis de la bouche tombant amèrement, sourcils en accent circonflexe – dénotaient une profonde affliction. Aucun ne souriait. La seule lumière provenait de deux appliques murales en forme de tulipe et chaque personnage était accompagné de grandes ombres fuligineuses qui s'entremêlaient sur le plancher.

Même à travers les vitres, on percevait la musique. Je l'ai reconnue : *Lux æterna*, de Morten Lauridsen, un musicien célèbre qui vit dans les îles une partie de l'année. J'ai trouvé cette mise en scène particulièrement sinistre et, c'était fatal ; j'ai pensé à la vidéo. Dans l'air humide du soir, j'ai frissonné.

J'ai essayé d'identifier Harding, mais sans m'attarder, car je ne tenais pas à ce qu'ils nous repèrent. Les rideaux étaient grands ouverts cette fois – ça n'allait certainement pas finir en orgie. J'ai juste noté qu'il y avait à peu près autant d'hommes que de femmes. Je me suis retourné vers les autres et Shane nous a fait signe. Nous avons contourné le bâtiment, piétinant un épais tapis de feuilles mortes amassées au cours de plusieurs automnes. L'obscurité était plus profonde à l'arrière, à l'orée des bois, mais il y avait encore suffisamment de clarté pour trouver la porte de service, en haut de trois marches. Shane a tiré doucement le battant grillagé et le léger grincement qu'il a émis a été couvert par la musique qui montait de l'intérieur. Il y avait un escalier étroit en face de nous et Shane a commencé à grimper. Nous l'avons imité. En haut, un balcon courait sur toute la largeur de la salle. Accroupis, nous avons rampé jusqu'à la balustrade. En bas, les ombres continuaient d'évoluer en silence, mimant mystérieusement… quoi ? je n'en avais pas la moindre idée – on aurait dit que chacun improvisait, abandonné à lui-même, en toute liberté.

Mon cœur battait la chamade.

Que faisaient-ils ?

Que cherchaient-ils à représenter ?

Et, tout à coup, j'ai compris. Lauridsen... *Lux æterna*... Ces masques indifférents et, au milieu d'eux, ces faces affligées... *Ils étaient en train de rendre un dernier hommage à Naomi*. Ils mimaient le deuil... À leur façon.

L'artiste, quel qu'il soit, aspire à saisir le mystère de la vie et de la mort, à exprimer l'incompréhensible et la douleur. Je ne doutais pas un instant que cette idée soit venue de Nate Harding lui-même et la colère m'a soulevé. Qu'est-ce que ce type savait de Naomi ? Il aurait pu être son père ! Quelle prétention de vouloir faire de sa mort un spectacle ! Comment osait-il ?

Puis tout s'est arrêté d'un coup. La musique. La pantomime. Ils se sont rechaussés, se sont salués rapidement et ils sont partis un par un. Dehors, les moteurs ont tourné. Deux masques se parlaient encore, en bas, puis le premier s'est retiré et le second est resté seul au milieu de la salle. Il ne bougeait pas. C'était l'un des masques tristes. Un homme. Silhouette athlétique. *Harding*... J'entendais l'écho de ma respiration haletante, tapi derrière la balustrade. Chassant le malaise qui m'envahissait, je suis sorti de ma cachette. Le mouvement ne lui a pas échappé et il a levé la tête vers le balcon. Shane, Charlie, Johnny et Kayla se sont redressés à leur tour.

Nate Harding a alors remonté son masque sur son front.

« Le Club des Cinq », a-t-il dit calmement.

Nous étions dans une pièce à l'arrière. Une cuisine ordinaire. La nuit plaquée contre la fenêtre ne renvoyait que le reflet de nos visages dans la lueur blafarde du néon. Souvenir de l'ancienne destination de l'édifice, un crucifix était resté accroché au-dessus du frigo. Harding a ouvert un placard, en a sorti une bouteille de vodka polonaise et s'est servi dans un verre à eau qui traînait à côté de l'évier. Il l'a porté à ses lèvres.

C'était la première fois que je le voyais d'aussi près. Et, comment dire ? la virilité cool, le petit truc bohème, le côté intello et *arty*, la séduction et l'indolence mâtinées de puissance sexuelle – tout cela était présent mais, à cette distance, le vieillissement, le doute, la lassitude d'avoir vu tous ses rêves réduits en cendres étaient plus apparents. En le regardant, j'ai eu l'impression de voir à la fois ce qu'il avait été à vingt ans, quand il était la coqueluche des cours de théâtre, et ce qu'il serait dans vingt autres : quand l'alcool, la dope et la clope auraient achevé de saper sa beauté conventionnelle. La quarantaine passée, les deux masques se superposaient encore, mais plus pour longtemps.

Et cependant j'ai deviné ce que Naomi avait pu lui trouver. La caricature de l'artiste tel que le cinéma et la télé le représentent. L'écorce sans le cœur, l'image sur papier glacé.

Il a bu la moitié du verre comme il aurait bu de l'eau, l'a reposé, nous a toisés longuement, le masque toujours relevé sur le front. Puis il a allumé une cigarette, a rejeté la fumée, les lèvres pincées.

« Qu'est-ce que vous voulez ? »

Bonne question. Je n'avais pas vraiment réfléchi à ce que j'allais lui dire. Il n'était peut-être pas assez talentueux pour la carrière dont il avait rêvé, mais il n'était pas idiot non plus. Il ne se laisserait pas endormir. Autant être réglo et lui balancer le truc direct.

« Nous cherchons à comprendre ce qui s'est passé, j'ai dit.

— Elle a été assassinée… et sans doute *violée*, a-t-il réagi. Voilà ce qui s'est passé. »

Elle ne l'avait pas été. Je le savais. Savait-il que je le savais ? Dans ce cas, feindre de l'ignorer pouvait être une stratégie…

« Tu as l'air de t'en foutre », a alors dit Shane d'une voix tendue à l'extrême.

Harding l'a fixé sans ciller.

« Pas du tout. Naomi, je l'aimais bien…

— Surtout quand elle venait à tes petites soirées… »

Il n'a pas paru surpris. Pendant une seconde, il a contemplé Shane avec une connivence indécente. Puis il a souri.

« Toi aussi, tu y es venu. Je te reconnais. »

Ils se sont affrontés du regard en silence. Harding n'a pas baissé les yeux.

« Tu te rappelles ? Tu aimais les secouer, hein ? »

Sa voix sifflante, doucereuse. J'ai surveillé Shane du coin de l'œil.

« Oui… je me souviens de toi… »

Il n'avait pas l'air d'avoir peur le moins du monde. De nouveau, il a souri. J'ai vu passer un éclat déplaisant, bestial et charnel dans ses yeux.

« Ne me dis pas que tu as oublié… »

Avant qu'on ait pu faire quoi que ce soit, Shane lui a balancé son poing dans le nez et ce dernier a explosé, répandant un flot de sang rouge sur la bouche et le menton de son propriétaire.

« Putain, t'es malade ! »

Harding a porté une main à son visage, a regardé le sang qui teintait ses doigts et une fureur noire s'est emparée de lui.

« Vous croyez que c'était une petite sainte, votre copine ? a-t-il lancé d'une voix provocante et sifflante. Je vais vous dire ce que c'était… »

C'est là que c'est parti en vrille… Shane l'a frappé une deuxième fois et, en réponse, Harding s'est jeté sur lui. Des coups sont partis des deux côtés mais ceux de Shane faisaient plus mal : il pratiquait la boxe au lycée, il savait où frapper, et comment. Personne au bahut n'ignorait qu'il était un combattant redoutable. Mais Harding n'était pas manchot non plus ; j'ai vu Shane prendre une droite qui l'a secoué. Puis les deux se sont agrippés, renversant des chaises sur leur passage, titubant, ivres de fureur, et Johnny et moi, on s'est jetés sur Harding pour prêter main-forte à Shane alors que Kayla nous braillait d'arrêter. Les coups ont redoublé. À l'aveugle. Une avalanche qui a endolori mes phalanges. On a vu son visage se déformer, enfler, se changer en un magma sanguinolent, sa fureur se muer en frayeur. On l'a encore frappé, avec les pieds cette fois, quand il est tombé et s'est retrouvé assis contre les meubles de cuisine. On a essayé de l'atteindre quand il a rampé entre les chaises, sous le refuge précaire de la table. J'ai broyé une de ses chevilles sous ma semelle, en faisant porter tout le poids de mon corps sur mon pied ; Shane a écrasé de toutes ses forces les doigts de sa main gauche avec le pied d'une chaise. Il nous a hurlé d'arrêter, mais on tournait autour de la table comme des fanatiques drogués de haine, renversant tout sur notre passage.

Ça a duré plusieurs minutes. Un maelström de furie et de violence débondées qui aurait pu nous conduire à commettre l'irréparable tandis que Kayla nous suppliait d'arrêter et que Harding rampait en cherchant un trou où se cacher. Sur quoi tout s'est interrompu.

Toute arrogance et tout cynisme l'avaient déserté. Il avait peur. Il pensait qu'on allait le tuer – et peut-être, pendant quelques secondes, l'idée nous a-t-elle effleurés.

Son regard était réduit à deux fentes entre ses paupières gonflées, son nez changé en patate violacée, sa pommette droite ouverte, son cou plein de bleus. Le sang formait une tache sombre sur son tee-shirt. Il a levé vers nous ses yeux pleins de vaisseaux éclatés. « Qu'est-ce que vous voulez, putain… Qu'est-ce que vous voulez ? »

J'étais à bout de souffle, la bouche ouverte à la recherche d'air, les fesses et les mains appuyées au plan de travail derrière moi. Ma poitrine se soulevait, la sueur me coulait sur les joues.

« La vérité », j'ai dit en reprenant ma respiration.

J'avais les poings en feu, l'adrénaline qui courait dans mes veines me faisait trembler comme si j'avais froid. Il a essayé d'écarquiller les yeux mais n'y est pas complètement parvenu. « Quelle vérité ? a-t-il dit. Je ne couchais pas avec Naomi… Qu'est-ce que vous croyez, bon Dieu ? Là où elle est, que croyez-vous que ça lui fasse d'entendre ça, hein ? Vous étiez ses meilleurs amis, bordel de merde ! »

Cette réponse nous a quelque peu désarçonnés, à vrai dire. Je l'ai attrapé par le col de son tee-shirt imbibé de sang, qui s'est déchiré.

« On a vu cette vidéo de vos partouzes ! Elle était dessus !

— Et alors ? Si vous avez visionné la vidéo jusqu'au bout, alors vous savez qu'il ne s'est rien passé ! Elle n'est venue qu'une fois… (Il a agité une main devant lui, comme pour se prémunir d'un nouveau coup.) C'est vrai, elle s'est déshabillée… Mais ça s'est arrêté là ! Vous le savez si vous avez visionné la vidéo… Elle n'a pas participé – elle s'est contentée de regarder… Elle est partie au bout d'un quart d'heure. Et elle n'est jamais revenue !

— Tu mens ! La vérité, c'est que Naomi avait tout raconté à sa mère et que vous les avez éliminées toutes les deux ! »

Il a paru étonné.

« Non ! s'est-il insurgé avec une soudaine véhémence. C'est la vérité ! Elle n'est venue qu'une fois ! On ne l'a jamais revue… Je crois… qu'elle cherchait à identifier un visage derrière les masques, à reconnaître quelqu'un… Elle était là pour ça…

— QUI ? » ai-je hurlé.

Il a considéré les autres, puis son regard s'est arrêté sur moi.

« Toi. Elle voulait savoir si tu en faisais partie… Je crois que, ces derniers temps, elle se demandait qui tu es vraiment. »

Pour le coup, ça nous a tous calmés – à commencer par moi. Je me suis demandé si ça aussi, ce n'était pas une stratégie.

Mais je me suis souvenu de la phrase de Naomi sur le ferry : « J'ai découvert *qui tu es.* »

Pendant ce temps, Kayla a passé un torchon sous

le jet du robinet et elle s'est agenouillée à côté de lui pour nettoyer son visage amoché et contusionné. Il a tressailli quand elle a effleuré sa pommette.

« Doucement, a-t-il murmuré. Doucement. Merci... »

Il a de nouveau levé les yeux vers nous depuis le sol.

« Comment vous avez eu cette vidéo ? »

Je me suis souvenu de l'avertissement de Darrell.

« Je n'ai pas le droit de le dire. »

Il nous a scrutés l'un après l'autre.

« Alors, c'est ça : vous *le* connaissez ? »

J'ai haussé les sourcils.

« Qui ça ?

— Le corbeau, pardi... »

Mon esprit s'est mis à travailler. Selon Darrell, il *s'apprêtait* à faire chanter les participants aux soirées – mais il n'avait pas eu le temps de le faire... Il avait été *devancé*...

« Quel corbeau ? On vous fait chanter ? j'ai dit, surpris.

— Ne vous foutez pas de ma gueule ! Vous le savez bien puisque vous avez vu la vidéo... C'était *vous* ?

— Nous qui ?

— Les maîtres chanteurs, bordel... Aïe ! a-t-il gueulé quand Kayla a touché son nez cassé. Faites attention ! »

Il reprenait du poil de la bête.

« Pardon, s'est-elle excusée.

— Quels maîtres chanteurs ? a dit Shane. Explique-toi, sale petite merde ! La vidéo qu'on a vue, tu l'as jamais reçue... Alors de quoi tu parles, connard ? »

Pendant un bref instant, Harding a semblé aussi

perdu que nous. Il a réfléchi. « Il y a un corbeau sur cette île, a-t-il finalement lâché. Qui connaît les petits secrets de tout le monde. Qui envoie des mails et qui fait chanter les habitants. Personne ne sait qui c'est… »

On s'est tous regardés. Puis j'ai tourné mon regard vers la nuit noire collée à la fenêtre – comme si le corbeau en question avait pu nous épier en ce moment même.

« Plusieurs des… participants à nos petites soirées ont déjà reçu des mails de sa part. Ils ont cessé de venir. Et ils ont payé. Ça fait des mois qu'on n'a plus fait de soirées à cause de lui. Les gens ont peur…

— Tu veux dire que ces gros porcs dégueulasses et ces vieilles putes font dans leurs frocs, c'est ça ? a grincé Shane. Désolé de ne pas compatir… Vous étiez moins regardants quand vous faisiez venir des mineurs, hein ? »

Harding s'est raidi.

« Les jeunes qu'on fait venir sont majeurs. Et ils ne sont pas d'ici. On n'est pas si cons… Naomi et toi, c'était une erreur… Naomi, elle a insisté, elle m'a fait la danse du ventre pour participer, difficile de lui dire non quand elle désirait un truc. Je n'ai compris que trop tard ce qu'elle voulait vraiment… Et toi, c'est Claudette qui a voulu. (La pharmacienne.) J'ai failli refuser mais elle a su se montrer persuasive… Elle t'avait dans la peau, Shane. (Il s'est tourné vers Kayla.) Il y a une bassine sous l'évier… s'il vous plaît. »

Elle la lui a apportée et il a craché dedans un sang noir mêlé de salive et – m'a-t-il semblé – de quelques bouts de dents.

« Revenons à ce type, ai-je dit. Le maître chanteur… Vous n'avez pas une petite idée de qui ça peut être ? »

Il m'a dévisagé, avec l'air de se demander si je bluffais.

« J'ai pensé à plusieurs personnes, évidemment, a-t-il finalement répondu, mais non : j'en sais rien du tout… Qui que ce soit, il est drôlement malin. (L'espace d'une demi-seconde, il est rentré en lui-même.) C'est quelqu'un qu'on ne soupçonne pas… Pas du tout… D'après moi, c'est quelqu'un qui passe relativement inaperçu. Discret, effacé. Et aussi une personne qui a accès à certaines informations, forcément. »

Je l'ai fixé. Sans savoir pourquoi, j'ai revu la mère de Charlie dans l'église… Son sourire compatissant… Une belle femme à sa façon – pas une beauté aussi tapageuse que la pharmacienne, plutôt discrète, travailleuse et effacée. Mais qui voyait passer tout Glass Island dans son magasin.

« Il se délecte du pouvoir qu'il détient, a poursuivi Harding. Ce n'est pas seulement l'argent, à mon avis. Il se sent comme le maître de l'île. Celui qui a pouvoir de vie et de mort sur ses habitants, celui qui peut détruire leur existence, leur carrière, leur famille, leur réputation… C'est le pied absolu pour lui : tous ces gens sous sa coupe. C'est le règne de la transparence, mec… Celle que nous exigeons de ceux qui nous représentent, combien d'entre nous seraient prêts à se l'appliquer à eux-mêmes, hein ? Tous nos petits secrets étalés au grand jour. C'est vers ça que tend la société, bordel. Ce salopard a juste pris un peu d'avance… »

Il a tendu un bras.

« Vous pouvez m'aider ? »

Kayla l'a pris sous une aisselle et l'a aidé à se relever. Il a grimacé. Nous n'avons pas bougé.

« Il éprouve sans doute un sentiment de toute-puissance en ce moment, il va vouloir se vanter, jouer avec le feu, il va commettre des erreurs… »

Il s'est appuyé contre l'évier et nous a observés.

« Et vous, les mômes ? Est-ce que vous n'avez rien à cacher ? Est-ce que vos vies sont nickel-chrome, pas le moindre petit secret nulle part ? Ou est-ce qu'il y a des trucs que vous n'aimeriez pas que les autres sachent ? Des trucs dont vous avez honte… Des trucs que pour rien au monde vous ne voudriez voir dévoilés devant vos potes, votre petite copine, vos parents ou le reste de la classe… Ne répondez pas, je connais la réponse.

— Vous allez porter plainte ? ai-je demandé.

— Avec ce que vous savez sur moi ? Vous rigolez ! Foutez le camp, maintenant. Dehors. »

Il matait ses pieds. Il avait l'air épuisé. Nous l'étions tous.

Nous sommes ressortis en silence par la porte de devant. Sonnés, incrédules.

Cette île que nous pensions connaître, que nous arpentions depuis si longtemps nous révélait peu à peu des aspects plus souterrains, plus sinistres… Soulevant toujours plus de questions : est-ce que Naomi me soupçonnait d'être le maître chanteur ? Est-ce que c'était elle ? Est-ce qu'elle avait elle-même été victime d'un chantage ? « La nuit nous attend », avait dit le prêtre à l'église. Pas exactement : elle était déjà là.

23

Conversation

Noah Reynolds entra au Jolly Roger et il chercha Bernd Krueger des yeux.

Le shérif était assis à une table dans le fond, après le bar, près du poêle. Il portait un coupe-vent bleu et un pantalon marron. Noah promena son regard sur la salle. Il y avait des filets de pêche sur les murs lambrissés, un jeu de fléchettes, de vieilles publicités et même un espadon en plastique. Deux types au bar coiffés de casquettes, perchés sur des tabourets, et deux filles en jean au billard. Il régnait une agréable chaleur quand on arrivait du dehors ; des flammes léchaient la vitre noircie du poêle. On était dimanche soir et, dans la pénombre, quatre écrans télé diffusaient ou rediffusaient les matches du week-end en sourdine : base-ball, basket, football, soccer…

« Salut, Bernd, dit Noah en s'asseyant.

— Ça fait une paie, Lincoln », commenta Krueger en lui serrant vigoureusement la main.

C'était le surnom de Noah lorsqu'ils étaient tous deux au Seattle Police Department – Krueger à l'unité Vols et Cambriolages, Reynolds aux Homicides.

À cause de son visage allongé, des bouquins qui traînaient sur son bureau. Et peut-être aussi de sa silhouette de Grand Inquisiteur. La plupart des flics du SPD enviaient à Noah ses états de service et, pour cette raison, ils avaient tendance à devenir sarcastiques dans son dos. Ajouté à cela le fait qu'il ne se joignait jamais aux pots après le boulot, qu'il manquait d'humour et qu'on ne lui connaissait aucune liaison, les rumeurs allaient bon train à l'époque.

« Tu ne me demandes pas ce que je deviens ?

— Je me suis renseigné. Il paraît que tu traînes dans le coin depuis quelques jours… et que tu es dans le privé, maintenant… Qu'est-ce que tu cherches chez moi, Noah ?

— Un gosse », répondit Reynolds.

Il avait décidé de jouer franc-jeu : il espérait que le shérif allait relancer la conversation, mais il n'en fit rien. Il préférait laisser Noah venir.

« Grant Augustine, ça te dit quelque chose ? »

Krueger haussa les épaules en signe d'ignorance – ou d'indifférence. Puis il leva les yeux vers un des écrans télé.

« Un type qui a fait fortune en travaillant pour le secteur de la Défense. Il se présente au poste de gouverneur de Virginie…

— En quoi ça me concerne ?

— On lui a enlevé son fils, il y a des années. À la naissance… Depuis cette époque, il le cherche partout. »

Krueger ne manifesta aucun intérêt particulier, même pas une attention polie.

« Certaines informations que nous avons reçues

récemment nous laissent à penser que le gamin pourrait se trouver sur une de tes îles… »

Cette fois, Noah constata qu'il avait réussi à éveiller la curiosité de son interlocuteur. Krueger baissa les yeux sur lui.

« Un fils, tu dis ? (Il avait demandé cela en mettant toute l'impassibilité dont il était capable dans sa voix.) Disparu à la naissance… Sacrée histoire… Et il aurait quel âge aujourd'hui ?

— Seize ans.

— Et c'est pour le retrouver que tu es ici ? »

Noah opina. Krueger le scruta, pensif.

« Et tu as une idée de l'époque à laquelle il serait arrivé ici ?

— Pas la moindre. Ça peut être il y a seize ans comme l'année dernière…

— Elle est bizarre, ton histoire.

— Je sais.

— Un kidnapping… Pourquoi ton Augustine ne s'adresse-t-il pas au FBI ?

— Mon… *employeur*… ne veut pas effrayer le gibier… et il est le plus gros sous-traitant de la NSA, expliqua Noah avec un clin d'œil. Il a encore plus de moyens que le FBI et la CIA réunis.

— Ouais, ouais… comme pour les armes de destruction massive en Irak et le 11 Septembre, hein ? riposta Krueger avec un autre clin d'œil. S'il a autant de moyens, comment ça se fait qu'il ne l'ait pas encore retrouvé ? »

Noah leva les mains en signe de reddition.

« Bonne question, Bernd. Bonne question… »

Krueger avait terminé sa bière, il fit un signe au barman.

« Et qu'est-ce que tu attends de moi ?

— Que tu me parles de cette fille qui a été assassinée.

— Tu as évoqué un fils, pas une fille…

— C'est son petit copain qui m'intéresse…

— Henry ? »

Noah revit le gamin ténébreux en compagnie de ses potes sur le parking des ferries. Il avait failli lui rentrer dedans en pénétrant dans les toilettes du ferry, un jour – et Noah savait que le garçon l'avait repéré. Pourquoi un adolescent de seize ans était-il à ce point sur ses gardes ? Puis il avait découvert l'article dans le journal…

« Ce gosse n'a pas de profil Facebook à son nom, pas de photo sur Internet – rien.

— Tu es bien renseigné, on dirait. Et alors ?

— Tu ne trouves pas ça bizarre ? »

Krueger haussa les épaules.

« Je crois savoir que ses deux mamans ont des opinions bien arrêtées sur ce qui est bon ou pas pour leur gosse… Et toi, Noah, toujours pas de gosses ? Comment va Elizabeth ? »

Noah encaissa.

« Il est élevé par deux lesbiennes ? » demanda-t-il.

Krueger acquiesça.

« Adopté ? »

De nouveau, Krueger fit un signe positif.

« À quoi elles ressemblent ? »

Krueger haussa les épaules.

« L'une est petite et brune, l'autre grande et blonde. Elles tiennent un *bed and breakfast* en dehors de la ville. Et la blonde travaille à Redmond pour faire bouillir la marmite… La brune joue aussi du violoncelle, si ça peut t'aider, ajouta Krueger en mimant le geste d'un musicien en train de jouer.

— Quel âge ?

— La quarantaine… »

Noah sentit son excitation croître. Était-il possible qu'il eût tapé dans le mille aussi facilement ?

« Ce gamin, il fait partie de vos suspects ? »

Krueger hésita. Il n'aimait pas spécialement Noah, mais il n'avait rien contre lui non plus. Noah Reynolds avait été un bon flic.

« Il est même notre suspect n° 1, dit-il.

— Explique…

— La gamine était enceinte. »

Noah eut le plus grand mal à dissimuler la bouffée de chaleur qui lui montait au visage. Tout à coup, il se sentit des fourmis dans les jambes. Bon sang, qui disait fœtus disait… ADN !

« Et l'autopsie ? Qui s'en est occupé ?

— Shatz. »

Son jour de chance !… Le Dr Fraser Shatz, médecin légiste en chef et directeur du service de médecine légale du comté de Snohomish. Noah avait plus d'une fois travaillé avec lui quand il était aux Homicides. Ils s'étaient toujours bien entendus. Les types compétents se reconnaissent entre eux. Une question lui brûlait les lèvres. Mais il devait la poser aussi négligemment que possible – comme si c'était un détail périphérique.

« Si elle était enceinte, je suppose que vous cherchez à savoir qui est le père… »

Krueger planta son regard dans le sien.

« Je ne suis pas né de la dernière pluie, Reynolds. Je sais très bien à quoi tu penses. Oui : nous conservons l'ADN du fœtus – et oui : nous allons effectuer un prélèvement pour comparaison sur tous les habitants mâles de l'île en âge d'être pères. Dès que nous aurons l'aval de la justice. Ça coince un peu de ce côté-là. Pour le reste, je ne veux rien savoir de ce que tu trafiques, compris ? Vois ça avec Shatz, d'accord ? Avec un peu de chance, il sera dans un bon jour. Je ne suis au courant de rien et cette conversation n'a pas eu lieu. »

Sur ce, Bernd Krueger déposa un billet, se leva et sortit.

24
Nuit

Je suis sorti en mer, cette nuit-là. J'avais besoin d'exercice et l'orage s'était brutalement calmé, laissant derrière lui une mer d'huile – comme souvent dans ces îles. J'ai attendu que mes mamans dorment et je me suis faufilé dehors ; j'ai tiré le kayak jusqu'à la berge.

Je n'ai pas vu d'orque. J'ai pagayé tranquillement, sans forcer à cause de la douleur qui se réveillait au moindre mouvement, et mon kayak glissait sur les eaux noires avec un chuintement presque imperceptible. Il n'y avait pas d'autre bruit que le léger clapotis de l'eau contre les rochers, j'étais une ombre parmi les ombres. J'ai doublé le cap de Limestone Point, levé les yeux vers le sommet du phare, au-dessus de la plate-forme métallique, et j'ai aperçu la vitre fracassée. Un oiseau… Ni le premier ni le dernier. Chaque année, attirés par la puissante lanterne, des pétrels perdent la vie à cause de leur amour pour la lumière.

Le froid nocturne était coupant et le pinceau du phare tranchait la nuit comme un hachoir. Je l'ai laissé derrière moi.

La nuit se déployait à présent en un dégradé de noirs, de gris et de bleus froids et oppressants. Le phare est au bout de l'île ; au-delà s'étend le détroit et, de l'autre côté, les silhouettes noires d'Orcas Island, de Crane Island et de Shaw. Je connaissais chaque crique, chaque rocher de cette zone ; ce paysage familier m'apaisait – loin des caméras, des pages Facebook accusatrices et des soupçons de la police. Presque aussi impalpable qu'une armée de fantômes, les arbres de la forêt glissaient près de l'eau, dans l'obscurité.

Tout en pagayant sous le ciel clouté d'étoiles, je me suis demandé pourquoi Naomi avait enquêté sur moi à mon insu et si ces recherches avaient un rapport avec sa mort. J'ai repensé au maître chanteur… Était-ce lui, l'assassin ? Naomi l'avait-elle démasqué ? « C'est quelqu'un qu'on ne soupçonne pas », avait dit Harding. J'avais l'impression que la personne que nous cherchions était comme un chat : silencieuse, discrète, proche, elle passait inaperçue. Elle était toujours là, constamment, chaque minute, mais on n'y faisait pas attention. Et elle était sur le ferry…

À un moment donné, quelque chose de gros, de silencieux et de rapide a frôlé mon embarcation, près de la surface, avant de replonger dans les ténèbres. Son passage a produit un son bref et soyeux puis, le silence est retombé. Ainsi était celui que nous cherchions : une ombre, toujours là, jamais loin, imprévisible. Venu des profondeurs de nos peurs et de nos secrets. J'ai frissonné et décrit un cercle pour rentrer.

Une fois dans ma chambre, je me suis assis à la tête du lit, j'ai rassemblé oreillers et couvertures autour de moi en un rempart contre le monde extérieur, le menton sous la courtepointe, comme quand j'avais dix ans. Sur les murs, le regard noir et étincelant de l'enfant de *The Grudge*, la haute silhouette de Max von Sydow dans *L'Exorciste* (qui me rappelait furieusement celle du ferry) ou encore le duo inquiet Gregory Peck/Lee Remick dans *The Omen* me semblaient acquérir une vie nouvelle.

Aux petites heures, alors que les premières lueurs de l'aube commençaient seulement à griser le ciel, je n'avais toujours pas bougé, et j'ai accueilli le jour nouveau avec le même soulagement qu'un voyageur traversant en diligence une contrée infestée de vampires, qu'un patient dans un hôpital qui a affronté une nouvelle nuit de douleur et de solitude.

J'ai appelé Lovisek au lycée pour lui dire que je ne me sentais pas la force de venir, ce lundi. Il s'est montré compréhensif. Je l'ai félicité pour ses paroles à l'église : « Ça n'était pas des propos de circonstance, a-t-il dit. Tu sais, mon père et moi, on ne s'entendait guère. Et puis, après qu'il est mort, je me suis rendu compte que je l'aimais, malgré nos différends... À la réflexion, je crois que c'est juste parce qu'il est plus facile d'aimer un mort, tu vois... C'est affreux à dire, mais il y a des personnes comme ça qu'il est plus facile d'aimer mortes que vivantes. Et puis, il y a les autres : celles dont la mort laisse un vide immense. Elle va beaucoup nous manquer... » J'ai compris, en cet instant, qu'il parlait autant de sa fille que de Naomi.

J'ai consacré la matinée à des riens : je suis resté dans mon bain avec un roman de Louise Penny jusqu'à ce que l'eau en soit froide, j'ai joué à *Clash of Clans*, navigué sur Internet, répondu aux textos de Charlie, de Shane et de Kayla me demandant où j'étais passé – maman Liv est venue au moins trois fois voir comment je me sentais et si je voulais manger un truc. Quand elle est partie faire les courses, elle m'a proposé de l'accompagner mais j'ai décliné.

Dès que le moteur de la Volvo a cessé de se faire entendre, je suis descendu dans son bureau. Liv et France ont chacune le sien, au bout d'un petit couloir qui part de la salle commune. Celui de Liv comprend juste un vieux bureau trouvé dans une brocante surmonté d'une lampe en verre multicolore et un meuble à tiroirs métallique pour dossiers suspendus.

Il n'était pas verrouillé. France était à Seattle. J'ai commencé à fouiller rapidement parmi les dossiers pleins de factures, de courrier administratif, de relevés de banque et aussi de recettes de cuisine que Liv utilisait pour préparer les petits déjeuners. Je n'ai rien trouvé qui pût expliquer le coup de fil qu'elle avait passé.

Après le déjeuner, je n'ai pas attendu qu'elle se rende à son rendez-vous pour la suivre : j'avais repéré l'endroit sur Internet et, entre le ferry et la route jusqu'à Mount Vernon, je savais qu'il y en avait au moins pour une heure trente de trajet. Aussi, je lui ai lancé que j'allais faire un tour et elle a passé la tête hors de la cuisine : « Tu es sûr que ça va, Henry ? » J'ai fait signe que oui et je suis sorti. J'avais deux bonnes heures d'avance et je ne voulais pas attirer son attention, quoique je ne visse pas comment elle aurait pu avoir le moindre soupçon.

Sur le ferry, j'ai découvert la présence des

hélicoptères et des bateaux des gardes-côtes et des douanes qui tournaient autour de l'île. *Ils cherchent la mère de Naomi, ils la croient morte*. Je suis resté planté là, sur un des ponts extérieurs, en plein vent, à regarder leur manège, toute cette agitation sous le ciel gris, avec l'étrange sentiment que tous avaient dans un coin de leur tête la photo d'un suspect idéal placardée au mur : *moi*.

Le Shirley's se trouvait tout près de l'Interstate 5, dans une zone commerciale de Mount Vernon comprenant, entre autres, un Best Western, un DQ, un Burger King, une station de lavage Kwik-N-Kleen et une station-service Shell. Il n'y avait pas beaucoup d'endroits où se planquer, aussi ai-je choisi le parc de stationnement du Burger King, suffisamment à distance pour ne pas attirer l'attention, mais avec une vue imprenable sur l'entrée.

Le ciel avait pris une teinte verdâtre des plus curieuse et la lumière entre les masses nuageuses semblait colorée par un de ces filtres qu'on utilise sur Instagram. J'ai respiré un bon coup et je suis descendu. Puis j'ai marché jusqu'au carrefour, à une centaine de mètres de là. J'ai franchi la quatre-voies à hauteur du DQ et me suis dirigé vers le Shirley's à travers le terre-plein.

La façade de bardeaux peinte en bleu layette avait connu des jours meilleurs. Il n'y avait pas beaucoup de voitures garées devant, ce qui ne faisait guère mes affaires. J'ai poussé la porte vitrée. À l'intérieur, un long comptoir en aluminium qui courait face à l'entrée, deux employées coiffées de petits chapeaux en papier, une vingtaine de tables et des box sur la droite, avec des banquettes en similicuir. Trois clients : un couple près d'une fenêtre et un homme seul assis dans l'un des box. L'unique avantage stratégique : d'épais rideaux masquaient en partie les fenêtres tout comme la porte d'entrée, et une pénombre discrète enveloppait les lieux, percée par de petites lampes. J'ai reconnu la musique – forte – qui sortait des minibaffles : Alice in Chains.

« Bonjour, a dit l'une des employées.

— Je reviens… »

Je suis retourné à ma voiture. Il était temps car, en traversant le passage-piétons, j'ai vu approcher la Volvo de Liv sur la bretelle de l'Interstate. Je me suis planqué quand elle est passée devant moi, a tourné au carrefour et s'est engagée sur le parking du Shirley's.

J'ai jeté un coup d'œil et vu Liv descendre de la Volvo. Elle a disparu à l'intérieur du restaurant.

C'était maintenant que les choses se compliquaient. Rentrer là-dedans revenait à prendre un foutu risque. J'imaginais la tête de Liv si elle me voyait là. Elle en conclurait naturellement que non seulement je l'avais espionnée au téléphone mais aussi que je l'avais suivie jusque-là avec l'intention de l'épier à nouveau. Croyez-moi, il y a peu d'épreuves que j'ai moins envie d'affronter qu'un savon de Liv Myers, ma mère adoptive. Liv mesure peut-être un mètre cinquante-huit, mais elle aurait fait merveille comme procureur dans un tribunal – ou dans un talk-show. Ses colères ont quelque chose de jupitérien, et tous ceux qui les ont essuyées évitent de s'y exposer à nouveau dans la mesure du possible. Je ne lui ai jamais donné personnellement l'occasion de sortir de ses gonds, mais je l'ai déjà vue s'en prendre à d'autres

– je revois un garagiste indélicat et me rappelle une remarque sexiste et homophobe de la part d'un ivrogne d'East Harbor pendant la fête nationale – et, à mon humble avis, ils s'en souviennent encore.

Je n'osais imaginer sa réaction. Je n'avais même pas envie d'y penser. *Quelle que soit la raison ou la peur, il faudra la dépasser*, a déclaré le coach Anthony Robbins. Ben voyons, le genre de truc plus facile à dire qu'à faire… Je me rendais compte que mon obéissance avait toujours procédé d'une seule source : la peur qu'elle m'inspirait. Planté au carrefour, j'ai réfléchi un moment. À part le couple, il n'y avait qu'un seul homme dans le bar. Je l'avais à peine entr'aperçu mais il m'avait donné l'impression d'avoir dans la quarantaine, les cheveux grisonnants et, surtout, *il était assis dans un box face à l'entrée*. Ce qui signifiait que Liv allait forcément s'asseoir dos à celle-ci si c'était bien lui qu'elle venait voir.

Qui d'autre ?

J'ai attendu cinq minutes et aucun véhicule n'est venu se garer près de la Volvo. J'étais sûr et certain de n'avoir jamais vu cet homme de ma vie ; par conséquent, sauf si Liv lui avait un jour montré une photo de moi, il n'y avait aucune chance pour qu'il me reconnaisse. Près de moi, au-dessus de la chaussée, les feux passaient du rouge au vert, du vert au rouge, et le flot de véhicules s'interrompait puis repartait comme une marée filmée en accéléré.

J'ai pensé au box libre juste à côté, séparé de celui où l'homme était assis par une cloison. Mais que se passerait-il si Liv tournait la tête au moment où j'entrais et où l'employée disait « bonjour », ou bien si elle reconnaissait ma voix quand la serveuse viendrait prendre ma commande ? Ou encore si elle partait la première et passait devant ma table ? Trop de risques…

Et puis, un petit miracle s'est produit. En l'espace de cinq minutes, plusieurs pick-up ont déboulé en même temps de la bretelle d'autoroute et une douzaine de types qui avaient l'air d'ouvriers ou de bûcherons en sont descendus pour entrer au Shirley's en devisant bruyamment – je pouvais suivre leurs conversations de là où j'étais. Ensuite, ça a été le tour d'un monstrueux Peterbilt de trente-sept tonnes suivi d'un autre mastodonte grondant et ferraillant dont la plate-forme était chargée d'une montagne de troncs et dont les freins à air ont émis des soupirs véhéments quand il s'est immobilisé sur le parking – après quoi les chauffeurs ont emboîté le pas aux ouvriers.

L'heure de pointe apparemment : j'étais juste arrivé un tout petit peu trop tôt.

J'ai pris ma décision.

J'ai traversé la route et le parking et je suis entré dans la salle trente secondes après les routiers. Les deux employées n'étaient plus derrière leur comptoir mais occupées à faire le service. J'ai jeté un coup d'œil vers le box et mon cœur a fait un petit saut : Liv était bien là, assise face au type. *Le box voisin était libre…* Les camionneurs comme les ouvriers s'étaient répandus dans la salle. J'ai foncé tête baissée. Je me suis laissé tomber sur la banquette la plus proche, à quelques centimètres seulement de ma mère, lui tournant le dos comme elle me tournait le sien.

Entre la musique et les conversations, le brouhaha était assourdissant, l'obligeant à élever la voix.

Le revers de la médaille étant que, à cause de ce même bruit, je ne percevais que des bribes.

« … inquiète… faire si grand… gustine… nos traces… ? a-t-elle dit.

— … es sûre… ? a dit l'homme.

— … France a vu… plusieurs fois sur… fer… moi… rues d'East… l'air d'un… FBI ou… sûre que… Henry qu'il cherche… »

Est-ce que j'avais vraiment entendu *Henry* ? Avait-elle dit : « Je suis sûre que c'est Henry qu'il cherche » ? Ou bien mon esprit déformait-il ses propos et les réarrangeait-il en fonction de mes propres fantasmes ?

« Bonjour, vous avez choisi votre commande ? » a soudain demandé la serveuse à côté de moi.

J'ai regardé le menu, pris de court.

J'ai mimé la langue des signes puis montré son calepin et son stylo. Elle me les a tendus.

J'ai écrit :

Hamburger, Coca Zero

« Très bien. Quel assaisonnement ? »

Même manège…

« Très bien. Ce sera tout ? »

J'ai hoché la tête, lui ai fait un joli sourire. Elle est repartie. J'ai de nouveau prêté l'oreille.

« … ry a quel âge ? » demandait l'homme.

(Ou peut-être était-ce mon esprit qui le demandait.)

« Seize…

— … naissan… ?

— 1997. »

(Cette date entendue très précisément – l'année de

ma naissance – mais qui sait de quels tours l'esprit est capable, hein ?)

« … grant… stine… »

(C'était la deuxième fois que j'entendais ces syllabes. Qu'est-ce qu'elles voulaient dire ?)

J'ai continué à écouter mais c'était à présent Pearl Jam dans le juke-box et le groupe de Seattle a réduit leur conversation à un brouet presque inaudible. De nouveau, cependant, ces sons : « ant… ustine… » J'ai essayé de me concentrer. *Justine ? Quelque chose avec Justine ?* Tout à coup, la musique s'est interrompue et j'ai entendu l'homme déclarer distinctement :

« Si c'est Augustine, alors… »

La musique a repris et les conversations dans la salle ont aussitôt regrimpé de plusieurs dizaines de décibels. Qui était Augustine ? Pourquoi revenait-il tout le temps dans la discussion ? La serveuse m'a apporté mon hamburger et mon Coca. J'avais déjà sorti un billet ; elle m'a rendu la monnaie. J'ai essayé de capter d'autres bribes, mais rien de significatif n'est parvenu à mes oreilles.

J'ai avalé mon hamburger en vitesse et j'ai détalé – non sans un dernier regard à l'homme assis en face de maman Liv en sortant.

25

Yeux et oreilles

L'immeuble délabré se trouvait dans un quartier déshérité, à la périphérie de Washington D.C., loin des fastes du Capitole et de la Maison-Blanche, dans une rue à l'atmosphère lugubre bordée d'entrepôts protégés par de hauts grillages. Sa chaussée était défoncée et ses réverbères anémiques. La limousine Cadillac noire aux vitres blindées faisait tache dans ce décor suburbain défraîchi. Elle était l'exacte reproduction de la Cadillac One du président, avec un châssis de camion GMC, un blindage militaire et des pneus Goodyear de quatre cent quatre-vingt-quinze millimètres pouvant rouler à plat.

Elle vira lentement et disparut presque sans bruit dans la rampe d'accès au sous-sol du bâtiment ; et le SDF qui battait le pavé à quelques pâtés de maisons de là se demanda s'il n'avait pas rêvé.

À peine le luxueux véhicule immobilisé, Grant Augustine se dirigea directement vers l'ascenseur. Il avait délaissé la limousine pour un mode de locomotion plus discret depuis qu'il était en campagne électorale, mais il ne dédaignait pas de l'emprunter quand il se rendait dans la capitale fédérale.

En sortant de l'ascenseur, il fit un petit salut au garde en civil et se faufila dans le dédale des couloirs décrépits jusqu'à une porte blindée surmontée d'une caméra qui ne portait aucune plaque. Il appuya sur un bouton et attendit qu'un autre garde armé vienne lui ouvrir. C'étaient tous d'anciens Marines. Cette officine n'avait aucune existence officielle, ce bâtiment n'était mentionné sur aucun rôle, ne figurait dans aucun dossier, n'apparaissait dans aucun ordinateur. Le garde salua Augustine, qui remonta le couloir grouillant de monde et zigzagua entre des bureaux surpeuplés qui avaient tous la même particularité : ils étaient éclairés au néon nuit et jour et leurs fenêtres étaient occultées par des films plastique et des stores baissés.

Grant parvint enfin à une pièce à peine plus grande que les autres et il pinça les narines en reniflant l'odeur de sueur, d'oignon et de tabac froid. Le centre de la pièce était occupé par une grande table métallique, les murs recouverts d'écrans de télévision : des volutes de fumée s'élevaient dans la lueur des écrans. Malgré lui, Augustine toussa. Jay leva la tête. Il avait les deux mains posées à plat sur le bord de la table, les manches de sa chemise retroussées.

« Quelle odeur affreuse, commenta son patron.

— On n'aime pas les oignons ? plaisanta Jay.

— Mon repas préféré, répondit Augustine. Tu m'as dit qu'il y avait du nouveau ? »

Jay opina. Il montra d'un geste ample la pièce et les gamins (le plus âgé avait trente ans) qui s'activaient autour d'eux.

« On surveille en temps réel les courriels, l'usage

des réseaux sociaux et toute autre activité sur Internet de n'importe lequel des seize mille habitants de ces îles. Toutes les webcams de l'archipel et des ferries qui les desservent. Tous les numéros de téléphone de tous les habitants, tous les comptes mails, les conversations par *chats*, les photos, les données stockées, toutes les activités : Microsoft, Yahoo !, Google, Facebook, Paltalk, YouTube, Skype, Snapchat, WhatsApp… *tout arrive dans cette pièce*. NUCLEON nous permet de sélectionner leurs appels téléphoniques en les filtrant par mots-clés, TREASURE MAP d'obtenir la géolocalisation instantanée de n'importe quel dispositif connecté : smartphone, tablette, ordinateur… EGOTISTICAL GIRAFFE cible Tor, MUSCULAR les réseaux privés de Google et de Yahoo ! Tout est enregistré, filtré, compulsé, analysé…

— Je croyais que tu avais du *nouveau* », insista Augustine d'une voix sifflante.

Jay poussa une tablette dans sa direction. Grant se pencha et vit la une du *Seattle Times* sur l'écran.

« Un… *journal*, dit-il. C'est une blague ?

— Lis. »

Les yeux de Grant se réduisirent à deux fentes quand il surprit le sourire de Jay.

« Jay, ne me fais pas languir, s'il te plaît…

— Reynolds a fait du bon boulot. Et on dirait qu'on a peut-être de la chance, cette fois.

— Explique.

— Lis… »

Augustine jeta un coup d'œil à l'article.

« Une adolescente assassinée sur Glass Island… Et alors ?

— C'est son petit ami qui est intéressant. »

Augustine s'approcha d'une grosse machine à café industrielle et glissa une tasse sous l'un des becs verseurs.

« Intéressant à quel point ?

— Seize ans. Élevé par deux gouines… *adopté*… »

Depuis que Noah l'avait appelé, il avait eu le temps de pousser les investigations un peu plus loin. C'est fou ce que les établissements scolaires protégeaient mal la vie privée de leurs élèves. Augustine se retourna.

« … pas de profil Facebook à son nom, mais un baptisé *Fan de films d'horreur* sans photo ni identification… » continua Jay.

Un éclair passa dans les yeux de son patron.

« … pas de photo ailleurs sur Internet… »

Augustine haussa les sourcils.

« … n'apparaît pas non plus sur la photo de classe… »

Jay le vit se troubler.

« On dirait même qu'il est absent chaque fois qu'on la prend… » Il soutint le regard de Grant : « D'après Reynolds, il est leur suspect n° 1. J'ai épluché les communications du bureau du shérif et les mails échangés entre le shérif et l'attorney. Ils confirment ce qu'a dit Reynolds… »

Les pupilles en face de lui brillaient d'un éclat intense à présent.

« Mais il y a mieux », ajouta-t-il.

La pause qu'il ménagea faillit mettre Augustine hors de lui.

« La fille était enceinte. »

Cette fois, Grant Augustine faillit en lâcher sa tasse.

« Seigneur », murmura-t-il.

Son regard se perdit au-delà des murs épais de cette forteresse, vers le nord-ouest, vers un chapelet d'îles embrumées à des milliers de kilomètres de là.

« Tu crois que ça pourrait être… lui ? »

Jay haussa les épaules.

« Ça serait un sacré coup de bol.

— Juste retour des choses. On n'en a pas eu beaucoup jusqu'ici…

— En tout cas, ça vaut la peine qu'on se penche sur son cas. Il y a suffisamment d'éléments concordants.

— Si ce que tu me dis est vrai, ce gamin a le profil, Jay. Tu t'en rends compte ?

— Oui.

— Tu crois que c'est lui, le père ?

— Qui d'autre ? C'était sa petite amie.

— Elle a pu le tromper… Ça expliquerait qu'il l'ait tuée… »

Pendant une seconde de pure angoisse, Augustine se demanda s'il venait d'être assez incroyablement chanceux pour avoir enfin retrouvé son fils et assez incroyablement malchanceux pour qu'à peine retrouvé celui-ci se transformât en criminel.

« Je suppose que puisqu'elle était enceinte, ils vont faire des comparaisons génétiques avec la population masculine ?

— Reynolds doit rencontrer le légiste demain, confirma Jay. C'est une de ses anciennes connaissances. Le service médico-légal a effectivement conservé l'ADN du fœtus dans ce but. »

Augustine frappa du plat de la main sur la table métallique et renversa un peu de café sur son pantalon clair, mais il n'y fit même pas attention.

« Il nous faut un test ADN, Jay ! Une comparaison

des marqueurs génétiques *entre ce fœtus et moi* ! Si le test est négatif, cela ne voudra pas dire que ce gamin n'est pas mon fils... peut-être qu'elle couchait avec quelqu'un d'autre que son petit copain... mais s'il est positif, s'il s'avère que j'en suis le... *grand-père*... »

La perspective le rendit muet de saisissement.

« Il se passe d'autres trucs bizarres sur cette île », poursuivit Jay.

Augustine le regarda dans les yeux.

« Comme quoi ?

— Cela fait des jours qu'on épluche mails, communications téléphoniques, textos des habitants de l'île... Je passe sur les petits adultères, les petits trafics, les petites combines... Il y a un détail beaucoup plus intéressant : il semblerait que quelqu'un les fasse chanter.

— Pardon ?

— Nous avons intercepté plusieurs mails... Des mails anonymes envoyés à certains des résidents. Il y a un putain de maître chanteur sur ce caillou, Grant. Et il est malin. Il les envoie depuis des cybercafés de Seattle, de Bellevue ou d'Everett... Jamais à la même heure, jamais du même endroit. Aucune récurrence détectée. Ça a l'air parfaitement aléatoire. Et ses textos sont expédiés à partir de téléphones à carte prépayée achetés dans des boutiques différentes...

— Et ?

— Parmi ses victimes, il y a les mamans de ce gamin : Henry. Il les a menacées de révéler leur secret : *le secret de l'origine de leur fils*... c'est ce qu'il a écrit...

— Oh, Seigneur, exulta Augustine si fort que plusieurs têtes se tournèrent. Oh, Dieu Tout-Puissant !

C'est lui, Jay ! Ce Henry ! Pas de doute : c'est mon fils !

Il s'interrompit : un mince filet de sang vermeil venait d'apparaître au-dessous de sa narine gauche.

— Si c'est le cas, le test le démontrera, répondit prudemment Jay tandis que Grant s'essuyait avec un mouchoir.

— C'est lui, je te dis ! Par tous les saints ! Ce maître chanteur… il faut le retrouver… il nous faut les vidéos de surveillance de tous les endroits où il est passé !

— J'y travaille. »

26

Michelle/Meredith

De retour à la maison, la première chose que j'ai faite a été de me connecter sur Google. Lorsque j'ai tapé « Augustine », le moteur de recherche m'a craché un nombre incalculable d'entrées, dont une de l'Encyclopédie catholique sur Augustin d'Hippone[1] – plus connu sous le nom de saint Augustin –, mais aussi un site de mode vestimentaire, un hôtel de Prague baptisé *The Augustine*, la gazette de St. Augustine en Floride, une société d'extermination de termites basée dans le Kansas, *Augustine Exterminators*, etc.

J'ai alors entré « ant augustine » – et obtenu les profils Facebook d'un certain nombre d'Ant Augustine et d'Anthony Augustine vivant en Amérique, au Canada et en Australie. Aucun d'eux ne semblait présenter quoi que ce soit d'anormal ou de mystérieux. C'étaient pour la plupart des jeunes gens de mon âge ou un peu plus vieux, avec des goûts et des centres d'intérêt communs à plusieurs milliards de bipèdes.

Au bout d'une demi-heure passée à tout apprendre

1. Augustine of Hippo, en anglais.

sur leurs athlètes favoris, leurs groupes favoris, leurs films favoris et leurs jeux favoris (mais, curieusement, beaucoup plus rarement sur leurs auteurs favoris), ainsi que sur leurs autres passions, activités et objectifs dans la vie : « être la meilleure personne possible » « les blagues pour adultes », « les armes », « la pêche et la chasse », « lire des mangas en ligne », « le catch US » « pas de vie sans musique », « soixante trucs qu'un mec devrait savoir sur les nanas »... j'en ai conclu que la personne que je cherchais ne se trouvait probablement pas parmi eux.

J'ai entendu la porte d'entrée s'ouvrir et la voix de Liv s'est élevée dans le salon, tandis que montait le bruit des clés de voiture jetées sur un meuble.

« Henry ? » a lancé Liv.

J'ai respiré un grand coup.

Bon, allons-y, ai-je pensé. Tirons ça au clair. Maintenant. Je me suis remémoré Shane me disant : « T'as fait tes preuves, là-haut. »

J'avais affronté les Oates, j'avais suivi Jack Taggart et Darrell Oates au fond des bois en pleine nuit (rien que d'y penser, j'en avais encore les mollets qui tremblotaient), est-ce que j'avais plus peur de ma propre mère que des Oates ? En réponse à cette question, tout mon courage a semblé se réfugier dans un recoin de mon esprit et se mettre aux abonnés absents. Il semblait bien que la réponse fût oui... Parce que Liv avait des arguments que les Oates n'avaient pas – même si, sur le moment, la possibilité d'être poussé dans une pente abrupte à bord de ma voiture m'avait paru en être un sacrément bon...

L'argument d'autorité en quelque sorte.

Liv pouvait détruire en un clin d'œil tout le

raisonnement de l'adversaire comme la flamme d'un dragon carbonise la plus épaisse des défenses. Elle avait toujours le dernier mot. Toujours...

Est-ce que je la *craignais* ?

La réponse est oui.

Est-ce que je l'*aimais* ?

Évidemment.

Est-ce que je la *respectais* ?

Essayez donc de ne pas le faire…

« J'arrive ! »

Et si elle m'avait vu, en fin de compte, dans ce *diner* ? Je me suis levé avec l'impression d'avoir des jambes de plomb et je suis sorti de ma chambre. Roulement de tambour. *Les mecs*, a dit une petite voix tandis que je descendais l'escalier à la vitesse d'un scaphandrier évoluant sous l'eau, *regardez-moi ça : Henry Walker va nous faire son numéro de l'ado rebelle…*

J'ai atteint la dernière marche.

Liv et France se sont arrêtées de parler. Elles m'ont regardé depuis le séjour.

J'ai fait un pas, un deuxième – puis je me suis immobilisé. À deux mètres d'elles environ.

« Qui est Augustine ? » j'ai dit.

Après être rentré de Washington en proie à une excitation comme il n'en avait pas connu depuis longtemps, Grant Augustine avait pris une douche, passé des vêtements de coton blanc et consacré l'heure suivante au yoga et à la méditation pour se calmer. Il n'avait pas fini sa séance quand Jay appela.

« Le gamin, il vient de faire une recherche sur Internet.

— Quel genre de recherche ?
— Il a tapé ton nom dans Google… »

« Où as-tu entendu ce nom-là ? »
(Liv.)
J'ai eu l'impression que son regard avait doublé de volume. Un orage couvait dans ses pupilles. J'ai essayé de passer en mode *confrontation* – version mentale d'un adepte du kung-fu qui se met en position de combat –, mais je savais qu'elle pouvait m'envoyer au tapis à n'importe quel moment.
« Henry, je t'ai posé une question. »
Dire la vérité ou mentir ?
Mentir…
« Je vous ai entendues plusieurs fois le prononcer… »
Ses yeux m'ont fouaillé froidement, cliniquement, comme les doigts habiles d'un chirurgien cardiaque dans une poitrine ouverte, décelant aussitôt le mensonge éhonté, flagrant.
« Nous n'avons jamais prononcé ce nom-là dans cette maison », a-t-elle assené et, cette fois, sa voix n'avait plus rien d'amical.
Mes épaules se sont affaissées.
« Je t'ai entendue le dire dans ce *diner*, le Shirley's, cet après-midi… »
J'ai détourné le regard, gêné. J'ai aperçu le reflet de sa stupeur dans le grand miroir au-dessus de la cheminée. France demeurait en retrait, mais je voyais l'inquiétude grandir sur ses traits, dans la clarté des petites lampes à abat-jour réparties aux quatre coins du séjour.
« Tu as quoi… ? »

Liv a secoué la tête d'un air incrédule.

« Tu m'as... *suivie* ? »

À quoi bon répondre ? Il était évident que je l'avais fait.

« Tu as surpris ma conversation au téléphone, c'est ça ? »

Cette fois, j'ai opiné.

J'ai vu un masque de dureté et d'inflexibilité remplacer toute autre expression sur son visage, ses yeux devenir noirs.

« *Tu m'as espionnée... tu m'as suivie...* »

Elle n'en croyait pas ses oreilles – moi non plus, d'une certaine façon : je n'en revenais pas de ce que la mort de Naomi m'avait amené à faire en l'espace de quelques jours. Je me suis rendu compte que, si je n'avais jamais poussé plus avant les questions concernant mes origines, c'était en grande partie parce que Liv y avait coupé court chaque fois – et qu'elle était la personne qui m'impressionnait, me paralysait le plus au monde. Ma mère adoptive – ce souverain absolu...

Et puis, il s'est passé quelque chose – un sursaut d'orgueil, la certitude que c'était maintenant ou jamais, que j'étais dans mon bon droit –, et j'ai redressé la tête.

« Qui est-ce ? ai-je répété. Tu as dit que tu croyais qu'ils nous avaient retrouvés, au téléphone. De qui tu parlais ? C'est pour ça que je n'ai pas le droit de mettre ma photo sur Facebook ? Ni sur Internet ? Pour éviter qu'on nous retrouve ? Réponds ! »

Elle allait faire comme d'habitude – m'envoyer verbalement dans les cordes – quand la main de France s'est posée sur son bras, aussi légère qu'une plume. Maman Liv s'est tournée vers elle ; France est alors intervenue en langue des signes, avec précipitation, comme lorsque les mots se pressent sur vos lèvres.

Je crois qu'il est temps de lui dire, ai-je compris. *Je crois qu'Henry a le droit de savoir. Il a seize ans, Liv. Il faut lui dire ce qu'il se passe. Nous n'avons pas le droit de le garder plus longtemps dans l'ignorance... Il est temps de lui dire... Il est temps...*

Liv a tourné vers moi son œil inflexible. Au fil des ans, j'avais appris à déchiffrer ses humeurs, à comprendre les mécanismes à l'œuvre en elle. Liv n'aimait pas les nuances ; elle aimait le blanc et le noir. Comprendre, passer l'éponge, pardonner n'était pas dans sa nature – sa nature fondamentale était l'inflexibilité. *Juger*, voilà ce qu'elle savait faire. Séparer les bons des méchants, les amis des ennemis... Comme dans le fameux adage : *avec moi ou contre moi*. Avec Liv, il fallait choisir son camp. Et, en cas d'erreur, vous n'aviez pas droit à une seconde chance.

Chaque foyer a ses règles tacites. Chaque famille est un pays et un gouvernement à lui tout seul, où règnent des lois qui n'ont pas cours dans la maison d'à côté, des dizaines de petites conventions et d'habitudes qui, à l'abri des regards, assurent son unité. Nul doute que la nôtre n'était pas une démocratie. Et soudain, la pensée a fusé en moi, claire, limpide, tranchante, à ma grande surprise.

Je la hais, je la déteste. Elle n'est même pas ma mère...

Cette évidence m'a coupé le souffle ; pendant quelques secondes, j'ai fixé Liv et je me suis rendu compte que je n'avais plus peur d'elle. Maman France m'a fait un sourire. L'indulgence était aussi vaste chez elle qu'elle était absente chez Liv, aussi vaste que l'océan dehors. Je suis persuadé que France aurait pu me pardonner à peu près n'importe quoi – même le meurtre de Naomi, si j'avais été coupable. Elle a croisé les mains à plat sur son cœur et a désigné du menton Liv et elle.

Nous t'aimons.

Puis elle a placé sa main droite en coupe derrière son oreille.

Écoute.

« Assieds-toi, Henry », a ordonné Liv en me montrant le canapé.

Je me suis assis.

« Je désapprouve vigoureusement ce que tu viens de faire, a-t-elle dit d'une voix sévère et cassante, et j'ai de nouveau eu envie de rentrer sous terre. Tu m'as déçue, *extrêmement déçue*... Tu changes depuis quelque temps, Henry – et je n'aime pas ces changements...

— Je grandis, ai-je tenté de riposter d'une voix pas vraiment assurée.

— Tu te comportes comme un imbécile, oui ! a-t-elle tonné, et la foudre s'est abattue sur moi. Ne me refais jamais un coup pareil, tu entends ? Jamais... »

J'ai baissé la tête.

« Mais France a raison : il est temps pour toi de savoir... »

Si j'avais été un peu plus lucide, j'aurais mieux perçu l'ironie du truc : elles m'avaient caché la vérité pendant des années et c'est moi qui me sentais coupable. Elle s'est approchée de la baie vitrée et a regardé la terrasse, éclairée par de petites lanternes qui jetaient des flaques jaunes sur le plancher de cèdre, en me tournant le dos.

« Tu le sais, tu es un enfant adopté », a-t-elle commencé.

Grant Augustine – ainsi, c'était le nom de mon père. J'étais sûr de n'avoir jamais entendu ce nom-là auparavant. Mais c'était surtout celui de Michelle qui revenait sans cesse dans son récit – Michelle leur meilleure amie, Michelle qui habitait la maison à côté de la leur à Los Angeles et qui vivait seule avec son bébé, Michelle qui était une femme absolument ravissante, spirituelle et gaie, et pourtant il y avait une blessure en elle qui refusait de se refermer. En quelques mois, Michelle était devenue comme une sœur pour elles – j'ai surpris un regard de Liv en direction de France : peut-être un peu plus qu'une sœur, en fin de compte.

« On était tout le temps fourrées les unes chez les autres, notre maison était sa maison et inversement – on avait même ménagé un passage dans la palissade entre les deux cours. Ça a été une période merveilleuse, vraiment… »

Elle a marqué une pause et j'ai vu sa nuque s'incliner en arrière.

« Et puis, du jour au lendemain, on a vu la santé de Michelle se détériorer, a dit Liv. Un jour, je constate qu'elle a maigri considérablement, l'autre, qu'elle a laissé des cheveux en grande quantité dans la poubelle de notre salle de bains… elle est tout le temps fatiguée… elle se traîne, son regard s'est terni, elle…

— C'était ma mère, n'est-ce pas ? » ai-je coupé.

Elle a acquiescé.

« Oui… Tes parents ne sont pas morts dans un accident de voiture, Henry. Mais j'y viens. On se doutait de ce qui se passait et elle a fini par nous inviter à boire un verre un soir pour nous l'annoncer : “J'ai un cancer.” Comme ça. Une saloperie ultra-rapide. Elle en avait pour quelques mois seulement. On était effondrées. Tu dois bien comprendre qu'on adorait Michelle. Elle était vraiment comme une sœur pour nous, même si on ne la connaissait que depuis un an à peine. Mais, à ce moment-là, nous avions déjà décidé de déménager, a-t-elle ajouté en baissant la voix. (Elle a lancé un coup d'œil à mon autre maman.) France… eh bien, elle avait… reçu une offre qu'il était impossible de refuser, pour un poste à responsabilité à Baltimore… Une ouverture pour sa carrière, tu vois. Elle ne pouvait pas laisser passer cette chance… On allait quitter la Californie… »

Liv s'est retournée vers moi. Ses yeux brillaient.

« C'est là que Michelle a décidé de nous raconter son histoire – qui est aussi *ton* histoire. Elle nous a dit qu'elle n'avait pas un passé très glorieux, que, pendant des années, elle avait été *escort girl*. Elle avait toutes sortes de clients, mais ton père était devenu plus que cela. Ton père qui était par ailleurs un homme méchant, un homme dangereux, un homme mauvais. Elle ne voulait pas qu'il te retrouve, cet homme était *toxique*, selon elle…

— Mais elle a quand même trouvé le moyen d'avoir un enfant avec lui, l'ai-je interrompue.

— Oui. Une erreur de jeunesse. Elle était sa maîtresse. Une femme entretenue, c'est vrai. Mais amoureuse aussi… Elle n'a découvert qui il était vraiment que quand elle est tombée enceinte. À ce moment-là, il a brutalement changé, il lui a dit qu'elle devait avorter. Il n'y avait pas de discussion possible. Déjà, à l'époque, on ne discutait pas avec ton père, d'après elle. C'était un homme non seulement puissant, mais aussi sans scrupules. Il lui a dit qu'il lui ouvrirait le ventre lui-même avec un couteau si nécessaire, tu imagines. Il l'a menacée – physiquement. Et elle l'a cru. Tu comprends, il était aux abois, marié, il avait une vie publique et des ambitions politiques : il n'était pas question qu'il ait un enfant caché d'une *escort* quelque part ! Il ne voulait pas de cet enfant ; il voulait qu'elle avorte, *de gré ou de force*. Mais, de son côté, elle ne pouvait pas avorter, c'était trop dangereux pour elle, selon les médecins. À cause d'un problème sanguin, je crois. Et puis, c'était sans doute sa dernière chance d'avoir un enfant. C'est pour ça qu'elle s'est enfuie, avec son enfant dans le ventre. *Toi.* Elle voulait te garder. Elle avait mis de l'argent de côté, comme beaucoup de filles dans son genre. Elle est restée sept mois au même endroit, le temps d'accoucher, et puis elle a de nouveau déménagé. Avec de faux papiers. Après ça, elle a fait une erreur. Elle lui a envoyé une photo de toi à trois mois, dans ses bras, avec la légende : *C'est ton fils*. Ton père n'avait eu que des filles. Une vengeance stupide. Et dangereuse. Elle ne l'a compris que plus tard. Quand à partir de là, il s'est mis en tête de te retrouver, de retrouver son fils coûte que coûte. C'est devenu une obsession chez lui… Elle l'a appris par Martha, une assistante de ton père, qui était devenue son amie : Martha a dit qu'à partir de cet instant elles ne devaient plus avoir aucun contact. Ta mère savait pertinemment ce que cela voulait dire : elle connaissait le travail de ton père, les moyens dont il disposait. »

Elle s'est interrompue, a jeté un nouveau coup d'œil à France, qui l'a encouragée à poursuivre d'un signe de tête.

« Mais la Michelle que nous connaissions, je le répète, n'avait rien à voir avec celle du passé. C'était une femme belle, brillante, attachante, *droite*, une excellente mère, *notre amie*…

— Que s'est-il passé ? ai-je demandé, en sentant monter en moi une fascination irrésistible pour cette femme.

— Un beau matin, elle nous a convoquées chez elle – elle était déjà très affaiblie à ce moment-là et nous, nous allions partir dans deux semaines… Le travail de France commençait le mois suivant… Ça nous brisait le cœur de la laisser dans cet état, mais on n'avait pas le choix, tu comprends. Nous étions toutes si tristes, un crève-cœur pour tout le monde, une horreur… »

Elle m'a considéré d'un air douloureux. Son visage arborait une nouvelle expression, qui contrastait avec son inflexibilité d'avant.

« Donc, ce matin-là, elle nous fait venir. On s'assoit, on boit le thé, on lui promet qu'on reviendra la voir ; elle nous sourit piteusement, en faisant semblant d'y croire. On pense tous la même chose : qu'on n'en aura peut-être pas le temps, *sûrement* pas le temps même… Elle est assise là, dans la lumière du matin, son visage épouvantablement creusé et livide, une perruque sur la tête, il y a un moment de silence et soudain elle nous dit : "Emmenez Henry." On se regarde, France et moi. Totalement prises au dépourvu. Tu joues dans la pièce à côté, on t'entend gazouiller depuis là où on est… Et on t'aime déjà, oh ça oui, mais pas comme ça : on n'a jamais envisagé… *ça*… "On ne peut pas", je dis finalement. "Pourquoi pas ?" Je cherche une réponse – tout en essayant de la ménager. Elle est si faible… Elle sait que nous avons plusieurs fois envisagé d'avoir un enfant, qu'on a même cherché un donneur pendant un moment. Elle nous explique qu'elle connaît quelqu'un qui fabrique des faux documents parfaits, un vrai faussaire, qu'il a fabriqué les siens. Il nous fera des documents attestant que tu es bien notre enfant et, là où nous allons, personne ne nous demandera des comptes, de toute façon. Et si on ne te dit rien, dans quelque temps tu auras oublié jusqu'à son existence… »

Je ne me souvenais pas d'elle, je n'avais aucun souvenir, mais, en cet instant, je l'ai *vue*. Là, devant moi : une très belle femme défigurée par la maigreur et la maladie, son visage triste caressé par la lumière du matin traversant une fenêtre – et moi à ses côtés, ignorant ce qui nous attendait tous les deux. Quelque chose en moi s'est brisé.

« Bref, on a refusé, ce jour-là. Elle nous a suppliées mais on a dit non. Et puis, on est rentrées chez nous… C'était l'été. Les fenêtres étaient ouvertes. On l'a entendue pleurer dans la maison d'à côté. Pendant les jours qui ont suivi, on a senti la culpabilité, la honte grandir en nous. Tu étais un petit garçon adorable, et on t'aimait déjà comme un neveu, un membre de notre famille, à défaut de t'aimer comme un fils… Et elle, elle allait mourir sans savoir ce qu'il adviendrait de toi… Dans quelle famille d'accueil tu atterrirais… Ou pire, est-ce que ton père n'allait pas finir par te retrouver, te récupérer ? Ces questions nous hantaient, nous torturaient… Tous les soirs, on en discutait, France et moi, tous les soirs les mêmes questions, les mêmes angoisses, la même culpabilité qui nous rongeait, et quand on s'approchait de la fenêtre de la chambre donnant sur la cour, on voyait Michelle debout sur sa véranda, fumant cigarette sur cigarette, les yeux levés vers notre fenêtre – qui attendait, espérait… »

Liv a haussé les épaules, elle s'est approchée du bar. Elle s'est servie une large rasade de scotch et a pris tout son temps pour le boire.

« Alors, un beau matin, on a sonné chez elle et on lui a dit : "On va le faire." Tu aurais dû voir son bonheur, Henry… Je crois que rien au monde n'aurait pu la rendre plus heureuse, à ce moment-là. Pendant quelques heures, quelques jours, la maladie a été complètement oubliée et elle a déployé une énergie incroyable. On a tout organisé. Tout préparé. Les papiers, les instructions, tes affaires, ce qu'on te dirait, l'école où tu irais… Le départ se rapprochait, mais elle ne le redoutait plus. Elle semblait presque avoir hâte d'être libérée de ce poids. De pouvoir partir en paix. Et puis, il y a eu la séparation… le jour du départ, qui a été véritablement affreux… affreux au-delà de tout ce qu'on peut imaginer. (Elle a regardé le fond de son verre.) On savait qu'on ne la reverrait pas, elle était trop affaiblie… Et elle le savait aussi : qu'elle ne nous reverrait plus, ni nous ni toi. Une des dernières choses qu'elle nous a dites, c'est : "Je ne m'appelle pas Michelle, je m'appelle Meredith. Et son père s'appelle Grant Augustine. Attendez qu'il soit un homme, un homme solide, un homme responsable – et je sais que, grâce à vous, c'est ce qu'il deviendra –, un homme capable de décider par lui-même, de choisir, pour le lui dire. Promettez-moi." On a promis… »

Je ne la connaissais pas, je ne l'avais jamais connue – ou si peu –, mais je n'ai pu me retenir de pleurer.

« Tu connais la suite. »

Elle s'est tue. Pendant de longues, de très longues secondes, le silence a été rempli par la présence d'un fantôme – le fantôme d'une mère morte quatorze ans plus tôt. Je me suis rendu compte que mes mains étaient tellement nouées que mes jointures en étaient blanches, et que mes joues étaient inondées de larmes. Je les ai essuyées avec ma manche.

« Mon père, Grant Augustine, vous vous êtes renseignées sur lui ? »

Elles ont opiné.

« C'est un homme très puissant. Un homme avec des moyens colossaux. Il dirige une boîte qui travaille pour la NSA. Sa société a été citée dans le scandale Snowden. Il peut avoir accès à tous nos courriels, nos appels, nos activités sur Internet quand il le veut. »

Je comprenais mieux à présent pourquoi il m'était interdit de laisser des traces sur la Toile.

Tout s'éclairait.

J'ai revu le grand type en noir sur le ferry, entendu de nouveau maman Liv au téléphone – « je crois qu'ils sont sur nos traces, je crois qu'ils nous ont retrouvées » – et j'ai frémi. J'ai répété la phrase à voix haute.

« Tu parlais de lui au téléphone, de ses hommes ? »

Son visage s'est assombri, elle a acquiescé.

« Oui. Je… j'ai fait une bêtise…

— Quelle bêtise ?

— J'ai envoyé une carte postale… À cette Martha qui a aidé ta mère dans le temps. Pour lui dire que tu allais bien… J'ai cru qu'après toutes ces années, il n'y avait plus de danger… C'était une erreur.

— Je me demande si je n'ai pas vu l'un d'eux sur le ferry, ai-je dit, un grand type habillé en noir… C'est pour ça qu'on a déménagé aussi souvent ? » ai-je demandé.

Ses yeux ont lancé des éclairs. Elle a secoué la tête.

« Non. Ça n'a rien à voir avec ton père. En tout cas, pas directement. On a déménagé chaque fois que quelqu'un cherchait à en savoir un peu trop sur toi et sur la façon dont tu avais été adopté. Quand tu étais plus petit… il y avait toujours quelqu'un – services sociaux, personnels de l'éducation, voisinage… – pour avoir envie de fouiner… Alors, par mesure de précaution, on changeait régulièrement d'État. Tu comprends, on n'aurait pas supporté que tu nous sois enlevé… Ça a fichu nos carrières professionnelles en l'air, je dois dire, mais on ne regrette rien. Parce qu'on t'a, toi… le plus beau cadeau que nous ait fait ta mère. Et, aujourd'hui, tu as grandi… Un ado de seize ans élevé par deux mamans attire moins l'attention qu'un garçonnet…

— Sauf quand sa petite amie a été assassinée », ai-je ajouté.

Elle a hoché la tête.

« Oui. On va peut-être devoir déménager une fois de plus, Henry…

— Cette fois-ci, ils ne nous lâcheront pas si facilement. Si on disparaît maintenant, on aura le FBI aux trousses… »

Cette perspective les a rendues silencieuses pendant un court moment.

« Qui était cet homme dans le restaurant ? ai-je demandé.

— Un détective privé que j'ai engagé, a dit Liv. Il est gay. Il m'a été recommandé par des membres de la communauté. Il sait à peu près toute l'histoire. En somme, il surveille ceux qui nous surveillent… »

Un détective gay… J'ai pensé aux romans de George Baxt et de Richard Stevenson qui traînaient parfois dans le salon.

« J'ai encore une question, j'ai dit. Est-ce que quelqu'un vous fait chanter ? »

Elles ont ouvert de grands yeux.

« Comment tu es au courant ?

— Toi d'abord.

— Oui.

— Il vous fait chanter à cause de moi, c'est ça ? De *notre* secret…

— Oui.

— Vous avez une idée de qui il s'agit ?

— Pas la moindre.

— Depuis combien de temps ?

— Quelques mois, a répondu Liv. À mon tour. Je répète ma question : comment es-tu au courant ? »

Je leur ai raconté notre aventure dans les bois de l'île et dans les montagnes. Je n'ai pas parlé de Nate Harding, ni de ses petites soirées. J'ai lu la stupeur et l'incrédulité dans leurs yeux.

Je suis remonté dans ma chambre. J'avais laissé ma page Facebook ouverte – toujours sans la moindre photo, contrairement à celle intitulée « Je suis un assassin » que le réseau social en ligne n'avait pas encore fermée – et j'ai vu que j'avais un nouveau message.

L'expéditeur n'était qu'une suite de caractères aléatoires :

Clcdjkdoieç_'hj''2e

Sans doute entrés au hasard…

J'ai cliqué dessus, m'attendant à de nouvelles insultes, mais il ne s'agissait pas d'accusations, cette fois – plutôt d'un avertissement, aussi concis qu'explicite :

Ne leur fais pas confiance. Elles mentent.

DEUX

27

Caméras

« Là. »

Krueger fixait l'écran de l'ordinateur. Sur la première vidéo, on voyait Henry tenant Naomi par les poignets, à l'extrême gauche de l'image, la secouant comme un prunier au milieu des rafales et des coups de mer – et le regard agrandi, apeuré de celle-ci tandis que son torse s'inclinait dangereusement en arrière, au-dessus du plat-bord. On apercevait les vagues géantes derrière elle. Henry se tenait de trois quarts dos par rapport à la caméra fixée au-dessous du poste de pilotage et embrassant la proue. Il était loin et il pleuvait. Difficile de déchiffrer son expression sous cet angle.

Puis Naomi repoussait Henry. Il tombait sur les fesses et elle le contournait pour rejoindre l'escalier montant vers les ponts fermés, quittant le champ de la caméra par le bord inférieur de l'écran. Le technicien mit la vidéo en pause. L'horaire s'affichait dans un coin : 18 h 02.

« Là », répéta le technicien assis – le chef Krueger et Chris Platt se tenaient debout autour de lui.

La seconde vidéo : celle de la caméra de surveillance en haut de l'escalier. Le technicien appuya sur un bouton. La vidéo se mit à défiler à vitesse rapide. Il repassa en lecture normale et, à 17 h 58, on vit d'abord un employé en uniforme de la compagnie des ferries descendre précipitamment les marches, tournant le dos à la caméra. C'était celui qui avait engueulé Henry. Selon ses dires, il avait été averti par le pilote qu'il y avait du grabuge en bas. Il n'y avait pas de représentant du Homeland Security à bord, ce soir-là, comme c'était souvent le cas sur les ferries de l'État de Washington depuis le 11 Septembre. Puis, à 18 h 02, Naomi apparut en bas de l'escalier et grimpa les marches, grossissant à l'écran. Elle avait l'air *effrayée*. Parvenue en haut, elle tourna à droite, seule direction possible, et quitta le champ de la caméra à 18 h 03' 19".

« Là. »

L'une des caméras filmant la salle principale, à présent. Plan général, depuis le bar jusqu'aux hublots avant, indistincts, dans le fond. Des passagers partout, assis ou debout, allant et venant. Le technicien passa en accéléré et la foule fut prise de frénésie, fonçant dans toutes les directions comme des boules de flipper. Puis il repassa en vitesse normale et pointa l'index vers un point sur l'écran : Naomi émergeait du recoin où se trouvait l'escalier menant au pont inférieur, remontait l'allée entre les tables en direction de la caméra, tournait à gauche et disparaissait dans les toilettes.

Le technicien accéléra de nouveau la vidéo.

À 18 h 23, on vit les gens se lever. À cause de l'accéléré, ils paraissaient tous atteints de chorée de Sydenham. La salle se vida rapidement. Tout le monde refluait vers l'escalier. Le technicien repassa en vitesse normale : Naomi sortant des toilettes…

Il avait laissé la caméra qui filmait l'escalier dans un coin de l'écran ; on la vit descendre les marches parmi les derniers passagers.

Le technicien fit quelques manipulations et deux autres vidéos apparurent, toutes deux filmant les ponts inférieurs où s'entassaient près de cent quarante véhicules : la première embrassait l'une des coursives latérales, l'autre la grande coursive centrale. L'homme montra quelque chose à Krueger sur la première vidéo : Henry Walker et Charles Scolnick dans la coursive latérale, attendant patiemment à bord de la Ford d'Henry. Il déplaça son doigt vers la deuxième vidéo : Naomi émergeait de l'escalier dans la coursive centrale, hors de vue de ses amis, et se dirigeait vers le fond, vers les dernières voitures. De là où se trouvait la caméra – suspendue au plafond *à l'avant* de la coursive –, on ne voyait qu'une mer de toits, quand ils n'étaient pas tout simplement dissimulés par un camion ou un van : impossible de dire dans quel véhicule elle était montée.

« Donc Henry a dit la vérité, au moins pour ce qui s'est passé sur le ferry, dit Platt. Elle s'était enfermée dans les toilettes et elle a tout fait pour les éviter…

— Et ils l'ont cherchée consciencieusement, lui et Charlie, fit remarquer Krueger. On l'aperçoit sur plusieurs des vidéos en train de fouiner, même en accéléré. Tout comme le frère de Nick…

— Je peux vous les repasser en vitesse normale si vous voulez, proposa le technicien.

— Non, c'est bon, dit Krueger. Ce qui m'intéresse, c'est le véhicule dans lequel elle est montée. »

Le technicien fit défiler à vitesse rapide la vidéo de la caméra filmant la coursive inférieure centrale – et on vit le ballet des véhicules s'extirpant les uns après les autres des entrailles du ferry, une fois celui-ci parvenu à destination. Puis, en vitesse normale, quand les dernières voitures de la coursive se rapprochèrent. Des pare-brise mouillés, des lueurs, des reflets – aucun passager n'était visible.

« Et la caméra de l'embarcadère, celle fixée sur le portique ?

— Je me suis repassé quatre fois la vidéo, j'ai essayé d'améliorer la définition. Pour des prunes… Avec la nuit et la pluie qui tombait ce soir-là, c'est encore pire, répondit l'homme.

— Donc on sait qu'elle a bien quitté le ferry à bord d'une voiture mais on ne sait pas laquelle, conclut Platt.

— En tout cas, ça prouve qu'Henry a dit la vérité sur ce point.

— Ça ne prouve pas qu'il ne l'a pas tuée plus tard.

— Sauf que ça pose quand même une question : nul, après le ferry, n'a revu Naomi. Par conséquent, la dernière personne à l'avoir vue vivante, c'est celle qui l'a fait monter dans sa bagnole.

— Et probablement le tueur, estima Platt. Il nous faut à tout prix trouver un témoin, il doit bien y avoir quelqu'un parmi les passagers qui l'a vue monter dans ce foutu véhicule. Il nous faut les immats de tous les véhicules qui se trouvaient rangés dans la coursive centrale cette nuit-là. C'est possible, ça ?

— Ça devrait, répondit le technicien. En travaillant l'image.

— On sait déjà que Taggart était à bord, dit Krueger.

— Et Darrell Oates… Il serait intéressant de voir si le véhicule de l'un d'eux se trouvait dans la coursive centrale.

— Jamais Naomi ne serait montée avec Jack Taggart ou avec ce cinglé de Darrell. Et on n'a rien trouvé chez Taggart.

— À part le fait que son ordinateur lui a soi-disant été volé… Tu y crois, toi ?

— Pas une seconde. Mais ce qui se trouvait dessus n'avait peut-être rien à voir avec Naomi. On sait tous les deux à quel genre de trafics ces deux-là se livrent…

— Tu penses comme moi ?

— Quoi ?

— Que l'assassin est un des passagers…

— J'en sais rien. Ce qui me chagrine, c'est la mère qui n'a toujours pas reparu… Est-ce qu'elle sait quelque chose ? Est-ce qu'elle est liée à la mort de sa fille ? Est-ce qu'elle est morte, elle aussi ? Tu vas envoyer le dossier au HITS, voir s'il y a eu d'autres cas où un gamin a été tué après avoir pris un ferry et où un de ses parents a disparu… ou si on a déjà retrouvé un corps dans un filet de pêche. »

Le HITS – Homicide Investigation Tracking System – était l'équivalent pour l'État de Washington du VICAP au FBI : une unité chargée de corréler les informations sur les crimes violents et les crimes sexuels. Il mettait en rapport des enquêteurs de l'État ayant travaillé par le passé sur des cas similaires, consignait dans sa base de données des pistes abandonnées, des détails fournis par ces mêmes enquêteurs et qui n'apparaissaient pas toujours dans leurs rapports.

« La solution se trouve là, sur ce ferry, déclara Platt. Il faut trouver dans quelle bagnole elle est montée. Il y avait plus de six cents personnes, ce soir-là, à bord. Des adultes, des lycéens, des collégiens… Quelqu'un aura forcément vu quelque chose… »

28

Clcdjkdoieç_'hj''2e

Je suis passé devant la maison de Naomi avant de récupérer Charlie pour le lycée. La nuit était sur le point de céder la place au jour, mais le ciel était encore sombre au-dessus des arbres, derrière le camp de mobil-homes où Naomi avait vécu avec sa mère.

Le leur était installé au fond d'un grand carré d'herbe rare et sablonneuse, avec un gros orme planté au milieu, où, plus jeunes, nous venions souvent jouer, et deux autres mobil-homes pour fermer trois des quatre côtés du carré, le dernier donnant sur la rue centrale du camp. On avait construit une cabane sur les deux plus grosses branches de l'orme et on y accédait par une échelle de corde. L'une comme l'autre étaient encore là. Ça m'a fait bizarre de voir le mobil-home fermé, avec les rubans de la police entrecroisés sur sa véranda, alors que, tout autour, le camp se réveillait, se préparait pour une nouvelle journée de travail ou de chômage : des odeurs de café, de crêpes et d'œufs, des moteurs qui tournaient, des phares qui s'allumaient ; les élèves des petites classes partaient à pied pour l'arrêt de bus en pépiant comme des moineaux.

Je n'ai pas pu m'empêcher de repenser à la mère de Naomi, qui passait son temps à aérer le mobil-home, été comme hiver, et à enfourner ses tenues de travail dans les machines à laver et à sécher le linge, ou à étendre celui-ci – non pas qu'elle fût une forcenée des tâches ménagères ; à maints égards, c'était même le contraire : combien de fois Naomi avait dû se contenter d'un hamburger vite fait ou encore préparer elle-même le repas du soir en rentrant du lycée. Sa mère, qui était croupière au casino de la réserve Lummi, passait plus de temps dans sa chambre que dans la cuisine. Ou à boire des bières sur sa véranda, ses jambes tout à fait remarquables mises en valeur par un short qui soit avait rétréci au lavage, soit avait été acheté deux tailles au-dessous. Mais elle était obsédée par l'odeur de tabac qui imprégnait ses habits et sa peau, cette puanteur qu'elle ramenait du casino. Elle tentait de la chasser mais il n'y avait rien à faire : l'odeur était partout à l'intérieur du mobil-home. Il nous fallait toujours quelques secondes pour nous habituer, quand on rendait visite à Naomi – qui la portait sur elle comme si elle fumait, quand je la serrais ou l'embrassais.

On l'aimait bien, sa mère ; elle pouvait être carrément marrante quand elle faisait des grimaces ou qu'elle avait bu une bière de trop, et je sais que Johnny et Charlie la trouvaient canon, malgré son âge – les mots « cougar » et « MILF[1] » revenaient dans leur bouche quand Naomi était absente. Ils ne

1. *Mother I'd like to fuck.*

comprenaient pas qu'un lot pareil n'eût pas trouvé de mec.

Gosses, on appelait le camp « le Camp ». On adorait cet endroit. Et on prenait toujours le prétexte d'aller voir Naomi pour y retourner. Je me souviens que, pour mes treize ans, mes mères m'avaient offert des baskets neuves – du genre hyper-confortables, avec une semelle épaisse, et mes petits pieds étaient bien au chaud et bien serrés là-dedans – et un vélo Interceptor flambant neuf lui aussi, que j'étais fier de chevaucher avec mes potes en remontant la rue principale du camp. Je rêvais de vivre dans un mobil-home semblable à ceux-ci, peut-être parce qu'il était plus facile de s'imaginer qu'on se trouvait à bord d'un vaisseau spatial ou d'un sous-marin quand on se tenait dans la minuscule chambre de Naomi que dans nos grandes maisons.

Je n'avais pas conscience alors de la précarité de leur situation, je n'en voyais que le côté romanesque...

J'ai garé la voiture devant le carré d'herbe et je suis descendu. J'ai marché jusqu'à la véranda et je suis resté planté là un moment. Les rubans jaunes de la police claquaient dans le vent aigre du matin qui me glaçait les joues. La température avait chuté pendant la nuit.

Soudain, j'ai revu le camp sous la neige, pendant la tempête de décembre 2010. Les flocons qui tombaient sans discontinuer, le silence de mort, la fumée des poêles, les caravanes et les rues enfouies sous une épaisse couverture blanche, et nous autres perchés dans notre cabane, que nous avions rendue un peu plus étanche et confortable avec de vieilles couettes molletonnées et des coussins, et aménagée avec un marchepied en guise de table et des rideaux faits de vieux tapis pour arrêter les courants d'air. Existe-t-il au monde créature plus heureuse qu'un enfant jouant par un jour de neige ?

J'ai remarqué une paire d'yeux qui m'observaient derrière une des fenêtres du mobil-home de droite et je suis retourné à la voiture.

« Qu'est-ce que tu foutais ? m'a demandé Charlie en ramenant une mèche de cheveux noirs derrière son oreille. On va rater le ferry !

— Non, c'est bon… Je suis passé voir le mobil-home de Naomi.

— Pour quoi faire ?

— La police a mis un ruban, tu le savais ? »

Il a secoué la tête.

« Où est sa mère d'après toi ? m'a-t-il demandé. Morte ?

— J'en sais rien. »

Charlie m'a lancé un regard aigu.

« Henry… mon frère Nick m'a dit que les caméras du ferry confirment notre version. Naomi serait montée avec quelqu'un mais ils n'arrivent pas à voir qui sur les vidéos…

— À nous de le trouver, ai-je dit.

— Comment on va faire ça ?

— On peut peut-être commencer par interroger tous ceux du bahut qui étaient à bord… »

On a déboulé sur le parking. Les dernières voitures montaient dans le ventre du navire ; on s'est glissés derrière elles.

« Laisse-nous faire ça, alors, Kayla, Johnny et moi, a dit Charlie. Tu n'es pas en odeur de sainteté, ces temps-ci.

— J'adore quand tu fais des grandes phrases, mon frère. »

Noah Reynolds gara sa Crown Victoria sur le parking du 9509 29th Avenue à Everett, à quarante-sept kilomètres au nord de Seattle – un bâtiment de brique et de verre d'une taille ridicule à côté de ses voisins, puisqu'il se trouvait pour ainsi dire enclavé au milieu des pistes d'atterrissage, des hangars géants et des installations pharaoniques des usines Boeing. Celles-ci abritaient ni plus ni moins que le plus grand bâtiment du monde : quatre cent mille mètres carrés de surface au sol, treize millions de mètres cubes, une flopée de chariots élévateurs et une porte principale de cent mètres de large pour vingt-cinq de haut – mais aussi une banque, des boutiques, une caserne de pompiers, plusieurs cafés Tully's, leur propre police et leur propre centrale électrique.

Noah ne fut donc pas surpris d'être accueilli par le rugissement d'un Boeing 787 Dreamliner en phase de décollage quand il descendit de voiture pour traverser le parking en direction de l'Institut médico-légal. Il leva les yeux vers l'appareil. Il s'élevait lourdement dans le ciel et ressemblait à une grosse orque volante. Noah se fit la réflexion qu'après tout, s'il y avait des gens à même de supporter un bruit pareil, c'étaient bien les morts. Il franchit les portes vitrées et, trois minutes plus tard, fut mis en présence d'un grand gaillard avec un pull noir sous sa blouse et un drôle de regard dû à une paupière tombante d'un côté – comme un rideau de magasin coincé à mi-course. À cause de cette paupière récalcitrante, le Dr Fraser Shatz donnait toujours l'impression d'être à moitié endormi. Impression trompeuse, qui avait induit en erreur plus d'un avocat débutant lorsqu'il venait témoigner à la barre. Noah ne connaissait personne faisant preuve d'un plus grand professionnalisme que le Dr Fraser Shatz, médecin légiste en chef et directeur du service de médecine légale du comté de Snohomish.

« Salut, Noah, dit Fraser en serrant la main de Reynolds d'une poigne molle et fraîche qui faisait toujours frissonner les flics novices venus assister à leur première autopsie. Ça fait un bail.

— Bonjour, docteur, les morts vont bien ?

— Ils sont en pleine forme, répondit Shatz avec un sourire tordu, bizarre. Si ça continue comme ça, ils vont finir par avoir ma peau.

— Qui ça, les morts ?

— Non, le comté. »

Autrement dit, le nouveau chef de l'exécutif du comté de Snohomish… Noah savait qu'il avait lancé une vaste opération de restructuration des services médico-légaux. Reynolds remarqua que Shatz avait des cernes noirs sous les yeux et l'air harassé. Il avait entendu dire que le légiste et le nouveau chef de comté ne s'entendaient guère. Noah ignorait à qui la faute. Ce qu'il savait, c'est que Shatz avait toujours eu un tempérament colérique. Il était plus à l'aise avec les morts qu'avec les vivants.

« Ils me cherchent des noises sur ma gestion », ajouta Shatz en avançant dans les couloirs.

Noah avait toujours estimé que les services médico-légaux comme les services de police étaient trop nombreux dans cet État. Entre les polices des comtés, les bureaux des shérifs, les départements de police de

Seattle et de Bellevue, la police du comté de King – qui prenait le relais dans le métro de la ville –, celle de l'Université de Washington, qui avait des compétences dans tout l'État, et la Washington State Patrol qui, aujourd'hui, s'occupait de tout : homicides, vols, gangs, unités SWAT… tout le monde se marchait sur les pieds. Idem pour les services médico-légaux. Le comté de King, par exemple, disposait de pathologistes expérimentés, mais c'était l'exception plutôt que la règle. La plupart du temps, le boulot était effectué par des coroners. En outre, les petits comtés avaient des finances limitées ; aussi, à partir de juillet, évitait-on autant que possible les autopsies, trop budgétivores. Un vrai foutoir…

En marchant, Shatz se retourna pour regarder Noah.

« Qu'est-ce qui se passe ? On rembauche les retraités, dans la police ?

— Je suis à mon compte, maintenant, docteur.

— Je suis au courant. »

Shatz introduisit Noah dans son bureau. Le légiste avait son Mur de la renommée, une mosaïque de photos et quelques articles où ne figuraient que des personnalités régionales, mais il n'en était pas moins le fonctionnaire le mieux payé du comté. Son budget s'élevait à deux millions de dollars par an et, l'année dernière, ses services avaient mené à bien trois cent quatre-vingt-onze autopsies.

« Qu'est-ce que je peux faire pour toi ? demanda-t-il en s'enfonçant dans son fauteuil.

— C'est au sujet de cette jeune fille trouvée morte sur une plage… »

Le légiste joignit le bout de ses doigts sous son menton.

« Et… ?
— Elle était enceinte…
— C'est exact.
— Vous allez faire des comparaisons ADN pour le compte de l'attorney des îles San Juan ?
— Encore exact.
— Donc vous conservez l'ADN du fœtus quelque part… »
La paupière tombante de Shatz frémit légèrement, signe de son intérêt.
« Où tu veux en venir, Noah ?
— À ceci… »
Reynolds sortit de sa poche une petite enveloppe plastifiée blanche. Arrivée par vol spécial le matin même. Il avait été la récupérer une heure plus tôt.
« Qu'est-ce que c'est ? demanda le légiste.
— Un échantillon d'ADN.
— Pardon ?
— Je veux juste une comparaison des marqueurs génétiques de cet ADN avec celui du fœtus… »
Le silence se fit, troublé par le grondement d'un avion décollant ou atterrissant. Les marqueurs génétiques utilisés en médecine légale étaient au nombre de quinze à vingt, un peu comme les points de convergence des empreintes digitales.
« Bon Dieu, Noah, tu te rends compte de ce que tu me demandes ?
— Personne n'en saura rien, tu as ma parole.
— Sauf le propriétaire de cet ADN… Qui est-ce ? Le père du fœtus ? Tu te rends bien compte que ça pourrait être une information importante pour l'enquête ?
— Je sais. Et je la partagerai moi-même avec

Krueger le moment venu, si la comparaison est positive… Pas le père, *le grand-père*…

— Je ne comprends pas…

— Tout ce que tu as besoin de savoir, c'est que cet homme pense être le père du petit ami de la victime, mais il n'en est pas encore tout à fait sûr. »

Shatz observait fixement Noah, l'œil allumé cette fois.

« Et donc, si ce fœtus est bien son petit-fils…, compléta-t-il avec un moulinet de la main, cela voudra dire que le petit ami est bien son fils… À supposer qu'elle soit enceinte de son petit ami, note bien… À ce sujet, j'ai déjà envoyé au labo une demande de comparaison entre l'ADN de celui-ci et celui du fœtus : sur réquisition de Krueger. Mais, évidemment, même si cette comparaison est positive, ça ne répondra pas à *ta* question, poursuivit Shatz en hochant la tête. Contrairement à ça, ajouta-t-il en montrant le sachet blanc. Qui est-ce, Noah ? J'ai besoin de savoir. Pas question de faire ça sinon…

— Grant Augustine.

— Ce nom ne me dit rien.

— Un homme d'affaires qui se présente aux élections de gouverneur en Virginie, tu vois le problème ?

— Comment est-il relié à ce gosse ?

— Ce gosse est élevé par deux mamans, qui l'ont soi-disant adopté. On les soupçonne de l'avoir plutôt enlevé à la naissance. Une longue histoire… Disons que notre enquête nous a menés jusqu'à ce garçon. Ce type, Grant Augustine, cherche son fils depuis seize ans, Fraser, tu imagines ? Tu as peut-être entre les mains la solution au désespoir qui ronge un père depuis seize longues années… Un père à qui on a enlevé son enfant, qui ne l'a pas vu grandir, qui ne savait même pas jusqu'à une date récente s'il était vivant… »

Shatz éleva une main, l'air de dire : *n'en fais pas trop, tout de même.*

« Est-ce qu'il veut le retrouver ou est-ce qu'il a peur que le scandale éclate avant les élections ?

— Il veut retrouver son fils. Il n'y a rien qu'il désire plus au monde. Penses-y. Tu as juste à faire une petite comparaison. Avant les autres. Tu me dois bien ça.

— Je ne te dois rien du tout.

— On a fait du bon boulot, tous les deux…

— C'est vrai. »

Shatz tendit le bras par-dessus son bureau, Noah mit le sachet dans sa main.

« Juste un oui ou un non, dit le légiste. Rien d'autre… Et après, tu me racontes toute l'histoire. »

On s'est retrouvés à la pause.

« Pour l'instant, personne ne se souvient de ce que Naomi a fait à bord, a dit Charlie. Mais on est loin d'avoir posé la question à tout le monde. On a fait passer le mot : si quelqu'un a vu quelque chose, qu'il vienne nous en parler d'abord. »

Des mouettes piaillaient, copeaux blancs dans la grisaille. Un vent coupant cherchait à s'infiltrer sous nos vêtements. L'hiver était arrivé.

« Bah, ils pensent tous que c'est moi, de toute façon, ça m'étonnerait qu'ils vous aident… »

J'ai repensé au message trouvé sur Facebook : *Ne leur fais pas confiance. Elles mentent*… Et au type avec qui Liv s'était entretenu. Ce détective… Est-ce qu'elle disait la vérité ? En classe, je me suis repassé les paroles d'Harding : « C'est quelqu'un qu'on ne soupçonne pas. Pas du tout… D'après moi, c'est quelqu'un qui passe relativement inaperçu. Discret, effacé. Et aussi quelqu'un qui a accès à certaines informations… »

Et, de nouveau, cette question : le maître chanteur et l'assassin étaient-ils une seule et même personne ?

À la cafétéria, j'ai picoré dans mon assiette. Charlie, Johnny, Kayla et deux autres filles de la classe faisaient les frais de la conversation, mais ça n'était plus comme avant : les rires étaient devenus rares et on évitait certains sujets.

Autour de nous régnait le brouhaha habituel mais, de temps en temps, je surprenais des œillades soupçonneuses et les conversations baissaient brusquement de quelques décibels à une table voisine, signe qu'on était en train de parler de moi.

Tout cela m'était de plus en plus insupportable.

En piquant dans mon bœuf thaï et mon riz au curry, j'ai soudain pensé à la mère de Charlie. À cette heure, elle devait être derrière sa caisse du Ken's Store & Grille, avec son mari qui préparait les repas en cuisine et Wendy qui servait bières et cafés à son comptoir, à l'autre bout du magasin. J'ai ressenti comme une démangeaison. Très souvent, je l'avais surprise à la fenêtre de sa chambre, qui me regardait partir en me faisant un petit signe. Charlie m'avait dit un jour que sa mère passait un max de temps derrière cette fenêtre. Et, en y repensant, c'est vrai qu'aussi loin que je me souvienne, cette fenêtre et sa silhouette étaient associées dans ma mémoire. *C'est quelqu'un qui passe relativement inaperçu, discret, effacé*. La mère de Charlie derrière sa caisse, son père en cuisine, Nick au bureau du shérif… La démangeaison a augmenté. La maison était vide… Charlie m'avait parlé de l'alarme du magasin, qu'ils activaient uniquement pendant la haute saison. J'ai revu la grande cour délimitée par la haute palissade en planches et les bois dans le fond – j'avais joué dans cette cour des centaines de fois, puis elle était devenue un terrain de jeux trop exigu pour des ados, surtout à la belle saison, quand la mer, les criques et les autres îles nous appelaient, à portée de pagaie… *Stupide, stupide, stupide*, me suis-je dit. *N'y pense même pas*… Mais j'y pensais, justement. Le sourire diaphane, immatériel de sa mère, sa silhouette discrète, ses cheveux châtains où commençaient à apparaître quelques fils gris… *C'est quelqu'un qui passe relativement inaperçu... discret... effacé... Et aussi quelqu'un qui a accès à certaines informations...* Dans le magasin, mine de rien, son doux regard était toujours en mouvement, suivant discrètement les clients, plus efficace qu'une caméra de surveillance. À combien de confidences avait-elle eu droit derrière sa caisse ? On lui faisait spontanément confiance ; il ne serait venu à l'idée de personne qu'il y eût en elle une once de malignité, de méchanceté, de malveillance. C'était inconcevable. *Tu es en train de devenir cinglé*, m'a prévenu une petite voix en moi.

Je me suis levé.

Je suis sorti de la cafétéria et j'ai pris la direction du bâtiment de l'administration. Je suis allé directement au bureau de Lovisek.

« Ça ne va pas, ai-je dit en entrant. Je ne me sens pas bien, pas bien du tout.

— Tu veux voir un médecin ?

— Je veux rentrer chez moi. »

Il a hoché la tête, a attrapé un papier.

« D'accord, qui tu as cet après-midi ? »

Je le lui ai dit.

« File. Je la préviendrai... »

J'ai attendu le ferry une bonne heure. Mes doigts tremblaient sur le volant. À bord, j'ai éteint mon portable. La salle était presque déserte, le bar fermé. Finalement, je suis redescendu m'asseoir dans la voiture et j'ai mis de la musique.

En arrivant à Glass Island, j'ai tourné à droite puis à gauche et remonté Main Street. Je me suis garé à une centaine de mètres du Ken's Store & Grille et j'ai fait le reste du chemin à pied. J'ai rentré la tête dans les épaules en passant devant le magasin, la capuche rabattue, sur le trottoir opposé, puis j'ai brusquement bifurqué et traversé la chaussée en direction de la palissade ; elle était en partie dissimulée par les véhicules des clients garés sur le côté du magasin, dont un camion de livraison, ce qui faisait mes affaires. J'ai progressé derrière eux, à l'opposé de l'entrée latérale du gril, qui se trouvait près du container à glace fermé par un cadenas.

J'ai jeté un regard en arrière en m'approchant des planches de la palissade ; je me suis concentré sur la rue, puis je l'ai agrippée et j'ai sauté par-dessus. Je me suis reçu dans l'herbe détrempée de la cour et je suis resté accroupi un moment. Mon cœur s'est mis à battre un tout petit peu plus vite. À partir de maintenant, j'aurais du mal à justifier ma présence si on me surprenait.

Comme la plupart des arrière-cours, celle-ci était remplie de tout un bric-à-brac, mais il y avait aussi une table et du mobilier de jardin, des nichoirs à chaque tronc et une véranda surélevée. Quand on avait douze ans, Charlie et moi, on se glissait dessous en imaginant qu'on était des spéléologues piégés dans des grottes martiennes infestées de créatures carnivores. Charlie se tordait en poussant des *argggghhhh !* et des *à l'aide ! au secours ! ils me dévorent les jambes, ohhhhhh !* tout en agitant celles-ci dans tous les sens et – une nuit où je dormais chez eux – il avait tenté de me convaincre, en donnant des coups sourds contre la cloison, dans le lit qu'il occupait en dessous du mien, qu'il y avait bel et bien une présence maléfique planquée dans les soubassements de la maison, et que si l'un de nous avait le malheur de s'aventurer sous la véranda la nuit, on ne le reverrait jamais.

Bien entendu, je n'y croyais pas une seconde, je répétais infatigablement : « Charlie, je sais que c'est toi qui cognes », et lui, tout aussi infatigablement : « Je te jure sur la tête de ma mère, Henry ! C'est pas moi ! » Il n'empêche – il me flanquait une trouille bleue avec ses histoires et ses coups sourds et il le savait.

Je me suis approché de la véranda et de la porte de derrière, sous l'avant-toit en bardeaux d'asphalte. J'étais presque sûr que la porte était ouverte. À la morte saison, une fois les touristes envolés, personne ne ferme sa porte de derrière en plein jour sur Glass Island.

J'ai longuement essuyé mes semelles, puis je suis entré.

L'intérieur était aussi silencieux que je m'y attendais. Tout le monde était à l'avant, au magasin. J'ai soudain pensé à Nick et, l'espace d'un court instant, l'angoisse a vrillé mon estomac : avec ce qui se passait en ce moment, Nick devait être au bureau du shérif ; dans le cas contraire, si jamais il me trouvait ici, j'aurais sans doute droit à la plus belle correction de ma vie.

Le petit couloir du rez-de-chaussée était encombré de caisses de sodas à la rhubarbe, à la vanille et à la lavande entassées dans les coins. Une porte donnait sur le séjour à ma gauche, une autre sur la cuisine. Face à moi, à droite de l'escalier, la porte derrière laquelle un couloir menait au magasin. J'ai grimpé les marches vers les chambres, à l'étage, les jambes flageolantes, ma main crispée sur la rampe cirée de l'escalier. Les marches grinçaient légèrement à travers le tapis élimé. Je suis parvenu sur le palier. J'ai hésité. La chambre des parents se trouvait dans le fond ; la première porte était celle de Charlie, ensuite venait celle de Nick. Subitement, je me suis rendu compte de l'absurdité de ma démarche. Qu'est-ce que je m'attendais à trouver ici ? Un signe quelconque que la maîtresse de maison était bien le maître chanteur ? Un petit détail qui, tout d'un coup, ferait la lumière, comme dans une série télé ? Ridicule… J'ai pensé à Naomi. La mort de Naomi justifiait toutes les prises de risque ; c'était en m'insinuant dans la vie des habitants de l'île – comme le maître chanteur l'avait fait – que je découvrirais, tôt ou tard, la vérité. Néanmoins, j'étais persuadé que je ne parviendrais à rien ici sinon à foutre en l'air la plus belle amitié de ma jeune existence et j'étais à deux doigts de mettre fin à cette entreprise et de décamper quand j'ai avisé la porte de la chambre de Charlie…

… entrouverte…

Machinalement, je me suis approché ; en retenant mon souffle, je me suis penché à l'intérieur.

Tout ici était extraordinairement calme. Il pleuvait derrière la vitre. Sa guitare était appuyée au mur, près de la mappemonde lumineuse devant laquelle nous avions plus d'une fois rêvé que nous remontions le cours de l'Orénoque ou du Zambèze en pirogue. Sa collection de jeux vidéo gisait en vrac sur la descente de lit et sa PlayStation sur la table de nuit. Ses vêtements étaient éparpillés un peu partout, et la penderie béait, pleine de chemises à carreaux que Charlie boutonnait toujours jusqu'en haut. Son pieu – duquel il avait le plus grand mal à s'extraire les matins d'hiver – était défait et gardait l'empreinte de son corps. Sur les murs, un grand poster du concert mythique de Nirvana à Reading ainsi que des formules encadrées du genre : **Ici a lieu le championnat du monde des losers**, **Les super-héros sont gays : ils portent des collants**, **Interdit de fumer mais pas de se masturber** (celle-ci dissimulée derrière un fanion des Seahawks), **Diplômé de zombielogie** et, sur le bureau, une lampe multicolore en forme de fusée, des bouquins de classe et un Mac ouvert… J'ai prêté l'oreille, mais aucun son ne montait du rez-de-chaussée, pas même les voix des clients du magasin.

Seul le bruit assourdi d'une voiture passant dans Main Street est parvenu à mes oreilles.

J'ai poussé le battant. Je suis entré. De nouveau, le plancher a grincé légèrement sous mes pas. Ça sentait le fauve : un arrière-plan familier et indéfinissable, mais qui laissait supposer des activités suspectes, la nuit venue. J'ai traversé la chambre jusqu'au bureau, regardé l'ordinateur. Puis j'ai tendu le bras, passé un doigt sur le pavé tactile. L'écran s'est illuminé. Les îles et la mer en fond d'écran – avec une orque effectuant une cabriole hors des flots.

L'icône de la messagerie… j'ai cliqué dessus et elle m'a demandé le mot de passe.

Il y a un an environ, je l'avais surpris en train d'entrer le début de celui-ci sur sa tablette tactile. Je ne l'avais pas fait exprès, mais je n'avais pu m'empêcher de regarder. J'ignorais s'il en avait changé depuis… J'ai tapé ZOMBIELAND – et elle s'est ouverte ! Je ne sais pas ce que je cherchais… Mais mon pouls s'est emballé en pénétrant par effraction dans l'intimité numérique de Charlie.

Je n'ai pas tardé à déchanter : sa messagerie était vide.

Mes poils ne s'en sont pas moins hérissés sur ma nuque, en prenant conscience de ce fait… *Pourquoi l'avait-il vidée ?* Je me suis surpris à éprouver une sorte de malaise devant ce petit fait en apparence insignifiant… Avait-il peur que la police mette son nez dedans ? Apparemment, il n'avait pas encore eu le temps de supprimer son compte. Il avait agi avec précipitation, avant de partir pour le lycée.

Un frisson m'a parcouru, mon malaise a augmenté. Que voulait-il cacher – et à qui ?

Puis j'ai vu quelque chose qui m'a glacé le sang comme un courant d'air nocturne dans un cimetière. J'ai eu soudain envie de vomir. Le nom inscrit en haut à droite de l'écran n'était pas celui de sa messagerie habituelle – celle qu'il consultait sur sa tablette. Ce n'était pas elle que je venais d'ouvrir. Ce n'était même pas un nom, d'ailleurs. Rien qu'une suite aléatoire de caractères :

Clcdjkdoieç_'hj''2e

29

Réserve

Je tremblais de fureur et de frustration en redescendant Main Street à pied. J'avais mal à la tête et je me suis dirigé vers la pharmacie tandis que, déjà, les vitrines s'illuminaient. Toute la ville était noyée dans un épais brouillard au travers duquel les lumières, les phares des voitures et les lanternes du port se diffractaient, comme un système de planètes et de lunes évoluant dans un espace gazeux.

C'était ça, les hivers sur Glass Island.

Charlie…

Oh non, Charlie, pas toi… Aucune trahison n'aurait pu être plus douloureuse que celle-là ; j'avais été trahi par la fille que j'aimais – et, à présent, c'était au tour de mon meilleur ami, *de mon frère* : de Charlie… C'était là une pensée terrible, affreuse.

Je suis entré dans la pharmacie brillamment éclairée et j'ai marché jusqu'au comptoir, les cheveux ruisselants, les semelles flic-floquant sur le carrelage. C'est la pharmacienne qui m'a accueilli et je n'ai pu m'empêcher de penser à tout ce que je savais sur elle, désormais. Elle portait un pull en cachemire et un jean serré et son rouge à lèvres était du genre *glossy*. Son regard était comme une caresse et, pendant un instant, je me suis vu la giflant et la frappant, la tirant par les cheveux et la jetant au sol, l'obligeant à cracher tout ce qu'elle savait.

J'ai demandé du paracétamol et elle est allée m'en chercher.

En ressortant du magasin, je me suis enfoncé dans le passage étroit qui sépare la pharmacie du bâtiment suivant. De l'herbe poussait entre les dalles et j'ai attendu dans la pénombre, le cœur gonflé à bloc d'une colère noire comme du pétrole et d'une tristesse non moins obscure. Je l'ai vu remonter la rue dans le brouillard, tête basse, son sac sur le dos, son skate à la main. La fureur a rougeoyé comme des braises dans mon ventre. Je lui ai fait un signe ; Charlie a levé la tête, m'a aperçu.

« Henry ? Qu'est-ce que tu fous là ? »

Je lui ai fait signe d'approcher, je me suis reculé dans l'étroit et sombre passage. Il a fait un pas dans la ruelle, un deuxième.

Alors, je l'ai chopé par le col et je l'ai frappé.

Noah gara sa Crown Victoria sur le parking. Il pénétra dans le casino en passant sous la monumentale charpente en bois de l'entrée. Dès qu'il eut franchi les portes, il s'arrêta comme s'il avait rencontré un mur, immédiatement agressé par le vacarme et l'odeur.

Sous les lustres, les machines à sous tintaient, cliquetaient et gazouillaient des dizaines de tonalités électroniques différentes tandis que fruits, animaux, gladiateurs et dieux grecs défilaient sur leurs écrans. Noah promena un regard étourdi autour de lui. À vue d'œil, il y en avait des centaines. La plupart des joueurs étaient des femmes blanches entre quarante et soixante ans ; elles n'étaient pas là pour rigoler : elles pianotaient les combinaisons sur les écrans tactiles ou les gros boutons, piochaient dans des gobelets des pièces qu'elles enfournaient dans les machines à un rythme effréné – comme si elles nourrissaient un bétail d'une espèce particulièrement vorace. Quand elles gagnaient, des jingles stridents retentissaient. Quant à la tabagie ambiante, elle ne devait guère aider à garder la clientèle en vie ; Noah pinça les narines : l'enfer devait avoir la même odeur pour les non-fumeurs. La loi indienne autorisait visiblement à fumer comme un pompier dans les lieux publics.

Noah ne s'était rendu qu'une seule fois dans un casino indien avant ce jour-là, celui des Tulalip, le long de l'Interstate 5. Plus habitué à lire sur fond de musique classique qu'à ce déferlement sonore, il pressa le pas le long de l'allée centrale. Les tables de black-jack et de poker se trouvaient au milieu. C'était donc ici que la mère de Naomi travaillait... Il scruta les joueurs mais, à cette heure-ci, ils étaient peu nombreux. Aucun n'attira son attention. Il retourna vers le bar et dit qu'il avait rendez-vous avec le directeur ; le barman passa un coup de fil puis lui montra un large couloir sur la droite, après le bar.

Noah foula l'épaisse moquette multicolore. Contrairement à la réserve indienne qui l'entourait, le casino affichait tous les signes de la prospérité. Autrefois, celle de la nation Lummi avait reposé sur la pêche au saumon. Pendant des siècles, les eaux de la baie de Bellingham et des îles environnantes avaient regorgé de poisson lors des montaisons annuelles. Mais cette économie s'était effondrée avec la concurrence des fermes d'élevage et les conséquences désastreuses de la surpêche et de la disparition de l'habitat naturel des saumons. Aujourd'hui, les revenus dégagés par le trafic de drogue étaient supérieurs à ceux de la pêche sur le territoire de la réserve. Le Conseil tribal avait même remis au goût du jour un châtiment ancestral pour les trafiquants : le bannissement. Alors, il restait les casinos, songea Noah. Depuis les années 80, ils apportaient une source de revenus supplémentaire à la trentaine de réserves indiennes qui existaient autour de Seattle, mais l'argent attire toujours les vautours – et, sur l'ensemble du territoire, les casinos indiens en rapportaient plus que Las Vegas et Atlantic City réunis.

Noah frappa à la porte marquée DIRECTION. Une voix grave lui répondit :

« Entrez. »

Le directeur, un Indien Lummi, se leva, ferma le bouton de sa veste et fit le tour de son bureau. Il approchait le mètre quatre-vingt-dix et devait peser dans les cent kilos, mais Noah ne vit aucune surcharge pondérale au-dessus de sa ceinture. Ses cheveux épais grisonnaient mais ses sourcils étaient restés très noirs et il avait les traits nets et les pommettes hautes des Amérindiens.

« Bonjour, c'est moi qui vous ai téléphoné, dit Noah.

— Oui… le privé… »

Il n'y avait aucune connotation négative dans sa voix.

« C'est au sujet de Sheila Sanders, c'est ça ? Une sale histoire, sa fille morte, elle disparue… Asseyez-vous. »

Le directeur regagna sa place. Derrière lui, par la fenêtre, Noah aperçut la plaine et, au-delà, les sommets enneigés de la chaîne des Cascades se détachant sur le ciel sombre du soir.

« La police vous a interrogé ? »

Le directeur fit un signe affirmatif.

« Ils m'ont cuisiné pendant cinq heures. À deux reprises. Tout le monde était là, un vrai débarquement : le shérif de Glass Island, la police du comté de Whatcom, notre police Lummi, la patrouille d'État, tout le monde… Sans doute que, dans leurs esprits, les mots *Indien* et *criminel* vont ensemble. Mais ce n'est pas ici que Naomi, la fille de Sheila, est morte, pas vrai ? Vous êtes au courant de la façon dont cette gamine a été tuée ?

— J'en ai entendu parler, oui.

— Elle a été… *traînée dans un chalut*… comme un vulgaire saumon. Une fille qui descend des Lummi par son père… les Lummi qui ne sont pas des Indiens des Plaines, je vous le rappelle, mais pêcheurs de père en fils depuis des milliers d'années… sauf aujourd'hui, où ils en sont réduits à devenir croupiers dans des casinos, entrepreneurs ou trafiquants de drogue… Une fille d'Indien Lummi noyée dans un foutu filet de pêche, au cul d'un bateau, vous voyez où je veux en venir ? » Il releva la tête. « Vous croyez que le tueur est raciste, monsieur Reynolds ? »

Jusqu'à cet instant, Noah n'avait jamais envisagé cette hypothèse. D'ailleurs, il n'y croyait toujours pas : le père de Naomi était mort il y a longtemps et Naomi vivait loin de la réserve. Elle n'avait plus aucun lien avec elle.

« Ou pêcheur, hasarda-t-il.

— Vous insinuez que ça pourrait être l'un des nôtres ?

— Il y a plus de trois cent mille bateaux immatriculés entre Seattle, Vancouver et Victoria, objecta Noah. Combien sont des bateaux de pêche, d'après vous ? »

Le directeur haussa les épaules en signe d'ignorance.

« Je leur ai suggéré d'explorer cette piste, insista-t-il néanmoins, et ils m'ont regardé comme si je leur avais montré un étron sur ma moquette.

— Parlez-moi de la mère de Naomi... »

Le directeur se rejeta sur son siège. Son regard se perdit dans ses souvenirs.

« Une belle femme, une très belle femme… et elle n'avait pas la langue dans sa poche. »

Selon le directeur, la mère de Naomi était une excellente professionnelle, et sa beauté attirait les joueurs masculins, toujours plus nombreux aux tables qu'aux machines à sous. À part ça, c'était quelqu'un qui se liait peu. Elle ne s'était fait aucun ami parmi le personnel du casino. Le directeur avait tenté une fois ou deux d'en savoir plus sur sa vie – et Noah comprit qu'il l'avait plus ou moins draguée –, mais elle l'avait poliment éconduit.

« Est-ce qu'elle parlait de sa fille ?

— Oui, c'était même le seul sujet qui l'intéressait. Elle était très fière de ses résultats scolaires. Elle disait que Naomi irait loin, pas comme elle… »

Noah vit le visage du directeur s'assombrir.

« Et Henry ? dit-il.

— Qui ça ?

— Le petit ami de la victime... Est-ce qu'elle vous en avait parlé ? »

Le directeur secoua la tête.

« Non, jamais… En revanche, depuis quelque temps, elle se faisait du souci, ça se voyait…

— Du souci pour quoi ? »

L'Indien le fixa.

« Pour sa fille, je crois. Elle avait arrêté d'en parler… Quand j'abordais le sujet, elle l'évitait soigneusement. Quelque chose s'était passé, si vous voulez mon avis. Et cela la préoccupait énormément…

— Est-ce qu'elle avait quelqu'un dans sa vie ?

— Non, pas à ma connaissance. Je suis convaincu que non. C'était quelqu'un d'extrêmement solitaire. (Le regard du directeur se troubla.) En même temps, elle pouvait mettre des tenues un peu olé olé parfois, du moins aux yeux de certains... Faut dire qu'elle détestait les bigots, les coincés, les hypocrites et les donneurs de leçons. C'était un sacré bout de femme, vous pouvez me croire… »

Noah comprit que son employée modèle était loin de le laisser indifférent. Y avait-il eu une histoire entre eux ? Il se promit de vérifier.

« Est-ce que vous avez une idée de l'endroit où elle peut être ? Est-ce qu'elle vous avait parlé d'un bungalow, d'un bateau ou d'un endroit où elle pourrait se planquer ?

— Ils m'ont tous posé la question, vous vous en doutez. Je vous répondrai ce que je leur ai répondu : si vous voulez mon avis, c'est six pieds sous terre que vous la trouverez – ou alors au fond de la mer. »

Charlie a touché sa lèvre fendue et regardé le sang sur ses doigts.

« T'es complètement malade ! »

Il y avait plus de colère que de peur dans sa voix.

Je me suis penché sur lui. Il était encore au sol, dans l'ombre du passage, et le néon à l'angle de la pharmacie bariolait son visage de couleurs vives.

« Qu'est-ce qu'il te prend, putain !

— J'ai trouvé ta messagerie, Charlie…

— De quoi tu parles ?

— Ta *deuxième* messagerie, celle que tu utilises pour envoyer des messages anonymes… »

Il a levé vers moi des yeux incrédules.

« T'es entré dans ma chambre ? Quand ça ? Pourquoi t'as fait ça ?

— Peu importe…

— Peu importe ? Ah non, pas d'accord ! Moi, ça me paraît vachement important, figure-toi !

— Tu m'envoies des messages anonymes, Charlie ? Je croyais que t'étais mon meilleur ami…

— Pas *des*, *un*, a-t-il rectifié. Meilleur ami, tu dis ? Alors, pourquoi tu t'introduis chez moi pendant que je suis au bahut, bordel ? C'est quoi, cette histoire ?

— Tu ne réponds pas ? Le maître chanteur, c'est toi ?

— Quoi ? Va te faire mettre ! s'est-il écrié.

— T'as toujours été jaloux des autres, ai-je poursuivi – et je n'en revenais pas de ce que j'étais en train de dire. T'as toujours rêvé d'être à notre place, à Johnny et à moi, et de te taper Naomi et Kayla… Tu crois que je ne sais pas que tu en pinçais pour Nao ? »

J'ai lu la plus grande stupeur dans ses yeux.

« Au bahut, c'est pareil. T'aurais aimé être le

capitaine des équipes, le mec que toutes les filles admirent… Alors qu'aucune ne te calcule… Tu fais quoi, le soir, dans ta piaule, quand tu te retrouves seul, Charlie ? »

Dans son regard, je discernais l'incrédulité. La fureur. Et la douleur. Une douleur atroce. Nous nous étions souvent disputés par le passé, mais je n'avais pas souvenir de lui avoir jamais parlé de cette façon.

« Réponds, Charlie : pourquoi tu m'envoies des messages anonymes ?

— Je voulais te mettre en garde, putain ! a-t-il bégayé au bord des larmes. C'est tout !

— Me mettre en garde contre quoi ?

— Au sujet de Liv et de France, tiens ! »

J'ai lâché son col et je me suis reculé. Il en a profité pour se remettre debout. Il a appuyé son dos aux planches de la pharmacie, a touché sa mâchoire. J'ai vu de petites taches de sang sur son col.

« Tu m'as frappé, Henry ! Tu te rends compte de ce que tu viens de faire : tu deviens dingue !

— *Me mettre en garde contre quoi ?* »

Charlie respirait presque aussi fort qu'un asthmatique en pleine crise.

« J'ai pensé à quelque chose, mais je voulais pas t'en parler… J'avais peur que tu me détestes après ça…

— Explique-toi. »

Il a hésité. « Ça concerne France… »

Je me suis raidi.

« Un truc que ma mère a vu à propos de France…

— Putain, accouche, merde ! »

Il m'a dévisagé tristement. « Tu sais, ma mère, elle aime bien se coller à la fenêtre de sa chambre et regarder la rue quand elle arrive pas à dormir. De là-haut, on voit tout Main Street jusqu'au port. »

Je n'ai rien dit – mais j'ai pensé que c'était exactement à cause de ça que j'étais entré chez lui. La tension irradiait tout mon corps, dans l'attente de la suite.

« Une fois, je l'ai entendue causer avec mon père à l'arrière du magasin, ils savaient pas que j'étais là et j'ai entendu prononcer le nom de ta mère, alors je me suis approché… »

Il a reniflé, a essuyé son nez.

« Je l'ai entendue dire : "Je suis sûre que c'était France." Mon père a dit un truc du genre : "À une heure du matin ?" Et ma mère a répondu que oui, que c'était bien la voiture de France. Elle venait de chez vous. Elle s'est garée devant le magasin de pêche et elle est descendue. Il pleuvait des cordes. Elle portait un coupe-vent, mais ma mère a bien vu ses cheveux blonds sous la capuche et sa silhouette, c'était elle… Ensuite, ma mère a dit que France avait ouvert l'une des poubelles alignées dehors, à l'angle de Main Street et d'Argyle Avenue, qu'elle avait quelque chose à la main quand elle a ressorti le bras de la poubelle. Peut-être un paquet ou une enveloppe, ma mère était pas trop sûre, elle était trop loin pour voir… Ensuite, la tienne est remontée dans sa voiture et elle est repartie vers chez vous, Henry. »

Je l'ai de nouveau attrapé par le col, je l'ai projeté contre le mur de la pharmacie.

« Tu mens ! Tu viens d'inventer ça !

— Eh ben, vas-y ! Cogne-moi ! Vas-y, connard, puisque t'en as tellement envie ! Comme ça, on ne sera plus jamais des amis, t'entends ? Plus jamais ! »

L'expression de fureur extrême sur son visage devait répondre à la mienne. J'ai serré son cou et, pendant un instant, j'ai eu envie de lui faire très mal. Il a secoué la tête. « Arrête, putain ! Tu m'étrangles ! » Je l'ai lâché. Il y avait une marque violacée sur son cou, il l'a frottée en grimaçant. Il a toussé.

« C'est la vérité vraie : je me rappelle que cette conversation m'a beaucoup intrigué à l'époque. Je n'avais pas entendu parler de cette histoire de maître chanteur et je me demandais pourquoi ta mère sortait la nuit pour fouiller dans les poubelles d'East Harbor… Tu sais, il y a toujours des rumeurs au sujet de tes mamans… Personne ne sait vraiment d'où elles viennent. Je me suis dit que… c'était peut-être genre une espionne russe, tu vois ? Qu'elle recevait ses instructions comme ça… C'est idiot, je sais. Et merde…

— C'était avant ou après qu'on est allés là-haut ?

— Longtemps avant. L'année dernière... Je voulais t'en parler à l'époque mais, le lendemain, il a dû se passer un truc et ça m'est sorti de la tête, je suppose… Ça m'est revenu quand tu nous as rapporté ce que Darrell t'avait dit dans sa bagnole, puis quand Nate Harding a parlé de ce maître chanteur… »

Il parlait à contrecœur, et il avait toujours la même expression de colère froide sur le visage. Moi-même, je sentais ma poitrine se gonfler sous l'effet d'un mélange d'adrénaline, de fureur et de chagrin. Je le foudroyais du regard et ses yeux brillaient de la même hostilité. J'ai senti que quelque chose venait de se briser définitivement entre nous, que notre amitié ne survivrait pas à ce qui s'était passé dans cette ruelle. Ce lien unique qui nous avait unis jusqu'alors, pendant toutes ces années, comme deux frères, était *mort* ce soir – et ça m'a rendu triste… Infiniment triste…

« Pourquoi tu ne m'en as pas parlé avant ? »

Il a fait mine d'examiner la pointe de ses baskets.

« Je ne savais pas comment te le dire… Je te jure, je voulais t'en parler…

— Tu m'as envoyé d'autres messages ?

— Hein ? Non ! Rien que celui-là !

— Pourquoi tu ne m'en as pas parlé directement ? Pourquoi un message anonyme, putain, Charlie ? »

Ma voix presque geignarde, à présent. Je l'ai vu pâlir, malgré les couleurs artificielles du néon sur ses joues.

« Parce que j'avais des doutes…

— Des doutes sur quoi ?

— Sur toi… Je voulais voir ta réaction.

— Pourquoi ?

— *Parce que je te soupçonnais, tiens !* »

Il avait presque crié. Je l'ai maté, abasourdi. Ses yeux n'auraient pu être plus tristes qu'ils l'étaient en ce moment précis. Je ne lui avais jamais vu un tel regard auparavant. Oui. Notre amitié était bel et bien morte. Il n'y avait rien après ça qui aurait pu la sauver… J'ai fait demi-tour et je suis retourné à la voiture ; quelque chose m'enveloppait comme une couverture froide et humide, m'isolant du reste du monde :

… un désespoir sans fond…

J'étais malheureux comme les pierres.

30

Décollage

Le jet pour le comté de Lee, situé à l'extrême sud-ouest de la Virginie mais possédant son propre aérodrome, était au roulage. Devant le cockpit, l'hôtesse mimait les gestes à exécuter en cas de pépin majeur : le masque, le gilet, l'évacuation… Essayant de l'ignorer mais sans y parvenir vraiment, Grant Augustine se demanda avec angoisse quel pourcentage de passagers avaient eu un jour l'occasion de les accomplir pour de bon.

Il détestait les avions – mais il possédait quand même son propre jet, question de standing.

Jay avait fini par le convaincre de l'emprunter plutôt que de se taper huit heures de route aller-retour à travers les Blue Ridge Mountains. Tout ça, songea-t-il, pour aller draguer les ploucs à la frontière du Kentucky, où l'exode rural vidait les bourgs isolés dans les montagnes, où les plus âgés parlaient encore avec un accent qui grinçait comme une guimbarde – même s'il était de plus en plus remplacé chez les jeunes femmes par celui des pétasses de la télé-réalité – et où la plus grande ville comptait moins de six mille habitants.

De l'autre côté de l'allée centrale, Jay regardait par le hublot les lumières de l'aéroport de Charlottesville-Albemarle qui s'éloignaient. Il arrivait à Augustine de haïr son chien fidèle pour son flegme en toutes circonstances. Jay dut deviner ses pensées, car il tourna vers Grant son visage et lui sourit, ses yeux pâles et gris brûlant toujours de ce feu intérieur qui glaçait Augustine depuis qu'ils étaient ados. Au fond, Grant, qui sondait le cœur et l'âme de chaque Américain grâce à la technologie moderne, n'avait jamais réussi à lire dans le cerveau de la personne qui lui était pourtant le plus proche : après trente-cinq ans de vie commune, Jay restait un mystère. Certaines nuits, Augustine se réveillait en sueur et il constatait qu'il avait rêvé de Jay, un Jay qui – pour un motif qu'il ignorait – venait le tuer dans son sommeil. Il n'avait jamais envisagé de se passer de lui, de renoncer à ses loyaux services, mais il se demandait parfois – et son ventre faisait alors quelques nœuds – comment Jay aurait réagi s'il l'avait fait.

Une seule fois, il avait vu Jay à l'œuvre. Grant était encore étudiant en ce temps-là ; sa petite amie lui avait annoncé qu'elle le quittait pour un des joueurs de l'équipe universitaire de football. De son côté, Jay venait d'être renvoyé des Marines pour insubordination et violences sur un supérieur. Ils étaient amis depuis l'enfance mais les liens n'avaient jamais été aussi distendus entre eux qu'à cette période-là. C'est pourtant vers Jay que Grant s'était tourné pour lui confier son infortune : il était fou amoureux de cette fille. « Je m'en occupe », avait dit Jay. Ils avaient attendu le type une nuit où il rentrait d'une fête. Jay lui avait sauté dessus et l'avait endormi avec un tampon imbibé de quelque chose. Quand le type avait émergé, il était ficelé au fond du van de Jay.

Il y avait un ruisseau, non loin du campus, dans la forêt, qui coulait au milieu de deux épais murs de broussailles. Un gros tuyau d'écoulement des eaux usées le franchissait d'une rive à l'autre. Jay, cagoulé et armé, avait attaché le jeune gars au tuyau. Nu. On était en plein hiver. Grant observait la scène planqué dans les buissons, le cœur cognant. Jay lui avait ordonné de ne pas se montrer. Ils avaient passé une bonne partie de la nuit ainsi, Jay et Grant chaudement vêtus. De temps en temps, Jay répétait calmement les mêmes phrases : « Tu vas laisser tomber cette fille, tu comprends ? Sinon, je te briserai les jambes et les bras et ta carrière sportive sera finie, tu comprends ? Hoche la tête si tu comprends… » Jay l'avait aussi obligé à boire la moitié d'une bouteille de bourbon et à avaler quelques pilules. Ils l'avaient déposé devant un hôpital cinq heures plus tard, en état d'hypothermie et défoncé.

Grant savait que Jay avait fait bien pire depuis – pour lui, rien que pour lui… pour lui et pour WatchCorp. Il rendit son sourire à Jay et le vit sortir son téléphone de sa poche. De fait, Grant avait perçu une vibration.

« Monsieur », lança l'hôtesse en direction de Jay, mais Grant lui fit signe de laisser tomber et elle se tut, non sans froncer les sourcils de réprobation : elle était l'unique occupante de la cabine à part eux et elle devait la considérer comme son territoire. Le bruit des moteurs augmenta. Il sentit des gouttes de sueur perler sur sa lèvre supérieure.

Il entendit Jay répondre : « Oui », puis écouter

attentivement. « Tu en es sûr ? Quelle probabilité ? Plus de 95 % ? » Grant sentit son pouls s'affoler. « Ça veut dire qu'il est bien le grand-père, c'est ça ? » Cette fois, Augustine n'y tint plus ; il se redressa sur son siège, oubliant qu'il était dans un avion et, même quand le plancher de l'appareil s'inclina comme une piste de saut à ski – ce qui, d'ordinaire, le collait à son siège –, il se pencha vers l'autre côté de l'allée, indifférent à la violente poussée des moteurs.

« Merci, dit Jay. On te rappelle... » Il raccrocha et se tourna vers Augustine ; en voyant l'expression de Jay, l'excitation fit mentalement décoller celui-ci – en même temps qu'ils grimpaient vers les nuages. Le signal au-dessus de lui indiquait qu'il devait garder sa ceinture bouclée, mais il la défit tout de même pour se pencher davantage.

« Ça y est, lui lança Jay par-dessus le sifflement des réacteurs. Cette fois, c'est garanti : tu es bien le grand-père de ce fœtus ! »

Augustine avait agrippé l'accoudoir, il le serra très fort.

« Seigneur... Alors, c'est lui ! Ce Henry... Mon fils... Après toutes ces années à le chercher, je l'ai enfin trouvé ! »

Tout à coup, il revit le nombre de fois où, descendu dans une métropole d'Amérique pour une conférence, un voyage d'affaires, un séminaire, il avait rêvé de découvrir la silhouette de Meredith dans la salle, au milieu du public, de la voir franchir les portes de son hôtel, de l'apercevoir sur le trottoir de l'autre côté d'une avenue son fils à la main, quand il sortait d'un taxi ; le nombre incalculable de fois où il avait fouillé du regard la foule d'un aéroport, scruté la clientèle d'un restaurant, cherché parmi les passagers d'un train, d'un avion, examiné les voitures sur l'autoroute… Seize ans à se torturer… Seize années pendant lesquelles il avait engagé à grands frais des détectives et des policiers dans toutes les métropoles d'Amérique, dans des villes moyennes, et même dans des comtés paumés dès qu'un indice les mettait sur une piste. Est-ce qu'il était heureux ? Non, il était trop tôt et il était trop inquiet, il avait trop peur que ce miracle tardif ne s'évapore comme un mirage ; il se sentait oppressé et impatient et, tout à coup, cette tournée virginienne lui parut un insupportable contretemps – et un doute énorme l'envahit.

« Elle était donc bien enceinte de lui… Tu crois que c'est lui, Jay… qui l'a tuée ? »

Jay eut un rictus. « J'ai épluché toutes les communications du bureau du shérif. Et Reynolds m'a fait son rapport. De toute évidence, il est leur principal suspect. »

Augustine eut l'impression que le sol se dérobait sous ses pieds. Il éleva la voix : « Jay, c'est mon fils ! Je l'ai enfin retrouvé après toutes ces années. Ils ne vont pas me le voler une seconde fois ! Je ne les laisserai pas me le prendre, tu entends ? Il faut trouver le coupable, Jay. Et si c'est lui, il faut en fabriquer un autre… Le plus vite possible ! »

Jay hocha la tête, comme toujours.

« Tu as une idée de qui ça pourrait être ? »

Jay réfléchit.

« Ce Charlie, suggéra-t-il. Son meilleur ami… J'ai passé un peu de temps dans sa tablette et sur son smartphone. Il en sait à l'évidence plus qu'il ne dit. Il communiquait souvent avec la victime.

Manifestement, à l'insu de ton fils… Je parie qu'il était amoureux d'elle. Et il est légèrement obsédé. Sexuellement, j'entends. Rien d'anormal à son âge. Mais ça pourrait suffire. En y ajoutant quelques éléments de notre cru… »

Augustine approuva d'un geste du menton. « Bonne idée. Mais d'abord, il faut trouver le coupable. Ça n'est peut-être pas lui, Jay. »

L'avion se stabilisa et revint à l'horizontale. Le signal de bouclage des ceintures s'éteignit. L'hôtesse revint.

« Une boisson, messieurs ? »

Grant Augustine reluqua son décolleté, son beau visage et ses courbes pleines sanglées dans l'élégant uniforme.

« Vous avez du champagne ? demanda-t-il, et quand elle eut répondu par l'affirmative : Venez donc trinquer avec nous. Nous avons quelque chose à fêter.

— Qu'est-ce que c'est ? demanda-t-elle avec un sourire engageant.

— Malheureusement, ça, je ne peux pas te le dire, ma jolie. »

Noah regarda la maison. Un chalet typique du Nord-Ouest Pacifique, qui devait jouir d'une vue époustouflante sur le détroit et les montagnes quand le brouillard ne recouvrait pas l'océan comme ce soir. Il devina un ponton flottant entre les arbres, en contrebas, qui semblait s'avancer sur une mer de brume – et la silhouette fantomatique d'un hangar à bateaux.

Plusieurs fenêtres étaient allumées dans la masse noire de la maison : leurs halos étoilés dans la brume.

Au-dessus des sapins, la pleine lune était entourée d'un anneau laiteux.

Noah voyait les lumières des voisins les plus proches dans le rétroviseur, à près de deux cents mètres.

Il jeta un coup d'œil à l'appareil posé sur le siège passager. Un boîtier plat de la taille d'un paquet de cigarettes surmonté d'une antenne noire de cinquante centimètres.

Il pianota sur le clavier de l'ordinateur portable posé sur ses genoux.

Tous les réseaux wifi dans un rayon de deux cents mètres apparurent sur l'écran. Noah compta quatorze machines connectées : deux ordinateurs, quatre smartphones, une tablette, trois télévisions mais aussi quatre caméras de surveillance sans fil. Il activa au hasard le microphone d'un des smartphones. Une voix d'homme : *Je n'ai pas envie de parler de ça maintenant,* disait-il. *Cindy, on n'a plus les moyens, tu entends ? On est fauchés ! – Ce n'est pas ma faute si j'ai épousé un ivrogne et un gros naze*, répondit Cindy. Noah sourit. Même plus besoin de placer des micros de nos jours – smartphones, tablettes et ordinateurs étaient bien plus efficaces que les microphones miniaturisés des vieux films d'espionnage : l'ère du numérique était du pain bénit pour tous les espions du monde. Mais ce n'était pas ce qu'il cherchait. Noah se connecta à l'un des ordinateurs. Quelqu'un matait une vidéo porno – un gang bang, avec des types déguisés en motards, une blonde siliconée au milieu. Henry n'était pas rentré et il y avait peu de chances pour que ses deux mamans soient branchées sur l'exhibition de gang bangs mixtes. Il referma la connexion.

Les caméras de surveillance…

Il tripatouilla un moment. L'image de l'une des caméras apparut : un salon, une cheminée, un grand miroir au-dessus, des rayonnages couverts de livres et de DVD sur les côtés. Son regard se déplaça vers la droite de l'écran. Une grande baie vitrée… *Bingo*. L'image n'était pas très nette, mais Noah n'en reconnut pas moins la grande terrasse de cèdre et, au-delà, les silhouettes du ponton et du hangar à bateaux dans le brouillard, en contrebas, ceux-là mêmes qu'il apercevait depuis la voiture.

Il était entré…

Il remarqua un smartphone posé sur la table basse… Noah le chercha aussitôt dans la liste. Il pianota de nouvelles instructions. Les mots « capture : microphone » s'affichèrent. Il activa le son du téléphone qu'il voyait sur la caméra : des bruits de pas dans l'écouteur fiché dans son oreille gauche. Une femme entra alors dans le champ de la caméra.

Petite, brune.

Noah sourit : *voilà donc à quoi tu ressembles*.

Une deuxième femme apparut : plus grande, plus mince, blonde, avec une joliesse un brin désuète. Elle fit des gestes rapides avec les mains. Langue des signes : la seconde mère d'Henry – celle qui était sourde et muette et qui s'appelait France.

Noah lança un enregistrement de la séquence.

« Je suis inquiète pour Henry, dit la brune. Lovisek m'a appelée pour me demander si Henry se sentait mieux, je ne savais pas quoi répondre… »

La brune, qui s'appelait Liv Myers, saisit une bouteille sur le bar (Noah plissa les yeux : Jack Daniel's), elle se servit une généreuse rasade dans un verre carré.

« J'ai compris qu'Henry avait séché les cours cet après-midi. » Elle renifla. « Il n'était pas ici… Où est-ce qu'il est allé ? Tu en as une idée ? »

Les sourcils de la blonde remontèrent au milieu de son front et ses mains s'ouvrirent en signe d'ignorance.

« Il ne va pas bien, France, dit la brune. Pas bien du tout… Je suis très inquiète… » La blonde se lança dans un long discours gestuel et la brune dut se concentrer pour le suivre.

« Quoi ? Quand ça ? »

La blonde répondit, une réponse incompréhensible aux yeux de Reynolds.

« Tu en es sûre ? »

La blonde hocha vigoureusement la tête.

« Pourquoi Henry fouillerait-il dans nos vieux papiers ? (Signe d'ignorance de la blonde.) Tu en es vraiment sûre ? (Hochements de tête véhéments.) Tu les as peut-être changés de place sans t'en rendre compte… (Mouvements de gauche à droite et air exaspéré.) D'accord, d'accord… Qu'est-ce qu'il pouvait bien chercher ? (Haussement d'épaules et de sourcils.) »

Noah restait là à regarder. Fasciné par ce qu'il voyait.

Une scène ordinaire…

Mais que restait-il d'ordinaire quand nos opinions, nos discours, nos colères, nos échanges privés, familiaux et amicaux étaient massivement interceptés ? Que restait-il d'ordinaire quand la vie de chaque citoyen était mise à nu et scrutée par des gens cachés dans l'ombre ? Le matériel employé par Noah n'avait rien d'extraordinaire. Et même le plus cancre des hackers de la planète aurait pu venir à bout sans difficulté du mot de passe d'un réseau wifi. Une fois dans le réseau, c'était comme si toutes les portes et fenêtres étaient grandes ouvertes, comme si les murs étaient de verre, comme si vous étiez là, au milieu d'eux – couples, familles, célibataires –, invisible... Cet Edward Snowden qui faisait la une des journaux en cet automne avait déclaré que les bébés qui naissaient aujourd'hui ne sauraient jamais ce que les mots « vie privée » voulaient dire.

Noah activa une autre caméra : le couloir desservant les pièces du rez-de-chaussée. La porte du fond était ouverte. Derrière, il aperçut un meuble de rangement métallique, un meuble à tiroirs pour dossiers suspendus. Son attention s'accrut.

Aucun gadget ne lui permettrait de voir ce qui se trouvait dans ces tiroirs. Même si l'une des deux femmes en ouvrait un, la caméra était trop loin. *Il allait devoir entrer…*

Il éteignit l'ordinateur et retourna à l'hôtel.

31

Brouillard

Toute la nuit, le brouillard s'est pressé contre ma fenêtre. Je n'ai jamais aimé ces nuits où il remonte de la mer, sentant l'iode, s'insinuant dans les rues, investissant l'île, l'isolant du reste du monde, faisant s'évanouir les étoiles et toutes les formes dans sa blancheur, hormis les lunes pâles des lampadaires et les sinistres yeux rouges et verts des feux de circulation. J'ai toujours l'impression que quelque chose pourrait en surgir. Quelque chose ou *quelqu'un…*

Maman France, le maître chanteur…

Était-ce possible ? Il y avait forcément une explication à son geste. Peut-être le maître chanteur avait-il au contraire déposé dans cette poubelle quelque preuve du pouvoir qu'il détenait sur elles.

Ne leur fais pas confiance. Elles mentent.

Ainsi, c'était Charlie qui m'avait envoyé ce message. Charlie qui avait été accueilli chez nous un nombre incalculable de fois. Charlie que mes deux mères avaient toujours traité pour ainsi dire comme un deuxième fils, comme mon frère – ce qu'il était pour moi, jusqu'à ce soir.

La tristesse me mordait les flancs. Elle rendait ma respiration oppressée et faisait peser sur ma poitrine un poids dont j'avais l'impression qu'il ne s'allégerait jamais.

Je n'arrivais pas à dormir. J'avais peur aussi – d'un avenir qui ne pouvait être que catastrophique. Il me semblait que le refuge, l'abri qu'avait constitué l'île pendant toutes ces années n'en serait plus un très longtemps. Qu'il me faudrait bientôt le quitter. Pour aller en prison ? Où en était l'enquête de la police ? Avaient-ils trouvé d'autres pistes ? Je n'avais plus de nouvelles du chef Krueger.

J'ai écouté le silence de la maison. Tout était calme. Regardé les chiffres rouges du réveil luire dans la pénombre : 2 h 02. Mes mamans roupillaient depuis un bail. Allumant la lampe de chevet, je me suis penché vers le tiroir de la table de nuit et j'ai attrapé la petite torche électrique ; j'ai repoussé les draps et le couvre-lit, enfilé mon peignoir par-dessus mon pyjama.

Pieds nus, je me suis avancé jusqu'à la porte. Au-delà, tout était silencieux. Et obscur. Toutes les lumières éteintes, à part la mienne. Maman France et Liv dormaient deux portes plus loin. J'ai marché jusque-là. Collé mon oreille au battant. Pas un bruit, à part un très léger ronflement. J'ai hésité, mais je savais que leur porte ne grinçait pas, aussi l'ai-je ouverte. J'ai contemplé leurs deux visages endormis dans la faible clarté qui venait de la fenêtre. L'un paisible et sans expression (Liv), l'autre (France) sourcils froncés, tourmenté jusque dans son sommeil, donnant l'impression que, dans ses rêves, elle luttait contre quelque ennemi intérieur. J'ai écouté leurs respirations, et j'ai refermé la porte.

Quand j'étais rentré après avoir attendu Charlie dans le passage, Liv m'avait demandé où j'étais passé. Il y avait une nuance de méfiance dans sa voix. Et, clairement, dans ses yeux, du soupçon.

L'escalier…

Mes orteils nus sur le tapis ; le miroir au-dessus de la cheminée a capturé mon reflet en train de descendre les marches.

Le grand séjour baignait dans une pénombre laiteuse à cause du brouillard plaqué contre les vitres. On aurait dit du coton. Le pinceau de la torche a glissé sur les murs, faisant naître de grandes ombres dans les coins.

J'ai traversé silencieusement le séjour, jusqu'au couloir qui mène à leurs bureaux, tandis que le pinceau du phare passait sur le mobilier et les murs. Pour la deuxième fois en quelques jours, je suis entré dans celui de Liv, où se trouve le meuble à tiroirs métallique dans lequel elles classent tous leurs papiers. J'avais l'intention de le fouiller plus méthodiquement, cette fois. En entrant, je n'ai pas allumé le plafonnier ni la lampe en verre multicolore posée sur l'antiquité qui lui sert de table de travail ; j'ai deviné la forme sombre du sorbier derrière les lames des stores et les langues de brume qui léchaient la vitre.

Le tiroir a grincé faiblement quand je l'ai ouvert. J'ai plongé le faisceau de ma torche à l'intérieur comme un dentiste examinant une bouche aux dents cariées et j'ai commencé à passer en revue les dossiers suspendus. Je ne sais pas ce que je cherchais, au juste. Si, dans les films, ceux qui font ça sont dotés d'un instinct très sûr ou d'une chance insolente, ce ne fut pas mon cas. Je passai l'heure suivante à sortir des chemises, à examiner la paperasse qu'elles contenaient. Pour que dalle. Factures de téléphone, d'électricité, de bois, de la société de surveillance, réservations de clients pour l'année prochaine, comptabilité du *bed and breakfast*, relevés de banque… Je tâtonnais dans le brouillard, à la recherche d'une chose dont j'ignorais la nature, mais dont je supposais que, quand je le verrais, je comprendrais l'importance… Sauf qu'il n'y avait rien de tel dans ces tiroirs. À part une grande enveloppe scellée et sans inscription, mais je n'avais pas le temps de l'ouvrir et de la recoller ensuite. J'ai refermé les tiroirs et je me suis approché du vieux bureau.

S'il y avait quelque chose, ce devait être ici, dans cette pièce, me suis-je dit.

J'ai glissé les doigts sous le sous-main en cuir. Rien. Ouvert les trois petits tiroirs sur le côté. Rien. Puis le tiroir central. Des stylos, des enveloppes, des trombones, une paire de ciseaux, une agrafeuse.

À tout hasard, j'ai passé la main sous le panneau supérieur, au-dessus du tiroir, comme ils font dans les films. Faut croire qu'on regardait les mêmes : j'ai senti un objet sous mes doigts, accroché avec du ruban adhésif.

Ça m'a presque fait sourire. La façon dont le cinéma nous a conditionnés.

Cette clé planquée là : du pur cinoche.

Je l'ai détachée, tout doucement – en espérant que le ruban voudrait bien adhérer de nouveau après ça.

Je l'ai examinée dans la lueur de la torche.

J'étais sûr qu'elle n'ouvrait aucune serrure de la maison. C'était une clé de cadenas. Une grosse clé pour un gros cadenas.

Mais pour ouvrir quoi ? Cette clé, c'était une impasse sans la serrure qui allait avec. Il n'y avait aucune marque dessus ; rien qui pût m'aiguiller d'une manière ou d'une autre.

Les factures, ai-je pensé.

J'avais peut-être laissé passer un truc mais, maintenant, je savais ce que je cherchais.

Un box ou un garde-meubles.

Tout à coup, j'ai repensé à un logo que j'avais aperçu en haut d'une feuille agrafée, à la dernière page des factures de la société de surveillance. Ce logo représentait un phare… Et ce phare, je l'avais déjà vu : sur des panneaux publicitaires au bord des routes, sur le continent. C'était le symbole d'une chaîne de garde-meubles dont les entrepôts et les box étaient généralement installés le long des routes principales, surtout en bordure de la Highway 5.

Je suis retourné à l'armoire métallique.

À ce moment, j'ai entendu le plancher grincer à l'étage au-dessus. J'avais allumé la lumière, vu que les piles de la torche avaient rendu l'âme au bout de dix minutes. Je me suis dépêché de tourner l'interrupteur et j'ai guetté les pas à l'étage, dans le noir, le cœur battant. Le pinceau du phare continuait de frapper la fenêtre à intervalles réguliers, zébrant les murs et le mobilier à travers les stores, avant que tout ne retombe dans l'obscurité, puis que la lueur ne revienne, comme un stroboscope fonctionnant au ralenti. Ce vieux phare m'a toujours fait penser aux pulsations d'un cœur. Le cœur lumineux de l'île… Puis quelqu'un a tiré la chasse et est retourné se coucher.

J'ai rouvert le tiroir du haut le plus doucement possible, pour éviter qu'il ne grince, retrouvé la chemise avec les factures. Le feuillet était bien là, épinglé à la fin. Avec son symbole. La société d'entreposage s'appelait Pacific Storage. J'ai fait glisser un doigt sur les lignes : le contrat avait été signé au nom de Liv Myers, pour un box de cinq pieds sur dix – soit environ un mètre cinquante sur trois. Situé sur Evergreen Way à Everett. Il y avait un miniplan en haut à gauche de la page : l'endroit se trouvait à moins de deux kilomètres d'une sortie de la Highway 5 – que France empruntait pour se rendre à son travail à Redmond.

Tout à coup, un grand frisson m'a électrisé et la chair de poule a hérissé ma peau sous le mince tissu du pyjama et celui, plus épais, de la robe de chambre. Cette clé cachée et ce box ne me disaient rien qui vaille. S'il s'était agi d'entreposer tout ce que nous avions emporté en venant du Texas, pourquoi planquer la clé de cette façon ?

C'était France que la mère de Charlie avait aperçue en pleine nuit retirant une enveloppe d'une poubelle d'East Harbor (comme dans le récit de Darrell, soit dit en passant) mais le box, lui, était au nom de Liv. J'ai envisagé l'hypothèse que mes deux mamans soient les maîtres chanteurs et elle m'a paru aussitôt si absurde, si grotesque que je l'ai repoussée.

Il y avait forcément une autre explication.

Et celle-ci devait se trouver dans le box n° 181 de l'entrepôt Pacific Storage situé sur Evergreen Way, à Everett, État de Washington. J'ai tout remis en place, éteint la lumière, puis je suis remonté. En passant à pas de loup devant la chambre de mes mères, la clé serrée dans ma paume, j'ai pensé à ce garde-meubles.

Je n'avais pas le choix, je ne pouvais pas me payer le luxe d'attendre avec la police à mes trousses : je devais me rendre là-bas et en avoir le cœur net… Qui sait quelle vérité j'allais trouver dans ce box ?

J'étais sous la douche et il faisait encore nuit derrière le verre dépoli de la salle de bains quand mon téléphone a sonné. J'ai coupé le jet, je me suis enroulé dans une grande serviette et je suis repassé dans la chambre.

« Allô ?

— Henry ? »

La voix de Charlie. Il avait l'air paniqué. J'ai repensé à notre affrontement dans le passage et je me suis senti mal à l'aise. S'imaginait-il que rien n'avait changé entre nous, que tout allait redevenir comme avant ?

« Qu'est-ce qu'il y a, Charlie ? »

Pendant un instant, j'ai cru qu'il appelait pour s'excuser, qu'il allait me dire qu'il était et serait toujours mon ami, qu'il ne supportait pas cette situation.

« La police a fait une descente chez les Oates hier », a-t-il dit.

Je suis resté silencieux, réfléchissant aux conséquences.

« C'est ton frère qui te l'a dit ?

— Je l'ai entendu en parler au téléphone. Ils ont trouvé l'endroit où ils stockent la came et leur labo, apparemment…

— Les Oates avaient un labo ?

— Qu'est-ce que tu crois ? Y a un os, Henry… » Au ton de sa voix, mes poils se sont hérissés sur mes avant-bras. « Darrell a réussi à leur échapper. Il est dans la nature. Et, à mon avis, il doit être fumasse... »

Je n'avais aucun mal à imaginer ce dont était

capable un Darrell enragé et la perspective n'avait rien de réjouissant. Je me suis souvenu de ses paroles : *« Si je chope ce fils de pute, il va regretter d'avoir été mis au monde par sa catin de mère. Parce que je vais le faire souffrir, et pas qu'un peu : je lui arracherai les yeux avec une cuillère, à ce sac à merde, et après je pisserai dedans, et je ferai des courroies de radiateur avec ses intestins... »* De nouveau, mon corps s'est couvert de chair de poule.

« Tu sais ce qu'il doit croire, le Darrell, en ce moment ? a suggéré Charlie. Que c'est nous qui l'avons balancé, que ça peut pas être une coïncidence… »

Et il a peut-être raison, me suis-je dit. J'ai revu Shane gris, les lèvres tremblantes, au retour, dans le ferry.

« Shane, j'ai dit. C'est sûrement un coup de Shane… Je sais pas ce que le Vieux lui a fait mais je crois que Shane s'est vengé. Il faisait des affaires avec Darrell. Il savait peut-être où se trouvait leur labo…

— Et tu crois vraiment que Darrell va faire la différence entre Shane et nous ? a gémi Charlie. Putain, il va nous mettre tous dans le même sac, voilà ce qu'il va faire ! »

Il y avait des trémolos dans sa voix – comme s'il se retenait de pleurer ou de hurler.

« On est grave dans la merde, Henry ! »

Ah bon ? ai-je pensé. Première nouvelle.

32

Pacific Storage

Noah referma le bouquin qu'il lisait en voyant celle qui s'appelait Liv verrouiller la porte de la maison. À travers le pare-brise, il la vit monter dans la Volvo et quitter l'allée du garage en marche arrière.

La voiture passa devant lui et il mit le contact et déboîta tranquillement : il avait peu de chances de la perdre sur cette île et l'essentiel était de ne pas se faire repérer. Ils roulèrent sans se presser, Reynolds maintenant une distance suffisante pour n'être qu'un point dans le rétroviseur de la Volvo ; puis il l'aperçut qui tournait au loin dans Main Street et descendait vers le port. Il attendit de la voir monter à bord du ferry pour repartir en sens inverse. L'autre mère d'Henry était partie une heure plus tôt pour le continent et son travail, Henry, lui, avait pris le ferry pour le lycée de Pencey Island : Noah en avait pour plusieurs heures de tranquillité.

Il revint se poster à distance de la maison.

C'est le moment.

Pour tout dire, il était un peu nerveux. Ce qu'il s'apprêtait à faire était illégal, même pour lui.

Ça pouvait lui valoir de perdre sa licence. Mais Jay avait été très clair. Et sa rémunération avait triplé depuis qu'il était sur la trace du gosse… Le danger venait des voisins. Si l'un d'eux avertissait le bureau du shérif et que Krueger ou l'un de ses adjoints le prenait la main dans le sac…

Noah chassa cette pensée et descendit de voiture. Le vent soufflait très fort. L'air était humide et il sentait l'océan, mais il ne pleuvait pas.

Après avoir sonné à deux reprises et attendu une minute, tout en surveillant la route déserte, il entra facilement avec son passe. Le bip du système d'alarme lui annonça qu'il avait une poignée de secondes pour saisir le code correct sur le boîtier près de la porte. Il le tapa rapidement, tel qu'il avait vu les deux femmes le faire dans l'objectif de la caméra de surveillance. Il n'était pas tout à fait assuré du dernier chiffre – la visibilité n'était pas bonne – mais, même s'il s'était planté, il aurait donné à l'employé de la société qui l'aurait aussitôt appelé la réponse idoine à la question de sécurité – telle que les équipes de Jay la lui avaient fournie après avoir piraté avec une indécente facilité les ordinateurs de la société en question. Le code était le bon, le bip cessa. Comme prévu, tout était silencieux. Une légère odeur de fleurs dans des vases, de parfum et de cire flottait dans l'air. Une voiture passa sur la route et s'éloigna.

Noah ne perdit pas de temps. Il fit le tour des pièces du rez-de-chaussée, puis monta à l'étage et passa en revue les chambres, celles des clients d'abord, celle des deux mamans ensuite. Il s'attendait à trouver quelques sex-toys dans les tiroirs de la commode, mais il en fut pour ses frais. Pas de fanfreluches non plus, rien de très affriolant, en vérité : des vêtements ordinaires et quelques sous-vêtements sexy, rien de plus… Il repéra ensuite la chambre d'Henry et commença à fouiller méthodiquement mais avec délicatesse tiroirs et placards. Il photographiait chaque emplacement avec un appareil-photo avant de fouiller puis remettait soigneusement les choses en ordre. Il allait vite mais prenait le temps qu'il fallait pour ne rien laisser au hasard. Il savait qu'aujourd'hui où les gens conservent la plupart de leurs souvenirs et de leurs archives dans les entrailles de leurs ordinateurs, les tiroirs recèlent bien moins de secrets qu'auparavant, aussi ne s'attarda-t-il pas outre mesure. Il considéra l'ordinateur portable d'Henry posé sur le bureau. Il aurait tout le loisir d'en explorer le contenu depuis sa voiture, grâce à la connexion wifi de la maison. Inutile de perdre son temps avec ça. Puis il se tourna vers les murs et il éprouva un choc. *Nom de Dieu !* Du sol au plafond, chaque centimètre carré était recouvert par des images sombres et inquiétantes, pleines de couleurs criardes – jaunes, orange, noirs, rouges… ; des physionomies terrifiées, des corps sanglants, des créatures monstrueuses. C'était Halloween vingt-quatre heures sur vingt-quatre dans cette piaule ! Noah frissonna. Il s'assit au bord du lit et songea à l'adolescent qui vivait là. Ce gamin qui avait grandi à l'abri des regards, tandis que son père – l'un des hommes les plus puissants de la nation – le cherchait aux quatre coins du pays. Que savait-il de lui ?

Noah se fit la réflexion qu'il y avait peu de traces du gamin dans la chambre, en dehors des posters de films d'horreur. Comme s'il n'était ici que de manière provisoire. *Qui es-tu, Henry ?* se demanda-t-il. *Qu'est-ce que tu caches derrière ta réserve ?* Il prit des photos du bureau, du lit, des murs, puis ressortit.

Noah redescendit au rez-de-chaussée et se dirigea vers le meuble-classeur métallique qu'il avait repéré grâce à la caméra de surveillance. Il ouvrit le premier tiroir. Des dossiers suspendus…

Il consulta sa montre. Tout le monde avait pris le ferry, soit, mais il ne voulait pas tenter le diable. Il n'avait pas étudié les habitudes des deux lesbiennes suffisamment longtemps pour être sûr que personne ne pouvait débarquer à l'improviste : une femme de ménage, un client hors saison… Il observa les rangées de dossiers serrés sur les glissières. Les ouvrit un par un, feuilletant les factures, les reçus et les relevés rangés à l'intérieur des chemises, sortant certains documents sur le bureau et les photographiant à l'aide du même appareil extra-plat équipé d'une connexion Bluetooth avant de les remettre en place.

Il sentait au plus profond de lui que la solution était là – ou pas loin. Il avait posé quelques questions sur les deux mères d'Henry et personne sur Glass Island ne semblait connaître leur passé avant leur arrivée sur l'île. Question discrétion, elles auraient pu en remontrer aux gens de la CIA.

Il ne s'attendait pourtant pas à un miracle – rien qu'une petite trace qui le mettrait sur la piste d'une autre trace, et ainsi de suite… Il y en avait toujours… Il suffisait de savoir où regarder. Pourtant, les factures ne lui révélèrent pas grand-chose, à part l'existence d'un box Pacific Storage sur le continent. C'était peut-être de ce côté-là qu'il fallait chercher… Noah était quelqu'un de patient, la patience finissait toujours par payer. C'était la hâte qui faisait commettre des erreurs.

Il referma le meuble, regarda autour de lui. Jusqu'ici, la chasse n'avait pas été très bonne. Il allait ressortir lorsqu'il décida de fouiller le tiroir du haut une deuxième fois. Un détail avait retenu son attention mais, dans sa hâte, il était passé dessus sans s'arrêter. Il le retrouva : une grande enveloppe en papier kraft scellée, sans aucune inscription. Noah la sortit du dossier suspendu dans lequel elle se trouvait et l'examina. Après une seconde d'hésitation, il déchira le rabat, plongea la main à l'intérieur de l'enveloppe et en ramena une liasse de feuillets. Tout d'abord, il se demanda ce qu'il voyait. Des feuilles format A4 ; imprimées et signées. Il approcha l'une d'elles de la lumière. On aurait dit un contrat… Puis il lut plus avant : *« Je n'ai aucune intention ou désir d'être considéré comme un parent légal… »* Il y avait également la raison sociale d'une société dans le coin en haut à gauche, une boîte domiciliée à Los Angeles.

Noah sentit sa respiration s'accélérer d'un coup. Se pouvait-il qu'il tînt entre ses mains la pièce la plus importante du puzzle ?…

Plongé dans ses pensées, il ne prit garde au bruit de moteur que trop tard.

Merde !

Il se dépêcha de remettre le dossier suspendu en place, glissa l'enveloppe sous sa veste et se rua vers le couloir. Alors qu'il débouchait dans le salon et s'apprêtait à filer par la porte de derrière, il entendit des talons claquer et vit une silhouette se profiler à travers le vitrail à gauche de l'entrée. Trop tard ! Une clé fourragea bruyamment dans la serrure, s'interrompit quand la personne de l'autre côté comprit que la porte n'était pas verrouillée et, l'instant d'après, le battant s'ouvrait en grand. La femme blonde apparut et elle écarquilla de grands yeux inquiets en voyant Noah.

Il s'empressa de brandir sa plaque de privé.

« La porte était ouverte, dit-il. J'ai cru qu'il y avait quelqu'un, alors je suis entré et j'ai appelé. Je suis désolé de vous avoir fait peur. »

Puis il se rendit compte que c'était inutile : la mère d'Henry était sourde. Mais elle parut avoir lu sur ses lèvres, car elle saisit un bloc-notes et un stylo sur le comptoir pour les clients, près de l'entrée, et il entendit la pointe griffer le papier – après quoi elle éleva le bloc vers lui :

Je ne vous crois pas.

Il s'efforça d'arborer son sourire le plus innocent mais il se savait peu doué pour ça. « Si, si, je vous assure, c'était ouvert. » Elle le toisait d'un air ouvertement sceptique. À nouveau, le stylo émit son grignotis fébrile :

Que voulez-vous ?

« J'enquête sur la mort de Naomi Sanders, dit-il en articulant avec soin. Je suis journaliste… »

La réponse écorcha rageusement le bloc : *Foutez le camp.*

Il leva les mains. « D'accord. Je m'en vais. »

Il passa devant elle ; elle avait les sourcils froncés, un petit air d'oiseau inquiet et un corps d'échassier – il imagina des os creux, des mouvements lents, une certaine indolence. « Encore désolé. Bonne journée. » Il avait son téléphone portable pendant au bout de son bras gauche, en mode appareil photo… Quand il se retourna pour lui serrer la main – elle refusa de prendre la sienne –, il le déclencha.

Le déclic retentit pour lui seul dans la pièce silencieuse.

Il l'entendit verrouiller la porte derrière lui.

Le grand panneau rouge brillait dans la nuit nuageuse : « PACIFIC STORAGE. 800.44.STORE. 1 $ le premier mois. » Après le lycée, j'avais laissé Charlie, Johnny et Kayla prendre le ferry pour Glass Island et attendu celui pour le continent ; puis j'avais roulé vers le sud sur la 5 jusqu'à la sortie « Mukilteo/Whidbey Island Ferry », à la hauteur d'Everett.

Ensuite vers l'ouest sur la 526, pour emprunter la sortie au bout d'un kilomètre et tourner à gauche au feu, sur l'Evergreen Way.

Au bout de deux autres kilomètres, le phare qui servait de symbole aux succursales Pacific Storage était enfin apparu sur ma droite.

Le phare à l'entrée était un vrai-faux phare, sa lanterne lançant des éclairs vers le ciel nuageux. Un vent violent soufflait quand je me suis garé sur le parking devant l'accueil. Il faisait claquer les drapeaux et agitait la rangée d'arbustes rabougris ; il était chargé d'humidité mais il ne pleuvait pas.

Le jeune mec derrière le comptoir – à peine plus vieux que moi – avait l'air de s'emmerder comme un rat mort. Il a levé ses yeux ensommeillés et rouges de son smartphone. J'ai posé la clé et la facture sur le comptoir sans rien dire à part « Salut ». Il s'est tourné vers l'écran de l'ordinateur, a pianoté un truc, m'a regardé.

« Ce box n'est pas à votre nom et ce n'est pas votre photo d'identité là-dessus, a-t-il fait remarquer d'un ton suspicieux.

— Il est au nom de Liv Myers, j'ai dit. C'est ma mère. C'est elle qui m'envoie. Voici la clé du box et la facture. Appelez-la si vous voulez, vous avez son numéro. »

Il a hésité, bâillé et une immense paresse l'a envahi.

« Non. C'est bon. »

Il a appuyé sur un bouton derrière le comptoir et j'ai entendu le moteur du portail se mettre en route dans mon dos.

« Vous pouvez me montrer où c'est ? »

Il a eu un petit rictus – il aurait sans doute préféré continuer à envoyer ses textos. « Bien sûr, mon pote… C'est un box de cinq pieds sur dix, c'est ça ? » J'ai acquiescé. On est ressortis ; nous avons franchi le portail et il m'a montré un bâtiment bas immédiatement après, avec une porte en fer.

« Tu prends ce couloir. Les petits box sont là. Le tien doit se trouver vers le fond. »

Il s'est dépêché de retourner à ses textos.

J'ai franchi la porte. Le couloir était étroit, éclairé au néon. Assez curieusement, les murs étaient peints en noir et les portes d'un gris sombre – de sorte que la lumière des tubes fluorescents, déjà faiblarde, était presque entièrement absorbée et qu'une pénombre désagréable régnait tout le long de ce boyau. Sur chaque porte, une grosse clenche en métal fermée par un cadenas.

Le box 181 était l'avant-dernier dans la rangée de

gauche, après un carrefour d'où partait un deuxième couloir à angle droit.

J'étais seul là-dedans…

Je pouvais entendre les battements de mon cœur et, quelque part dehors, étouffés, les aboiements d'un chien.

Mon téléphone indiquait 17 h 39. J'avais envoyé un texto à mes mamans pour leur dire que je restais faire mes devoirs chez Charlie.

J'ai marché jusqu'à la porte, mes pas réverbérés par l'écho ; je me suis immobilisé devant.

Ma main était glissante de sueur quand j'ai introduit la clé trapue dans le cadenas. Je n'y avais pas pris garde jusqu'alors, mais mes aisselles aussi étaient humides, sous mon tee-shirt et ma polaire.

J'ai inspiré un bon coup.

Tiré sur la clenche.

Puis j'ai attrapé la poignée et j'ai remonté la porte, qui a couiné en s'enroulant.

J'ai tâtonné dans l'ombre à la recherche d'un interrupteur et la lumière d'un néon a éclaboussé le réduit. Un vrai capharnaüm… Comme si une vie entière avait été entassée là, j'ai vu :

— un tas de chaises en osier empilées sens dessus dessous ;

— des coussins aux motifs bizarres ;

— des lampes à abat-jour emballées dans du papier à bulles transparent ;

— des jouets ;

— une imprimante ;

— un congélateur ;

— un terrarium dans lequel subsistaient un peu de substrat et quelques fausses fougères ;

— un étui à violoncelle couvert d'éraflures et d'autocollants, un ballon de football, un casque de moto rouge et même un mannequin qui donnait l'impression d'être mort prisonnier au cœur de ce bric-à-brac…

Une partie de l'espace était occupée par des cartons empilés contre le mur de gauche.

Quelque part à l'extérieur, une voiture a klaxonné.

J'ai écarté les toiles d'araignée qui peuplaient l'espace vacant et elles se sont enroulées, gluantes, autour de ma main, comme un voile de mariée – ou de veuve. J'ai attrapé le premier carton, celui tout en haut de la pile, l'ai déposé sur le sol en ciment à l'extérieur.

Je ne sais pourquoi mon visage était couvert d'une pellicule de sueur, fraîche dans les courants d'air.

Je l'ai essuyée avec ma manche.

En ouvrant le carton, accroupi dans l'allée centrale, j'ai entendu la porte métallique émettre un bruit rouillé.

Un type a fait son entrée. Myope. En salopette.

Il a marché dans ma direction, puis s'est arrêté et a glissé sa clé dans un cadenas, à cinq mètres de distance.

J'ai plongé la main dans le carton.

Des photos, parfois encadrées, parfois non. Des photos de Liv et de France plus jeunes, des photos de moi…

La porte du type s'est enroulée bruyamment. Après quoi, il a remué ciel et terre dans son box, à cinq mètres de là, et j'ai entendu une série de chocs violents et de coups plus sourds et même le bruit d'un objet qui tombait et se brisait.

« Fait chier ! Saloperie de bordel de merde ! »

J'ai reporté mon attention sur les photos, le cœur

serré. Je n'avais presque aucun souvenir des moments heureux qu'elles avaient immortalisés : car il y avait à l'évidence du bonheur dans ces regards et ces sourires. Un bonheur simple. À commencer par le mien. J'ai dix ans et je pose devant le requin des studios Universal, assis dans le wagonnet de l'attraction, près de France. J'ai sept ou huit ans et je me baigne dans une piscine – la nôtre ? – tandis que maman France bronze, lunettes noires sur le nez, un roman de Clive Barker dans les mains. Le même âge ou presque et c'est Noël devant le sapin, mes deux mamans en pyjama agenouillées autour de moi (qui a pris cette photo, je n'en ai aucun souvenir). Une longue route droite sous un soleil de plomb, à travers un pare-brise poussiéreux, maman Liv au volant ; je suis assis à côté d'elle et je me retourne vers l'objectif à l'arrière pour faire le clown, des lunettes trop grandes sur le bout du nez, un chapeau de dame enfoncé jusqu'aux sourcils (cette expédition-là, je m'en souviens : nous avions quitté Los Angeles par l'est, à travers le désert).

Un autre Noël sous la neige – où ça ? dans le Vermont ? l'Oregon ? tant de lieux… – et un bonhomme de neige qui, au lieu d'un balai, tient un bandonéon devant la véranda d'un petit pavillon sans prétention…

Au bout d'un moment, j'ai senti mes yeux s'embuer.

J'ai soudain regretté d'avoir de la compagnie dans ce couloir.

J'aurais voulu être seul avec mes souvenirs, sortis un par un du carton, comme le génie de sa lampe.

Mais le type là-bas s'agitait comme un lion en cage, en proie à une sorte d'hystérie. On aurait dit que Hulk venait de se réveiller dans un cagibi…

J'ai continué à fixer les photographies – ces témoignages d'une enfance heureuse. Heureuse : vraiment ? Existe-t-il témoignage plus mensonger que celui d'une photographie ? Plus je les scrutais, plus j'avais l'impression de voir autre chose dans ces souvenirs : un petit garçon qui jouait, qui s'amusait, mais qui avait toujours un air triste. Parce que au fond de lui, il savait que la situation n'était pas ce qu'elle aurait dû être. Il l'avait toujours su, ce petit garçon – je m'en rendais compte à présent –, il avait toujours su que sa mère n'était pas une de ces femmes, qu'elles avaient pris sa place, qu'elles jouaient son rôle mais qu'elles ne la remplaceraient jamais.

Les larmes se sont mises à couler sur mes joues.

Il savait pertinemment, au tréfonds de son être, qu'il était un orphelin, un enfant adopté, un petit être *déplacé*… Il le savait d'instinct, comme un animal sauvage, qui feint d'être domestiqué mais qui n'en oublie pas pour autant la liberté d'antan.

J'ai remis les photos dans le carton, je suis passé au suivant.

Il ne contenait aucune révélation, rien que de la paperasse semblable à celle que renfermait le meuble métallique à la maison, seulement plus ancienne.

Idem pour le suivant.

C'est au quatrième que c'est arrivé.

Dès que je l'ai ouvert, j'ai tout de suite su de quoi il retournait.

Des enveloppes… Bien rembourrées… Mes doigts se sont mis à trembler quand j'ai entrouvert la première.

Et ce que je craignais par-dessus tout est apparu : des billets de banque…

Oh, merde.

J'ai eu un début de vertige, de nausée.

Oh, non – non, non, pas elles – oh, Seigneur, non…

En même temps, j'ai noté autre chose : une odeur. Je me suis penché pour renifler les billets. Ça venait bien de là. Ils empestaient le tabac.

J'ai soudain pris conscience du fait que le bruit avait cessé, là-bas, que le silence régnait dans le couloir – et ce constat m'a fait sursauter.

À genoux sur le sol de ciment, je me suis tourné dans la direction du type…

Mon cœur a fait un bond dans ma poitrine.

Il n'était pas dans son box mais juste derrière moi, *au-dessus de moi*. J'ai levé les yeux ; sa haute silhouette occultait la lumière éblouissante de la rangée de néons. Visage incliné, il me fixait.

« T'as pas un tournevis ? »

J'ai fait non de la tête ; il s'est barré sans un mot de plus.

Est-ce qu'il avait vu les billets ? Quelle importance ? Ce n'était pas mon fric de toute façon ; c'était du fric qui puait, je n'en voulais pas. Il pouvait bien le faucher, si ça lui chantait.

Mais s'il avertissait la police ? J'ai attrapé le carton et j'ai refermé le box. Puis j'ai remonté le couloir en direction de la sortie. Le type m'a regardé passer derrière ses lunettes. Quand j'ai émergé à l'air libre, les premières gouttes avaient commencé à tomber, grosses et froides comme des glaçons fondus.

Elles ont roulé sur mes joues – en même temps que mes larmes.

33

Le phare

Augustine était penché sur la jeune femme, le visage écarlate. Elle haletait, remontant les genoux, ses talons transparents calés sur les coussins du sofa ; Grant avait les doigts en elle. Son sexe ruisselait, il sentait la chaleur émanant de son ventre quand on tambourina à la porte de la suite Thomas Jefferson. *Merde !…* Grant enfonça ses doigts plus avant. Sur le sofa, la jeune femme se cambra, creusa les reins. Les pans de sa chemise flottant sur ses cuisses, elle émit un gémissement rauque. Elle s'accrocha à lui d'un geste brusque, le retenant.

Le poing martela de nouveau le battant.

Augustine retira ses doigts. Il attrapa le linge blanc posé sur le seau à champagne, trempa les doigts dans la glace et s'essuya la main.

« J'arrive ! »

Il traversa le living et le hall d'entrée, déverrouilla la porte. Jay était dans le couloir. Ils se regardèrent. Sans un mot.

« Entre », dit Grant.

La fille avait filé dans la chambre. Jay s'immobilisa, les narines dilatées : « Mia est là ? » Grant opina. « Dis-lui de dégager. » Augustine contourna le piano à queue, passa par le petit bureau-bibliothèque et disparut dans la chambre principale. Une minute plus tard, une jeune femme noire, splendide et provocante, perchée sur des talons transparents Ferragamo de vingt centimètres et sanglée dans un tailleur-pantalon à rayures, passait devant Jay.

« Bonjour, Jay, dit Mia.

— Salut, Mia. »

Augustine referma la porte de la suite derrière elle.

« Putain… », commença Jay.

Grant éleva les mains en un geste d'excuse.

« Je sais…

— Plus que six jours avant l'élection, merde !

— C'est bon, Jay… » Le ton indiquait que cette conversation était close. Jay se tut. « Qu'est-ce qui t'amène ? »

Son adjoint sortit son téléphone portable, le lui tendit. Grant détailla l'image qui s'affichait sur l'écran : une femme blonde dans la quarantaine, jolie, silhouette longiligne, sourcils froncés et air inquiet.

« Qui est-ce ? »

Jay le lui dit.

« Tu dis que c'est l'une des mères de mon fils ?

— Elle s'appelle France.

— En tout cas, ça n'est pas Meredith, trancha Grant.

— Elle a pu avoir recours à la chirurgie esthétique… On peut tout faire avec la chirurgie, de nos jours. Et la taille correspond… »

Grant secoua la tête.

« Ce n'est pas elle, Jay. Même la chirurgie ne peut pas *tout* changer à ce point. Regarde-la bien… L'allure générale, la forme du visage… Rien ne correspond. Rien. Ça ne peut pas être elle, c'est impossible. »

Jay acquiesça.

« C'est aussi le sentiment que j'ai eu, admit-il.

— Et l'autre ?

— Liv Myers ? Brune, aussi large qu'un Hummer, un mètre cinquante-quatre… Il aurait fallu que Meredith se fasse amputer au-dessous des genoux… »

Grant ne trouva pas la plaisanterie à son goût. Il tira la bouteille hors du seau, s'approcha de l'un des balcons. L'obélisque éclairé du Washington Monument, les toits de la Maison-Blanche, le flot de lumière de la ville sous le ciel étoilé – il ne se lassait jamais de ce panorama. Le sabbat de la circulation sur la 16e Rue montait par les portes-fenêtres, ouvertes malgré le froid.

« Si ce n'est pas elle, Jay, alors où elle se terre ?

— On va la trouver… Toute la population de l'île est sous surveillance. Et on surveille chaque fait et geste de ses mamans. On va la trouver…

— Et Henry ?

— On a mis une balise sur sa bagnole. C'est bizarre. Il semble qu'il se soit rendu ce soir dans un garde-meubles d'Everett, au nord de Seattle.

— Pour quoi faire ?

— Ça, on ne le sait pas encore. Mais Reynolds espionne toutes leurs conversations et a accès à leurs caméras de surveillance… On examine aussi toutes les métadonnées, un logiciel est en train de les passer au crible, de tout reconstituer. On est en train de terminer le puzzle, c'est une question de jours.

— Beau boulot, Jay. Rentre chez toi maintenant. Va te reposer…

— Pas question que Mia dorme ici cette nuit, d'accord ? »

Grant fit un signe affirmatif. Jay s'en alla. Grant alla prendre un livre intitulé *Révolution* sur le petit bureau. À en croire les historiens, Thomas Jefferson aimait le vin, la musique, les livres, les sciences et les arts. Il correspondait avec des scientifiques du monde entier, se passionnait pour l'architecture (il avait dessiné le Capitole de Richmond avec l'aide d'un architecte français), l'œnologie, l'horticulture, la géographie, les mathématiques, il inventa ou améliora tout un tas d'instruments – dont une machine à crypter les messages ! –, préconisait la séparation de l'Église et de l'État, mais c'était aussi un vrai Machiavel avec ses adversaires… Putain, quel mec ! En portant sa coupe à ses lèvres, Grant se demanda ce qu'il aurait pensé des hommes politiques d'aujourd'hui – ces singes lubriques, démagogues, stupides et vénaux. Probable qu'il en aurait pleuré. Mais ce qui fascinait le plus Grant, c'est que Jefferson avait une maîtresse noire. Il ne l'avait jamais émancipée, mais il avait émancipé deux de ses fils et les tests ADN effectués sur la descendance de la jeune femme avaient prouvé qu'un certain Eston Hemings était bien le fils de l'ancien président et de l'esclave noire.

Un enfant…

Sacré Thomas, murmura Grant en élevant sa coupe vers les toiles accrochées aux murs.

Il sortit son téléphone, composa le numéro auquel ne correspondait aucun nom.

« C'est bon, dit-il. Tu peux remonter… Mais tu ne restes pas cette nuit. »

Quinze minutes plus tard (il sourit : elle avait pris son temps), on frappa à la porte.

« C'est ouvert !

— Où es-tu ?

— Dans la chambre ! »

Il la vit apparaître sur le seuil, impériale, aussi belle que le péché.

« Ton Hill Bee était bon ? »

C'était le cocktail préféré de Mia quand elle venait ici. Elle s'approcha de lui, se pencha.

« Goûte… »

Elle fourra sa langue dans la bouche de Grant. Un goût sucré et acidulé en même temps, avec un arrière-plan de gin.

« Appelle-moi Thomas… », dit-il.

Elle le gifla très fort.

« Espèce de connard, tu crois que je ne sais pas où on est ? »

Il sourit. Mia étudiait les sciences politiques à Harvard. Elle était major de sa promo.

Noah regagna sa chambre d'hôtel. Des bouts de papier, des Post-it, des articles de presse et des clichés scotchés un peu partout. Il s'était également procuré un tableau blanc, sur lequel il avait dessiné un schéma au marqueur. On se serait cru dans une salle de rédaction.

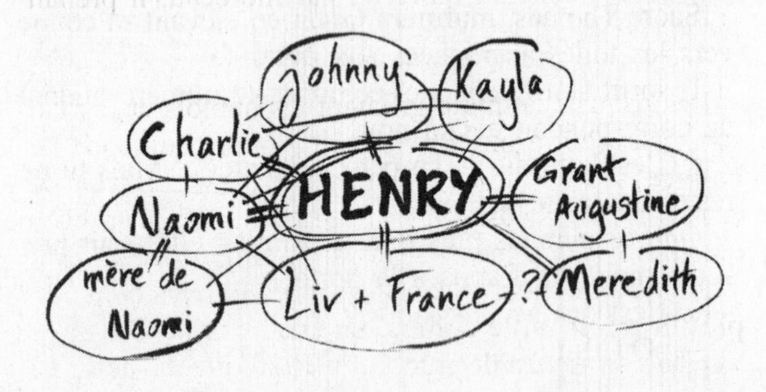

Il fixa le tableau, se servit un jus d'orange dans le minibar, s'approcha de la baie vitrée et sortit sur le balcon. Dans la marina, les haubans cliquetaient et les lampes le long des pontons étaient comme des îles dans le brouillard. Un ou deux détails le troublaient. Une zone d'ombre, un accroc dans le tissu. Il songeait à cette enveloppe scellée qu'il avait trouvée chez Henry... Au contrat qu'elle contenait... Qui était l'individu dont le nom de code était 5025 EX ? Il n'allait pas être facile de le retrouver dans une métropole comme Los Angeles, mais il avait au moins une adresse par où commencer : celle de la société qui figurait sur le contrat. Même si elle était vieille de dix ans.

Et il y avait le sentiment qu'il avait éprouvé dans la chambre d'Henry : cette impression que le gamin n'était pas là, que la chambre n'était pas vraiment la sienne – à peine plus qu'une chambre d'hôtel qu'on aménage provisoirement avec quelques objets personnels.

Il regarda la baie. Le brouillard n'allait pas tarder à se lever ; il commençait à distinguer un dessin au travers – lentement, morceau par morceau, il prenait forme.

Les paquets de pluie giflaient les hublots et le pont supérieur était à moitié vide. Huit heures du soir. Le barman avait l'air de s'emmerder grave. J'avais le carton à mes pieds, sous la table. Putain, la tronche qu'auraient faite mes voisins s'ils avaient su ce qu'il y avait à l'intérieur ! Dans la voiture, j'avais compté : plus de vingt mille dollars, en coupures de dix et de vingt… Et probable que ce n'était que la dernière récolte. Elles ne pouvaient tout de même pas débarquer à la banque tous les mois avec des liasses de billets ; elles avaient dû trouver un moyen d'écouler tout cet argent…

Mes mamans faisant chanter l'île…

Impossible.

Et pourtant, je devais me rendre à l'évidence : toutes les preuves étaient là, sous mes yeux. Depuis combien de temps ? Combien de victimes de leurs agissements ? Y avait-il d'autres choses qu'elles m'avaient cachées ? Oh que oui, j'en connaissais au moins une : l'identité de mon père.

Qui étaient-elles ?

Je veux dire : qui étaient-elles *vraiment* ? Je commençais à douter de tout de ce que j'avais su jusqu'alors. Même mes souvenirs : on pouvait très facilement fabriquer des souvenirs à quelqu'un en lui répétant tous les jours les mêmes histoires pendant son adolescence – jusqu'à ce qu'il croie réellement avoir vécu ce qu'on lui raconte… Il me semblait me rappeler qu'à neuf ans j'avais porté un autre nom. Miles ou Myles… Était-ce un fantasme ? Qui n'a pas douté de ses souvenirs, de leur authenticité ? Qui ne s'est jamais demandé dans quelle proportion il les a *arrangés*, embellis ? Nous sommes tous des menteurs. Nous déguisons, nous falsifions, nous modifions, nous comblons les vides. Nous sommes tous des mythomanes ; il n'y a que le degré de mythomanie qui change. Est-ce que toute ma vie jusqu'ici, telle que je vous l'ai racontée, n'était qu'un mensonge ? Me restait-il une chose à laquelle me raccrocher ? Charlie… J'en avais voulu à Charlie de m'avoir envoyé ce message : *elles mentent* – mais c'était en vouloir au médecin pour son diagnostic. Charlie avait voulu m'avertir, me mettre en garde. Charlie était, quoi que j'en dise, mon meilleur ami. Si je ne pouvais plus faire confiance à mes mamans, du moins le pouvais-je encore à mes amis, *mes semblables, mes frères*…

Comme si mes pensées étaient parvenues jusqu'à lui, mon portable a bourdonné dans ma poche à ce moment précis et je l'ai sorti. C'était lui, Charlie. J'ai fait glisser le bouton vert sur la droite.

« Charlie ?

— Henry… Oh, Henry, oh, putain, Henry… (Il sanglotait carrément, à l'autre bout.) Oh, Henry, mon pote, je suis dans le caca ! Il… il faut que tu viennes… C'est ce qu'il a dit… Oh, merde, merde, Henry…

— Charlie, qu'est-ce qu'il y a ? Qui a dit quoi ? Je ne comprends rien ! De *qui* tu parles ?

— *Darrell*… Oh, Henry, pardonne-moi, mon frère… par… »

Le téléphone lui a été arraché des mains.

« Salut, Henry, mon pote. »

Mon sang s'est changé en glace : la voix de Darrell.

« Darrell ?

— Pas Darrell, petit enculé ! *Monsieur* Oates…

— Euh… oui…

— J'ai rien entendu.

— *Monsieur... Oates*…

— Vous avez essayé de nous baiser, tes copains et toi, Henry-joli… »

J'ai cherché un truc à dire mais quoi : *C'est pas nous, c'est Shane ?*

« Z'avez voulu jouer au plus fin…

— C'est pas nous, Da… monsieur Oates…

— Me baratine pas, p'tit con ! Essaie pas de

m'embrouiller ! » Il avait hurlé. Sa voix était hystérique. Je me suis tu. Durant un moment, personne n'a parlé. Puis il a paru recouvrer son calme, sa voix s'est faite douce et glaciale.

« Tu fermes ta gueule et tu écoutes maintenant, t'entends ?

— Oui.

— Sinon ton pote, là, il va crever. Tu piges ? »

J'ai entendu Charlie gémir tout près. Et aussi le bruit des vagues.

« J'ai compris, oui.

— Bien. T'es où, connard ?

— Sur le ferry, je rentre.

— Combien de temps ?

— On arrive dans un quart d'heure… à peu près.

— Très bien. Il te reste une chance de sauver ton copain. Une seule. Tu piges ?

— Oui.

— Alors, voilà c'que tu vas faire… »

Il a ménagé une petite pause dramatique, comme on dit au théâtre, puis :

« Tu vas rouler jusqu'au phare, tu vas garer ta voiture en bas et tu vas monter là-haut, t'as compris ?

— Oui. J'ai compris.

— Répète… »

J'ai répété.

« Et t'avise pas de prévenir les keufs. Parce que si j'entends la moindre sirène, je balance ton pote dans le vide, t'entends ? Je le pousse en bas. Parce que j'ai plus rien à perdre, moi… plus rien à perdre, putain… *grâce à vous*… »

Un long frisson m'a parcouru. Son ton était sépulcral, définitif, implacable.

« J'arrive, j'ai dit, de la glace dans les veines. Ne lui faites rien… *s'il vous plaît.* »
Il a raccroché sans répondre.

La mer était grosse ; les vagues entraient dans le port quand on a accosté. Le vent soufflait de plus en plus fort, la pluie transformait les rues en ruisseaux ; j'ai remonté Main Street bien trop vite – heureusement, aucune voiture du shérif ne traînait dans le coin – jusqu'au carrefour. J'ai aperçu la façade du Ken's Store & Grille à travers les averses, puis j'ai tourné dans Eureka Street, comme si je rentrais chez moi, mais, au lieu de ça, j'ai foncé droit vers le nord, les battements rapides des essuie-glaces accompagnant ceux de mon cœur.

Le téléphone. Il tira Jay de son sommeil. Les basses du club voisin pulsaient à travers les murs. Il se tourna dans son sac de couchage posé sur un matelas, à même le sol, et tendit le bras pour attraper l'appareil qui vibrait sur le plancher.
« Ouais ?
— M'sieur Szymanski ? »
Jay reconnut la voix d'un des jeunes gars qui travaillaient dans la nouvelle cellule.
Il regarda le réveil. Vingt-trois heures trente. Fut aussitôt en alerte.
« Qu'est-ce qu'il y a ?
— Il se passe un truc pas clair, vous devriez peut-être venir voir…
— Quel genre de truc ?
— Henry, on dirait qu'il a des ennuis… »
Jay se redressa. Il n'y avait pas de rideaux aux

fenêtres. La lueur des néons du restaurant vietnamien au-dessous traversait les vitres. Elle peignait les murs de couleurs criardes. Des voix montaient de la rue, celles des nombreux étudiants en goguette sur la 18e Rue.

« Quel genre d'ennuis ?

— Il a reçu un coup de fil bizarre il y a moins d'une demi-heure…

— Une demi-heure ? » releva Jay.

Il calcula. Il était 20 h 30, heure du Pacifique, là-bas, sur Glass Island.

« Euh, oui… J'étais sorti me chercher un Coca… Quand je suis revenu, j'ai vérifié s'il y avait eu une activité pendant mon absence et il y avait cet appel… Je vous le fais écouter ?

— Vas-y. »

Le front de Jay se plissa et ses traits se durcirent. « Bordel ! s'écria-t-il avant même la fin de l'enregistrement. J'arrive ! Prévenez M. Augustine immédiatement ! S'il répond pas, insistez ! »

Jay bondit hors de son sac de couchage, le téléphone à la main. Il chercha le numéro de Reynolds. Un répondeur accueillit son appel.

« Bordel ! » répéta-t-il.

Il se précipita dans la salle de bains, ouvrit grand le robinet d'eau froide du lavabo et passa la tête sous le jet. Il s'habilla en vitesse et attrapa son blouson au vol. Son téléphone se mit à sonner alors qu'il dévalait l'étroit escalier et poussait la porte vitrée donnant sur le trottoir, tout en boutonnant sa chemise. La nuit était fraîche, mais la 18e Rue grouillaient d'étudiants et de touristes entrant ou sortant de Madam's Organ, du club Heaven & Hell ou du Smoke & Barrel.

« Jay ? Tu m'as appelé ?

— Noah ? Il faut que tu fonces au phare ! Oui, le phare de l'île, à Limestone Point… Sans délai ! Je t'expliquerai dans la voiture… FONCE ! Et appelle-moi dès que t'es en route !

— Hein ?… OK, OK ! J'y vais, je te rappelle ! »

Jay tourna sur lui-même. Des voix, des rires, des cris, des voitures qui passaient en klaxonnant : putain de quartier… Il s'était plu ici dix ans auparavant. Mais plus maintenant. Un étudiant ivre le heurta. Jay le repoussa violemment et l'étudiant s'écroula par terre. « Hé ! » cria la fille qui l'accompagnait. Il ne prêta pas la moindre attention à ses vociférations scandalisées, pénétra dans le restaurant vietnamien, traversa la salle. « Phong, prépare-moi un de ces cafés dont tu as le secret ! Magne ! Ça urge ! »

Je fonçais dans la nuit ; les branches basses des sapins, muraille verte, compacte et détrempée, défilaient dans la clarté des phares. J'ai fait irruption sur le littoral nord. Le chaos de la mer et des rochers en contrebas, le bruit du ressac, le dessin tourmenté, plein de caps et de criques, de la côte à cet endroit.

Sa lueur au loin, au-delà des arbres – mais je ne le voyais pas encore…

Un dernier virage, j'ai contourné les bois et il est apparu : c'était un de ces phares blancs typiques comme on en voit tout le long des côtes de Californie, de l'Oregon et de l'État de Washington : mince, élancé, avec une plate-forme métallique à son sommet sur laquelle reposait une lanterne dans une guérite peinte en rouge. Il y avait aussi une petite maison inhabitée depuis perpète. Je roulais bien trop vite.

À cause de ce temps de chien, tout était flou, brumeux, plein de lueurs et de couleurs qui bavaient les unes dans les autres.

J'ai foncé et freiné, dérapé en me garant, soulevant une gerbe de gravillons au bord de la route. J'ai bondi hors de la voiture et couru. En une seconde de pure folie, mon regard a embrassé tous les détails : l'énorme pinceau du phare creusant un tunnel de lumière à son sommet, à travers les nuages, l'océan déchaîné se ruant sur les rochers comme un boxeur ivre de coups, les geysers d'écume, les cris des oiseaux de mer hystériques, et surtout, surtout, Charlie attaché au garde-fou, tout là-haut, face au vide, *à l'extérieur*…

De là où j'étais, je voyais la pointe de ses chaussures qui dépassaient de la plate-forme.

« Henryyyyy ! » a-t-il hurlé.

Pas de monstrueux 4 × 4 Super Duty en vue. J'ignorais comment Darrell s'était démerdé pour rejoindre l'île incognito – peut-être bien par la mer, malgré la tempête. J'ai droppé sur la levée de terre, de sable et de gravier entourée de gros rochers qui mène au phare. La maison et lui sont encerclés par un muret bas. Je l'ai franchi ventre à terre, la porte du phare était ouverte… Pendant un court instant, j'ai pensé au piège que me tendait Darrell. Mais avais-je le choix ? Je ne doutais pas qu'il fût capable de balancer Charlie dans le vide.

Je suis entré.

Les marches : elles s'enroulaient en spirale à l'intérieur et seul un garde-corps métallique qui m'a paru salement mince vous protégeait d'une chute mortelle. Tout là-haut, j'ai vu de la lumière. Mon cœur cognait comme un malade.

J'ai commencé à grimper. Ce putain d'escalier m'a semblé vachement instable, pour tout dire. Ma main agrippait la rambarde mais j'avais l'impression qu'il m'aurait suffi de la secouer un peu pour l'arracher. Dieu jouait de la flûte à bec dans ce tube, car le vent chantait à mes oreilles.

« Monte », a lancé une voix qui m'a serré les couilles.

Je l'ai fait. Je suis parvenu en haut tout essoufflé, la sueur au front. J'ai atteint les dernières marches… Le vertige me collait presque contre le mur, il ramollissait mes jambes. Je n'osais regarder du côté du vide.

Ma tête a émergé à hauteur de la plate-forme.

De là où j'étais, par la porte béante de la cabine, je voyais le dos et la nuque de Charlie, ses bras passés par-dessus le garde-fou et ses poignets attachés aux barreaux de fer rouillés par trois bouts de ficelle dérisoires. La peur, le vertige, la situation : une boule dure obstruait ma gorge, j'étais incapable de déglutir. Le vacarme de l'océan et de la pluie crépitant sur le toit de métal me mettait les nerfs à vif.

« Approche », a dit Darrell.

Charlie ne parlait plus. Il a légèrement tourné la tête et j'ai vu ses traits crispés. Il devait se demander comme moi ce que j'allais faire. Il savait que j'étais son seul espoir et, à sa place, je n'aurais pas parié un dollar sur mes chances de nous sortir de là.

J'ai franchi les deux dernières marches. La plate-forme vibrait légèrement sous mon poids ou à cause du vent. Mon cœur s'est décroché quand j'ai vu le visage de Darrell collé à l'extérieur de la vitre incurvée et crasseuse. Ses petits yeux en amande, limpides et fous, me dévisageaient. Il souriait.

« Viens, a-t-il dit. Viens faire un tour dehors, Henry-joli. »

J'ai fait un pas sur le balcon circulaire, le vent a mugi dans mes tympans.

Au-delà de Charlie, la mer était blanche d'écume, pleine de creux et de bosses ; sa surface montait et descendait, donnant l'impression que c'était la planète tout entière qui se dilatait et se rétractait, se dilatait et se rétractait.

Une peur mortelle s'est emparée de moi. Nous étions si haut – suspendus dans le vide.

« Dehors ! Dehors ! a dit Darrell. Allons, avance ! »

La plate-forme a vibré sous mes pas. J'ai eu l'impression que tout bougeait : le phare, le sol, les murs. Je n'aurais pas été surpris si, tout à coup, le balcon s'était décroché, nous précipitant dans l'abîme hurlant que j'entrevoyais entre les losanges du sol. J'ai senti que tout mon sang refluait vers mes jambes et mes pieds, les vibrations à travers mes semelles ne me rassuraient guère.

Les tripes en vrac, je me suis tourné vers Darrell, à temps pour le voir me foncer dessus et me pousser vers la rambarde en m'empoignant par le col. « Sale petit enculé ! » Il m'a précipité contre la balustrade, mes reins l'ont heurtée violemment. Mon torse s'est dangereusement arc-bouté par-dessus, ma nuque dans le vide, et j'ai ressenti une douleur fulgurante dans la colonne.

La pluie glacée me piquait les yeux, que j'écarquillais de terreur ; elle coulait sur mon crâne et dans mes cheveux.

J'ai hurlé : « Putain, non ! Pas ça ! »

Ses poings serrés sur mon col étaient la seule chose

qui me retenait d'une chute. Il s'est penché vers moi et j'ai pu sentir son haleine qui, derrière les vapeurs d'alcool, évoquait les remugles fétides d'une remontée d'égout ou d'une cave mal entretenue. « Sale fouteur de merde ! Sale petite raclure de merde ! a-t-il répété.

— J'ai rien fait ! Je le jure ! J'ai rien fait ! »

Les vagues explosaient sur les rochers.

Mon sang est entré en ébullition.

Mon cerveau pulsait comme un énorme cœur à l'intérieur de mon crâne, mes pensées se heurtaient à ses parois comme des chauves-souris prises au piège.

« Pitié ! On n'a rien dit ! Je le jure ! »

Une mouette planait en piaillant juste au-dessus de nos têtes. On aurait dit qu'elle l'encourageait à me pousser. Je voyais son petit bec qui s'ouvrait et se refermait et son ventre d'un blanc neigeux.

Et le faisceau du phare – qui incendiait le ciel.

« Tu veux me faire croire que c'est une coïncidence : toi et tes potes qui déboulez chez nous et, quelques jours après, une descente des keufs ? Tu me prends pour un crétin, c'est ça ? »

Avant que j'aie pu dire quoi que ce soit, sa main puissante s'est refermée sur mon épaule gauche et ses doigts ont cherché un point névralgique entre la clavicule et l'omoplate, à la tête de l'humérus. Quand il l'a eu trouvé, il a enfoncé les doigts comme un sculpteur dans l'argile et la douleur a littéralement explosé ; j'ai crié en me ratatinant sur moi-même pour essayer d'échapper à cet étau, à ce feu inhumain.

« C'est pas nous ! Je le jure ! Ahhhhhhhh ! *Arrêtez ça, je vous en suppliiiie !* »

Mais ses doigts continuaient de fouailler ma chair, s'enfonçant toujours plus, exerçant une pression de plus en plus insupportable sur les nerfs et sur les muscles. Putain, je n'avais jamais connu une douleur pareille ! Ses petits yeux en amande brûlaient d'un éclat dément, une lueur psychotique et fiévreuse, tandis qu'il guettait ma réaction. « Tu mens !

— *Nonnnnn !* » Je ne pouvais même pas secouer la tête, tant la souffrance était atroce, sa pression me paralysant tout le haut du thorax. Mes yeux sont sortis de leurs orbites, ils se sont emplis de larmes. Je n'avais même plus peur du vide. Plus rien n'existait que ce feu. Je ne voulais qu'une seule chose : qu'il cesse.

« Je t'avais pourtant prévenu de ne pas m'enculer. »

Je grimaçais, la douleur avait élu domicile dans mon épaule et elle circulait tout le long de mes nerfs comme un courant électrique.

« Je t'avais prévenu, petit merdeux : on ne me baise pas…

— *Va te faire enculer*, ai-je soudain expiré d'une voix presque exsangue.

— Quoi ???

— Va te faire… » Un poing s'est enfoncé dans mon foie comme une masse et, cette fois, j'ai bien cru que toute ma bile allait remonter, mais elle s'est arrêtée à mi-hauteur, tel un ascenseur qui ne dessert que les trente premiers étages. Mon ventre n'était plus qu'une grosse bille douloureuse.

Son visage s'est défait, il a secoué la tête.

« Putain…, a-t-il soufflé, écœuré, en me fixant. Tu crois vraiment que j'ai envie de faire ça ? Que ça m'amuse ?

— Ta mère…, ai-je chevroté entre deux inspirations rauques, paraît qu'elle suce des bites à Newhalem… »

J'ai vu son regard se charger d'incompréhension.

« Quoi ? »

J'avais parlé près de son oreille ; il n'était pas certain de ce qu'il avait entendu. Je ne pouvais pas avoir dit un truc pareil. Pas à Darrell Oates, c'était impossible.

« C'est vrai qu'elle adore les anguilles ?

— Hein ?

— Qu'elle se les fourre dans la chatte ?... »

Son regard a flamboyé, je l'ai vu devenir littéralement dingue.

« *Qu'est-ce que t'as dit ?*

— On dit qu'elle se fait grimper par vos clebs... C'est quoi leur nom, déjà ? Ah ouais, Saddam et Kim Jong... Non : *Bashar* et Kim Jong... Tu parles de noms à la con... aaaHHHHHH ! (Il venait d'appuyer encore plus fort ; bientôt, ses doigts allaient transpercer mon épaule et se rejoindre, il pourrait alors me soulever par la clavicule comme s'il s'agissait d'un cintre...) Il paraît qu'elle se met à quatre pattes... et qu'ils la...

— QU'EST-CE QUE T'AS DIT ?

— Tu... t'as très bien entendu... *Darrell-fils-de-pute... Oates*... Aïeeee... Suce ma bite, connard... »

Il m'a fixé, il semblait déstabilisé.

« Tu caches bien ton jeu », a-t-il lâché.

Il m'a scruté.

« Toi et moi, on est pareils, pas vrai, Henry ? » Il a secoué la tête. « Mais ça fait rien. Tu vas crever quand même, vous allez crever tous les deux... »

Il m'a lâché, livide. Mes poumons ont aspiré l'air humide à grandes goulées, en émettant un bruit rauque de soufflet. J'ai mis les mains sur mes genoux. Il semblait désorienté, ça ne se passait pas du tout comme il l'avait prévu.

« Qui tu vas balancer en premier, Darrell ? » j'ai demandé.

Il a froncé les sourcils, perplexe. Puis, l'espace d'une demi-seconde, il a tourné ses pupilles hallucinées vers Charlie.

« C'est lui qui va crever en premier... Tu vas le regarder tomber... »

Je respirais difficilement. J'avais le torse incliné, le menton baissé.

Je l'ai relevé.

« Ensuite, ce sera... »

La grosse pierre dans ma main l'a frappé de plein fouet à la tempe. Je l'avais ramassée en bas et mise dans ma poche, au pied du phare, profitant des deux secondes où, là-haut sur la plate-forme, il avait disparu de mon champ de vision et moi du sien. J'ai mis tout ce qui me restait de forces, tout mon poids, toute mon énergie désespérée dans le mouvement de balancier de mon bras ; il a vacillé, ébranlé par la violence de l'impact. J'ai vu la surprise agrandir ses yeux en amande, ses yeux limpides et fous, à l'instant où je le frappais une nouvelle fois avec la pierre, en plein sur le pif. Qui a explosé – purement et simplement.

En même temps, pareil à un bélier, j'ai foncé sur lui tête la première. Je l'ai attrapé comme un joueur de football et, profitant de mon élan, l'ai propulsé vers la balustrade. Il était lourd, puissant. Mais sa tempe et son nez pissaient le sang et il était momentanément sonné : il a été emporté par mon impulsion.

Ses mains ont essayé de trouver une prise, de m'agripper, et il aurait sans aucun doute pris le dessus avec un peu plus de temps devant lui et l'esprit plus clair.

Mais du temps il n'en avait pas – et ses mains n'ont rencontré que le vide.

Pendant une micro-seconde, il n'y a plus eu que les bruits de la pluie, du vent, de l'océan – et même eux ont cessé, se sont tus. Le silence qui a suivi m'a procuré une sensation de calme et de force inouïe. J'ai perçu la peur de Darrell et elle m'a fouetté les sangs, réconforté, ragaillardi. Puis Darrell est passé par-dessus bord – la tête, le torse, le bassin, les jambes… – et je l'ai vu

tomb
b
b
b
b
b
b
b
ber…

34

Drone

« Putain, Henry, qu'est-ce que t'as fait ? » *T'aurais préféré que ce soit toi ?* Je l'ai pensé mais je n'ai rien dit. J'ai repris mon souffle, plié en deux. J'avais atrocement mal à l'épaule et à l'abdomen.

« Sors-moi de là », a-t-il supplié ensuite.

Tout son corps était agité de tremblements, ses jambes jouaient des castagnettes, et j'ai eu peur qu'il ne perde l'équilibre en le détachant.

« Tiens-toi bien, OK ? »

Il a opiné. J'ai eu du mal à défaire les nœuds gonflés par la pluie. J'ai dû m'acharner dessus avec les ongles un moment.

« Ça y est. Fais gaffe. Je te détache… »

Charlie a empoigné les barreaux, ses jointures blanches. Il s'est lentement retourné vers moi, tournant le dos à la mer rugissante, aux rochers et au cadavre de Darrell en bas. Je le tenais fermement par les bras. Il est passé encore plus lentement par-dessus le garde-fou. Une fois de l'autre côté, il s'est appuyé sur moi.

« Merci », a-t-il expiré.

Puis il s'est laissé glisser sur la plate-forme métallique, assis le dos contre le phare. Il a hoqueté, ses yeux grands ouverts, terrorisés, larmoyants.

A éclaté en sanglots bruyants.

J'ai posé une main sur son épaule.

« Charlie, il faut qu'on se tire d'ici vite fait. »

Il a hoché la tête – mais sans cesser de pleurer.

« Oh, putain, Henry…, a-t-il dit, tremblant de tout son corps. Oh, putain de bordel de merde, Henry !… Quelle saleté de chiottes de putain de film d'horreur, pas vrai ? »

Puis il s'est mis à hurler : « *Qu'est-ce qu'on va faaaiiiire ? Il est mort, bordel ! Il est foutrement mooort !* »

J'en étais assez *foutrement* conscient, je dois dire.

Mais, en somme, l'hystérie de Charlie me faisait du bien. Son spectacle exorcisait celle qui menaçait de me gagner. Elle m'interdisait d'y céder, m'obligeait à garder mon sang-froid. Je l'ai attrapé doucement par le bras. « Allez, viens… »

Il s'est laissé faire, s'est relevé. Il est tombé dans mes bras. « Aïe ! j'ai gueulé, en sentant la douleur dans ma clavicule – et je me suis demandé si elle n'était pas cassée ou déboîtée.

— Henry, on est toujours amis, pas vrai ?

— Aussi sûr que tu les aimes avec de vrais nichons, mon pote », j'ai dit.

Fouetté par l'urgence, Noah conduisait vite. Il avait rappelé Jay et Jay lui avait rapporté le coup de fil reçu par Henry. Et lui avait expliqué qui étaient les Oates…

Merde, un rendez-vous en haut d'un phare ! Qui

pouvait avoir envie de se précipiter dans un piège aussi grossier ?

Le rideau de pluie s'entrouvrit devant lui pour laisser voir le phare. Il se gara au pied du grand cylindre blanc et jaillit hors de sa voiture.

La pluie le gifla aussitôt. Noah leva les yeux ; il n'y avait personne là-haut. La plate-forme était vide. Puis il vit la silhouette allongée un peu plus loin sur les rochers, au pied du phare, et il tressaillit. *Bon sang ! Il était arrivé trop tard !* Il se rua vers elle. Parvenu à cinq mètres environ, il ressentit un énorme soulagement : ce n'était pas Henry… Ce n'était pas son copain Charlie non plus… Bien que le corps se fût écrasé et disloqué – une jambe décrivant un angle bizarre, le mollet plié à angle droit par rapport à la cuisse mais pas dans le bon sens, l'arrière du crâne explosé, comme la coquille d'une noix prise dans un casse-noix, répandant sur les rochers un sang presque aussi sombre que le résidu d'une marée noire –, il s'agissait très visiblement d'un homme adulte et Noah en déduisit qu'il avait devant lui tout ce qui restait de Darrell Oates. En somme, une fin logique pour quelqu'un dont la vie avait ressemblé à une longue chute dans le vice et le crime.

Il n'y avait aucun véhicule à proximité. Ce qui signifiait qu'Henry et son pote Charlie étaient déjà repartis.

Noah s'avança vers la porte ouverte, son arme à la main, et entra dans le phare.

Il vit tout de suite les traces humides et sablonneuses sur les marches métalliques. *Deux pointures différentes…* Les services du shérif n'auraient aucun mal à les identifier. Il grimpa jusqu'à la plate-forme.

Comme il s'y attendait, il n'y avait personne. Et, à l'extérieur de la guérite vitrée, la pluie effaçait déjà les indices, à part les bouts de corde encore attachés aux barreaux. Noah les défit et les fourra dans sa poche. Il essuya les barreaux avec sa veste. Jeta un bref coup d'œil à l'océan démonté et rentra dans la cabine. Redescendit l'escalier, effaçant marche après marche, du bout de sa chaussure, les empreintes de pas laissées par les deux ados. Cela ne lui prit pas si longtemps que ça, mais les siennes seraient beaucoup plus difficiles à identifier… Après quoi, il mit ses pas dans ceux des deux gamins, faisant à deux reprises le trajet entre le phare et le bord de la route – même si, là aussi, la pluie battante faisait son travail. Enfin, il roula sur les ornières laissées par la voiture d'Henry, avant de s'éloigner.

Henry et Charlie avaient réussi à pousser ce type par-dessus la rambarde.

Sacré exploit…

D'après ce que lui en avait dit Jay, ces Oates étaient de vraies terreurs… Mêmes les membres des gangs latinos évitaient de les chercher. Sauf que Darrell Oates s'était moins méfié de deux ados de bonne famille terrorisés qu'il ne l'aurait fait s'il avait eu en face de lui un enculé de première en possession de tous ses moyens.

Grave erreur.

Létale même. Il avait baissé sa garde et les jeunes en avaient profité.

Sacré nom d'une pipe, ces mômes ne s'en laissaient pas conter ! Qui l'avait poussé ? Henry ? Charlie ? Ou les deux à la fois ?

Noah optait pour Henry.

Ce fils à mamans lui semblait de plus en plus posséder des ressources insoupçonnées. Quant à ses deux mères, il était évident qu'elles trimballaient plus de secrets qu'un magicien n'en compte dans sa malle.

Tout en essuyant son visage de sa main libre et en retournant vers East Harbor, Noah se demanda comment allaient réagir Krueger et ses adjoints quand quelqu'un découvrirait le cadavre au pied du phare. Il savait que le téléphone d'Henry n'était pas encore sur écoute – raison pour laquelle Noah avait effacé les traces : dans le cas contraire, il se serait abstenu.

Il le savait parce que Jay et Augustine écoutaient toutes les communications de l'île, y compris, évidemment, celles de la police et du bureau du procureur : ils étaient comme deux putains de vautours planant au-dessus de cette île.

Cette histoire, Noah la sentait de moins en moins. Sa Crown Victoria roulait dans la nuit. Vus du ciel, ses phares jetaient deux triangles de lumière sur le ruban d'asphalte sinuant tantôt le long de la côte, tantôt au milieu des bois ; à quelques mètres de là, de grandes vagues, ourlées d'écume, arrivaient de l'océan et se brisaient sur les rochers. Noah ignorait à quel point il avait raison, question vautours : pendant qu'il s'éloignait, un drone MQ-9 Reaper, équipé de caméras dans les rayonnements visibles et infrarouges et d'un radar imageur à grande résolution, le même qu'utilisait le Département de la surveillance des frontières, le suivait là-haut, fragile oiseau d'acier, de matériaux composites et d'électronique malmené par la tempête.

35

Fuite

« Comment c'est arrivé ?

— Quoi ?

— Darrell… comment il t'est tombé dessus ? Comment tu t'es retrouvé attaché au phare ? »

Nous étions rentrés à East Harbor en faisant un détour par l'ouest de l'île, afin d'éviter de croiser des véhicules se dirigeant vers le phare. Je m'étais garé en face de l'église St. Francis, le long du terrain de base-ball. Un coin toujours désert à cette heure. Du moins l'hiver. L'été, il y avait les matches en nocturne et les jeunes d'East Harbor aimaient bien traîner par là ; les employés municipaux trouvaient tout le temps des mégots, des canettes, des bouteilles vides et des préservatifs dans les bois juste derrière.

« Il m'attendait au même endroit que toi : le passage à côté de la pharmacie. Quand je suis passé devant, il m'a chopé par le col. Il avait garé sa caisse de l'autre côté… Je crois que je vais éviter de passer par là à l'avenir… »

Son col et tout le devant de sa chemise sous son anorak ouvert étaient trempés, ses cheveux noir corbeau plaqués sur ses joues et de la morve lui coulait du nez, mais il ne semblait pas s'en apercevoir. De l'autre côté du carrefour, les lumières de la station-service Chevron clignotaient à travers les bourrasques.

« J'ai pas vu de caisse près du phare…

— Elle est planquée dans les fourrés, on a fait le reste du chemin à pied… Henry, je regrette ce que j'ai dit tout à l'heure… Tu m'as… sauvé la vie, putain. Ça, je l'oublierai jamais. »

Le clocher de l'église, effilé et terminé par un paratonnerre en forme de croix, était cerné par les rafales sous le ciel noir gonflé de nuages. Une jolie métaphore : le paratonnerre de la foi tentant de dévier tout le mal qui s'abattait sur le monde. Mais il y en avait trop, désormais. J'ai regardé autour de nous à travers les vitres ruisselantes. Les rideaux de pluie balayaient les terrains de sport : personne à l'horizon. Je suis sorti et j'ai ouvert le coffre, puis je suis revenu m'asseoir au volant. Ensuite, j'ai jeté une des enveloppes sur ses genoux.

« Jette un œil. »

Il l'a ouverte. « Nom de Dieu ! s'est-il écrié comme si j'avais balancé un serpent sur ses cuisses. C'est quoi, tout ce fric ? D'où tu sors ça ? »

Je me suis demandé si je pouvais lui faire confiance. Puis je lui ai raconté toute l'histoire : celle de la clé trouvée dans le bureau de Liv et de mon expédition jusqu'au garde-meubles. Il est resté muet un bon moment.

« Alors, ça serait elles les maîtres chanteurs ? »

Son ton disait clairement que cela lui paraissait à peu près aussi crédible que si on lui avait annoncé la résurrection de Michael Jackson et qu'il préparait en grand secret son retour.

« Si tes mères sont les maîtres chanteurs, comment est-ce qu'elles ont obtenu toutes ces informations ?

— France travaille à Redmond, dans l'informatique… (C'était quasiment un pléonasme.) J'ignore en quoi consiste son travail exactement… mais elle bosse à la division du développement. Elle a sûrement des compétences élevées… elle a pu pirater les ordinateurs de l'île…

— Pourquoi elles auraient fait ça ? Pour le fric ? C'est ça ? C'est tout ? Pour le pognon ? »

Charlie paraissait très soucieux de comprendre. Moi aussi. J'ai répondu à sa question par d'autres questions.

« Pourquoi elles ont choisi une île, d'après toi ? Pourquoi j'ai pas le droit de mettre des photos sur Internet ? Pourquoi on a traversé tout le pays pour venir ici ? Qu'est-ce qu'on fuyait, Charlie ? »

J'ai farfouillé entre les deux sièges, trouvé un mouchoir en papier et me suis mouché dedans.

« La vraie question, ai-je dit ensuite, c'est : qui d'autre elles ont fait chanter avant ? »

Meredith, ai-je pensé. *Est-ce que Meredith était morte elle aussi ?* Est-ce qu'elles l'avaient tuée, comme elles avaient tué Naomi ? Était-ce cela le fin mot de l'histoire ?

Puis j'ai repensé à leur portrait de Meredith telle qu'elles me l'avaient dépeinte, à l'émotion qui étranglait Liv quand elle m'avait raconté comment, un beau matin, elles avaient sonné chez elle et lui avaient dit : « On va le faire. » (*« Tu aurais dû voir son bonheur, Henry… Je crois que rien au monde n'aurait pu la rendre plus heureuse.* ») Quand elle avait évoqué la séparation (*« le jour du départ a été véritablement affreux... affreux au-delà de tout ce qu'on peut imaginer »*), maman Liv était au bord des larmes. Non : elles étaient sincères, l'autre soir. Sincères et bouleversées. Elles n'avaient pas fait chanter ma mère – elles l'avaient aidée, soutenue, et elles m'avaient arraché aux griffes des services sociaux et des familles d'accueil. Elles avaient tenu leur promesse, et moi je les soupçonnais des pires méfaits…

Ma mère…

Ces mots m'étaient venus spontanément. En quelques heures, quelques jours, je m'étais découvert un père et une mère.

Nous nous sommes dévisagés, Charlie et moi. J'avais les yeux embués.

« Je suis désolé, Henry, a-t-il soupiré en posant une main sur mon épaule, comme je l'avais fait quelques minutes auparavant, en haut du phare. Terriblement désolé. Mais il y a une autre question… Merde, je sais pas comment te l'dire…

— Quoi ? Que si elles sont les maîtres chanteurs, ce sont peut-être elles aussi qui ont… »

Il m'a lancé un regard qui en disait long : « Tu y as pensé ?

— Charlie, j'ai murmuré. Je n'arrive pas… je n'arrive tout simplement pas à le croire ! Ça peut pas être elles, tu m'entends ? Je les connais ! Ce ne sont pas des assassins… Elles n'ont jamais tué personne !

— Je comprends ce que tu ressens. Mais il faut prévenir la police.

— Pas encore. Si elles ont fait quoi que ce soit, c'est à moi de le découvrir…

— Et comment tu comptes t'y prendre ?
— Il y a peut-être un moyen… »

« Où est-il, Noah ? »

Jay écouta la réponse dans le téléphone en observant Grant. Son patron avait l'air dévoré par l'angoisse.

« Trouve-le, Noah. Passes-y la nuit s'il le faut, mais trouve-le. Et ensuite ne le lâche plus d'une semelle… Les Oates passent en première audience demain matin. Tu sais ce que ça signifie ? »

Cela signifiait qu'une fois leur caution réglée, ils seraient de nouveau dans la nature en attendant leur procès. Or Darrell avait passé un coup de fil à ses frangins peu de temps avant de mourir, dans lequel il leur parlait à mots couverts de son rendez-vous… Blayne et Hunter Oates devaient être fous de rage, et le mot était faible. Le Vieux, lui, devait ruminer sa vengeance. Jay pouvait sentir d'ici l'odeur du sang : il avait passé les dernières heures à étudier le dossier de ces ordures. Il en savait assez désormais pour mesurer l'étendue du danger que couraient Henry et ses amis.

Mais il se contrefichait des autres. C'est Henry qui le préoccupait. Si Grant venait à le perdre maintenant, si près du but, il ne s'en remettrait pas.

« Je compte sur toi, Noah », dit Jay.

Il raccrocha. Augustine était très pâle.

« On doit prévenir ce shérif et la police d'État du danger que court mon fils.

— On ne peut pas sans admettre que c'est lui qui a poussé ce type en bas du phare, objecta Jay.

— Nom de Dieu ! s'exclama Grant. C'est vrai qu'il l'a fait ! »

Jay se demanda s'il n'avait pas discerné une pointe de fierté dans la voix de son patron.

« Il court un grand danger, Jay. »

Le visage de celui-ci s'assombrit.

« Il faut mettre d'autres hommes sur le coup là-bas. Reynolds commence à se faire vieux. Il n'est pas de taille face à ces enragés. Ils sont peut-être attardés et cinglés, mais ils sont aussi foutrement malins d'après ce que j'en ai lu. »

Ils se tenaient dans l'un des bureaux éclairés jour et nuit au néon de leur bunker de Washington.

« On est en train de mouliner toutes les métadonnées dont on dispose. Encore quelques heures et on pourra prévoir les faits et gestes des uns et des autres avec une faible marge d'erreur... »

Jay faisait allusion au logiciel développé par WatchCorp, version améliorée du programme PredPol – *predictive policing* – utilisé depuis 2011 par les polices de plusieurs villes américaines. Développé par un anthropologue, un mathématicien, un flic et un criminologue, PredPol – qui faisait penser à *Minority Report* et à ses flics voyants – était utilisé non seulement dans les quartiers chauds, mais aussi dans des banlieues plus calmes de villes comme Los Angeles, Memphis, New York ; grâce à lui, des policiers s'étaient trouvés en planque plusieurs heures avant que le délit annoncé par le logiciel ne soit effectivement commis. Son secret ? Une formule mathématique confidentielle, un algorithme complexe qui intégrait et interprétait des centaines de données : statistiques, probabilités, taux de criminalité, localisation des délinquants, déplacements, structures des réseaux routiers principaux et secondaires, facilités d'accès et de repli, historique des délits… Ce type de logiciels prédictifs avait tendance à se multiplier dans une époque où se développait une nouvelle religion : la foi dans la toute-puissance des ordinateurs. Mais, comme de nombreux vétérans du terrain, Jay était sceptique sur les véritables capacités de PredPol. Il voyait surtout dans son succès le résultat d'une redoutable stratégie marketing et d'un solide lobbying au sein des administrations concernées.

Et puis, il le savait, les gens comme cette bande de péquenots des Cascades, mais aussi les militants écolos, les néo-luddites, les survivalistes, les milices antigouvernementales étaient passés maîtres dans l'art de dissimuler et de falsifier leurs données – et, sans données, le roi était nu… L'éternel combat entre la résistance et les machines.

« Prévoir ce qu'ils vont faire, ça ne servira à rien si on n'est pas sur place, Jay. »

Sur l'un des écrans, ils avaient en visuel la Crown Victoria de Reynolds tournant dans les rues obscures d'East Harbor. En ce moment même, elle roulait sur Warbass Way, une artère qui longeait le front de mer. Soudain, un triangle rouge se mit à clignoter à un kilomètre environ au sud-ouest de sa position.

Jay rappela aussitôt Noah. « On l'a retrouvé : il est près du carrefour de Marguerite et de Spring, près du terrain de base-ball. Fais gaffe qu'il ne te repère pas. »

Ils virent la Crown Victoria filmée par le drone quitter Warbass Way pour virer dans Harrison Street et retourner vers le centre-ville. De son côté, le triangle rouge clignotait mais demeurait immobile. Ce n'était pas la première fois que la balise d'Henry cessait d'émettre : il y avait peut-être un problème technique, ou alors c'était dû aux conditions météo. La technologie n'était jamais aussi performante que les émissions spécialisées la vendaient au grand public ; il y avait toujours des failles. Un autre détail les intriguait : les conversations téléphoniques, les SMS et les mails échangés par les membres de la petite bande étaient étrangement laconiques et dénués d'intérêt. Beaucoup trop laconiques et dénués d'intérêt compte tenu de ce qui se passait. Comme s'ils redoutaient d'être espionnés. Ce qui était logique, somme toute : Henry était le suspect n° 1 de la police et les gosses craignaient sans doute d'être sur écoute.

Oui, mais Henry avait fait une recherche sur Grant dans son ordinateur…

Que savait-il au juste ? Que lui avaient dit ses mamans ? Jay regretta que Noah n'ait pas eu accès à leur maisons plus tôt. Ils auraient gagné un temps précieux et se seraient sans doute économisé pas mal de recherches. À présent, ils étaient tous sur leurs gardes.

La voix de Grant le tira brusquement de ses pensées :

« On part là-bas. »

Jay se retourna.

« Hein ? Quoi ? »

Il leva les bras.

« Grant, demain, c'est Halloween ! Tu es censé visiter une clinique pour enfants malades et partager avec eux cette fête, voilà ce que tu es censé faire, et puis rejoindre *ta* femme et *tes* filles pour te balader dans les rues de *ta* ville… Tu as oublié ? L'importance de la famille… Bordel, l'élection est dans six jours ! »

Les derniers sondages donnaient Grant et son adversaire au coude à coude, l'élection allait se jouer dans un mouchoir de poche. C'était tout sauf le bon moment pour partir à l'autre bout du pays. Demain, un journaliste local allait divulguer une info extrêmement compromettante pour leur adversaire – une info que Jay lui-même lui avait fournie. Tous les médias allaient se jeter dessus comme des clebs sur un os et ils voudraient la réaction de Grant Augustine à ces révélations.

« Mon fils est en danger de mort et tu voudrais que je passe Halloween avec d'autres gosses à des milliers de kilomètres de lui ? » rétorqua Grant avec colère. Ses yeux se réduisirent à deux fentes. « Halloween ! Comme si j'étais un putain de clown ! Un de ces zombies à la noix ! Je ne sais pas quel est l'abruti qui a eu cette idée débile ! »

Jay vit les jeunes gens autour d'eux rentrer la tête dans leurs épaules comme des tortues dans leurs carapaces. Contrairement à eux, il était habitué aux colères de Grant tout autant qu'à son langage imagé.

« Qu'est-ce que tu veux faire ? dit-il calmement.

— On prend le jet pour Seattle et ensuite l'hydravion pour Glass Island. On emporte tout le matériel qu'on peut et les techniciens qui vont avec. Trouve-moi aussi deux ou trois types sûrs dans notre service de sécurité. Et un endroit pour loger tout le monde. Réquisitionne un hôtel entier s'il le faut. Sur une île voisine de préférence : inutile de trop se faire remarquer… On répondra aux questions des journaleux par téléphone et on rentrera deux jours avant l'élection. De toute façon, avec cette bombe que tu as lâchée, notre adversaire est kaput, *finito*. »

Il consulta sa montre, s'approcha de la seule fenêtre qui n'était pas masquée et regarda la rue déserte et mouillée dans la lueur des réverbères. Il revit soudain sa première rencontre avec Meredith. C'était en 1995, pendant une soirée de collecte de fonds au Hay-Adams de Washington à laquelle étaient conviés de nombreux élus du Grand Old Party et des personnalités. Meredith accompagnait l'une d'elles – un vieux salaud plein aux as qui avait ses entrées au Congrès. Elle était assise à la table de Grant, juste à sa gauche. À l'époque, celui-ci venait tout juste de monter sa boîte mais il nourrissait déjà de solides ambitions. Il était marié, avait deux filles en bas âge, mais il avait été ébloui par cette très jeune femme qui paraissait totalement à son aise sous les ors du palace. Elle était vêtue d'une robe du soir toute simple, dos nu, provocant, dégageant ses omoplates et sa nuque. Ses cheveux tirés en un chignon élégant. Grande, de longues jambes, une silhouette athlétique. Surtout, c'était l'une des plus belles femmes qu'il eût croisées et, à Washington, on en croisait beaucoup. Il lui avait demandé ce qu'elle faisait dans la vie et elle lui avait répondu qu'elle suivait l'enseignement des jésuites à l'université de Georgetown où elle étudiait la philosophie, la théologie et les sciences humaines. Plus tard, il s'était aperçu qu'elle disait vrai, que c'était sa façon à elle de financer ses études. Même si, dès la première seconde, il avait su à qui il avait affaire.

Pourtant, il y avait quelque chose d'étonnamment spontané et de naturel chez elle. Rien d'apprêté, ni de sophistiqué. Sa nuque inclinée lui avait fait penser à la tige d'une fleur qui croule sous le poids de sa propre beauté. Il avait engagé la discussion pendant l'un des ennuyeux discours qui se succédaient à la tribune, ponctués d'applaudissements dociles, et, à un moment donné, il se rappelait avoir eu cette phrase étrange :

« Et l'amour ? »

Elle avait alors tourné ses yeux marron vers lui et plongé longuement son regard dans le sien. Des étincelles y dansaient sous les lustres – et il avait pensé à des châtaignes en train de rôtir sur un feu.

« L'amour ? Il n'y a pas d'amour dans cette salle, rien que de la vanité, de l'ambition, de la jalousie et de la haine.

— Alors que faites-vous ici ?

— J'apprends tout ce qu'il n'est pas pour le reconnaître le jour où je le rencontrerai. »

Sur ce, elle avait reporté son attention sur la tribune. C'est à cet instant précis, il s'en souvenait, qu'il avait été ferré. À la fin de la soirée, il s'était surpris à lui glisser son numéro de téléphone. Elle avait pris sa carte entre l'index et le majeur de la main droite avant de ponctuer son geste d'une caresse furtive sur la joue de Grant du bout de l'ongle – terminant presque entre ses lèvres –, et il avait trouvé ce contact plus érotique que n'importe quel attouchement. Elle l'avait rappelé quinze jours plus tard. À ce moment-là, il était persuadé qu'elle ne le ferait pas et il était bien décidé à extorquer au vieux grigou le nom de cette femme qu'il avait à son bras l'autre soir. Il se souvenait encore aujourd'hui des seuls mots qu'elle avait prononcés.

« Willard InterContinental. Ce soir. Vingt-trois heures. Ce sera cinq mille dollars.

— Quel numéro de chambre ? » avait-il répondu.

Il se détourna de la fenêtre et pivota vers Jay.

« Il est 1 heure du matin, 22 heures là-bas. Je veux

que tout le monde soit prêt dans deux heures. On décolle avant l'aube. »

Le shérif Bernd Krueger Jr. était en train de nourrir les aigles quand il reçut l'appel : 21 h 53 précises – comme il le consignerait plus tard dans son rapport. Son vieux GMC garé sur le bas-côté herbeux de Miller Road, le coffre ouvert, dans lequel se trouvaient des morceaux de poulet emballés sous vide, Bernd Krueger les balançait dans le pré détrempé, par-dessus la clôture, et les aigles qui s'étaient rassemblés dans les grands arbres alentour fondaient sur eux en piqué dans la lueur des phares – *whishhhh* –, se saisissaient des morceaux de poulet en vol rasant, les serres en avant comme s'ils appuyaient sur la pédale de frein – et hop ! ils remontaient fissa dans les plus hautes branches.

Majestueux. Impériaux. Magnifiques. Malgré la pluie.

Des aigles chauves et des aigles royaux.

L'île possédait la plus grande population d'aigles résidents de l'archipel et, par conséquent, de l'État. Les aigles résidents vivaient en couple ; ils s'unissaient pour la vie – en somme, comme beaucoup d'êtres humains jusqu'à une date récente, estima Krueger, avant que le divorce ne devienne aussi routinier qu'un simple déménagement ou l'achat d'une nouvelle bagnole. Il était lui-même divorcé. Sa femme s'ennuyait à mourir sur l'île ; elle était retournée à Sacramento, où elle avait grandi. Krueger secoua sa tête et son chapeau dont la visière dégoulinait. Les aigles, eux, se moquaient de la pluie.

Mais pas sa femme. C'était à cause d'elle qu'elle

était retournée en Californie. De tous les paramètres qui avaient concouru – comploté même – à son départ, c'était cette eau tombant du ciel sans discontinuer qui avait eu finalement raison de leur mariage : ces nuages accrochés aux monts de l'île, troués par une froide lumière couleur de plomb, cette eau les enveloppant, les assiégeant, gouttant des toits moussus, dégoulinant des arbres, criblant les routes, grondant dans les caniveaux et grossissant les rivières au fond des bois. Combien de fois lui avait-elle dit – d'un ton de reproche, comme s'il était coupable de cela aussi – qu'elle avait « l'impression qu'il lui pleuvait directement dans la tête ». Ses yeux alors soulignés de cernes sombres, ses cheveux sales, son haleine fleurant le bourbon en même temps que le café du petit déjeuner.

La radio grésilla alors que le chef n'avait balancé que la moitié de son chargement.

À contrecœur, il retourna à l'avant du GMC. Le *deputy* Angel Flores – autrement dit « Ange Fleurs » – avait la voix de quelqu'un qui a avalé un chili trop pimenté à son goût.

« La procureure adjoint veut te voir, Bernd.

— Elle est là ? À cette heure-ci ?

— Ouais.

— OK. J'arrive. »

Il finit de distribuer la barbaque, referma le coffre et se remit au volant. Il effectua un demi-tour serré sur Miller Road. Son pouls s'emballa. Ils allaient devoir arrêter Henry. Ils n'avaient pas d'autres pistes et le procureur ne voulait plus attendre. Cette affaire, songea-t-il, quel crève-cœur. Le premier meurtre dans les îles depuis 2009 et il fallait que ça tombe sur ce gosse.

Les actes de malveillance, de vandalisme et de crapulerie pure et simple, il pouvait s'en accommoder : au fil des ans, ils s'étaient multipliés dans l'archipel. Rien que l'année dernière, ils avaient relevé une bonne vingtaine de cambriolages sur quatre îles différentes ; on volait même les écoles, les gymnases et les banques alimentaires de nos jours. Il y avait aussi les violences conjugales, les querelles entre voisins et les bagarres dans les bars, le harcèlement téléphonique, les feux interdits sur les plages et les mineurs alcoolisés, les mêmes abrutis qui faisaient parler d'eux année après année... L'ouvrage ne manquait pas.

Il se chargeait lui-même des rapports avec la population locale – qui exigeaient doigté et autorité. Les moins expérimentés étaient affectés à la circulation. Les nuits d'été cependant, entre le crépuscule et 2 heures du matin, quand le flot des touristes avait débarqué, c'était une autre histoire. C'était là qu'éclataient les bagarres, que des jeunes prenaient la route ivres ou sous l'emprise de la drogue, que la meth et la coke faisaient leur apparition dans les soirées.

Mais les hivers étaient plus calmes, en général.

Douze véhicules et trois bateaux : sa juridiction comptait plus d'eau salée que de terres.

Dix minutes plus tard, Krueger entrait dans East Harbor par le nord. Les bureaux du shérif, sur Maple Street, étaient en dur, un beau bâtiment neuf en brique, attenant au palais de justice – neuf également –, avec un sas à l'entrée, un guichet sur la gauche donnant sur une pièce obscure où brillaient les écrans des moniteurs Motorola : la salle du 911, une porte blindée en face et au-delà un open space : cinq bureaux en turn-over pour les cinq adjoints, plus une kitchenette, le parloir et les cellules dans le fond, les bureaux des deux enquêteurs, ceux des sergents et du chef Krueger sur la gauche. Ils avaient emménagé en 2010 parce que les anciens locaux étaient devenus trop vétustes et trop petits, mais ils manquaient déjà de place. Un étage supplémentaire était prévu. Faute de budget, il n'avait jamais vu le jour.

Liza Wasserman, première adjointe au procureur en charge des affaires criminelles, l'attendait dans son bureau. C'était une jolie femme, un peu forte, au caractère bien trempé. Moins politique que son patron. Krueger l'appréciait.

Mais pas ce soir.

« Salut, Liza.

— Salut, Bernd. »

Elle se tenait debout, appuyée à la table de réunion. Serrée dans son jean et sa veste de tailleur.

« Vous avez du nouveau ?

— Du nouveau comme quoi ? dit-il.

— Ne joue pas au plus fin avec moi, Bernd. D'autres pistes que celle d'Henry ?

— Pas encore mais…

— Floyd ne veut plus attendre. On a suffisamment d'éléments à charge contre ce garçon.

— Merde, c'est un môme, Liza ! Tu imagines ce qu'il va traverser ?

— Il a seize ans, Bernd !

— C'est un p'tit gars de la communauté. Je le connais, lui et ses mères, depuis qu'il a neuf ans. Il a jamais fait d'histoires. »

Liza Wasserman soupira.

« Bernd, regarde les choses en face : tout l'accuse. (Elle énuméra au bout de ses doigts.) Il était le petit ami de la victime, elle était enceinte, ils ont eu une violente dispute le soir même : bon sang, il a failli la balancer à la flotte et c'est peut-être ce qu'il aurait fait si cet employé n'était pas arrivé ! »

C'est pour ça que le bureau du procureur était prêt à y aller : il n'y avait pas assez de preuves et ils n'auraient jamais pris le risque de perdre un procès aussi médiatisé sans cette vidéo sur le ferry : ils savaient pertinemment quel effet dévastateur elle aurait sur un jury.

« Il n'a pas d'alibi pour la nuit du meurtre… Elle avait annoncé à plusieurs personnes qu'elle allait le quitter… Qu'est-ce qu'il te faut de plus ?

— Et la mère ? Qu'est-ce que tu fais de la mère ? Il l'aurait tuée, elle aussi ? Pour quelle raison ?

— Peut-être qu'elle a été témoin de quelque chose, est-ce que je sais, moi ? C'est votre boulot de le cuisiner ! (Elle reprit son énumération.) Il a travaillé sur un bateau de pêche l'été d'avant… »

Le bateau de pêche, songea Krueger. Oui ! Ils avaient toujours pensé qu'elle avait été balancée d'un bateau de pêche. Mais elle avait très bien pu être balancée d'un bateau beaucoup plus petit. Ce filet n'était peut-être là que pour orienter leurs recherches dans la mauvaise direction… La voix de Wasserman le tira de ses pensées : « On l'arrête, Bernd. Tout ça a assez duré. Tu entends ? »

Il acquiesça.

Le téléphone de Charlie a vibré dans sa poche. Il l'a sorti et a examiné l'écran.

« Merde, c'est Nick ! »

Charlie a porté le téléphone à son oreille.

« Allô… Hein… ? (Il a écouté pendant quelques secondes.) Non, je sais pas où il est… Mais, bordel, oui, je te le dirais !… Je t'emmerde, ducon… Arrête de me soûler : je te dis que je ne sais pas où il est… C'est ça, ouais, va te faire mettre. »

Il a raccroché, m'a regardé.

« C'était mon frère. Ils te cherchent.

— Qui ça ?

— Le bureau du shérif.

— Tu crois qu'ils ont trouvé Darrell ? ai-je demandé.

— On aurait entendu les sirènes.

— Alors, pourquoi ils me cherchent ? »

J'ai lu la réponse dans ses yeux et ça m'a fichu le trouillomètre à zéro. Mon téléphone a vibré à cet instant.

« Henry ? a dit maman Liv quand j'ai répondu. Tu es où ?

— Dans ma voiture, maman. Pourquoi ?

— Le shérif te cherche… Il veut te parler… Henry ?

— Oui, m'man ?

— Ne fais pas de bêtise, s'il te plaît… »

J'ai pris une profonde inspiration.

« Quel genre de bêtise ? » j'ai demandé comme si je ne le savais pas.

Elle a hésité un quart de seconde.

« Te cacher… t'enfuir… ce genre de choses… Je suis sûre que ce n'est rien, d'accord ? Ça va s'arranger. Va voir le shérif. Tout de suite, d'accord ?

— D'accord, maman. »

Charlie avait l'air d'avoir drôlement les jetons quand j'ai raccroché.

« Ils vont t'arrêter », a-t-il dit.

Comme il aurait dit : *tu as un cancer*. Ou bien : *on vient de marcher sur une mine*. Ou : *c'est normal qu'il manque l'arrière de l'avion ?* La peur, le vertige, la sensation de me tenir au bord d'un abîme m'ont envahi. Une sensation affreuse. Celle que doit éprouver le dernier marin vivant à bord d'un navire qui coule rapidement.

« Qu'est-ce que tu vas faire ? » a voulu savoir Charlie de la même voix de croque-mort.

Une sirène de police a brusquement hululé dans la nuit. Beaucoup trop près... J'ai attrapé mon sac sur la banquette arrière, j'ai ouvert la portière.

« Rentre chez toi, Charlie. »

Et j'ai disparu dans la nuit.

Merde !

Noah leva la tête de son téléphone à temps pour voir la portière de la vieille Ford s'ouvrir côté conducteur. Il vit Henry prendre la tangente. À travers son pare-brise, il le suivit des yeux qui longeait en courant les grillages du terrain de base-ball, puis franchissait la rue vers la droite au carrefour, en face de la station-service. Son pote Charlie sortit à son tour du véhicule. Il s'appuya sur le toit crépitant, le visage enfoui dans les bras, tandis que des ululements de sirènes se rapprochaient.

Nom de Dieu, songea Noah, Henry était en train de se tirer !

Il jaillit de la Crown Victoria : Henry avait traversé le carrefour et disparu dans un passage entre deux hauts hangars en brique. Noah se rua dans la même direction en rasant les murs. Des montagnes de pneus et de palettes encombraient le passage. Noah aperçut l'espace d'une seconde la silhouette d'Henry à l'autre bout, sous le halo zébré d'un lampadaire, avant qu'elle ne disparaisse sur la gauche.

Il remonta le passage aussi vite qu'il put et déboucha dans Malcolm Street tout essoufflé. Il ne le vit d'abord pas. Il le chercha des yeux et finit par le repérer : Henry détalait comme un lapin à travers le square, dissimulé par l'obscurité qui régnait sous les arbres. Il contourna le kiosque à musique et émergea sur Blair Avenue, de l'autre côté, courut ensuite sur le large trottoir désert, longeant la façade éteinte du Woods Coffee puis passant sous la marquise du cinéma avant de disparaître à nouveau dans une ruelle obscure, entre le Palace Theatre et Lighthouse Vintage & Costume, un magasin de fringues et d'accessoires à prix cassés. Noah lui emboîta le pas, mais son allure avait déjà considérablement ralenti et il sentait poindre un point de côté à son flanc droit. Il avait passé l'âge de ce genre de conneries. Henry ne tarderait pas à le semer. Il remonta néanmoins la ruelle en un laps de temps assez court et déboucha sur un chemin de terre qui s'enfonçait parmi les pins. La sente dévalait une pente assez raide jusqu'à la baie. Noah s'y engagea. À temps pour entrevoir Henry cent mètres plus bas, sa petite silhouette illuminée par un éclair.

Sur ce sol inégal rendu glissant par les feuilles mortes, Noah craignait de se bousiller une cheville. Il ne voyait pas grand-chose au milieu des ténèbres, de la pluie qui redoublait et des buissons qui se débattaient sous les assauts du vent. Autour de lui, les rafales soulevaient les feuilles et elles le frôlaient comme des vols de chauves-souris. Noah plissa les yeux à cause des gouttes dures et froides qui frappaient son visage. Sur sa gauche, entre les arbres, il apercevait les bateaux dans la marina : la houle commençait à les chahuter. À l'extérieur de la baie, c'était encore pire – la mer était blanche, les vagues se ruaient contre les rochers et le grain tordait les arbres du bord de mer comme s'il voulait les déraciner.

Que comptait faire Henry ?

S'aventurer en mer par un temps pareil était suicidaire aux yeux de Noah qui n'avait pas le pied marin.

Il parvint à un virage, cent mètres environ au-dessus de la baie, et ce qu'il vit le paralysa.

Henry était en train de tirer un kayak vers les flots noirs. Il l'avait extrait d'un coin sombre, sous le remblai, où il y en avait plusieurs, comme des haricots dans une boîte.

C'était de la folie !

Noah essuya son visage trempé et héla Henry, les mains en porte-voix. Mais la voix du vent couvrit la sienne. Il chercha son souffle, respira un bon coup et recommença. Cette fois, le gamin parut l'entendre, car il leva la tête dans sa direction.

Un instant, il se tint immobile, sur la minuscule grève pleine de caillasse, à contempler Noah.

Puis il reprit sa progression vers le rivage, courbé en avant, tirant le kayak derrière lui. Noah le vit jeter son sac à l'intérieur et entrer dans l'eau, sans même se déchausser. Même ici, dans cette partie abritée de la baie, les vagues secouaient méchamment l'embarcation.

Arrête, tu vas te tuer !

Noah fit un pas de plus et le sol boueux se déroba sous ses pieds. Il jura en s'étalant de tout son long et ressentit une fulgurante douleur à la cheville gauche. Il se reçut sur la paume droite, sur un rocher qui affleurait au bord de la sente, et une nouvelle douleur le transperça du poignet jusqu'au coude – mais du diable s'il allait rester là à ne rien faire ! Il se releva et continua de descendre la pente, en boitillant et en sautillant, agitant les bras tel un sémaphore.

« Henry ! Ne fais pas ça ! Reviens ! »

Mais déjà le kayak s'éloignait, sèchement balancé par la houle – en direction de la bouche avide d'une mer affamée.

36

Dans la tempête

J'ai compris que je me dirigeais vers les emmerdes en m'approchant de l'entrée de la baie – quand le vent s'est brusquement intensifié.

Il avait beaucoup forci au cours des dernières heures. Je m'en rendais compte ici bien plus qu'à terre. Il se ruait vers moi en hurlant à travers la passe et la forte houle de la baie s'est transformée en vagues moutonnantes qui se sont mises à ballotter le kayak dès que j'ai eu dépassé les derniers rochers.

J'ai cru qu'on m'avait jeté dans le tambour d'une machine à laver.

Ça secouait dans tous les sens et je me cramponnais à ma pagaie.

Les vagues passaient par-dessus bord, me rinçant copieusement ; elles remplissaient peu à peu l'embarcation, car il n'y avait pas de jupe.

Le ciel noir déversait des torrents d'eau glacée qui pilonnaient la coque et mon crâne.

Je pagayais la bouche ouverte à présent, les yeux plissés, à la recherche d'oxygène.

J'ai porté le regard au loin et j'ai frémi : la mer

n'était plus qu'une vaste étendue blanche et verte, écumante et ondulée, et des nuages se déplaçaient rapidement dans ma direction, changeant sans cesse de forme, tantôt chevaux cabrés, tantôt trains lancés à toute allure, cathédrales, champignons atomiques, fumées, dans les profondeurs de la nuit. J'ai pagayé plus fort. Je scrutais le dessin flou des îles en face, à une distance qui, d'ordinaire, se parcourt assez rapidement. Mais, cette nuit-là, j'avais l'impression de faire du surplace.

T'es un peu mal barré là, mec, tu le sais ?

La petite voix cherchait à m'intimider mais je me refusais à l'écouter.

Putain, ça remue vachement...

T'as pas l'impression que ce courant t'entraîne du mauvais côté, mon pote ?

J'ai gueulé, au milieu de toute cette eau, loin des côtes maintenant.

Mais la voix poursuivait : *Tu sens cette odeur... tu la sens ? C'est celle du Pacifique...*

Va te faire foutre, ai-je pensé en ramant.

Frissonnant.

Rincé par les rafales.

Ballotté par les vagues.

Puis le vent a paru mollir un peu, la pluie a semblé se calmer. J'ai respiré, fermé les yeux. C'est à ce moment qu'une énorme vague déferlante a soulevé le kayak et m'a fait chavirer. J'ai senti la coque s'incliner brutalement et, avant même d'avoir compris ce qui m'arrivait, j'avais dessalé.

J'ai tenté d'esquimauter – de donner un coup de pagaie sur l'eau pour remettre le kayak à l'endroit –, mais une deuxième vague m'est passée par-dessus.

Bon sang ! D'habitude, je suis rodé à l'exercice mais là, dans cette nuit infernale, pleine de tumulte, j'ai perdu tous mes repères et j'ai paniqué.

J'ai bu la tasse, toussé, recraché ; je me suis débattu.

Je suis parvenu à me libérer d'autant plus facilement que je n'avais pas besoin de tirer sur la sangle d'arrachage pour enlever la jupe – j'ai simplement poussé mes fesses hors de l'ouverture – et, l'instant d'après, je nageais à la surface des vagues qui m'emportaient.

J'ai aperçu mon kayak qui filait rapidement vers le large, son ventre pâle tourné vers le ciel, dans la direction opposée, et j'ai décidé de fuir ce merdier à la nage.

Le vent du large rugissait autour de moi, les nuages s'accumulaient, les embruns me cinglaient tandis que je…

nageais… nageais…

nageais… nageais…

dans ce paysage sinistre et désolé…

Petit à petit, à mon insu, mon cerveau s'est déconnecté de toute réalité trop dérangeante et je me suis mis à flotter dans une…

bienveillante étrangeté…

Quelque chose me poussait en avant… Je ressentais de nouveau la douleur très vive à l'épaule que Darrell avait martyrisée, mais mon corps aurait pu être fendu en deux que j'aurais continué de nager. Je gardais les yeux rivés sur l'horizon des îles comme la mire d'un fusil.

Et, tout à coup, dans cette longue et venteuse nuit, j'ai eu la sensation de n'être plus seul.

J'ai tourné la tête et je l'ai vue – tout près.

À moins de dix mètres…

Son grand aileron noir fendait les eaux. Dans ma direction.

Nom de Dieu de bordel de merde…

J'ai aussitôt arrêté de nager. Je suis resté aussi inerte que possible et, quand l'orque est passée tout près de moi, j'ai senti son onde de choc. Son grand corps noir et blanc m'a dépassé comme la coque d'un navire et j'ai deviné son œil minuscule à l'avant de la tache blanche. Puis elle s'est éloignée et j'ai suivi longtemps des yeux son aileron sans oser me remettre à nager, de peur d'attirer son attention par mes vibrations.

Ce n'est qu'au bout de longues minutes que j'ai repris ma progression. La panique ne m'avait pas quitté. Ma nage est devenue frénétique, chaotique. Soulevé, emporté par les vagues, les creux de trois mètres, les crêtes écumantes, toussant, hoquetant, grelottant, à demi noyé, j'ai nagé, nagé…

À un moment donné, j'ai eu une hallucination : une main spectrale jaillissant de l'abîme, tendue vers le ciel, pâle, doigts écartés. Je savais que c'était celle de Naomi… Et que c'était impossible. J'ai paniqué. Puis la main s'est enfoncée définitivement dans les flots.

Il n'y avait pas de courant de surface pour me faire dériver, mais mes forces n'en diminuaient pas moins rapidement quand j'ai enfin aperçu la ligne du ressac devant moi. Vision qui m'a flanqué un sacré coup de fouet. J'ai fait les dernières dizaines de mètres dans un état second et mes semelles ont rencontré des rochers sous l'eau ; je me suis écorché les mains et les genoux en voulant prendre pied sur cette putain de côte rocailleuse et traîtresse, pleine d'arêtes coupantes, de pentes glissantes et de reliefs piégeux entre lesquels la mer bouillonnait.

Quand j'ai enfin pris pied sur une plage obscure et sablonneuse, je claquais des dents et je grelottais. J'étais loin d'être au sec, vu que la pluie s'était remise à balayer la plage et le vent à harceler le rivage, mais j'avais bon espoir de trouver un refuge. Je connaissais cette île comme ma poche.

Cedar Island…

Un petit bout de terre boisée et presque plate d'un kilomètre et demi de long avec une vingtaine de résidences secondaires sur son pourtour – toutes fermées en cette saison – et seulement deux résidents permanents à l'autre extrémité.

À genoux dans le sable, j'ai lentement repris mes esprits. Les mains sur les cuisses, penché en avant, j'ai vomi un mélange d'eau de mer et de bile. Quand je me suis relevé, plusieurs minutes s'étaient écoulées et tous mes muscles étaient raides et douloureux. J'ai traversé la plage en direction du petit sentier qui sinue dans les bois et longe la côte d'une résidence à l'autre. Ici, les arbres retenaient en partie la pluie, mais j'étais transi de froid, je serrais les bras autour de mon corps et je tremblais si fort que mes dents s'entrechoquaient ; mes baskets pleines d'eau et de sable glougloutaient et mon jean collait à mes cuisses.

Résistant à la tentation de me réfugier dans la première maison qui s'est présentée (si la police fouillait l'île, c'est par là qu'elle commencerait), j'en ai croisé une bonne demi-douzaine avant de jeter mon dévolu sur une villa moderne sur pilotis, avec un toit en aluminium et une charpente en chêne, à un kilomètre environ de l'endroit où je m'étais échoué. Trois marches conduisaient à la grande terrasse qui courait tout autour, surplombant la mer toujours rugissante, mais tenue suffisamment à distance pour voir les fantomatiques gerbes d'écume s'élever dans l'obscurité et s'abattre sur le ponton loin du corps d'habitation.

En passant les fenêtres en revue, j'ai fini par en trouver une dont le volet était mal fixé. J'ai cassé la vitre avec mon poing enfoncé dans ma manche. Deux minutes plus tard, j'étais à l'intérieur.

J'ai tâtonné jusqu'à la porte et trouvé un interrupteur. Par chance, l'électricité n'était pas coupée. Une petite chambre sommaire avec un lit à une place. En remontant le couloir, j'ai débouché sur une salle obscure qui s'est avérée être un grand séjour-cuisine quand j'ai tourné le commutateur.

Sans plus attendre, je me suis mis en quête d'une salle de bains. Dès que je l'eus trouvée, je me suis déshabillé et glissé sous le jet. Je grelottais encore – de froid ou de soulagement –, j'avais la chair de poule tandis que le nuage de vapeur chaude s'élevait, mais la caresse émolliente de l'eau brûlante sur ma peau a peu à peu détendu mes muscles, et mon cerveau rempli de pensées sombres s'est relâché, lui aussi.

Je ne pensais pas que les flics fouilleraient l'île avant plusieurs heures, ou même plusieurs jours. Ils attendraient que la tempête se calme.

J'ai repensé à l'homme en noir, sur le chemin, me criant de revenir…

Qui était-il ?

Cela faisait des jours qu'il me suivait, m'épiait – et voilà qu'il avait peur pour moi… D'où sortait-il ? Qui l'envoyait ? Augustine ?

J'ai pensé à Charlie, à mes mamans, à Darrell gisant au pied du phare…

En ressortant de la douche, je me suis séché et frictionné jusqu'à ce que ma peau soit rouge homard. Puis j'ai fouillé l'armoire à pharmacie à la recherche d'un désinfectant ; il se trouvait entre des sparadraps et des Tampax. J'ai nettoyé mes égratignures aux genoux et aux mains – l'une de mes rotules, couverte de petits cratères noirs et de plaies brunâtres, ressemblait à un de ces rochers déchiquetés sur la côte –, je les ai ensuite recouvertes avec les sparadraps.

Une pensée m'est venue : il fallait que je dorme.

Que je fasse taire la douleur qui revenait à mesure que mes muscles se refroidissaient.

Que j'oublie l'orque surgissant des flots, la chute interminable de Darrell, le corps de Naomi sur Agate Beach, le regard éteint de Charlie dans la voiture, la main émergeant de l'océan…

… l'argent de mes deux mères dans le coffre…

J'ai rempli un des verres à dents et cherché un antidouleur dans l'armoire à pharmacie. Il y en avait un choix étonnamment vaste – à croire que les occupants étaient affligés de toutes sortes d'inflammations et de névralgies. J'ai finalement jeté mon dévolu sur du Demerol – à quoi j'ai ajouté, pour faire bonne mesure, de l'Oxycodone, sans me soucier de savoir si les deux pouvaient être associés ou non : j'avais mal dans toutes sortes d'endroits.

Un peignoir moelleux m'attendait derrière la porte,

bouclé comme ceux des hôtels, et je me suis enveloppé dedans.

De retour dans la pièce principale, j'ai senti les premières vagues d'une bienheureuse fatigue me gagner – ou était-ce déjà l'effet des antalgiques ? J'ai examiné les livres sur la poutre qui servait de manteau à la cheminée : Chuck Palahniuk, Jim Lynch, Sherman Alexie, J.A. Jance… rien que des auteurs du coin ; j'ai envisagé un moment de faire un feu, mais la fumée risquait d'attirer l'attention. J'ai poussé les radiateurs à fond, marché jusqu'à la baie vitrée, fait glisser la porte de verre sur son rail, puis j'ai ouvert les volets sur le spectacle de la mer en furie – le vent a mugi dans la pièce – et j'ai promptement refermé la vitre avant d'éteindre toutes les lumières.

Il faisait hyper-sombre, aussi ai-je déniché une bougie et une boîte d'allumettes dans un des tiroirs de la cuisine.

J'ai porté la bougie allumée jusqu'à la table basse.

Après quoi, je me suis laissé tomber dans le canapé. Je ne sais si c'était dû à l'épuisement ou à l'effet des drogues – mais c'était le canapé le plus profond, le plus confortable, le plus douillet dans lequel je me fusse jamais assis.

J'ai tourné le regard vers le rectangle grisâtre de la baie, j'ai fixé la mer sombre hérissée de crêtes pâles et le ciel noir plein de nuages à travers les vitres, les rouleaux blancs explosant sur les rochers le long de la petite anse, l'horizon invisible. J'entendais l'orage rugir autour de la maison, les grands pins à la pointe qui sifflaient dans le vent, le bruit d'une chaîne cognant contre le ponton. J'entendais la maison craquer et se plaindre. Paradoxalement, je trouvais cette atmosphère des plus apaisantes. Je crois bien que l'action des médocs n'était pas étrangère à ce bien-être.

Au moment de m'endormir, une pensée a fusé, comme un coup d'aiguille dans mon cerveau engourdi :

Agate Beach

Mes paupières ont papilloté.

Un truc en rapport avec Agate Beach…

Et, soudain, pendant un instant qui a illuminé ma conscience tel un éclair, j'ai entrevu la vérité.

Mais trop tard : le sommeil a balayé cette pensée comme la pluie avait depuis longtemps balayé mes traces sur la plage et je me suis endormi.

37

La blonde en coupe-vent après minuit

« Où est Henry ? »

Assis à la table de réunion, au centre de l'effervescence, Charlie secoua la tête, au bord des larmes. Quelqu'un apporta deux gobelets fumants.

« Charlie, dit Krueger en avalant une gorgée de café, tu veux aller en prison ? »

Le mot le cingla. Son ventre se contracta douloureusement. Un type qui ressemblait à Philip Seymour Hoffman l'observait en silence, en mâchouillant un cure-dents.

Toute cette agitation avait débuté quand l'une des voitures de patrouille qui cherchaient Henry était tombée sur le cadavre de Darrell au pied du phare. En à peine une heure, les types de la Washington State Patrol avaient débarqué en nombre, ainsi qu'un tas d'autres gugusses venus du continent, et les bureaux du shérif s'étaient transformés en un véritable cirque. Ça entrait et ça sortait, les portes claquaient, les voitures arrivaient et repartaient en faisant hurler leur gomme ; ça s'excitait et ça aboyait comme des chiens dans un chenil et, parfois même, ça rigolait – en même temps, ils n'allaient quand même pas pleurer sur la mort de Darrell Oates…

À présent, c'était Charlie qui était sur le gril. Son frère Nick était venu le chercher chez eux en compagnie d'un autre adjoint. « T'as intérêt à coopérer », lui avait-il glissé à l'oreille, en lui tordant méchamment le bras dans un geste de pure brutalité policière – ou bien fraternelle – pour le faire entrer à l'arrière grillagé de la caisse : là où on fourre les délinquants.

« Charlie, glissa doucement Krueger, on a retrouvé sa voiture garée près du terrain de base-ball… Où étais-tu, cette nuit ? Aucun de tes copains ne t'a vu… Tes parents disent que t'étais sorti. Les mères d'Henry ne l'ont pas vu de la soirée. Tu te rends compte du guêpier dans lequel tu t'es fourré ? »

Charlie se rendait compte – mais se taire lui apparaissait encore comme la meilleure option.

« Je vous l'ai dit : je ne sais pas où il est… »

Cette phrase pour la énième fois.

Ces regards qui disaient clairement *bien sûr que si* pour la énième fois.

Cet échange muet entre eux pour la énième fois.

Quelqu'un entra. Il se pencha et murmura quelque chose à l'oreille de Krueger, dont le visage s'assombrit aussitôt.

Il regarda Charlie à la dérobée et, cette fois, celui-ci lut une expression nouvelle sur les traits du shérif : une inquiétude sincère. Qui le contamina.

Il était arrivé quelque chose…

L'homme au cure-dents avait cessé de mâchonner ; lui aussi attendait.

« Charlie, commença Krueger d'une voix très

douce, on a retrouvé un kayak échoué à l'entrée de la baie… *Vide…* »

Charlie perçut le bourdonnement du sang dans ses oreilles.

« Les secours sont en train de fouiller toute la côte est de l'île… »

La voix du shérif lui parvenait comme assourdie, lointaine.

« Tu es sûr que tu ne veux rien nous dire ? »

Le poing de Krueger s'abattit sur la table, le faisant sursauter.

« CHARLIE, BON DIEU !

— C'est nous… », lâcha-t-il.

Philip Seymour Hoffman 2 se pencha par-dessus la table.

« C'est vous quoi… ?

— Darrell Oates… c'est nous…

— Nom de Dieu ! s'exclama le pseudo-Hoffman.

— C'est vous qui l'avez poussé ? » voulut savoir Krueger, incrédule.

Charlie acquiesça. Et raconta.

Tout.

Depuis le début : leur enquête.

Comment ils avaient fouillé la bicoque de Jack Taggart, comment ils avaient découvert la vidéo, comment ils avaient espionné Taggart et Darrell en train de cramer et d'enterrer l'ordinateur (« Putain de merde ! » s'exclama cette fois Philip Seymour Hoffman 2), comment ils s'étaient rendus chez les Oates pour les interroger (« Vous avez fait quoi ? » – Krueger), comment ils avaient questionné Nate Harding et découvert l'existence d'un maître chanteur sur l'île (« Ce gosse se fout de nous, Bernd ! »), comment Henry avait découvert l'argent dans le box au nom de sa mère, comment, après la descente de police, Darrell avait attendu Charlie à East Harbor et l'avait traîné jusqu'au phare avant de l'obliger à appeler Henry.

Une femme un peu forte en tailleur était entrée et écoutait. Charlie la reconnut : elle venait souvent à l'épicerie.

« Qui l'a poussé ? » demanda-t-elle.

Krueger se retourna : il ne l'avait pas entendue entrer.

« C'est Henry, mais c'était de la légitime défense… Sans ça, c'est lui qui serait mort sur ces rochers… »

Il leur raconta la violente bagarre entre Henry et Darrell, là-haut, et comment celui-ci était passé par-dessus bord.

« J'ai vu Henry essayer de le retenir, mentit-il.

— Ça s'est passé dans ton dos. Donc tu n'as pas vu grand-chose.

— Pas au début, c'est vrai… Mais j'ai bien vu Darrell pousser Henry vers la balustrade et essayer de le balancer en bas. Henry s'est débattu.

— Darrell est drôlement costaud, fit observer la femme dont les yeux étaient durs et brillants comme des cailloux, et il a l'habitude de se battre… Comment Henry a-t-il fait pour avoir le dessus ?

— Ça, j'en sais rien, mais quand Darrell est passé par-dessus bord, j'ai bien vu Henry essayer de l'en empêcher. »

En vérité, il avait vu tout le contraire.

Il espérait qu'Henry confirmerait sa version le jour où il serait interrogé – s'il l'était un jour, s'il était encore… *vivant*. Charlie pensa au kayak vide, et la peur et le désespoir lui retournèrent le ventre.

Un silence suivit son témoignage.

« Putain, quelle histoire, dit finalement le shérif.

— Si ce qu'il dit est vrai, modéra la femme en jetant à Charlie un regard soupçonneux.

— La visite chez les Oates... Nate Harding... la visite au garde-meubles... l'existence d'un maître chanteur... tout ça, ça doit pouvoir se vérifier assez facilement, fit remarquer Seymour Hoffman. Et on va aussi interroger les copains. Il ne peut pas avoir inventé tout ça, Liza. Ça laisse forcément des traces, ce genre de choses... D'ailleurs, on a déjà trouvé une preuve que le môme dit vrai. »

L'étonnement se peignit sur le visage de la femme, tandis que Charlie relevait la tête, les sourcils froncés.

« Laquelle ?

— Le fric dont il parle : on l'a retrouvé dans la voiture d'Henry, près du terrain de base-ball... Des liasses de billets dans des enveloppes. Dans le coffre. Il y avait aussi une liasse qui traînait sur le siège passager. C'est bien de ce fric-là qu'on parle, n'est-ce pas, Charlie ? »

Charlie acquiesça d'un signe de tête.

« Ça ne le dédouane pas pour autant, objecta la femme, mais son ton manquait de plus en plus de conviction. L'assassin qui aide la police et qui fait semblant de chercher lui-même le coupable, on a déjà vu ça.

— N'empêche qu'on doit se poser la question : et si l'assassin de Naomi et le maître chanteur étaient une seule et même personne ? Et, bon Dieu, où est passée la mère de la petite ?

— Revenons à cette histoire de maître chanteur, dit Krueger, tu dis qu'Henry soupçonnait ses mamans ?

— Oui. À cause de l'argent, et aussi de ce que ma mère avait vu... »

Il sentit soudain tous les regards converger sur lui.

« Comment ça ?

— Ma mère... elle a vu une nuit celle d'Henry récupérer quelque chose dans une poubelle... un paquet... ou une enveloppe... en pleine nuit ! Sur le moment, elle n'a pas compris, mais quand Henry a découvert ce pognon et qu'on en a parlé...

— Laquelle, Charlie ?

— Hein ?

— Quelle mère d'Henry c'était ?

— *France...* »

Il vit Krueger interroger la femme d'un haussement de sourcils. Celle-ci acquiesça.

Krueger se leva, ouvrit la porte et la mère de Charlie apparut.

Charlie eut un choc. Sa mère avait l'air si fatiguée, si inquiète. Pour la première fois, il nota le nombre de fins cheveux gris apparus ces derniers temps au milieu des autres, les profonds cernes bruns qui soulignaient ses yeux tristes. Et une vague d'affection l'inonda.

« Tu peux y aller, Charlie, dit Krueger. Merci pour ton aide. Ton frère va te raccompagner.

— Pas la peine, je peux rentrer seul. »

En passant, dans un élan spontané, il prit sa mère dans ses bras. Ils se serrèrent l'un contre l'autre. Cela leur fit du bien à tous les deux. Elle déposa un baiser sur sa joue. Elle sentait bon et il se dit qu'il l'aimait, oh oui : il l'aimait plus que n'importe qui au monde.

Puis il sortit. Avant que la porte ne se referme, il entendit la voix de Krueger : « Asseyez-vous, madame Scolnick. »

Elle se sentait devenir toute petite sous le feu de leurs regards. « Oui, confirma-t-elle, je l'ai vue qui descendait de sa voiture et qui traversait la rue vers les poubelles.

— Que faisiez-vous à votre fenêtre à une heure pareille ? »

Elle rougit comme si elle venait de confesser un acte interdit ou inavouable.

« J'ai des insomnies… Je n'ai pas envie d'allumer la télé ou mon ordinateur si tard… je n'ai pas non plus le courage de lire, alors je regarde par la fenêtre… On est en haut de Main Street… De l'étage, on voit une bonne partie de la ville et du port. Ce… ce n'est pas de l'espionnage… c'est juste que… j'aime cette vue… elle m'apaise… Toutes ces petites lumières, la nuit… et les bateaux dans la marina, le silence… les rues désertes… j'ai l'impression d'avoir l'île pour moi toute seule quand tout le monde dort… À Seattle, il y avait toujours du bruit. Le silence n'était jamais complet. »

Elle se sentit encore plus coupable de s'être justifiée de la sorte. Les petites rides autour de ses beaux yeux s'accentuèrent.

« Et vous êtes sûre que c'était elle ? »

Elle lança un coup d'œil étonné en direction du petit bonhomme blond et rondouillard.

« Qui d'autre ? C'était sa voiture, elle venait d'Eureka Street…

— Mais vous n'avez pas vu son visage ?

— Si… en partie… j'ai vu ses cheveux blonds qui dépassaient de sa capuche : il pleuvait à verse. C'était elle, évidemment. »

Le blondinet hocha la tête en mâchant son cure-dents. Il remonta les lunettes sur son nez.

« Madame Scolnick, dit Krueger, est-ce que vous avez parlé de cet incident avec les mères d'Henry ? »

Elle opina brièvement, de sorte qu'il était difficile de déterminer s'il s'agissait d'un oui ou d'un non.

« J'en ai parlé à Liv un jour où elle est venue chercher Henry.

— Et... ?

— Elle avait vraiment l'air de tomber des nues. Pendant une seconde, j'ai cru qu'elle allait m'accuser d'avoir tout inventé et j'ai regretté d'en avoir parlé. Elle m'a dit que je devais me tromper. Que c'était forcément une erreur. Mais elle paraissait complètement bouleversée. Elle ne faisait pas semblant... »

Krueger considéra Platt qui demeurait aussi impénétrable qu'un sphinx derrière ses lunettes, à part le cure-dents qui voyageait d'un côté à l'autre de sa bouche.

« Madame Scolnick, prononça le shérif tout doucement en se penchant vers elle, est-ce que quelqu'un vous fait chanter ?

— Quoi ?

— On vous fait chanter, madame Scolnick ? Êtes-vous victime d'un maître chanteur, comme plusieurs des habitants de cette île ? »

Ils lurent une profonde perplexité dans son regard.

« Vous êtes sérieux ? Non, bien sûr que non ! De toute façon, je n'ai rien à cacher. »

Krueger lorgna discrètement Liza Wasserman. Tout le monde a quelque chose à cacher, avait-il l'air de penser.

« Vous voyez passer beaucoup de monde dans

votre magasin, vous n'avez pas idée de qui ça pourrait être ? »

Le dessin de la bouche se réduisit à un fil.

« Vous avez raison : je vois passer toutes sortes de gens. Et pas que des gens recommandables, croyez-moi... Mais si on doit commencer à parler de ça, on va y passer la nuit…

— Réfléchissez.

— Désolée : je n'ai pas pour habitude de me livrer à des spéculations sans preuves. »

Le ton était sans appel. Krueger soupira. Liza Wasserman se rejeta contre son siège. Platt vérifia l'œil de la caméra qui filmait.

Noah observa la lueur des torches qui clignotaient le long de la côte, fragiles et impuissantes au milieu de la tempête. L'océan affichait toujours le même visage menaçant. Il faisait trop sombre pour distinguer les silhouettes des sauveteurs, de là où il était. Il sortit son téléphone.

« Noah ? dit Jay à l'autre bout. C'est quoi, ce bruit ? Du vent ? Qu'est-ce qui se passe ? »

Reynolds le lui dit. Il lui parla de la fuite d'Henry en kayak à travers la tempête.

« Je suis au courant, dit Jay. On le suivait avec un drone Reaper. Mais à cause de la tempête, on l'a perdu… Tu as du nouveau ?

— Ils ont trouvé son kayak sur les rochers, répondit Noah. Vide… Ils pensent qu'il s'est noyé… »

Il y eut un long silence.

« Il l'a peut-être fait exprès pour qu'ils le croient, suggéra Jay. Ce gamin a de la ressource.

— Oui, admit Noah, tout en sachant que la première hypothèse était de loin la plus vraisemblable.

— On sera là dans quelques heures, annonça Jay prudemment. Dès que la tempête se calme un peu, on va envoyer des drones plus légers scruter toutes les îles… Il faut le retrouver, Noah. Coûte que coûte. Tu sais ce qui est en jeu… »

Oui, il le savait : un père qui cherche son fils. Un père qui disposait d'un avantage considérable sur tous les autres pères : il était l'un des hommes les plus puissants du pays. Et surtout, il faisait partie de cette poignée d'individus qui en tiennent des milliards d'autres dans le creux de leur main et peuvent à tout moment obtenir sur chacun plus d'informations qu'un dieu en posséderait.

Mais même un tel père, se dit Noah, n'était pas assez puissant pour arrêter la mort. La mort d'un fils… En un sens, Noah trouvait ça rassurant.

Bernd Krueger raccompagna la mère de Charlie à la porte et la regarda s'éloigner au milieu des rafales.

« Tu la crois ? » dit Platt dans son dos.

Krueger consulta sa montre. Il était presque 2 h 30 du matin.

« Quoi ? Quand elle dit qu'elle n'a pas de secrets ? Bien sûr que non ! Tout le monde en a au moins un.

— C'est quoi, son secret, d'après toi ? Une liaison ? Une fraude fiscale ? Un passé inavouable ? Une maladie ? Une déviation sexuelle ?

— C'que j'en sais… Tu n'en as pas, toi, de secret ? Un truc que tu n'aimerais pas que je sache… »

Il vit Platt sourire, comme s'il pensait à un secret véritablement amusant, un secret qui aurait laissé

Krueger sur les fesses, et le cure-dents remonta encore plus haut vers son oreille gauche.

Krueger était déjà ailleurs. Trop de zones d'ombre. Mais ils se rapprochaient... Incontestablement… Il songea à l'enquête menée par Henry et ses copains. Ces gamins avaient abattu un boulot incroyable ! Il allait falloir les cuisiner.

Il songea aussi à Taggart et à Nate Harding…

Puis il pensa au kayak vide…

Demain matin, il irait interroger France et Liv. Il pria pour ne pas avoir à leur annoncer en même temps la mort d'un fils. Une silhouette émergea lentement du rideau de pluie.

« Alors, demanda Noah Reynolds. Charlie sait où se trouve Henry ? »

Krueger jeta à l'ancien flic un regard prudent.

« Non, répondit-il. Mais il sait en revanche qui a poussé Oates du haut du phare… »

Noah sursauta.

« Qui ?

— Selon Charlie, c'est eux qui se trouvaient là-haut, cette nuit. Ils ont eu une dispute. Darrell est passé par-dessus bord. Et Henry a tout fait pour l'empêcher de tomber… C'est ce qu'il dit.

— Tu le crois ? »

Bernd Krueger se mordit la lèvre inférieure.

« Non. »

38

Vols et survols

Cette nuit-là, j'ai rêvé de Naomi. Un rêve confus, énigmatique, plein d'images inintelligibles. Dans mon rêve, nous faisions l'amour. À même le sol de la chapelle-atelier de théâtre de Nate Harding. Il y avait du monde autour. Beaucoup de monde. Toute la population de Glass Island était là. Tous portaient des masques blancs et tous, qu'ils fussent grands, petits, gros ou maigres, étaient vêtus de tee-shirts noirs à manches courtes, de pantalons noirs et pieds nus. J'étais couché entre les jambes de Naomi, elle gémissait, je la contemplais en la pénétrant. Tout était chaud et moite et lourd – comme enveloppé dans l'atmosphère flottante et inquiétante d'une tiède nuit d'été : c'était le rêve à la fois le plus érotique, le plus excitant et le plus morbide que j'aie jamais fait. L'instant d'après, par un de ces caprices spatio-temporels qui sont le propre des rêves, nous étions sur Agate Beach. Sur l'un des rochers bordant la plage où on l'avait trouvée morte, un autel avait été improvisé avec des bougies de couleur, des bouquets de fleurs et des fougères, de petits mots maintenus par de grosses pierres. Des dizaines, des centaines de bougies dont les petites flammes vacillaient dans le vent et dont la cire pâle ressemblait à du goémon en coulant sur les rochers. Je disais un truc du genre : « Est-ce que tu m'aimeras toujours ? — Oui, Henry ! » répondait-elle. Mais j'ignorais si ce *oui* était destiné à m'encourager dans mes va-et-vient ou une réponse à ma question et j'allais la reposer quand je découvrais Charlie penché sur nous.

« Qu'est-ce que tu fous là, Charlie ?

— Bon Dieu, dit Charlie, c'est un mannequin, Henry ! Elle n'a pas de chatte !

— Mais non. C'est Naomi. Enfin, regarde, c'est elle !

— C'est des conneries, mec : Naomi, elle est morte. »

Je tournai le regard vers elle, mais elle était bien vivante et incroyablement sexuée. Ses grands yeux améthyste reflétaient la lueur palpitante des bougies, son ventre était rond, sa peau tendue comme celle d'un tambour ; sa bouche s'entrouvrait et se refermait comme celle d'un poisson et elle m'embrassait d'une langue pointue, mais son baiser avait un goût minéral d'algues et d'eau de mer.

Tout en l'embrassant, j'essayais de la ramener à la vie en poussant mon souffle au fond de ses poumons – qui produisaient un son caverneux.

Elle est morte, pensais-je. *Je suis en train de baiser une morte.*

« Non, je suis vivante », dit la voix de Naomi.

L'instant d'après encore, nous étions dans une mer dont l'eau était tiède, dense et poisseuse. Je la baisais furieusement ; elle gémissait. J'ai levé la tête et j'ai vu un satellite juste au-dessus de nous comme un gros insecte, sa coque métallisée et hérissée d'antennes. Une caméra fixée en dessous nous filmait et, soudain, une voix puissante a retenti :

« Qu'est-ce que tu fais, Henry ? Elle est morte ! » J'ai deviné que c'était la voix de Grant Augustine. J'ai continué à faire ce que je faisais. « C'est bon », a dit Naomi. Et, tout à coup, chacun de mes muscles est devenu aussi sensible qu'une corde de harpe...

chaque corpuscule de Krause en éveil…

chaque nerf à vif…

et, dans un éclair de plaisir aveuglant, j'ai lâché la purée ; ma semence jaillie comme l'encre d'un poulpe avant de se répandre en un nuage blanchâtre et de se diluer dans…

tout ce sang…

rouge…

J'ai compris en cet instant que ce n'était pas de l'eau mais du sang, que je la baisais dans une mer remplie de sang, un sang d'un rouge aussi éclatant, incarnat que de la pulpe de coquelicot, un sang chaud, poisseux et velouté.

Je n'en finissais plus de jouir.

C'est alors que je me suis réveillé.

J'ai regardé mon ventre mouillé et collant entre les pans du peignoir et j'ai eu honte. J'ai revu l'imagerie incohérente de mon rêve, cette chaîne d'associations absurdes. Le matériel du rêve – cette puissante excitation sensorielle, ce contenu à forte charge érotique – m'apparaissait à présent comme un mirage morbide et dégoûtant. J'avais toujours le sentiment – peut-être dû à l'éducation rigide de Liv qui voulait faire de moi un homme droit et sans tache – que mes rêves m'entraînaient vers le bas, vers la fange, et je n'aimais pas ce visage veule et rampant qu'ils me révélaient. Contrairement à l'opinion de Freud, la sagesse médicale attribue ce genre d'illusion à une vessie trop pleine ou à un autre stimulus physique – et c'était peut-être le cas, car j'ai dû me lever pour aller soulager une envie pressante.

Quand je suis revenu dans le séjour, j'ai fixé la tache sur le canapé avec dégoût. Ce n'était pas la première fois que ce genre de choses m'arrivait. Mais c'était la première fois qu'apparaissait l'image d'une morte et que cela survenait dans une maison étrangère.

Oh, Naomi, pardonne-moi…

Une bouffée de tristesse m'a fait suffoquer. J'ai eu envie de pleurer, mais je m'étais suffisamment apitoyé sur mon sort. J'ai filé sous la douche tandis que le vent de la tempête sifflait sur les bardeaux et contre les vitres – moins fort, m'a-t-il semblé.

Les douleurs revenaient. Comme de multiples coups d'aiguille dans mes bras et mes jambes, et aussi des brûlures plus profondes, plus amples, autour du torse et de l'épaule.

J'ai repris un antidouleur mais, cette fois, je me suis limité à une pilule. Je me sentais encore vanné et vasouillard, et il était difficile de faire la part des choses entre mes mésaventures de la nuit et les effets secondaires des comprimés. J'ai eu envie d'un café (il y avait une machine derrière le comptoir de la cuisine), de manger (mon estomac se plaignait) et de me repieuter illico sous une couverture, face à la mer. Sauf que je n'étais pas en villégiature, et je ne pouvais traîner ici très longtemps.

Le premier truc à faire était de trouver un bateau, ou au moins une embarcation.

J'ai attrapé mes vêtements de la veille. Ils étaient encore humides et pleins de sable. Une buanderie. Il y avait peut-être une buanderie…

De fait, j'en ai trouvé une en poussant une porte puis une autre derrière la cuisine et – merci au Dieu prodigue de la consommation et du confort américain – il y avait bien une machine à laver et un sèche-linge. Et aussi des berlingots de lessive dans une boîte et un flacon d'assouplissant.

J'ai choisi le programme court, balancé mes fringues dans la machine et je suis retourné dans la cuisine me restaurer. Pas de quoi, hélas, se préparer des pancakes ou des gaufres *(Et quoi encore ? T'es pas en vacances dans un Best Western, mec)*, juste quelques biscuits et un pot de miel qui traînait, mais j'étais affamé et j'ai dévoré tout ce que j'ai trouvé.

Le programme de lavage terminé, j'ai mis mes vêtements dans le sèche-linge. Quarante-cinq minutes plus tard, j'émergeais dans un matin lavé qui sentait bon les aiguilles de pin et l'océan.

C'était plus qu'une accalmie : le vent se réduisait à une légère brise qui faisait frissonner les feuillages et il ne pleuvait plus. Les dégâts laissés par la tempête étaient partout visibles : des branches cassées et des montagnes de feuilles jonchaient le sol, ainsi que de gros paquets d'algues échoués bien au-delà de l'étiage habituel de la marée ; une poubelle de trois cent soixante litres était couchée à vingt mètres de la maison et j'ai vu un grand arbre qui s'était abattu dans la forêt, en entraînant plusieurs autres dans sa chute.

L'estomac agréablement plein – avec encore le goût du café dans la bouche – et l'antidouleur ayant commencé à agir (je me demandais si ce truc n'avait pas aussi un effet antidépresseur ou psychotrope, tant j'étais gagné par une forme de confiance et d'exaltation suspectes), je me suis senti léger, fort et plein d'entrain, et je suis parti en reconnaissance dans l'île.

Ma bonne humeur n'a cependant pas tardé à s'évaporer en découvrant qu'il n'y avait *aucun bateau* sur l'île.

Rien. *Nada.*

Sans doute par crainte des vols, personne ne les laissait dans les garages. La plupart des résidents secondaires devaient amarrer leurs bateaux dans la marina d'East Harbor pour l'hiver ou bien les hisser sur les remorques de leurs 4 × 4 à Anacortes ou à Bellingham une fois la fin des vacances venue…

Je marchais sur le sentier en direction de la maison suivante quand j'ai perçu un bruit venant de l'ouest. Un vague bourdonnement qui n'a pas tardé à s'amplifier et à se muer en vrombissement saccadé, et j'ai compris… J'ai eu à peine le temps de me jeter dans un fourré qu'un hélico apparaissait au-dessus des arbres, le vent déplacé par ses rotors ployant et agitant les branches autour de moi. J'entendais le *tap-tap-tap* de ses pales, le rugissement de sa turbine et je n'avais qu'une seule peur : que les types là-haut repèrent la tache de couleur de mes vêtements au milieu de la végétation.

Je l'ai vu passer, s'éloigner vers l'intérieur, puis je l'ai entendu qui décrivait un grand cercle et revenait vers moi.

Merde !

J'avais laissé les volets du séjour ouverts ! S'ils

étaient au courant que toutes les villas étaient inhabitées, ils allaient appeler la cavalerie… L'appareil est revenu à ma hauteur. Il est resté en vol stationnaire, et je sentais son souffle jusque sous mes pieds, les petits ruisseaux d'air courant au ras du sol entre les buissons, et les millions de gouttes soulevées par toute cette agitation – puis il a viré vers le nord et mis le cap sur une autre île.

Bon Dieu !

J'ai repris ma respiration, mon cœur battait la chamade, mais je me suis fait la réflexion que, maintenant qu'ils avaient vérifié l'île, j'étais tranquille pour un moment. J'allais toutefois fermer les volets et éviter de laisser la moindre trace de mon passage.

Il faut croire que la roue était en train de tourner car, dans le hangar de la dernière maison qu'il me restait à visiter, j'ai trouvé un petit canot pneumatique de marque Zodiac équipé d'un moteur Yamaha.

Je suis sûr qu'un archéologue découvrant le sarcophage d'un nouveau pharaon n'aurait pas été plus heureux. C'est à ce moment-là, tandis que je contemplais ma trouvaille, que la pensée de la veille m'est revenue.

Agate Beach.

À 7 h 30 du matin, ce jeudi 31 octobre, Bernd Krueger pressa le bouton de la sonnette au 1600 Ecclestone Road. Il entendit un carillon à l'intérieur, puis une voix lui lança : « Un instant ! »

Krueger attendit, les mains autour de sa ceinture, dans l'attitude de l'homme qui incarne l'autorité, mais quand la porte s'ouvrit et qu'il vit Liv Myers – ce petit bout de femme aussi coriace qu'un pitt-bull – s'encadrer sur le seuil, son aplomb fondit d'un coup.

« Bonjour, Liv.

— Bernd… où est mon fils ? Où est Henry ? Vous l'avez trouvé ? »

Elle avait posé sur lui un regard agrandi par l'inquiétude, mais elle n'en perdait pas pour autant son naturel autoritaire.

« Pas encore, Liv… on a trouvé un kayak…

— Quoi ? Où ça ?

— Sur les rochers, à l'entrée de la baie. Je peux entrer ? »

Il vit le visage de Liv se décomposer. Elle demeura sur le seuil, sonnée, titubant comme un boxeur qui va s'écrouler, mais ça ne dura pas. Dans la seconde suivante, elle se secoua et s'effaça pour le laisser entrer. Krueger pénétra dans un séjour qui semblait sortir d'un magazine ou d'un catalogue, confort et raffinement, avec une touche d'invitation au voyage dans les malles-cabines et les livres de photographies en noir et blanc.

« Tu veux un café ?

— Oui, merci. »

Il perçut le frôlement de pantoufles sur le plancher et tourna la tête. Vêtue d'un peignoir molletonné et d'une chemise de nuit, les cheveux en bataille, France le regardait. Bernd vit qu'elle était littéralement dévorée par l'angoisse. Dès hier soir, elles l'avaient appelé pour lui demander s'ils avaient trouvé Henry et lui signaler qu'il n'était pas rentré. Et elles avaient rappelé le bureau avant l'aube. Elles n'avaient probablement pas dormi de la nuit. Bernd savait que France lisait sur les lèvres. « Bonjour, France, dit-il. Non, on ne l'a pas encore retrouvé... Mais on a bon espoir. Il doit se planquer quelque part… »

France continua de le fixer après qu'il eut terminé, comme si elle en attendait plus de sa part, et il se sentit mal à l'aise. Heureusement, Liv choisit ce moment pour revenir avec sa tasse de café.

« Qu'est-ce qui vous fait penser que c'était Henry qui se trouvait à bord de ce kayak ? lui lança-t-elle. Le sien est ici, j'ai vérifié.

— La déposition de Charlie… Il était avec Henry hier soir. Selon lui, quand Henry a appris qu'on le cherchait, il a pris la fuite… Et aussi le témoignage d'un autre homme, qui l'a suivi et qui l'a vu partir à bord d'un kayak en direction du détroit. »

L'étincelle dans l'œil de Liv ne lui échappa pas.

« Un autre homme ? Qui suivait Henry ? C'est quoi cette histoire ?

— Il s'agit d'un privé.

— Pourquoi est-ce qu'un privé suivrait Henry ? » demanda Liv sur un ton mi-suspicieux, mi-accusateur.

France agita alors les mains et Liv lui répondit en lui parlant du kayak échoué. Il vit la blonde devenir livide et elle tourna vers Krueger un regard affreusement inquiet.

« Henry est un très bon nageur, dit-il pour la rassurer. Il s'est sans doute échoué sur une autre île, on est en train de les survoler avec un hélico et j'ai envoyé mes hommes les fouiller une par une, maintenant que la tempête est calmée… Ils sont aidés par la patrouille d'État et les gardes-côtes. »

Il se tourna vers la brune.

« Liv, enchaîna-t-il, on a trouvé de l'argent liquide

dans le coffre de la voiture d'Henry… *beaucoup d'argent.* »

Les deux femmes l'examinaient. Krueger se serait senti plus à l'aise s'il avait eu des hommes en face de lui, même des durs à cuire, plutôt que deux femmes comme celles-là.

« Selon son ami Charlie, Henry a trouvé cet argent dans un garde-meubles d'Everett, dans un box *à ton nom*, Liv… D'autre part, il affirme qu'Henry, lui et le reste de la bande avaient découvert l'existence d'un maître chanteur sur l'île. »

Il secoua la tête et leva une main.

« Je sais que ça a l'air incroyable mais… ça n'est pas tout… Nate Harding a confirmé qu'il était bien victime d'un chantage… »

Il leva les yeux vers Liv. Elle semblait sidérée. Il surveilla brièvement France, puis son regard revint se fixer sur la brune.

« Par ailleurs, la mère de Charlie affirme avoir vu France débarquer en pleine nuit à East Harbor et récupérer quelque chose dans une poubelle : une enveloppe ou un paquet – qui aurait pu contenir de l'argent. »

France donnait l'impression d'avoir reçu un coup de poing en pleine figure. Il reporta son attention sur Liv. Celle-ci se tourna vers France et les deux femmes se regardèrent sans rien dire.

« Donc, ma question est la suivante : est-ce que l'une d'entre vous est la personne qui fait chanter les autres ? »

Il y eut un silence.

« Bernd, tu ne parles pas sérieusement », dit Liv d'une voix tranchante. Ses yeux brillaient de fureur rentrée.

« Liv, si vous savez quoi que ce soit, c'est le moment de parler. Comment se fait-il qu'Henry ait trouvé ces liasses de billets, vingt mille dollars en tout, dans un box de garde-meubles à ton nom ?

— J'en sais rien, bon Dieu !

— Et comment se fait-il (il jeta un coup d'œil à France, qui avait l'air d'attendre la suite) que la mère de Charlie ait vu France à East Harbor en train de récupérer une enveloppe dans une poubelle à 2 heures du matin ? »

France secoua la tête avec vigueur en signe de dénégation, et des larmes apparurent au bord des paupières. Elle pivota vers sa compagne et ses mains voletèrent frénétiquement pour former des mots et des phrases.

« France dit qu'elle ne comprend rien, qu'elle ne sait pas de quoi tu parles. Elle dit qu'elle n'a jamais été à East Harbor à 2 heures du matin, qu'elle n'a jamais récupéré quoi que ce soit dans une poubelle, que c'est absurde, que la maman de Charlie se goure de personne…

— Elle est formelle, rétorqua Krueger. Elle a reconnu la voiture et elle a reconnu France. »

Les mains continuaient leur danse silencieuse.

« C'est impossible. France jure qu'elle n'est pour rien dans cette histoire, elle ne comprend rien à tout ça, mais elle a… très peur. »

Des larmes brillaient à présent sur les joues de France, elle fixait le shérif d'un air suppliant. Le visage de Liv demeurait fermé. France poursuivait son monologue gestuel.

« Elle dit : *Trouve mon fils, je t'en supplie, trouve-le*… Voilà ce qu'elle dit, Bernd… Tu entends ? Trouve Henry ! Nous réglerons cette histoire plus tard… J'attends que la mère de Charlie vienne me dire ça en face. (Son ton s'était durci.) Je ne sais pas ce que c'est que cette histoire, mais, bon sang, je compte bien le découvrir… En attendant, FAIS TON PUTAIN DE BOULOT DE SHÉRIF ET TROUVE MON FILS ! »

Krueger tressaillit. Liv avait élevé la voix et son cri avait résonné dans l'acoustique du séjour. Il hocha la tête.

« C'est ce qu'on fait, Liv », dit-il.

Il se leva.

« On a mis tout le monde sur le coup. Il y a même des bénévoles qui nous aident à fouiller la côte. On va le trouver… et j'espère de tout mon cœur qu'on va le trouver vivant. (Il se dirigea vers la porte, se retourna.) Je suis sincèrement désolé. Et… même si je ne comprends pas ce qui se passe… j'espère que ce n'est pas à cause de vous si on se trouve dans cette situation aujourd'hui. Mais si c'est le cas, crois-moi, je le découvrirai. »

Il les salua et sortit.

L'employé de la West Sound Marina sur Orcas Island immobilisa son tracteur et tendit l'oreille quand il perçut le bruit familier. Ce n'était pourtant pas l'horaire habituel des appareils de la Kenmore Air. Sur son siège, il se tordit le cou pour voir le point blanc se rapprocher dans le ciel, au-dessus des sapins.

Il ne pleuvait pas, mais l'esplanade en béton et les quais en bois étaient balayés par une bise glaciale et le ciel tourmenté de nuages allant du gris fer au rose saumon vers le large. La saison était depuis longtemps terminée, les visiteurs se faisaient rares et un chaos de madriers, de planches et d'engins de levage encombrait les docks.

L'employé remonta la visière de sa vieille casquette des Sonics sur son front et regarda l'hydravion descendre lentement vers la baie puis toucher les flots tout en douceur. L'appareil continua sa course sur deux cents mètres environ avant de décrire un quart de cercle et de se laisser glisser vers le ponton. Au dernier moment, le pilote coupa les gaz et l'hydravion poursuivit sur son aire tandis que ses flotteurs s'enfonçaient dans l'eau comme un skieur nautique en fin de trajectoire. Un De Havilland DHC-3 « Otter » : un monoplan qui pouvait emporter jusqu'à dix passagers et neuf cents kilos de fret.

Cinq minutes plus tard, il vit une dizaine de types en émerger. Il fronça les sourcils. Ceux-là n'avaient pas des tronches de touristes. Bien qu'en civil, leur maintien lui rappelait des souvenirs : avant de servir d'homme à tout faire ici, il avait passé plus de vingt ans dans l'armée. Il y avait aussi deux gamins chevelus et un grand type au visage fermé.

Pas des rigolos, se dit-il en les voyant remonter la passerelle au pas de charge. Tous ces types suintaient les emmerdes. Au même moment, deux vans dévalèrent la route de la petite marina bien trop vite et vinrent se garer sur l'esplanade. L'employé vit les hommes décharger de grandes caisses noires de l'hydravion et les embarquer rapidement dans les vans sans qu'un mot soit échangé. Il nota l'inscription sur le flanc des véhicules : DEER BEACH RESORT. Un hôtel de luxe ultra-moderne qui avait ouvert l'été dernier sur la côte sud-ouest de l'île, juste en face de Glass Island.

Sans les lâcher des yeux, l'homme se demanda que venait faire ici une compagnie pareille en cette saison. Est-ce que ça avait un rapport avec ce qui se passait sur Glass Island ? L'histoire du type tombé du phare était dans tous les canards locaux, tout comme celle de la jeune fille trouvée morte sur une plage. L'homme ne put s'empêcher de se réjouir. De quoi alimenter les conversations du soir au pub et se livrer à toutes sortes d'hypothèses extravagantes. C'était un peu comme les catastrophes naturelles, les séismes, les coulées de boue, les attentats terroristes, les guerres – tout le monde trouvait ça déplaisant et sinistre mais, en même temps, tout le monde éprouvait une curiosité malsaine et une secrète excitation quand ça arrivait, de préférence aux autres. Surtout les guerres – parce que ça durait plus longtemps et que les chaînes d'infos en faisaient des tonnes.

En attendant, ces lascars-là n'avaient pas l'air net et l'employé de la marina avait déjà son téléphone portable qui le démangeait au fond de sa poche. L'un des gaillards aux allures de Marines le repéra et s'interrompit un instant pour le toiser en silence. Puis il pointa un doigt vers lui et fit mine de tirer :

bang bang…

Nom de Dieu ! songea l'employé.

Il enfonça sa casquette des Sonics sur ses yeux, attrapa le volant et se retourna pour reprendre sa manœuvre, guidant sa remorque vers un bateau sorti de l'eau et suspendu à un grand portique roulant.

Le Deer Beach Resort se dressait au-dessus des rochers. Verre et aluminium, lignes droites, surfaces planes, transparence.

Au-dessous, la mer léchait la plage et se retirait, léchait et se retirait, inlassablement, sifflant et infusant, tandis que les goélands piaillaient et que le vent miaulait.

Debout sur le grand balcon de la suite, Grant Augustine fixait les minuscules maisons d'East Harbor de l'autre côté du détroit, à environ deux kilomètres. Derrière lui, au-delà de la porte vitrée ouverte, des employés de l'hôtel et les deux jeunes geeks s'activaient pour installer les ordinateurs, dérouler les câbles et les rallonges électriques, orienter les antennes, paramétrer les appareils… En bas, près de la piscine fermée pour l'hiver, une flottille de trois modèles réduits, longs et fuselés comme de petits planeurs, avec sous le ventre le bulbe d'une caméra HD, attendaient leur heure. Des drones légers. Versions améliorées du monoplan RQ-7B Shadow, ils embarquaient des caméras optiques et à infrarouge, un GPS et un *fish eye* pour une vision à cent quatre-vingts degrés, disposaient d'une autonomie de neuf heures et cent cinquante kilomètres et transmettraient leurs images directement aux appareils de monitoring présents dans la suite.

Le temps était suffisamment clair pour que la vue portât loin et Grant braqua ses jumelles au nord d'East Harbor, le long de la côte est de l'île, jusqu'à un chalet typique du Nord-Ouest Pacifique, au milieu des arbres, avec son escalier en bois dévalant vers la mer, son ponton et son hangar à bateaux. Ainsi, c'était là qu'avait vécu son fils pendant sept ans. L'émotion lui étreignit la gorge. Il n'arrivait tout simplement pas à croire qu'Henry ait pu périr la veille du jour où il allait enfin le rencontrer.

Il se sentait frustré, fébrile, terrifié.

Henry…

Même le prénom lui plaisait.

Ce n'était sans doute pas celui qu'il aurait choisi, mais Henry-Henry-Henry… Il en aimait la sonorité… *Henry Augustine*… Henry Grant Augustine… Car il lui donnerait également son prénom et son nom. *Tu es vivant, Henry, je le sais. Il ne peut en être autrement. Nous allons faire de grandes choses ensemble. Je ne laisserai personne se mettre entre toi et moi, désormais. Je t'ai retrouvé et nous allons bâtir ensemble une vie dans laquelle nous partagerons tout. Tout. Je t'apprendrai tout ce que je sais et, en retour, tu m'apprendras ce que toi, tu sais et que je ne sais pas ou plus, ce que j'ai su sans doute mais que j'ai oublié. Car ces événements m'ont changé, Henry. Plus rien, tu m'entends, ne sera comme avant. Tu as ma parole.*

« Grant, dit Jay derrière lui, Reynolds est là. »

Il se retourna et un grand type vêtu de noir, au visage de pierre, aussi massif qu'une statue, s'avança sur la terrasse, aussitôt dépeigné par le vent.

« Où est mon fils ? »

La question avait fusé et la réponse de Noah fut tout aussi directe.

« Je ne sais pas.

— Qu'est-ce que vous savez alors ?

— Il a très bien pu se noyer… c'était violent, cette nuit… »

Grant le regarda droit dans les yeux.

« Il est vivant, trancha-t-il. Je le sais, je le sens. Il est vivant et vous allez me le retrouver.

— Je ne vous serai plus d'aucune utilité ici,

monsieur. Vous avez tout le matériel et tous les hommes qu'il vous faut. Je préférerais suivre une autre piste… »

Grant fronça les sourcils.

« Quelle piste ? »

Noah avait passé la soirée de la veille sur son ordinateur ; il avait fini par lier la société de Los Angeles figurant sur le contrat trouvé chez Henry avec un certain Dr Jeremy M. Hollyfield. Et le moteur de recherche lui avait appris pas mal de choses sur ce « docteur » Hollyfield. Un type qui avait un diplôme de médecine mais qui, au fil des ans, s'était quelque peu éloigné de son domaine de compétences initial pour s'essayer à des domaines aussi variés que le yoga et les médecines parallèles (il avait ouvert un centre de méditation et de médecine ayurvédique), la médecine sportive et même le coaching mental (le site s'appelait l'« Académie des winners » !). Un homme inventif mais peu doué visiblement pour les affaires, car tout ce qu'il entreprenait finissait par se casser la figure. Un type à la réputation douteuse. Et surtout, Noah avait réussi à trouver l'adresse privée du bonhomme à L.A.

« Quelle piste ? répéta Grant.

— Une piste qui nous mène à Los Angeles, à l'époque où les mères d'Henry vivaient là-bas… »

Grant devint soudain attentif.

« Je vais avoir besoin d'argent pour obtenir certaines informations. Le genre de personne que je dois voir ne comprend qu'un seul langage…

— Quelle personne ? Quelles informations ?

— Je vous en dirai plus quand je les aurai obtenues. »

Grant se tourna vers Jay – qui hocha la tête.

« Combien ?

— Disons, trente mille dollars ?

— On sait que mon fils est ici, quelque part. Pas loin. Alors à quoi bon ? »

L'ex-flic de Seattle haussa les épaules.

« Il va peut-être chercher à fuir, à se réfugier ailleurs, à retourner là-bas. Et puis, il y a Meredith… Je suppose que vous avez envie de savoir ce qu'elle est devenue et où elle se cache. »

Meredith… Grant fixa l'homme. Qui sait à quoi elle ressemblait aujourd'hui ? Mais oui, c'était vrai, Reynolds avait raison : il voulait savoir.

« Vous pensez vraiment que ces papiers vont vous mener à elle ?

— Peut-être, peut-être pas… Mais, de toute façon, ici, je le répète, je ne vous suis d'aucune utilité. (Il désigna la flottille en bas.) Le pilotage de drones, très peu pour moi… Et la bagarre non plus, ajouta-t-il avec un coup de menton en direction des balèzes à l'intérieur.

« Très bien, filez là-bas et tenez-moi au courant. Je peux mettre le jet à votre disposition, si vous voulez.

— Inutile, répondit Noah. Il y a un vol Alaska qui part de Sea-Tac à 14 h 20, j'ai déjà mon billet, je serai à LAX avant 17 heures. »

Dès hier soir, il avait réservé son billet : il ne restait plus que deux places. Grant le regarda d'un air surpris ; il connaissait peu de personnes qui auraient manqué une occasion de voyager à l'œil dans un jet privé.

Le vent leur mordait les flancs. Grant remonta le col de sa veste matelassée sur sa nuque. Il tapota le bras de Noah.

« Jay m'avait dit que vous étiez l'homme de la situation. Il avait raison. Vous avez fait du bon boulot, monsieur Reynolds. Merci. »

Noah resta de marbre.

Dix heures du matin. Blayne et Hunter Oates émergèrent au pied du totem indien multicolore qui se dresse à l'angle de Lottie Street et de Grand Street, à Bellingham, devant l'entrée du tribunal du comté. Une rotonde qui semblait tout droit sortie d'un péplum avec, à l'arrière, un grand bâtiment de brique et de verre. Ils hésitèrent un instant sur l'attitude à adopter, humèrent le bon air de la liberté, puis allumèrent une cigarette en s'abritant mutuellement du vent et s'apprêtèrent à faire le pied de grue en attendant le Vieux. Ce dernier réglait les détails de la caution avec leur enfoiré d'avocat.

Un mince rai de soleil surgi entre deux nuages éclaira leurs visages hâves et méfiants. Avec leurs fringues de chasseurs et leurs manières sauvages, les deux frangins avaient l'air aussi déplacés dans ce décor urbain qu'un soldat romain en jupette dans un western – mais c'était après tout le cas de la plupart des individus qui passaient par ici. La cour supérieure du comté de Whatcom étendait sa compétence jusqu'au lac Diablo à l'est, jusqu'à Lummi Island à l'ouest et la frontière canadienne au nord. Cette dernière apportait pas mal de problèmes : plus de mille représentants des Bandidos, de Nuestra Familia, de Los Amigos évoluaient en liberté à travers le comté et ils se battaient avec des gangs affiliés aux Hells Angels canadiens pour le contrôle de la dope… Dans les vallées retirées des North Cascades, c'était également le trafic entre la Colombie-Britannique et l'État de Washington – mais aussi le braconnage, les violences domestiques, les bagarres d'ivrognes, les chapardages et les querelles entre voisins qui fournissaient le gros des contingents d'abrutis débarquant périodiquement devant la cour supérieure du comté.

Blayne et Hunter auraient pu être embauchés comme guides touristiques : ils connaissaient ce bâtiment presque aussi bien que leur propre maison. Blayne tira sur sa cigarette et planta son regard dans les lunettes opaques de son frère. Quelque part dans les rues de Bellingham, une sirène de police s'éleva. Les yeux de Blayne ressemblaient à deux éclats de mica au fond de leurs orbites sombres.

« Qu'est-ce que tu comptes faire pour Darrell ? »

Hunter le fixa, son regard étrangement vide pardessus ses luxueuses lunettes Prada.

« Tuer le fils de pute qui l'a poussé. »

Blayne tira une autre taffe et hocha la tête en guise d'assentiment. Il se lécha le bout des doigts et lissa son bouc noir.

« C'est ce petit enculé de Shane qui nous a donnés. C'est lui qui est derrière tout ça…

— T'inquiète pas pour ce fils de pute. On va l'choper. Et il va morfler… Mais c'est pas avec lui que Darrell avait rencard au phare. Non, c't'avec l'autre enculé bien propre sur lui… »

Sa voix insistait sur les sifflantes, ses mots s'entrechoquaient et la rage coulait hors de sa bouche comme une bave vénéneuse. Son visage était tourné vers le large.

Vers l'océan, vers les îles...

« Merde, tu sais, mec, grinça Blayne, quand je pense à ce qu'il a fait à Darrell, j'ai la haine, j'te jure... Ce morveux, il va salement déguster...

— Comment qu'on a pu laisser ces petits enculés repartir aussi facilement, hein ? s'enquit Hunter en s'échauffant la bile. Comment Darrell a pu s'faire baiser comme ça ?... Tu veux que j'te dise ? On s'ramollit, frérot... On se relâche, on n'est plus dans le coup. Et tu veux savoir pourquoi ? À cause du Vieux... Merde, il est p'us comme avant. Il devient mou d'partout... »

Mais l'homme de soixante-dix ans qui émergea du tribunal à ce moment précis avait l'air tout sauf mou. Il irradiait littéralement. De fureur, de folie, de haine. Ses petits yeux lustrés naviguaient d'un côté à l'autre de sa face massive, scrutant la rue, et sa bouche était pincée et livide.

« Qu'est-ce que vous attendez ? leur lança-t-il. Restez pas plantés là, allez chercher la tire ! Putain, qui m'a fichu des fils pareils ! Blayne, bouge ton cul, bon Dieu ! »

La colère enflamma le regard de Blayne mais, comme toujours, il rentra la tête dans les épaules et fila vers le parking sans demander son reste.

Dans le cou du Vieux, les muscles saillaient comme ceux d'un trompettiste de jazz, comme s'il allait exploser d'un instant à l'autre. Hunter devina qu'il était en train de décoller pour Dingoland et, dans ces cas-là, mieux valait éviter de le chatouiller.

« T'as une clope ? »

Hunter sortit son paquet de son gilet matelassé, ficha une cigarette entre les lèvres du Vieux et l'alluma avec son Zippo.

« Merci. Et enlève ces lunettes. On dirait un putain de débile mental. »

L'aîné tressaillit, mais ôta docilement les carreaux dont il était si fier et qui lui avaient coûté plus de trois cents billets dans une boutique de Bellevue.

Le Vieux planta son regard de crotale électrocuté dans le sien.

« C'est ce Henry que j'veux… C'est ce petit rat d'égout de merde qui a buté mon fils. Je viens d'avoir notre contact au bureau du shérif. Il est formel. C'est lui qui l'a poussé du haut de ce putain d'phare. Il faut qu'il paye, t'entends ? J'ai promis à maman… Seigneur Jésus, je jure sur ce que j'ai de plus sacré que la mort de ton frère restera pas impunie, fiston. »

Noah avait retiré sa ceinture et son manteau, déposé portefeuille, téléphone portable, ordinateur et produit à lentilles dans le panier en plastique et il s'apprêtait à franchir le portique de l'aéroport de Seattle-Tacoma au signal de l'agent de sécurité lorsqu'un souvenir le frôla comme l'aile furtive d'un oiseau. Il s'immobilisa, fouillant dans sa mémoire. Mais le souvenir s'était déjà enfui. « Monsieur, avancez s'il vous plaît… » Pourtant, il avait le sentiment que ce qu'il avait été sur le point de penser était important… C'était en rapport avec la toute première fois où il avait eu Jay au téléphone au sujet de cette enquête, en rapport avec ce que Jay lui avait dit alors. « Avancez, monsieur ! Avancez ! » Plus de *s'il vous plaît*, l'homme de la sécurité s'impatientait. Noah fronça les sourcils. Qu'est-ce que c'était, bon Dieu ? Qu'est-ce que c'était ? « Hé, vous ! Vous êtes sourd ou quoi ? Avancez ! »

Il se ressaisit et franchit le portique. « Excusez-moi, dit-il.

— Veuillez vous mettre là et lever les bras. »

Noah haussa un sourcil.

« Pourquoi ? Le portique n'a pas sonné.

— Vous refusez d'obtempérer ?

— Je ne refuse pas, je demande pourquoi on me fouille alors que le portique n'a pas sonné. »

Il vit l'homme se rembrunir.

« Écoutez, vous voulez prendre cet avion, oui ou non ?

— Bien sûr que je veux le prendre… Non seulement je veux, mais je vais. Vous n'avez pas le droit de me fouiller arbitrairement juste parce que je vous ai un peu énervé.

— Monsieur…

— Vous me faites perdre mon temps et vous perdez le vôtre. Vous feriez mieux de vous intéresser au type là-bas, il n'a pas l'air net. »

Il vit la colère flamber dans le regard de l'homme.

« Monsieur, je vous déconseille de…

— De quoi ? Jette un coup d'œil à mon portefeuille : dix ans à la D.C. Police, cinq dans celle du comté de King et dix-huit au SPD… Tu veux m'apprendre le métier, mon gars ? Tu as quel âge ? Continue à jouer au con avec moi et tu vas te retrouver à vider les soutes à bagages.

— Foutez-moi le camp, dit l'homme.

— Merci. »

Il s'avança jusqu'au tapis roulant pour récupérer ses affaires. La femme préposée au scanner lui jeta un regard torve. En glissant sa ceinture dans les passants de son pantalon, Noah se souvint : la carte postale, celle qu'avait reçue cette femme : Martha Allen… C'était à la suite de ça que Jay et Grant avaient tourné leur attention vers ces îles – et puis, il y avait eu ce meurtre…

Dans la salle d'embarquement, il chercha un siège libre, posa son sac de voyage à ses pieds et sortit de sa veste les clichés qu'il avait faits de la chambre d'Henry. Il regarda fixement une des photographies. À côté de lui, une fillette gazouillait en parlant à sa poupée. Sa mère voilée lui caressait les cheveux et quelques passagers lui lançaient des coups d'œil inquiets. Il attrapa son téléphone et appela Jay.

« Est-ce que vous avez fait analyser l'encre de la carte postale ? » demanda-t-il.

Quand Jay eut répondu, il lui expliqua ce qu'il voulait. « D'accord, dit Jay, je vais voir ce que je peux faire. Je te rappelle dès que j'ai du nouveau. À quoi est-ce que tu penses, Noah ?

— Pas maintenant. D'abord, les résultats.

— Très bien, comme tu voudras. »

Noah raccrocha. Il était gagné par le doute. Ils avaient tous loupé quelque chose. C'était là, mais ils ne le voyaient pas. Comme dans ces tests pour daltoniens faits de points de couleur, il y avait une forme, un dessin dissimulé au milieu des points.

Et ils étaient tous daltoniens.

39

Seul

J'approche de la fin de cette histoire, maintenant. Et c'en est sans nul doute la partie la plus triste et la plus dramatique.

Agate Beach.

Ces deux mots clignotaient dans mon esprit comme le néon d'un motel miteux au nord d'Aurora Avenue, à Seattle.

Je contemplais le Zodiac sur sa remorque dans ce garage anonyme quand ça m'est venu. Un détail – mais un détail affreux, qui m'a fait flipper à mort. Non, ce n'était pas possible ! Je refusais de l'admettre, il y avait forcément une explication.

Je suis retourné fissa vers mon refuge – il y avait un PC dans l'une des pièces, une sorte de petit bureau – et j'ai allumé l'ordinateur. J'ai aussi mis la cafetière en route en attendant qu'il soit opérationnel.

Le propriétaire des lieux n'avait pas jugé bon de mettre un mot de passe. Les gens sont naïfs… La plupart évoluent dans le cyberespace comme des touristes américains qui, dans un rade mexicain, poseraient leurs portefeuilles, leurs clés de voiture et leurs cartes bancaires sur la table

Dès que l'appareil a été prêt, j'ai pianoté « Agate Beach » dans le moteur de recherche.

Il m'a craché un paquet d'entrées – toutes récentes, toutes en rapport avec le meurtre de Naomi et la découverte de son corps sur la plage.

Je les ai passées en revue. Tous les articles étaient postérieurs au 23 octobre, le plus ancien figurait toutefois dans une édition du 23 – mais il s'agissait d'un journal du soir. J'ai alors tapé « meurtre, Glass Island, plage » et je me suis crevé les yeux à déchiffrer les articles suivants à la lueur de l'écran, dans la petite pièce dont j'avais gardé les volets clos.

Pas un de ceux qui étaient parus le matin du 23 – il y avait la date et l'heure sur les éditions en ligne – ne mentionnait les mots « Agate Beach ». Tous parlaient d'une « plage de Glass Island », sans plus de précisions. J'ai retrouvé celui que nous avions lu sur la tablette de Charlie, au lycée.

Ce matin, les services du shérif de Glass Island ont trouvé un corps sans vie sur l'une des plages de l'île. Selon certaines sources, il s'agirait de celui d'une jeune fille de dix-sept ans, mais l'identité de celle-ci ne nous a pas été communiquée...

Lui non plus ne mentionnait pas Agate Beach... Manifestement, la police avait conservé l'info pardevers elle pour ne pas être assaillie trop rapidement par la presse. Pourtant, quand j'étais arrivé sur le parking, il y avait déjà beaucoup de monde. Probable que, sur l'île, l'information selon laquelle les services du shérif avaient trouvé un corps sur Agate Beach avait circulé, et les premiers journalistes arrivés sur place n'avaient eu qu'à poser quelques questions ou bien à suivre le flot des curieux pour la trouver.

Oui, ça semblait logique.

Ce qui l'était moins, en revanche, c'est que j'eusse moi-même foncé sans la moindre hésitation.

Et sans rien demander à quiconque.

Est-ce que j'avais suivi d'autres voitures ? Pas du tout. Il tombait des cordes et on n'avait croisé personne sur Miller Road.

Alors, comment est-ce que je savais ?

J'avais la réponse à cette question depuis le début – coincée dans mon cerveau comme un bout de viande entre deux dents… depuis que les mots Agate Beach avaient surgi. Mon cœur s'est mis à jouer du tam-tam, en sourdine d'abord, puis de plus en plus fort. Je n'en voulais pas, de cette réponse, mais je la connaissais : dans le ferry, j'avais appelé maman Liv pour lui demander de joindre la mère de Naomi et je lui avais raconté ce qu'on venait de lire sur la tablette de Charlie. Qu'on avait trouvé le corps d'une jeune fille sur une plage de l'île. Elle était tombée des nues ; elle avait tenté de me rassurer : « Allons, Henry, il s'agit d'une simple coïncidence. » Et puis, elle avait dit ceci, je m'en souviens : *« Un corps découvert sur Agate Beach, vraiment ? Quelle horreur ! »* Oui. C'était ça : c'était grâce à elle que j'avais foncé sans hésiter vers Agate Beach…

D'où tenait-elle l'information puisqu'elle était censée n'être au courant de rien ? Une chose est sûre : elle ne pouvait pas l'avoir trouvée dans les journaux.

J'ai avalé ma salive. En admettant qu'un voisin, un habitant de l'île l'ait informée sur ce qui se passait – pourquoi, dans ce cas, aurait-elle feint de ne rien savoir au téléphone ? Je suis retourné dans la pièce principale, plongée dans l'obscurité hormis la clarté d'une petite lampe. J'ai fait les cent pas, les tripes rongées par l'acide du doute, le cerveau en ébullition.

Ça ne prouvait rien, évidemment… Mais il y avait l'argent.

L'argent du chantage…

Petit à petit, les pièces du puzzle s'emboîtaient. Et, tout à coup, j'ai pensé à un autre truc et mon sang s'est glacé.

Krueger paraissait préoccupé en raccrochant le téléphone.

« Les Oates, ils viennent d'être libérés. »

Chris Platt reposa son gobelet rempli de café, son front se plissa.

« Aïe », dit-il sobrement.

Krueger lui jeta un regard en coin.

« Tu crois qu'ils vont vouloir venger la mort de Darrell ?

— S'ils savent que c'est Henry qui l'a poussé, ils vont certainement vouloir lui donner une leçon. »

Le shérif serra les lèvres.

« Sauf qu'on ne sait pas si Henry est mort ou vivant…

— Vivant, dit Platt. Tous ceux que j'ai interrogés sont unanimes : Henry est un très bon nageur. Il est sûrement planqué quelque part.

— Dans ce cas, il faut à tout prix le trouver avant les Oates… Je viens de joindre le shérif du comté de

Whatcom : ils les ont suivis à leur sortie du tribunal. Les Oates ne sont pas rentrés chez eux. Ils ont pris la 5 vers le sud. La police de Whatcom les a lâchés quand ils ont quitté les limites du comté pour entrer dans celui de Skagit.

— Ils vont prendre le ferry à Anacortes.

— Ça m'en a tout l'air. »

Ils se turent. C'était tout sauf une bonne nouvelle.

« Bon sang. Henry dans la nature, les Oates qui débarquent ici le couteau entre les dents et Seth qui vient de me prévenir que de drôles de types sont descendus de l'hydravion à Orcas Island ce matin et se sont installés au Deer Beach Resort… Selon lui, ça pue la mafia ou les renseignements… Tu peux me dire ce qui se passe ? Et en plus, ce soir, c'est Halloween. Il y aura un paquet de mômes dans les rues. Je ne voudrais pas que l'un d'eux ramasse une balle perdue si ça vient à tourner au vinaigre…

— Et aussi un paquet d'adultes masqués, fit remarquer Platt. Pratique quand on veut passer incognito… »

Ils observèrent un nouveau moment de silence. Ça ne sentait pas bon. Pas bon du tout. Krueger se tourna vers les horaires des ferries épinglés au mur.

« Ils sont sortis à 10 heures ce matin… Ils peuvent prendre le ferry de 12 h 35 et être ici à 14 heures… ou alors celui de 14 h 40 et débarquer à 15 h 45… Après, on a 17 h 10, 17 h 50, 19 h 20, 20 h 45 et 21 h 45 comme arrivées…

— Je dirais 17 h 50 ou 19 h 20. Ils vont attendre qu'il fasse nuit et que tout le monde soit dans les rues pour profiter de la confusion.

— Je vais dire à Nick de surveiller la maison d'Henry, et Angel va s'occuper des ferries.

— Et ces types sur Orcas Island, tu crois que c'est un hasard s'ils sont là aujourd'hui ?

— Je ne crois pas aux coïncidences, Chris, mais je crois aux emmerdes. Et j'en vois tout un tas se pointer à l'horizon.

— Je la sens pas, cette histoire, renchérit Platt d'un air sombre. On devrait peut-être demander des renforts.

— Parce qu'on a trois abrutis qui débarquent le soir d'Halloween ? La Washington State Patrol et les gardes-côtes sont déjà occupés à chercher Henry. On va devoir se débrouiller seuls.

— Les Oates sont dangereux, Bernd. Combien de nos hommes sont capables de faire face si les choses partent en vrille ?

— C'est simple. Il y a toi et il y a moi. »

Les billets…

Voilà la pensée qui m'avait glacé.

Ils empestaient le tabac.

Dès que j'avais ouvert les enveloppes, là-bas dans le couloir mal éclairé du garde-meubles, j'avais senti l'odeur.

Ce relent de tabac froid qui les imprégnait avait jailli des enveloppes. La même odeur qui flottait en permanence dans le mobil-home de Naomi, ramenée par sa mère du casino, quoi qu'elle fît pour la chasser.

Et soudain, j'ai compris. *Tout*… Et mon sang n'a fait qu'un tour : ce n'était pas dans le garde-meubles qu'ils avaient pris cette odeur-là.

Ils avaient séjourné chez Naomi, dans son mobil-home.

Ils y avaient séjourné suffisamment longtemps pour s'imprégner de cette puanteur que Naomi portait sur elle au lycée et partout, comme si c'était elle qui fumait et non les clients du casino où sa mère travaillait.

Et, tout à coup, j'ai su où j'avais senti cette odeur *juste après la mort de Naomi*. Dans la voiture de Liv… Après mon interrogatoire dans les bureaux du shérif. Quand elle m'avait ramené au parking d'Agate Beach pour que j'y récupère ma caisse.

Oui, me suis-je dit avec un goût de bile dans la bouche.

Liv ne fumant pas, je n'avais pas fait le lien avec la cigarette – ou alors inconsciemment, sans y prêter attention… J'étais trop anesthésié, trop hébété, pour penser à autre chose qu'à la mort de Naomi à ce moment-là. J'avais juste noté, en passant, ce fumet âcre qui flottait dans la bagnole.

Et il n'y avait qu'une seule explication : après avoir séjourné chez Naomi, les billets avaient aussi séjourné dans la voiture de Liv. *Peu de temps avant* que j'y monte. Sans quoi l'odeur aurait disparu.

J'ai repensé à France extirpant une enveloppe ou un paquet la nuit d'une poubelle d'East Harbor… Et si ce n'était pas du pognon qu'elle ramassait, *mais une preuve fournie par le maître chanteur* ?

J'avais l'impression que mon cerveau allait imploser tant j'avais mal à la tête.

J'ai enfoncé les doigts dans mes cheveux, je me suis courbé en deux en grinçant des dents.

L'odeur de tabac froid dans la voiture de Liv juste après le meurtre…

L'odeur sur les billets…

L'odeur du mobil-home de Naomi…

La vérité m'est apparue dans toute sa laideur désespérante.

C'était la mère de Naomi, le maître chanteur – et peut-être Naomi elle-même.

Liv avait voulu reprendre l'argent et, d'une manière ou d'une autre, les choses avaient mal tourné.

Le filet de pêche, la plage, le corps nu de Naomi n'étaient probablement qu'une mise en scène pour aiguiller les services de police dans une mauvaise direction…

Est-ce que maman France savait ? C'était elle, après tout, qui avait récupéré la preuve dans une poubelle. Mais le box du garde-meubles était au nom de Liv, pas de France – alors que maman France passait à moins de deux kilomètres de là chaque fois qu'elle se rendait à son travail, à Redmond, et que, par conséquent, il eût été plus pratique, plus logique de mettre le box à son nom.

S'il ne l'était pas, c'est qu'il y avait une bonne raison : France n'était pas au courant.

Pour l'argent, en tout cas. Et pour le meurtre ?

Avait-elle des soupçons ?

Qu'est-ce que Liv cachait d'autre ?

Maman France était-elle en danger, sans le savoir ? Avec son handicap, elle n'entendrait pas les coups venir… Cette pensée m'a baigné d'une sueur froide.

J'ai envoyé valser une lampe, les livres sur la cheminée et mon bol de café qui s'est brisé dans le séjour silencieux et sombre ; je suis allé dans la salle de bains me passer la tête sous l'eau, cherchant désespérément une issue, puis j'ai considéré le garçon hagard et hirsute qui me regardait dans le miroir et je lui ai hurlé dessus de toutes mes forces.

Après quoi, j'ai repris ma respiration, le cœur battant.
C'est alors que j'ai entendu un bruit.

Blayne souffla sur la soupe de palourdes puis il la porta à ses lèvres. Il en avait mis dans son bouc et il l'essuya d'un revers de manche avant d'aspirer une nouvelle cuillerée à soupe. Ses petits yeux fureteurs ne quittaient pas le pont fermé du ferry.

Ils recherchaient un éventuel représentant des forces de l'ordre, mais c'était l'heure creuse, le ferry était presque vide, et aucun des passagers n'avait l'allure d'un connard de keuf en civil. Avec un QI de 63 lors des tests qu'on l'avait obligé à passer la première fois où il avait été incarcéré, Blayne ne brillait pas par son intelligence, mais il n'en était pas moins doté d'un vrai radar à poulets. Il aspira de nouveau la soupe avec un bruit de succion et une femme d'un certain âge assise sur la banquette devant lui se retourna pour le foudroyer du regard.

Blayne la fixa et sa langue voleta dans sa bouche tandis qu'il émettait un son qui ressemblait, selon lui, à un broute-minou.

La femme se détourna, horrifiée.

Satisfait, Blayne reporta son attention sur la salle.

Il avait toujours la rage.

Chaque fois qu'il pensait à Darrell, il lui venait des envies de meurtre – et pas une mort rapide, non…

Il consulta sa montre.

Quinze heures trois.

Il serait à East Harbor dans moins d'une heure. Il regrettait presque qu'aucun enfoiré de keuf ne soit présent dans la salle ; après tout, son rôle était de distraire les forces de police – pas de passer inaperçu ni de les éviter. Il regrettait encore plus de ne pas participer à l'action, d'être mis au rancart une fois de plus par son frère aîné et par son père.

Il avait toujours été la cinquième roue du carrosse.

Mais ce temps-là était révolu. Maintenant que Darrell était mort, il allait leur montrer de quel bois il était fait.

Le petit bateau – un Mako 238 de 1989 équipé de deux moteurs jumeaux Mercury – bondissait sur les vagues à une allure assez rapide mais sans excès : inutile d'attirer l'attention des gardes-côtes et, de toute façon, il y avait un fort clapot.

Comme souvent l'hiver, les eaux du détroit de Rosario secouaient méchamment, des moutons blancs hérissaient la mer grise à perte de vue, mais le Vieux savait que ça se calmerait dès qu'ils auraient dépassé Spindle Rock pour se glisser dans la Peavine Pass.

Un œil sur le compas, l'autre tourné vers le ciel nuageux, il craignait l'apparition d'un hélico, mais la capote imperméabilisée qui recouvrait le cockpit les protégeait des regards indiscrets.

En quittant le tribunal de Bellingham, ils avaient ostensiblement pris la Highway 5 vers le sud et, comme ils s'y attendaient, ces connards de flics les avaient escortés jusqu'aux limites du comté. Ensuite, ils avaient roulé jusqu'au terminal des ferries sans repérer d'autre filature et laissé Blayne monter à bord avec la caisse. Une deuxième voiture les attendait sur le parking. Le Vieux et Hunter avaient rejoint leur bateau mouillé dans la marina d'Anacortes, mis les gaz et remonté le chenal Guemes jusqu'au détroit, avant de virer vers le nord.

Le Vieux aurait parié que le shérif de Glass Island les attendait au terminal des ferries, à East Harbor.

À la barre, il fixait l'horizon de ses petits yeux durs, une main sur la manette des gaz. L'accalmie avait été de courte durée. Le vent soufflait de nouveau avec violence ; le ciel et la mer se mêlaient en une masse indistincte de pluie, de vagues et de nuages. La tempête sifflait à ses oreilles, lui fouettant les sangs. Près de lui, Hunter était vert ; ses abrutis de fils avaient le mal de mer. Le Vieux soupira. Darrell était le meilleur d'entre eux et Darrell était mort.

Un puissant désir de vengeance enfla dans sa poitrine et il renifla l'air chargé d'embruns, tous naseaux dehors, comme un fauve qui sent sa proie.

Derrière les grandes baies vitrées antitempête de l'hôtel, Grant Augustine regardait le temps se gâter d'un air inquiet. Le vent soufflait en rafales sur la grande terrasse désertée, si fort qu'il faisait vibrer la rampe d'aluminium. En bas, un prélart avait été tiré sur les drones, près de la piscine, et arrimé avec des amarres de bateau. Ils avaient déjà perdu un appareil à plusieurs millions de dollars la nuit dernière lors de la fuite de son fils : les techniciens se refusaient à les mettre en l'air par un temps pareil et même lui ne pouvait les y forcer.

Le nez collé à la vitre, Augustine soupira. Le ciel virait au noir bien qu'il fût à peine 4 heures de l'après-midi et les nuages s'amoncelaient au-dessus de Glass Island.

Dans son dos, un scanner épiait les fréquences de la police et les deux geeks avaient une mosaïque d'images sur leurs écrans : les caméras de surveillance des bureaux du shérif, celles des rues d'East Harbor, du ferry et de la maison d'Henry…

« Il y a un truc qui cloche », dit l'un des geeks derrière lui.

Grant se retourna, Jay se rapprocha du gamin.

« Regardez : ça, c'est les caméras du ferry qui va arriver à East Harbor dans exactement… quinze minutes. »

Jay se pencha par-dessus l'épaule du jeune technicien.

« Et… ?

— Là. Vous le reconnaissez ? C'est ce type. (Il désigna l'une des photos épinglées sur le mur, l'image n'était pas très nette et l'individu était assis à l'autre bout de la salle par rapport à la caméra, mais le doute n'était pas permis.) Blayne Oates…

— Il est seul, commenta Jay.

— Exactement. Et, sauf s'ils sont restés dans leur véhicule, je ne vois pas les deux autres à bord.

— Merde. »

Le bruit...

J'ai tendu l'oreille. Mais tout était à nouveau silencieux. Debout au milieu du séjour, je percevais le grondement de mon sang – et la profondeur du silence qui régnait dans la maison. J'avais une envie folle d'ouvrir tous les volets, de laisser entrer la lumière.

Puis je l'ai entendu de nouveau.

Un petit bruit. Lointain. Mais qui se rapprochait. Une sorte de *bzzzz-bzzzz*… Comme celui d'un gros bourdon. *Un moteur de bateau*… Il venait tout droit par ici.

J'ai éteint toutes les lumières et je me suis précipité

vers la baie. J'ai fait glisser la porte vitrée sur son rail et entrouvert le volet. Jeté un œil dehors. De fait, il y avait un point blanc sur la mer. Il traçait sa route au milieu des vagues – et il venait bien par ici. Merde ! J'ai refermé le volet, rallumé et regardé autour de moi. À la hâte, j'ai ramassé les livres, les morceaux du bol cassé par terre, mais un éclat plus coupant que les autres m'a entaillé l'index et mon doigt s'est mis à pisser le sang, envoyant des gouttelettes partout. J'ai juré. À l'extérieur, le bruit de moteur a grandi – puis il a changé de régime et j'ai compris que le bateau ralentissait en pénétrant dans l'anse.

Étourdi, j'ai tracé vers la fenêtre que j'avais forcée pour entrer. Je l'ai ouverte et l'air s'est engouffré dans la chambre ; j'ai sauté par-dessus le rebord de la fenêtre, à l'abri des regards. Une fois de l'autre côté, sur la terrasse, j'ai repoussé le volet derrière moi.

J'ai détalé en direction de la forêt.

Le vent soufflait à nouveau très fort dans les branches.

J'ai couru à perdre haleine, à travers bois, jusqu'à ce qu'un point de côté me transperce le flanc. Stoppé net, les mains sur les genoux, la bouche grande ouverte, j'ai repris ma respiration, avant de repartir un peu moins vite vers l'endroit où se trouvait le Zodiac.

40

Halloween

Le *deputy* Angel Flores reposa sa canette de Brisk à la pomme dans l'anneau du tableau de bord en voyant surgir du ferry une Chevy El Camino hors d'âge. Avec son grand capot de berline, le petit habitacle à deux places et l'immense plate-forme de pick-up à l'arrière, cette merveille ressemblait à un bateau sur roues – une merveille comme on n'en fabriquait plus, hélas, soupira Flores.

Il se redressa : Blayne Oates était au volant.

Flores le reconnut immédiatement.

Seul…

Où diable étaient passés les deux autres ? Une vingtaine de véhicules seulement jaillirent du navire dans la lumière déclinante, leurs pare-brise balayés par la pluie, et Flores ne vit Hunter et le Vieux nulle part. Bordel. Où étaient-ils passés ? Il était à peine 4 heures de l'après-midi, mais les lumières commençaient déjà à s'allumer à East Harbor. Le ciel était noir au-dessus de la baie et le vent faisait claquer les drapeaux et même vibrer leurs hampes.

Un sacré temps d'Halloween, se dit Flores.

Il décrocha sa radio et appela directement le chef Krueger.

« Blayne Oates vient de sortir du ferry. Seul.

— Tu peux répéter ?

— Blayne est seul. Son frère et son père n'étaient pas à bord. Je fais quoi ?

— Tu le suis, bon Dieu ! »

L'adjoint démarra et fila en direction de Main Street dans laquelle la Chevrolet avait viré. Il n'eut aucun mal à la repérer : elle était garée à quelques mètres de là, devant la Waterfront Tavern. Blayne était en train de la verrouiller, et Flores le vit traverser le trottoir et entrer dans le pub d'un pas rapide, sans un regard autour de lui.

Flores attrapa la radio. « Il est entré au Waterfront. (Il hésita.) Si tu veux mon avis, je le trouve un peu trop tranquille. Ça m'a tout l'air d'une diversion, Bernd.

— Merci, Angel. »

Krueger raccrocha.

« Hunter et le Vieux ont trouvé un autre moyen d'arriver sur l'île sans se faire repérer », annonça-t-il d'un ton sinistre.

Platt était déjà au téléphone. « J'appelle le comté de Whatcom. Ils doivent savoir s'ils ont un bateau quelque part…

— Il y a plus de deux cent mille bateaux immatriculés dans l'État de Washington, Chris, et ils ont très bien pu le faire sous une fausse identité.

— On ne sait jamais.

— De toute façon, il est trop tard : si Blayne est là, ça veut dire qu'ils ont déjà accosté. »

Sur Cedar Island, le *deputy* Ron Winslette sauta sur le ponton branlant battu par la pluie, tandis que son coéquipier manœuvrait prudemment le bateau.

L'océan rageur se lançait à l'assaut des rochers et de la petite plage et il ne tenait pas à s'échouer dessus avec un des trois bateaux que possédait la police de Glass Island. Winslette courut jusqu'à l'escalier qui menait à la terrasse cernant la maison et il en fit rapidement le tour en contrôlant les ouvertures, comme il l'avait déjà fait avec une douzaine de maisons depuis ce matin. Côté terre, il se figea brusquement. Un des volets était entrouvert. Ron Winslette sortit son arme de service et écarta lentement le volet. La vitre derrière était brisée, la fenêtre grande ouverte…

Il retourna vers le ponton.

« Envoie les amarres ! Faut qu'on fouille cette baraque. »

Seymour Bay, sur la côte ouest de Glass Island, surmontée par la masse boisée et embrumée de Mount Gardner, sa petite plage enchâssée entre deux caps rocheux, continuellement fouettée par les vents ou noyée dans les brouillards, évoque pour les gamins de l'île l'aventure et le mystère. Car, contrairement à la côte est, le littoral occidental est resté presque inviolé, hormis la petite marina de Crescent Harbor tout au nord. Aussi, à l'âge où ils ne sont pas encore totalement accaparés par leurs ordinateurs et leurs consoles, les garçons (les filles également, mais moins) aiment-ils s'y ébattre avec en tête des histoires de pirates, de naufrages, de monstres marins et d'îles au trésor.

S'il y avait bien deux personnes peu réceptives aux

charmes adolescents de l'endroit, c'étaient le vieux Oates et son fils.

Le Vieux, qui connaissait ces eaux comme sa poche, savait qu'il y avait un anneau protégé où il pouvait amarrer le Mako, à droite juste après la jetée, même si plus personne ne l'utilisait de nos jours.

Jack Taggart les attendait, debout sous la pluie, sa mèche blonde trempée sur ses lunettes ruisselantes.

« Salut Jack, dit le Vieux en mettant pied à terre. Ça secoue drôlement ce soir.

— Bonjour, monsieur », dit Taggart, qui ne donnait du « monsieur » à personne, en serrant la grande paluche du Vieux. Elle était froide et moite après avoir tenu la barre si longtemps, mais le Vieux avait encore plus de poigne que lui. « Salut, Hunter.

— Salut. »

Taggart était le pote de Darrell, pas celui de son frère. Hunter ne l'aimait pas. Il lui trouvait un air malsain d'ado attardé avec ses cheveux blonds, ses joues roses et ses lunettes.

« T'as la caisse ? demanda le Vieux.

— Ouais, elle vous attend sur le parking. Remettez-la à la même place au retour et laissez les clés dans le pot d'échappement.

— Rentre chez toi. Tu ne nous as pas vus.

— Bien sûr. »

Taggart les salua d'un signe de tête et s'éloigna dans la nuit qui commençait à tomber.

« Connard, lâcha Hunter. Jamais compris ce que Darrell lui trouvait. »

Le Vieux ne fit aucun commentaire.

« Le gamin, il s'est peut-être réfugié sur Cedar Island, expliqua le *deputy* Ron Winslette dans le haut-parleur. En tout cas, quelqu'un a séjourné dans une des maisons de l'île récemment. On a aussi trouvé des traces de sang dans le séjour et du coton imbibé dans une poubelle de la salle de bains. Du sang même pas sec. Il est peut-être blessé.

— Continuez de fouiller les maisons de l'île, ordonna Krueger. Et soyez prudents… Je ne crois pas qu'il soit armé, mais on ne sait jamais. Je ne peux pas vous envoyer de renforts pour le moment, pas avec ce qui se passe ici… Tous les effectifs sont à leurs postes, je n'ai personne, Ron. Mais je vais prévenir la Washington State Patrol.

— Bien reçu. Terminé. »

Krueger coupa la communication et regarda Platt, qui lui fit un clin d'œil à la Philip Seymour Hoffman.

« Vivant. »

J'avais traîné le Zodiac à travers les flaques d'eau, jusqu'à l'endroit où les vagues s'écroulaient bruyamment sur le sable. Au large, la mer était couverte de crêtes blanches et je savais que ça allait secouer. Avant de tirer la remorque hors du garage, j'avais vérifié qu'il y avait suffisamment de carburant dans le réservoir. À présent, trempé jusqu'aux os, je grelottais.

Je suis revenu dans la maison et j'ai attrapé le téléphone fixe dans l'entrée.

Je crois que je tremblais de froid mais aussi de peur. J'avais peur de ce que j'allais entendre – peur de la vérité. Mon cerveau envoyait des signaux de panique dans tout mon corps et ma main n'en finissait plus de trembler sur le téléphone.

Je me suis souvenu comment Liv et France m'avaient toujours affirmé qu'elles avaient coupé les ponts avec leurs familles respectives à cause de leur mode de vie « non conventionnel », mais je commençais à me demander si ça aussi, ce n'était pas un bobard. Pour la première fois, je les voyais d'une manière différente. J'essayais de deviner derrière chacun de leurs gestes, de leurs regards des intentions cachées, des mensonges, des secrets…

Est-ce que notre cellule familiale allait éclater elle aussi ?

Est-ce qu'à la fin il ne resterait plus rien ?

Mais avait-elle seulement existé ? Ou bien était-ce des craques depuis le début ? Une illusion ? Une fiction à laquelle chacun d'entre nous avait contribué à sa manière, sans jamais être totalement dupe ?

J'avais presque envie de vomir en composant le numéro et, en écoutant la sonnerie, abattu et vidé, j'ai pris une profonde inspiration pour ne pas me trouver mal. J'étais si fatigué.

Puis la sonnerie s'est arrêtée.

« Allô ? » a répondu maman Liv.

Vers 5 heures du soir, les gamins commencèrent à apparaître dans les rues. Assis derrière son volant, le *deputy* Angel Flores vit deux petits groupes descendre Main Street, accompagnés de parents hilares. Les déguisements des parents étaient assez prévisibles : un Jack Sparrow, un Dark Vador, deux sorcières… Ceux des gosses en revanche posaient plus de problèmes au *deputy* Flores, qui avait presque quarante ans et pas d'enfants.

L'éclair zébrant le front et les fausses lunettes sans

carreaux : un Harry Potter, pas de doute – mais les autres ?

Il reporta son attention sur la Waterfront Tavern lorsque la porte de celle-ci s'ouvrit. Il y avait une citrouille découpée et éclairée sur le perron, mais c'était sans doute une fausse citrouille en plastique assortie d'une lampe, car, avec ce vent, une bougie se serait éteinte.

Un adulte apparut en veste d'hiver noire. Il portait un grand masque de Chewbacca qui lui recouvrait toute la tête et Flores l'entendit parler au Dark Vador qui passait juste à sa hauteur sans comprendre ce qu'ils se disaient. Les parents éclatèrent de rire et le faux Chewbacca s'éloigna après les avoir salués.

Flores regarda sa montre. Dix-sept heures vingt. Cela faisait plus d'une heure que Blayne Oates était là-dedans. Il était peut-être temps d'aller jeter un œil. Il descendit et courut jusqu'au pub au milieu des bourrasques. Lorsqu'il franchit la porte, la chaleur douillette qui régnait à l'intérieur le frappa en même temps que le niveau sonore des conversations. Flores parcourut la salle des yeux et son pouls s'accéléra. Oates n'était ni au bar ni dans la salle.

« Salut Angel », lui lança le barman.

Il ne répondit pas. Se rua dans l'escalier vers la petite mezzanine, elle aussi bondée ; mais Oates n'y était pas non plus.

Flores sentit la panique le gagner.

Il redescendit et se dirigea vers les toilettes. Personne devant les lavabos, mais un des cabinets était fermé. Il tambourina dessus.

« Blayne !

— C'est pas Blayne ! claironna une voix qui ne

pouvait appartenir à un homme aussi jeune. C'est le comte Dracula ! »

Un rire à mi-chemin entre l'étouffement et le borborygme s'éleva derrière la porte, parachevé par une quinte de toux ponctuée du bruit d'une chasse d'eau. Angel Flores pensa à l'homme au masque de Chewbacca et à la veste noire. Blayne était entré dans le pub avec une veste verte. *De même taille et de même coupe…* Une veste réversible ! Quel imbécile il faisait ! Il ressortit, traversa la salle à toute vitesse et émergea sur le perron.

Dans la rue, les gamins et leurs parents s'éloignaient mais Blayne Oates avait disparu.

À l'aéroport de Los Angeles, Noah donna l'adresse au taxi : Nichols Canyon, un canyon au nord de L.A., qui part d'Hollywood Boulevard et serpente dans les collines en contrebas de Mulholland Drive. Un trajet moyen dans une mégalopole tentaculaire dont l'artère la plus longue mesure plus de quarante kilomètres, mais le chauffeur mexicain préféra éviter les embouteillages du soir sur la 405 Nord en coupant par La Cienega. Mal lui en prit : ils se retrouvèrent bloqués dans les Baldwin Hills par un accident.

Palmiers, bitume, bouchons, néon et smog – bienvenue à L.A., se dit Noah, tandis que le chauffeur pestait et jurait contre le monde entier.

« Sors dans le jardin, ai-je dit d'une voix ferme, la maison est probablement sur écoute, et appelle-moi avec un téléphone sûr au numéro qui s'affiche.

— Henry ? s'est écriée maman Liv. Oh, mon Dieu,

tu es vivant ! Pourquoi tu n'as pas appelé plus tôt ? On était mortes d'inquiétude ! »

J'ai perçu son immense soulagement, mais je me sentais froid et indifférent, comme détaché, quand j'ai continué : « Sors dans le jardin et rappelle au numéro qui s'affiche avec ton téléphone sûr, maman, j'ai seriné.

— De quoi est-ce que tu parles ? Quel téléphone ? Je ne comprends rien !

— Fais-le. Je sais que tu en as un… Je t'ai entendue le dire l'autre fois, quand tu l'as utilisé… Un téléphone à carte prépayée… J'attends. »

J'ai coupé la communication.

« Je l'ai perdu ! annonça Flores.

— Quoi ?

— J'ai perdu Blayne ! Il est ressorti du pub avec un masque et il a parlé avec des parents dans la rue, je ne me suis pas méfié !

— C'est pas vrai ! » jura Krueger avant de raccrocher au nez de Flores.

Il appela Nick Scolnick, qu'il avait envoyé en faction devant la maison d'Henry, toutes affaires cessantes.

« Nick ? Comment ça se passe de ton côté ? Tout va bien ?

— Rien à signaler », répondit le frère de Charlie.

Nick écouta les instructions et coupa la communication. Le chef Krueger avait l'air drôlement nerveux. Il lança un regard machinal vers la maison, dont les lumières brillaient à travers les averses, et remit 92.9 KISM, la radio rock de Bellingham – un filet de bon rock classique noyé dans un déluge de publicités et de bavardages.

Il aurait préféré rejoindre Trish, qui devait en ce moment même être au pub avec ses amies et porter un costume d'Halloween supra sexy. Il n'avait pas encore eu le temps de découvrir son déguisement, mais il l'imagina en short moulant, bustier laissant voir la moitié de ses nichons et maquillage de vampire ou de commando et, rien qu'à cette pensée, son pénis durcit quelque peu dans son pantalon de serge bleue. Malheureusement, Krueger avait réquisitionné tous les effectifs pour cette putain de nuit d'Halloween.

Et pas seulement à cause des zombies et des sorcières en liberté dans les rues, non... Les Oates avaient été libérés ce matin, et ils en avaient après Henry. Nick éprouva un malaise à cette idée. Il n'était pas étranger à la venue des Oates sur l'île. Mais le Vieux ne lui avait pas laissé le choix. Où était Henry ? Il ne l'avait jamais apprécié mais, bon Dieu, ce petit con était peut-être en danger de mort... Et son connard de frère avec. Même si Nick avait insisté au téléphone : ce n'était pas Charlie qui avait poussé Darrell.

« Nom de Dieu ! » s'écria Augustine en entendant la voix de son fils dans les haut-parleurs.

Fais-le. Je sais que tu en as un...

« C'est lui, Jay ! Il est vivant ! »

Adossé aux vitres, Jay se taisait, le front plissé, les yeux cernés. Il n'avait pas fermé l'œil depuis vingt-quatre heures et il commençait à accuser la fatigue.

Il essaya de se mettre dans la peau de son patron, de comprendre ce qu'il ressentait en cet instant précis en entendant pour la première fois la voix de son fils. Mais Jay n'avait pas d'enfant et n'en aurait jamais, il avait un peu de mal.

Je t'ai entendue le dire l'autre fois, quand tu l'as utilisé... un téléphone à carte prépayée...

La voix était triste mais déterminée. On devinait une immense lassitude en elle – mais elle demeurait ferme. *Et passablement froide*, estima Jay.

Puis la communication fut coupée.

Dans la suite transformée en poste de commandement, Grant leva vers Jay un regard désemparé ; il semblait profondément atteint.

« Où est-il ? demanda Grant. Où est-il, bon sang ? »

Jay l'observa. Il commençait à s'agiter, l'inaction lui pesait. Il avait fait ce long voyage jusqu'ici pour porter secours à son fils et il n'était pas fichu de le protéger. Si ces ploucs mettaient la main sur lui avant eux, Henry était un garçon mort et ils iraient assister à ses obsèques. La situation s'envenimait. Ils étaient en train d'en perdre le contrôle.

« Jay, dit Grant. On ne peut pas rester les bras ballants. Il faut agir. »

Sourcils froncés, Jay réfléchit, tout aussi préoccupé et désemparé que son patron.

Seul un silence troublé par quelques salves de parasites sortait à présent des haut-parleurs. Dans l'objectif de la caméra du séjour, ils virent Liv franchir la porte d'entrée.

« Merde, dit l'un des jeunes geeks, dépité, il n'y a

pas de micro à l'extérieur. Et pas de drone non plus pour filmer, à cause de la tempête. »

Jay se tourna vers les balèzes en pull noir, gilet en kevlar et pantalon sombre. Des chargeurs et des flingues tout aussi noirs attendaient, sagement alignés sur la table basse.

« L'hélico est prêt ? » demanda-t-il.

L'un des hommes hocha la tête en signe d'assentiment.

« On y va ! Une fois sur l'île, on se sépare en deux groupes : un pour patrouiller dans les rues d'East Harbor, l'autre pour surveiller la maison d'Henry et les environs. On bouge ! Et si ces tarés se pointent, on les change en gruyère. »

« *¡Coño, que mariconada!* » s'écria le chauffeur mexicain en considérant le fleuve d'acier immobilisé sur La Cienega, alors même que les véhicules descendant de West Hollywood filaient tranquillement vers le sud, leurs phares allumés, de l'autre côté de la route.

Il se retourna vers Noah. « *Lo siento*, pas de chance, *señor*. Vous étiez pressé ? Parce qu'on n'est pas près de sortir de ce merdier.

— Pas vraiment, répondit Noah en contemplant le chromo de la Vierge de Guadalupe sur le tableau de bord. Ça a attendu pendant seize ans, ça peut bien attendre deux heures de plus. »

Il sortit de son sac de voyage l'enveloppe qu'il avait subtilisée chez Henry. Relut les termes du contrat qui se trouvait à l'intérieur :

« Je n'ai aucune intention ou désir d'être considéré comme le parent légal de tout enfant conçu à partir de mon don et, dans toute la mesure du possible,

je renonce à toute réclamation que je pourrais faire quant à ma parentalité sur tout enfant conçu à partir de mon don. Ma renonciation s'applique indépendamment du fait que mes échantillons de sperme puissent être utilisés par une femme mariée ou non et/ou à des fins éthiques de recherche, indépendamment aussi de l'État ou du pays dans lequel mes échantillons seront utilisés. »

Plus loin, le contrat stipulait : *« Le donneur de sperme en contrat avec un médecin agréé ou une banque du sperme agréée pour une utilisation dans la reproduction assistée d'une femme autre que le conjoint du donneur sera traité en droit comme s'il n'était pas le parent naturel de l'enfant ainsi conçu. »*

Noah sortit un autre feuillet – une fiche qui précisait, entre autres, que le donneur était de race caucasienne, qu'il n'était pas atteint de drépanocytose, ni de la maladie de Tay-Sachs, ni de mucoviscidose, qu'il était intelligent, sportif et qu'il aimait toutes les formes de musique à l'exception de la country et du heavy metal. Il était identifié par un numéro : 5025 EX.

Noah réfléchissait quand le téléphone vibra dans sa poche. C'était Jay.

« Tu avais raison de poser la question, dit-il.

— C'est-à-dire ?

— Le stylo dans le pot, celui dont tu m'as envoyé la photo…

— Eh bien ?

— Tu as vu juste : j'ai contacté l'ATF… »

Le Bureau des alcools, tabacs, armes à feu et explosifs : Noah savait qu'il possédait une base de données de plus de trois mille encres. Or les stylos à bille utilisaient des encres à base de couleurs synthétiques diluées dans des solvants et des additifs, et leurs compositions pouvaient être isolées par spectrométrie ou par chromatographie.

« Selon eux, le modèle du stylo et la composition de l'encre correspondent. Mais attention : c'est une encre assez courante, utilisée également dans d'autres stylos.

— Qu'a dit ton type exactement ?

— Que, compte tenu des circonstances, il y a 80 % de chances que cette encre provienne de ce stylo.

— Ça ne tiendrait pas devant un tribunal.

— Et devant le nôtre, est-ce que ça tient, Noah ? rétorqua Jay. Beau boulot, ajouta-t-il.

— Tu vas en parler à ton patron ?

— Pas tout de suite… J'attends de voir ce que tu vas trouver à L.A. »

Un sentiment étrange envahit Noah en remettant son téléphone dans sa poche. La carte postale : il savait désormais qui l'avait écrite.

Au bord de la crise de nerfs, France se demanda où était passée Liv. Puis une autre pensée la frappa : *Henry était vivant ! Henry était sain et sauf !* Cette pensée aurait dû la réconforter, mais elle ne comprenait pas pourquoi Liv s'était précipitée dehors après l'appel de leur fils.

Qu'est-ce qui se passait, bon Dieu ? Et surtout pourquoi ne revenait-elle pas ?

Elle était morte d'inquiétude...

La pluie débordait des gouttières de l'autre côté de la baie vitrée et le vent devait hurler autour de la maison. Tout à coup – et pour la première fois avec une telle netteté –, celle-ci lui parut être devenue un endroit… *hostile*.

Depuis combien de temps avait-elle ce sentiment ? La sensation que, de nouveau, le sol se dérobait sous leurs pieds. Que leur petit univers n'allait pas tarder à tomber en morceaux. Ce sentiment, elle l'avait déjà éprouvé par le passé. À Los Angeles… Elle comprit que, ces derniers temps, avec l'horrible mort de Naomi, les accusations contre Henry, la suspicion, les regards des habitants de East Harbor lorsqu'elle faisait ses achats et les questions malveillantes de la police, cet endroit qu'elle avait tant chéri, tant aimé, lui était petit à petit devenu insupportable. Elle n'avait qu'une envie désormais : repartir – comme elles l'avaient déjà fait.

Fuir…

Comme elles avaient fui Los Angeles avant qu'il ne soit trop tard. Elles avaient pourtant cru pouvoir trouver la paix ici, enfin : un endroit où personne ne viendrait les chercher. Mais, une fois de plus, elles étaient au bord de l'abîme…

Soudain, une lumière clignota dans le vestibule et elle tressaillit. Le cœur palpitant aussi fort que celui d'un oiseau, elle se précipita vers la porte. Elle s'attendait à voir Liv mais, à sa place, elle trouva des gamins déguisés et réclamant leur butin. Halloween. Elle voyait leurs bouches s'ouvrir et pousser des cris qu'elle n'entendait pas et, pendant un instant, elle fut prise de vertige.

Elle aperçut deux parents souriants à quelques mètres dans l'allée, en vêtements de pluie, qui la saluèrent discrètement, et la voiture de police garée un peu plus loin sur la route, dans la nuit. Elle était là depuis le début de l'après-midi, les torrents déversés par le ciel rebondissaient sur sa carrosserie comme sur l'asphalte tout autour, et cette présence la rassura.

Toute la rue était inondée. Des rubans en papier crépon et des lanternes chinoises emportés par la tempête dansaient dans les branches elles-mêmes secouées par les rafales, des feuilles mortes volaient partout, le vent soufflait si fort qu'il soulevait ses cheveux blonds et les rabattait sur sa figure. Elle retourna au bar récupérer les confiseries, en distribua une poignée à chacun.

Les enfants la remercièrent et repartirent en courant vers la maison suivante, à cent mètres de là, suivis des deux parents qui la saluèrent une dernière fois sous leurs capuches. Elle jeta un nouveau coup d'œil à la voiture de police, referma la porte.

Où était Liv ?

Des silhouettes de branches glissaient sur les fenêtres à la moindre rafale de vent, théâtre d'ombres.

Sur La Cienega, ils franchirent l'obstacle des voitures de police et des secours à la hauteur de l'accident. Ils redescendirent sur Rodeo Drive et s'élancèrent vers Beverly Hills et West Hollywood. S'élancer étant un bien grand mot, estima Noah, le compteur restait bloqué à quinze miles à l'heure.

Soudain, assis au volant de sa voiture de patrouille, Nick vit toutes les lumières de la maison de l'autre côté de la route s'éteindre d'un coup. Il se redressa sur son siège. C'était quoi, ça ? Il activa les essuie-glaces pour chasser les rigoles qui noyaient le pare-brise. À moins de dix mètres, toutes les fenêtres éteintes, la bâtisse n'était plus qu'une masse noire. Qu'est-ce qui se passait, bordel ? Une panne due à la tempête ? Ça arrivait souvent que les lignes soient coupées par le mauvais temps. Mais il jeta un regard au rétroviseur et éprouva un frisson désagréable en constatant que toutes les villas en amont étaient restées éclairées.

Pas bon ça…

Il s'apprêtait à ouvrir la portière lorsqu'il vit deux ombres bouger dans le rétroviseur. Elles avaient émergé des fourrés. Elles se rapprochèrent en courant vers sa voiture, longeant le bord de la route.

Avant qu'il ait pu se décider sur la conduite à tenir, un visage massif s'encadra de l'autre côté de la vitre, penché vers lui. Un visage aux lèvres minces et pincées, aux yeux de crotale. Un doigt cogna doucement contre la vitre, et l'estomac de Nick se retourna.

Il ouvrit sa portière.

« Qu'est-ce que vous foutez là ? lança-t-il, la gorge nouée.

— Et bonsoir, Nick, ça boume ? » lui dit le Vieux.

L'espace d'une demi-seconde, lorsque les lumières s'éteignirent, France crut devenir aveugle.

Puis, en voyant la clarté grise qui traversait la baie vitrée du séjour, elle comprit : plus d'électricité. Ça n'était pas la première fois. *La tempête,* bien sûr ; le vent avait dû faire tomber un arbre sur les lignes, ou coucher un pylône… Elle sentit une angoisse irraisonnée la gagner : l'absence de Liv et maintenant cette panne… Quel chaos ! Elle n'avait pas dormi la nuit dernière et ses mains tremblaient sous l'effet de la fatigue. Elle marcha d'un pas mal assuré jusqu'au comptoir de l'accueil, à droite de la porte d'entrée.

Ses doigts tâtonnèrent derrière, parmi les papiers, les stylos, les crayons et les tampons, à la recherche de la torche et des bougies qui devaient s'y trouver, mais ils ne rencontrèrent ni l'une ni les autres. Elle sursauta. Elle était pourtant sûre qu'elles étaient là. Elle était *quasiment* sûre – France était quelqu'un qui doutait facilement…

Elle ressortit sur le perron et son regard traversa le rideau liquide vomi par l'avant-toit. Il tombait verticalement devant elle et éclaboussait le sol comme si elle se tenait derrière une cascade : le chêneau devait être bouché par les feuilles, là-haut. Elle porta le regard en direction de la voiture de police. Le véhicule était toujours là. Elle devina que l'homme au volant l'observait. En plissant les paupières, elle reconnut Nick, le frère de Charlie.

Une fois de plus, elle voulut sortir à la recherche de Liv, mais ses pantoufles s'enfoncèrent aussitôt dans le ruisseau boueux qui recouvrait l'allée gravillonnée, et elle y renonça pour se réfugier à l'intérieur.

La maison plongée dans le noir lui procurait une impression désagréable, à présent – rien de très précis : juste ce sentiment vague d'*hostilité* qu'elle avait déjà éprouvé tout à l'heure –, et une onde courut sur sa peau. Elle s'aperçut que ses aisselles étaient moites, sa gorge sèche. *Où était Liv ?* Tandis qu'elle tournait sur elle-même, le faisceau lumineux du phare, d'une blancheur aveuglante, caressa sa nuque et projeta son ombre devant elle sur le mur, tout en illuminant brièvement le reste de la pièce, avant de disparaître.

Elle tressaillit violemment.

Durant une demi-seconde, il y avait eu une deuxième ombre à côté de la sienne.

Son cœur bondit si haut dans sa gorge qu'elle eut l'impression de pouvoir le cracher dans sa main.

France s'immobilisa, le corps parcouru de frissons glacés, la peau couverte de chair de poule.

Quand elle se retourna, elle ne vit personne derrière la baie vitrée. Mais elle n'avait pas rêvé : il y avait bien quelqu'un. Elle voulut croire qu'il s'agissait de Liv, mais bien sûr elle savait que ce n'était pas vrai : c'était une silhouette plus haute…

Un des policiers ?

Mais il aurait utilisé sa torche et aurait d'abord frappé pour signaler sa présence.

Henry ?

Mais Henry lui aussi serait passé par-devant…

Elle aurait voulu pouvoir écouter les bruits de la maison mais, pour elle, le silence était total, le monde désespérément silencieux. Elle aurait voulu crier, mais elle savait ne pouvoir émettre qu'un couinement ridicule… Et maintenant, dans cette obscurité dense, pleine de recoins sombres, elle n'y voyait même plus – ou si peu. Tous ses sens abolis, elle se sentit vulnérable.

Elle fonça vers la porte d'entrée pour sortir rejoindre la voiture de Nick. Saisit la poignée. Tourna… Rien ! La porte était verrouillée ! La peur explosa en elle, sans commune mesure avec celle qu'elle avait éprouvée précédemment. Ses doigts tâtonnants cherchèrent la clé au-dessous, mais *elle n'y était plus* ! Elle tambourina furieusement sur les vitraux épais autour de la porte, la bouche ouverte sur un cri silencieux – mais, avec le tapage qui devait régner dehors, personne ne l'entendrait…

Un souffle d'air humide caressa sa nuque.

France fit volte-face.

La baie vitrée… elle était *grande ouverte* ! Poussées par le vent qui s'engouffrait dans la pièce dans un envol de voilages évoquant le ballet de deux fantômes, les portes-fenêtres battaient contre le mur.

Paniquée, étourdie, elle se précipita dans le couloir : vers le bureau de Liv. Liv avait une arme dans un tiroir. Liv avait une licence de port d'arme et s'exerçait au tir une fois par semaine, contrairement à elle, sur des cibles qui devaient ressembler à l'ombre menaçante qu'elle avait aperçue sur le mur. Le corridor était un tunnel sombre et elle fonça, tous les nerfs à vif, s'attendant à chaque instant à ce que l'ombre surgisse et se jette sur elle. Elle fit irruption dans la pièce mais recula brusquement, comme si elle avait heurté un mur invisible.

Liv était là – non dans son fauteuil, derrière le bureau, mais debout à l'extérieur, le visage collé à la fenêtre.

Debout n'était peut-être pas le terme qui convenait.

Elle avait les bras levés en forme de V très ouvert, le corps pris dans les branches basses du sorbier, et, lorsque celles-ci bougeaient, elle bougeait aussi. France eut un haut-le-cœur. Son cerveau lutta contre ce qu'elle voyait. Liv. Sa tête était renversée en arrière, comme si elle essayait de voir la lune ou la cime de l'arbre, et la pluie qui dégoulinait des branches coulait dans ses yeux grands ouverts et dans sa bouche noire, d'où un bout de langue dépassait. Son ombre horrible se confondait avec celle de l'arbuste et elles se projetaient toutes deux sur le fauteuil et le bureau, à travers la pièce. À la place de son cou pâle, il n'y avait plus qu'une plaie béante, incurvée comme le sourire dément d'un smiley géant.

Égorgée…

France crut qu'elle allait vomir. Elle se recula dans

le couloir en titubant. Eut la sensation de basculer dans un puits sans fond, un puits rempli de ténèbres. En même temps, elle sentit ses entrailles se révolter et éprouva une envie tout à fait inopportune de se précipiter dans les toilettes pour soulager ses intestins.

Elle trébucha en reculant et perdit une de ses pantoufles.

Se ruant vers l'escalier, elle buta sur un obstacle, plongea en avant et son crâne alla heurter violemment le pommeau en chêne de la rampe. Étourdie, recroquevillée sur les premières marches, elle porta une main à son front et sentit quelque chose de mouillé dans ses cheveux. Elle avait horriblement mal aux orteils de son pied droit, celui-là même qui avait perdu sa pantoufle et heurté l'obstacle. Le pinceau du phare balaya de nouveau le séjour entre les barreaux de l'escalier, et elle vit ce qui l'avait fait trébucher dans le noir : un tabouret, au milieu du couloir.

Il n'était pas là auparavant…

En hoquetant, les yeux emplis de larmes, elle se mit à grimper frénétiquement les marches sur les mains et sur les genoux. Son poignet droit était douloureux. Elle se l'était tordu en tombant. Il y avait aussi une douleur dans sa poitrine, comme si son cœur allait lâcher.

Parvenue sur le palier, elle continua d'avancer à quatre pattes sur la moquette, n'osant se redresser – se sentant moins exposée ainsi. C'était parfaitement idiot, mais une force invisible la poussait à ramper, à s'aplatir, à vouloir disparaître. Le faisceau du phare balaya une nouvelle fois les lucarnes de l'escalier et elle aperçut les moulures au plafond, l'alignement des portes, les murs décorés de photos anciennes… Parmi le flot de pensées chaotiques qui fusaient dans son cerveau, elle se dit qu'elle ressentait ce que devait ressentir un petit animal traqué par un prédateur.

La minuscule salle de bains privative tout au fond de la suite Belvédère : tel était son objectif.

La porte de la suite était ouverte. Une pénombre grise à l'intérieur.

Elle se traîna presque au jugé à travers le salon puis la chambre, longeant le grand lit où s'entassaient les oreillers, se faufila entre la cheminée et le meuble télé vers la salle de bains, se redressa enfin.

Verrouilla la porte.

Tremblant et frissonnant de la tête aux pieds, elle reprit peu à peu sa respiration.

Elle se sentait aussi étrangère et en danger dans cette maison que Thésée dans le labyrinthe du Minotaure, mais, à présent, enfermée dans la minuscule salle de bains, elle avait l'impression d'être un peu plus en sécurité. Si celui qui était dans la maison voulait s'en prendre à elle *(oh oui, il le voulait !)*, il lui faudrait défoncer la porte et, cette fois, la police qui était là pour les protéger (*et qui n'avait rien fait pour éviter cette mort affreuse à Liv*, ajouta une petite voix perverse en elle) entendrait forcément le vacarme et accourrait.

Elle saisit son téléphone portable, se demanda si ce cauchemar – car c'en était un – ne prenait pas racine dans ce qui s'était passé à Los Angeles, si elles ne payaient pas le prix de ce qu'elles avaient fait en fuyant plutôt que d'affronter la police et les services sociaux.

La peur n'avait pas diminué – à l'abri derrière cette porte, elle parvenait juste à la maintenir à distance, comme un dompteur armé d'un fouet – lorsqu'elle comprit son erreur.

Avec un hoquet de terreur, elle devina la présence derrière elle, devina qu'elle n'était pas seule, devina qu'il y avait quelqu'un dans son dos… Non pas qu'elle pût entendre quoi que ce soit, mais la présence bougea imperceptiblement et, l'espace d'un instant, elle distingua une ombre *différente* parmi celles qui dansaient sur la porte.

Sa bouche s'ouvrit et elle se retourna, horrifiée, au moment où la lueur aveuglante du phare transperçait le verre dépoli de la lucarne et où le visage sortait de l'obscurité. Tout près. Trop près. La lueur du phare frappa ses traits, l'éclaira comme en plein jour. Le choc la fit vaciller. France poussa un cri muet… Elle eut l'impression que sa raison se brisait.

Elle eut un sursaut en arrière et son crâne cogna douloureusement contre la porte verrouillée mais, à ce stade, la douleur ne fut qu'un éclair dans un orage plus vaste et elle ouvrit des yeux ronds et protubérants. En une fraction de seconde, sa compréhension fut totale, absolue. Et elle consentit à ce qui allait suivre comme elle avait consenti à chacun des épisodes de sa vie – bons et mauvais.

Le Vieux tourna la poignée de la porte d'entrée.

« Verrouillée, dit-il. Faites le tour. »

Hunter disparut à l'angle en compagnie de Blayne. Le Vieux tenta de voir à travers les épais vitraux qui encadraient la porte, mais l'obscurité régnait à l'intérieur. Pourtant, les fenêtres des autres maisons étaient illuminées. *Bizarre…*

Une minute plus tard, Hunter réapparut.

« Il s'est passé un truc, la porte-fenêtre est grande ouverte et personne ne répond… »

Ils firent le tour par le jardin, contournant les saillies et les renfoncements de la bâtisse, passant près d'un appentis couvert de mousse et sous une tonnelle dont les feuilles sèches bruissaient sous la pluie, se faufilant dans la grande ombre menaçante que projetait la baraque autour d'elle, grimpant sur la terrasse de cèdre qui surplombait la pente jusqu'au ponton. Ils pénétrèrent dans le séjour silencieux et sombre où Blayne les attendait.

Le silence qui régnait à l'intérieur ne dit rien qui vaille au vieux Oates. Il posa une main sur le bras de son fils.

« Tu sens ça ?

— Essence », chuchota Hunter en guise de réponse.

Essence, en effet… Le relent flottait dans l'air et piquait les narines, malgré le vent qui aérait la pièce. Et soudain, ils aperçurent la lueur dansante qui illuminait les murs du couloir – jaune avec des nuances orangées – et l'épaisse fumée noire vomie au ras du plafond.

« Nom de Dieu !

— C'est quoi, ce bordel ? glapit Blayne.

— On se tire », décida le Vieux.

Ils ressortirent par où ils étaient entrés, dévalèrent les marches. Ils contournaient la maison lorsque deux détonations retentirent, aussitôt suivies de miaulements que le Vieux aurait reconnus entre mille. Sans même réfléchir, il plongea dans l'herbe en voyant la bouche d'un pistolet automatique cracher des langues de feu à une dizaine de mètres.

« Ahhh ! » gueula Blayne en se tenant la jambe et en s'écroulant par terre.

Le Vieux roula à l'abri d'un rocher couvert de

mousse et riposta. Aussitôt, plusieurs détonations brèves et assourdissantes de pistolets-mitrailleurs secouèrent le soir et le sommet du rocher explosa, faisant pleuvoir sur lui des éclats de granit. Il entendit de nouveaux tirs d'armes automatiques réglées au coup par coup et les innombrables impacts de balles s'enfonçant dans la terre meuble tout autour de lui, ainsi que les troncs et les branches hachés menu par la grêle de plomb. Putain, c'était quoi, ça ? Pas les services du shérif, en tout cas. Ces types avaient la puissance de feu d'un commando ! Du diable s'il savait d'où ils sortaient !

« Blayne, ça va ?

— Chuis touché à la jambeee… »

Le Vieux secoua la tête. Blayne geignait comme un chiot malade. Qu'est-ce qu'il avait fait pour mériter une progéniture pareille ? Plusieurs déflagrations montèrent brusquement de la maison quand les vitres des fenêtres explosèrent sous l'effet de la chaleur et les flammes de l'incendie jaillirent dans la nuit pluvieuse, accompagnées d'une fumée noire et huileuse et de gerbes d'escarbilles emportées par le vent. Il allait profiter de la distraction offerte par ce spectacle pyrotechnique pour risquer un œil vers leurs assaillants quand il perçut une sorte de bourdonnement. Le Vieux leva les yeux et tout ce qu'il vit fut une espèce d'énorme libellule en vol stationnaire. À peine eut-il le temps de comprendre que ce gros insecte était en réalité une sorte de mini-engin volant qu'une nouvelle fusillade éclatait, un déluge cauchemardesque d'impacts de balles, une vacherie de miaulements et de détonations à la chaîne, ponctué de petits cliquetis métalliques, qui lui parut durer une éternité.

« Arrêtez de tirer, putain ! gueula-t-il, les tympans sifflant encore, quand cette saloperie de grêle s'interrompit enfin. C'est bon ! On se rend !

— Jetez vos armes et sortez les mains au-dessus de la tête, bien en évidence ! lança une voix. Pas d'entourloupes !

— Ça va, on a compris, on sort ! Mais baissez vos flingues, merde, c'est pas l'Irak, ici ! »

Ce n'étaient pas des membres de gangs latinos non plus, se dit-il en sortant de sa cachette, les mains aussi visibles que possible. Ces connards étaient des professionnels aguerris. Ils n'en rajoutaient pas. Ils n'insultaient pas. Ils ne frimaient pas. Ils étaient aussi froids et dépourvus d'affect que leurs armes. Le Vieux fronça les sourcils en voyant les silhouettes noires s'avancer vers eux.

Ils étaient vraiment dans le pétrin.

41

Los Angeles

Je fixais les lumières d'East Harbor sur l'horizon. L'océan – avec ses creux d'un mètre cinquante – se liguait contre moi. Le vent se liguait contre moi. Les trombes d'eau déversées par le ciel se liguaient contre moi. La nuit tumultueuse se liguait contre moi. Ma colère, ma rancœur, ma tristesse immense se liguaient contre moi. L'univers entier conspirait contre moi tandis que je fonçais, l'esprit en vrac, à bord du Zodiac, vers East Harbor.

Liv : elle m'avait tout avoué…

D'une voix sans timbre, sépulcrale – presque absente à elle-même –, que je ne lui connaissais pas. Elle avait répété comme une vieille personne prise de radotage : « Pardonne-moi… pardonne-moi… pardonne-moi… pardonne-moi… », cela un nombre incalculable de fois. Et soulagé son cœur. C'était elle – et personne d'autre – qui avait tué Naomi. Les circonstances dans lesquelles cela s'était passé restaient assez obscures, même à travers ses explications hachées de sanglots et de supplications pour que je lui pardonne (c'était la première fois de ma vie que je l'entendais supplier quelqu'un). Le soir même où je m'étais disputé avec Naomi sur le ferry, elle avait donné rendez-vous à sa mère au sud de l'île, derrière Apodaca Mountain, dans un endroit de la côte totalement désert en hiver. Elle avait compris que c'était elle qui les faisait chanter. Et cela s'était mal passé…

« Comment tu l'as découvert ? avais-je demandé au téléphone, en proie à des sentiments violents et contradictoires : colère, stupéfaction, haine, incrédulité, dévastation, révolte, horreur...

— Cette personne que tu as vue avec moi dans ce bar…

— Le détective ?

— Oui. Il a mené son enquête… Il avait des contacts dans le casino où la mère de Naomi travaillait. Il s'est aperçu qu'une bonne partie des victimes étaient des clients du casino, avec des dettes de jeu…

— C'était ton cas ?

— Oui… »

J'ai compris à sa voix qu'elle ne tenait pas à en parler. Je l'ai laissée se soulager du reste.

« Les autres appartenaient pour la plupart à ce… hum… "club" de Nate Harding, tu sais de quoi je parle… Or, de leur mobil-home à l'ancienne église, en passant par les bois, il y a moins d'un kilomètre, Henry. Elle avait dû en entendre parler… Ensuite, il lui suffisait de noter les immatriculations des voitures les soirs où ça se passait… Ou peut-être les a-t-elle surpris par une fenêtre… Frank (je me suis souvenu que c'était le nom du détective) a suivi la mère de Naomi à plusieurs reprises. »

J'ai repensé à la vidéo que possédait Darrell. J'ai hésité à lui poser la question suivante.

« Et Naomi ? »

La réponse fut très longue à venir.

« Je suis désolée, Henry, mais certaines informations te concernant ont sûrement été fournies à sa mère par Naomi elle-même. Je ne vois pas d'autre explication. Peut-être l'a-t-elle fait sans savoir ce que sa mère ferait de ces informations, je ne sais pas… J'ignore comment elle s'y est prise, mais c'est comme ça en tout cas qu'elle a fini par retrouver la trace de ton père… et qu'elle nous a fait chanter… »

J'ai repensé à France dans les rues d'East Harbor à 2 heures du matin, plongeant le bras dans une poubelle. Je me sentais si abattu, si misérable que j'ai failli raccrocher sans plus attendre.

« Que s'est-il passé ce soir-là ? »

Les deux femmes s'étaient affrontées... D'abord verbalement. Puis, le ton montant, elles s'étaient battues... Et, à un moment donné (« Une seconde que je n'oublierai jamais, Henry »), la mère de Naomi était tombée en arrière au milieu des rochers. Un accident, à en croire ma mère. Liv avait paniqué en voyant le corps inerte et le sang et elle avait couru jusqu'à sa voiture.

C'est à ce moment-là que Naomi avait surgi de leur véhicule – à l'instant où Liv démarrait. (Lorsqu'elle m'a dit ça, j'ai songé que la mère de Naomi l'avait sans doute ramassée à la sortie du ferry : ainsi, toutes nos supputations sur ce qui s'était passé à bord étaient vaines…) Et que Naomi s'était jetée en travers de sa route… Liv avait perdu les pédales, elle lui avait foncé dessus (*bordel de merde*, ai-je pensé), persuadée – selon elle – que Naomi allait s'écarter, et le choc avait été très violent. Était-ce la vérité ? Ce serait à la justice d'en décider, ai-je pensé froidement. Quoi qu'il en soit, elle avait dû cacher le corps dans les rochers ; elle s'était emparée des clés du mobil-home et de leur voiture. Elle avait garé cette dernière dans les bois, derrière le mobil-home, s'était glissée à l'intérieur et avait trouvé l'argent, consciente que la police pourrait remonter jusqu'à elles grâce aux billets. Elle était ensuite repartie à pied – près d'une heure de marche – récupérer sa propre voiture et elle avait mis l'argent dans le coffre. Elle n'avait pas encore décidé ce qu'elle en ferait, le brûler ou l'utiliser.

Elle était retournée à la maison et elle avait attendu que maman France dorme – maman France prend un somnifère tous les soirs. Elle avait ensuite pris le bateau pour rejoindre les corps, c'est alors que lui était venue l'idée d'abandonner celui de Naomi sur la plage d'Agate Beach avec un vieux filet de pêche qui traînait depuis longtemps dans le hangar à bateaux, et de la tirer d'abord sur les rochers pour effacer les traces du choc avec la voiture. (« Une idée qui avait l'air bonne sur le moment, mais qui a bien failli tourner mal quand le filet s'est pris dans les rochers. ») Quant à la mère de Naomi, elle avait l'intention de la balancer dans la flotte, tout simplement. Mais, à sa grande stupéfaction, la marée avait déjà emporté le corps ! Pendant des jours, elle avait attendu avec angoisse qu'il réapparaisse, mais la mer l'avait semble-t-il avalé. Sans doute finirait-il par s'échouer quelque part.

Ou peut-être pas…

La mer, par ici, a de ces mystères. Entre la baie Désolation au nord et Olympia au sud, il existe des milliers d'îles, de bras de mer, de détroits, de criques, de canaux, imbriqués les uns dans les autres, formant un système d'une complexité inouïe. Et, au large, le Pacifique... Si vous voulez faire disparaître un corps, un conseil : venez chez nous.

J'ai éclaté d'un rire grinçant et dément, les yeux débordants de larmes à cette idée, ma main droite pilotant le moteur vibrant du Zodiac.

J'allais tout raconter au shérif. Je l'avais dit à maman Liv. « De toute façon, c'est moi qui l'aurais fait si jamais ils avaient décidé de te mettre en prison », m'avait-elle répondu d'une voix éteinte. Je ne sais pas si je la croyais. Auparavant, j'aurais pensé qu'elle avait fait tout ça pour nous protéger. France et moi. Comme une louve défend ses petits. À présent, je me rendais compte à quel point je l'avais haïe autant qu'aimée – et cela valait aussi pour France, dont l'indulgence n'avait d'égale que sa faiblesse, sa soumission à la tyrannie de Liv. Pourquoi avait-il fallu que je tombe entre leurs mains ? De tous les foyers qui auraient pu m'accueillir, il avait fallu que m'échussent ces deux névrosées. *Je vous déteste !* ai-je hurlé. Seul le vent m'a répondu. Je me rapprochais en bondissant de Glass Island quand j'ai aperçu la grande lueur dans la nuit, le long de la côte, au nord d'East Harbor...

Une lueur orangée et palpitante, surmontée d'une dense colonne de fumée qui aurait sans doute été noire en plein jour mais qui était légèrement plus claire que la nuit. La lumière de l'incendie se reflétait sur le ventre des nuages auxquels, en grimpant, la fumée épaisse finissait par s'incorporer.

J'ai cru devenir fou : c'est ma maison qui brûlait !

J'ai brusquement changé de cap. Orienté le nez du Zodiac vers notre ponton. Foncé au-dessus des vagues. D'autres lueurs, rouges et bleues, sont venues s'ajouter à celle de l'incendie, tandis que je gagnais la côte avec une lenteur exaspérante, par bonds successifs.

Je voyais la maison grandir et les hautes flammes qui dévoraient sa toiture. Des colonnes de fumée et d'escarbilles s'échappaient des fenêtres. Les pompiers étaient déjà sur place, car, de là où j'étais, je distinguais l'arceau clair des lances à incendie. Une partie de l'eau se transformait aussitôt en vapeur. La maison était en bois. Avant l'aube, elle ne serait plus qu'un tas de ruines.

J'ai bondi sur le ponton sans plus me préoccuper du Zodiac et je me suis étalé sur les planches glissantes avant de me relever et de grimper les escaliers quatre à quatre, trébuchant à plusieurs reprises.

J'ai hurlé quelque chose comme « maman ! maman ! » – je ne m'en souviens plus très bien, à vrai dire ; c'était une drôle de nuit, et tout le monde semblait un peu à l'ouest, en dehors du coup, comme une équipe de football qui se prend une branlée. Les flics, les pompiers, les badauds : tous s'agitaient, mais l'impression générale était celle d'une défaite annoncée...

J'ai fait en courant le tour de la maison, ou de ce qu'il en restait, au milieu des pompiers casqués qui allaient et venaient sans me voir – le foyer, énorme, aveuglant, nous transformait tous en ombres gesticulantes – ; j'ai enjambé de gros tuyaux qui serpentaient dans l'herbe comme des pythons, pataugé dans la boue qui chlinguait la cendre humide.

Les poutres calcinées et encore chaudes sifflaient

sous la pluie. Ailleurs, le feu se renforçait, il ronflait, craquait, respirait ; il semblait vivant, il cherchait son propre chemin ; on eût dit qu'il luttait pied à pied contre les efforts des pompiers et les colonnes d'eau déversées sur lui par les lances à incendie. Deux armées face à face...

L'autre sensation était le boucan – ou plutôt le dense tissu sonore qui m'entourait, fait de sons plus aigus que graves : cris, appels, bruit des dévidoirs et des roulettes couinant dans la boue, mugissements lancinants des sirènes, crépitement des flammes, sifflements de la vapeur, cataractes déversées par les lances… Au milieu de tout ce charivari, je me sentais étrangement seul, comme si j'avais crevé l'écran d'un cinéma pour entrer dans le film.

J'ai regardé partout si je voyais mes mamans. Je me suis précipité en tous sens à la recherche d'une ambulance, d'une civière, de la tache dorée d'une couverture de survie.

J'ai fait irruption à l'avant et un autre incendie, bleu et rouge – celui des gyrophares –, a explosé sur ma face et m'a cisaillé les nerfs optiques. J'ai cligné des yeux comme un hibou, la bouche ouverte, et des mains m'ont saisi, tiré en arrière, puis mes bras ont été tordus.

« À genoux ! a gueulé quelqu'un derrière moi. À genoux ! » Et j'ai senti qu'on me forçait à m'agenouiller dans l'herbe détrempée, entendu qu'on me lisait mes droits Miranda, tandis que des bracelets métalliques se refermaient autour de mes poignets – et puis la voix du chef Krueger est intervenue :

« Mais qu'est-ce que vous foutez ? Vous êtes malades ou quoi ? Ôtez-lui ces putains de menottes ! »

Il m'a attrapé par le bras et m'a relevé doucement.

« Henry ! D'où est-ce que tu sors, bon Dieu ?

— De… de la mer, ai-je dit stupidement, comme si j'étais une putain de nymphe marine.

— Quoi ?

— J'étais planqué sur Cedar Island, chef… J'ai… piqué un Zodiac… J'ai... j'ai vu l'incendie… »

Il m'a considéré d'un air hagard ; il essayait de comprendre, ou alors il cherchait ce qu'il allait me dire. Je l'ai devancé.

« Mes mamans… elles sont où ? »

À son regard, j'ai pigé.

« Henry… tu ne peux pas savoir à quel point je suis désolé…

— Qu'est-ce qui s'est passé ? » j'ai crié.

Je sentais d'ici, à une bonne dizaine de mètres, l'haleine chaude du brasier. Bientôt, il ne resterait plus rien. Il a fait un geste en direction du feu. Des cendres noires voletaient partout, ainsi que des braises. L'air était souillé par une puanteur âcre.

Alors, c'est de moi-même que je suis tombé à genoux.

J'ai levé les yeux au ciel – vers le plafond des nuages sous lequel dansaient des nuées d'étincelles portées par le vent, pareilles à des milliers de lucioles.

J'aspirais au repos,

au sommeil,

à la mort...

Mes pensées étaient un chaos sans nom.

Mon cerveau, un incendie.

J'ai hurlé : « JE N'AI PLUS RIEN ! PLUS PERSONNE ! J'AI TOUT PERDU ! ELLES SONT TOUTES MORTES, VOUS ENTENDEZ ? »

Et je crois bien qu'à ce moment-là tout le monde s'est retourné.

Puis je me suis évanoui.

À Los Angeles, lorsque le taxi l'eut enfin déposé, Noah regarda la maison blanche au toit rouge qui se dressait là où Nichols Canyon Road décrivait un virage en épingle à cheveux. Il vit un miroir circulaire au bord de la chaussée, pour les véhicules qui descendaient des hauteurs de Mulholland Drive ; la maison surplombait la route, planquée derrière les arbres, en haut d'une rampe pour voitures – dans un paysage de collines escarpées, de ravines et de broussailles sans doute fréquentées par les coyotes, les lézards et les serpents.

Le portail était ouvert. Comme il n'y avait pas de sonnette, Noah grimpa la rampe abrupte jusqu'aux trois marches du perron, à droite du garage.

Le type qui vint lui ouvrir était en blue-jean et chemise longue sortie du pantalon. Noah reconnut l'homme des photos sur Internet, avec son petit bouc poivre et sel et ses épais sourcils noirs.

« Jeremy Hollyfield ?

— Qui le demande ? » dit l'homme avec un coup d'œil prudent en direction du sac de voyage.

Noah exhiba sa carte de détective privé.

« Je m'appelle Noah Reynolds. Je vous ai laissé un message sur votre répondeur. J'aimerais vous poser quelques questions concernant le Centre de la fertilité de Santa Monica, monsieur Hollyfield. »

Les yeux de l'homme se plissèrent.

« L'ex-centre, rectifia-t-il. Il a fait faillite en 2003… Pourquoi je devrais répondre à vos questions ?

— Parce que je viens de Seattle pour vous les poser…

— T'es à Los Angeles, ici, cousin ; on n'ouvre pas sa porte au premier venu…, répliqua Hollyfield.

— Alors, parce que mon client est riche, que vous êtes un homme couvert de dettes et qu'il y a une très belle prime à la clé si les informations nous intéressent… », répondit Noah.

Jeremy M. Hollyfield regarda la fiche tendue par Noah. Il était assis dans un fauteuil rouge à pieds dorés qui aurait pu appartenir à Barbra Streisand – ou à un rappeur. Dans le salon, nota Noah, prédominaient l'or, le léopard, les glands, le baroque et les tableaux de nus masculins.

« Le Centre de la fertilité de Santa Monica, dit Hollyfield, songeur, mon plus beau projet… »

Il balançait une pantoufle au bout de ses orteils nus. Quinze ans plus tôt, selon les informations que Noah avait dégotées sur Internet, Hollyfield avait créé une banque du sperme, dans le but évident de s'enrichir, pas de rendre service à la communauté, à en croire les tentatives successives – et invariablement infructueuses – de Jeremy M. Hollyfield pour faire fortune.

« Qu'est-ce qui n'a pas marché ? » demanda Noah.

La réponse lui importait peu, mais il voulait amener l'homme aux confidences. Il vit les traits de Hollyfield se durcir.

« Nous avons été attaqués à cause d'un… euh… *problème médical* sur un bébé… Disons que ce… euh… *problème* venait d'un de nos donneurs, vous voyez ? Pourtant, il avait été soumis à tous les tests possibles… »

Il manipula une grosse chevalière, puis la bague à son pouce droit.

« Sauf que le problème est apparu, hum-hum, ensuite… Et que le donneur s'est bien gardé d'en parler.

— Comment ça ?

— Eh bien, entre le moment où il s'est inscrit chez nous et le moment où il a fait ce don qui a permis de concevoir un enfant, il a contracté une maladie.

— Vous voulez dire qu'il n'était pas… *testé à chaque don* ? » demanda Noah, pantois.

Il vit Hollyfield se crisper.

« Nous avons perdu le procès… Ça a été le début de la fin… La clinique ne s'en est jamais relevée… Donc c'est l'identité du donneur 5025 EX qui vous intéresse, c'est bien ça ? » demanda-t-il pour changer de sujet.

Noah jeta un coup d'œil à la moquette élimée, aux taches d'humidité au plafond. Elles confirmaient ce qu'il avait trouvé en naviguant sur Internet : Jeremy M. Hollyfield était financièrement aux abois.

« Oui, vous avez conservé des archives ? »

Hollyfield hocha la tête. Ses yeux soudain réduits à deux fentes le firent ressembler à un gros crapaud. Noah devina qu'il soupesait ce qu'il allait bien pouvoir tirer de son visiteur.

« Je n'en crois pas mes oreilles, dit-il soudain. Je suis assis là, avec vous, mais je ne peux pas croire ce que je viens d'entendre. Vous me demandez de divulguer l'identité du donneur 5025 EX, c'est bien ça ? Vous savez que ce que vous me demandez est illégal ? »

Ah, ah, songea Noah. *Elle est bien bonne, celle-là !*

Il sourit aussi aimablement qu'il lui était possible, compte tenu de l'aversion que lui inspirait le personnage.

« J'en ai parfaitement conscience.

— Donc, je ne peux pas accéder à votre demande, vous le comprenez bien ?

— Personne n'en saura rien, à part mon client et moi.

— Même dans ces conditions… Que se passerait-il si tout le monde venait me demander… »

Jeremy M. Hollyfield paraissait profondément offusqué.

« Dix mille dollars... »

Les traits de Hollyfield s'adoucirent.

« Cinquante…

— Vingt, dit Noah.

— Quarante...

— Trente et le marché est conclu, fit Noah qui savait que c'était là le montant que sa banque réclamait à Hollyfield. Ces archives, vous les conservez où ?

— Ici même, répondit le petit homme en soupirant et en se levant. Je ne peux pas croire que je fais ça… Je ne peux tout simplement pas le croire. Vous savez, si je vous donne cette identité, c'est parce que j'imagine qu'il y a derrière tout ça un enfant malheureux qui cherche désespérément à savoir qui est son père. »

Noah n'en crut pas un mot. Une tentative pathétique pour déguiser sa rapacité en bonne action ; peut-être y croyait-il lui-même. Noah lui jeta un regard sévère. Hollyfield le précéda le long d'un couloir.

« Je vais culpabiliser pendant des semaines. Est-ce que je peux savoir ce que vous comptez faire de cette information, au moins ? demanda Hollyfield d'un ton geignard.

— N'en faites pas trop, Jeremy », le tança Noah.

Le couloir déboucha sur un garage spacieux. Une vieille Ford Mustang était garée au milieu, une Honda Goldwing à côté, reposant sur sa béquille. Il y avait des taches d'huile sur le sol, des outils Craftsman accrochés au mur et un classeur métallique dans un coin. Jeremy Hollyfield s'en approcha et l'ouvrit. *C'est pas vrai,* se dit Noah. Le meuble n'était même pas verrouillé !

Hollyfield fourragea quelques secondes dans les lettres D-E-F puis extirpa triomphalement un dossier suspendu du tiroir.

« Ah, voilà ! Doug Clancey... À l'époque, il habitait La Jolla Nord. Mais je ne peux pas vous garantir que l'adresse et le numéro de téléphone sont encore valables. »

J'ai levé la tête quand la porte s'est ouverte. J'ai perçu la voix de Hunter Oates bramant à l'autre bout du bâtiment : « Je veux parler à mon avocat, bande d'enculés ! Vous m'entendez ? » On m'avait collé dans le bureau des sergents, à l'opposé des cellules où étaient enfermés le Vieux et ses fils.

« Viens avec moi », m'a gentiment dit Platt en maintenant la porte ouverte.

J'ai pensé à France et à Liv et, pendant une fraction de seconde, j'ai rêvé d'attraper le flingue de Platt et de descendre le Vieux avec.

Je l'ai suivi. Nous avons longé les bureaux en open space et il a poussé une porte sur sa droite. La salle de réunion dans le bureau du shérif... C'était là que j'avais subi mon premier interrogatoire – et le souvenir de Naomi sur la plage et des questions des enquêteurs ensuite est remonté à la surface.

J'ai dû m'appuyer au chambranle quand tout s'est mis à tourner. Krueger s'est levé de son siège.

« Henry, ça ne va pas ?

— Si, si, ça va... »

Je me suis avancé vers la chaise qu'il me présentait.

« Tu es sûr ? Tu veux qu'on rappelle le médecin ? »

J'avais repris connaissance dans une ambulance après mon évanouissement, et une femme médecin que je ne connaissais pas m'avait longuement examiné avant de m'abandonner aux autorités. J'ignore combien de temps j'étais resté dans les vapes.

J'ai fait signe que non.

La toubib m'avait fait une injection et, depuis, j'avais la tête pleine de brouillard et les jambes un peu trop cotonneuses à mon goût.

« Si tu veux, on peut remettre ça à plus tard », a insisté le chef Krueger.

J'ai jeté un coup d'œil à la pendule. Bientôt 20 heures.

« Non, non, c'est bon. »

Il a hoché la tête.

« Hunter, Blayne et Gaylord Oates vont être inculpés pour le meurtre de tes mamans, a-t-il dit, l'incendie de ta maison et l'agression de Nick Scolnick. »

Je l'ai fixé, l'esprit vide, mais les mots ont quand même fini par atteindre mon cerveau. « Quoi ?

— Nick a reçu un coup de couteau : il semble qu'il ait voulu s'interposer quand les Oates sont arrivés... Ses jours ne sont pas en danger... Mais... nous avons des questions à lui poser concernant ses relations avec les Oates… »

La voix de Krueger était presque inaudible, il avait l'air épuisé.

Gaylord, ai-je seulement pensé. Putain, le Vieux s'appelait Gay-lord ! J'ai pensé à ses parents – probablement aussi racistes et homophobes que lui – qui avaient affublé leur fils d'un prénom pareil sans soupçonner les conséquences que cela aurait soixante-dix ans plus tard !

« Qu'est-ce qui s'est passé, Henry ? a demandé doucement Krueger. Après que tu as fui avec le kayak. »

Je lui ai alors brièvement résumé mon séjour sur l'île et surtout ma conversation avec Liv, ses aveux au téléphone. J'ai vu Krueger et Platt échanger un regard puis opiner vigoureusement en se tournant vers moi, comme s'ils étaient un jury d'examen et moi le candidat qui leur fournissait les bonnes réponses.

« Comment elles sont mortes ? » j'ai dit.

J'avais parlé d'une voix détachée, froide, et Krueger m'a jeté un regard étonné.

« Hum… (Il s'est éclairci la gorge.) Liv a été… hum… égorgée. (Sa voix réduite à un murmure quand il a prononcé le mot, mais je n'ai pas bronché.) Pour France, c'est difficile à dire vu que… elle a sûrement péri dans l'incendie… Tu sais, on meurt asphyxié avant même d'être brûlé, on ne sent rien… (Il a baissé les yeux, les a relevés.) Nous avons trouvé quelque chose qui corrobore tes déclarations au sujet de ce qui s'est passé entre ta mère et celle de Naomi… et entre ta mère et Naomi elle-même… »

Je l'ai scruté en silence.

« Dans le hangar à bateaux, on a trouvé un filet

exactement identique à celui qui entourait le corps de Naomi. Bon, il est vrai que c'est un filet de pêche qui n'a rien de particulier. Mais, en tout cas, cela va dans le sens de ton témoignage... Toutefois, ça ne t'innocente pas complètement puisque ce hangar est aussi le tien... »

Il a pris un instant pour rassembler ses idées.

« Mais nous avons la preuve que tu as bien appelé ta mère aujourd'hui... La durée de votre conversation correspond... Et il y a le type du garde-meubles, qui a confirmé que ce box a bien été loué par elle. Il y a aussi un témoin qui t'a vu fouiller le box, il dit que tu avais l'air dans tous tes états et qu'il a cru voir des billets... Et puis, il y a Charlie et tes copains, qui nous ont raconté vos expéditions chez Taggart et chez les Oates. Nate Harding, de son côté, a confirmé votre visite et l'existence d'un maître chanteur... Enfin, on a trouvé de minuscules traces de sang dans votre bateau... Le poste de pilotage a été nettoyé, mais pas suffisamment. Du sang s'est incrusté dans les tissus. D'ores et déjà, nous savons que c'est le même groupe sanguin que celui de Naomi, le labo va très certainement nous confirmer que c'est bien le sien. Si l'on tient compte de tous ces éléments, eh bien... on peut d'ores et déjà établir que tu nous as dit la vérité. »

Il m'a souri – et j'ai deviné son soulagement.

« Il y a quelqu'un qui t'attend dehors », a-t-il ajouté.

J'ai levé les yeux.

« Il s'appelle Grant Augustine, il affirme que tu le connais, c'est vrai ? »

Cette fois, la brume s'est entrouverte. Un éclair de conscience m'a parcouru de la tête aux pieds.

« Oui. »

Il a plongé son regard dans le mien. Un regard aussi aiguisé qu'un couteau.

« Je ne sais pas d'où sort ce type, mais il a une véritable armée avec lui… J'ai appelé le FBI. Et ils m'ont dit que je devais lui faciliter la tâche ! Bon Dieu, on dirait que l'attorney général en personne vient de débarquer ! Qui est-ce, Henry ?

— C'est mon père, j'ai dit froidement.

— Quoi ? »

Je me suis soudain redressé sur ma chaise et j'ai regardé autour de moi.

« Je pourrais avoir un café ? Un grand… avec plein de caféine dedans. »

Il a lorgné la pendule. « Tu es sûr ? Tu ne préfères pas plutôt quelque chose pour dormir ?

— Un café. Et une barre chocolatée, si vous avez. »

J'avais parlé d'une voix forte et ferme, tout à coup.

Il s'est levé. Sans faire mystère de sa surprise.

« Bien sûr. Je t'apporte ça tout de suite. »

Quand le deuxième taxi l'eut déposé devant le numéro indiqué, Noah s'attarda un instant dans la soirée bien plus douce qu'à Seattle et contempla les maisons illuminées entre les arbres alignés le long de la rue. Elles semblaient tout droit sorties d'un film de Billy Wilder.

North La Jolla Avenue, à West Hollywood. La plupart étaient des bâtisses minuscules aux toits de tuiles rouges construites dans le plus pur style californien entre les deux guerres mondiales. Leurs propriétaires les avaient rénovées et agrandies sur l'arrière d'énormes extensions jusqu'à en tripler ou en quadrupler la surface habitable.

Un 4 × 4 Mercedes ML350 était garé au bord du trottoir, que Noah traversa pour aller sonner au pilier, près des poubelles. Deux gamins passèrent autour de lui en trottinette. Noah les suivit un instant des yeux. Cette rue rectiligne était très différente de l'étroit canyon serpentant au fond des collines de Hollywood. Ici, la nuit de Los Angeles avait un parfum de goudron et d'essence.

Quand il reporta son attention sur la maison, la porte d'entrée était ouverte. Un type dans la quarantaine se tenait sur le seuil.

« Doug ? dit-il.

— Oui ? »

Noah sentit son pouls s'accélérer un peu. Enfin, peut-être, de la chance… Il s'avança lentement sur la petite allée, entre deux palmiers nains éclairés par des spots. Doug était plus petit que lui, comme la plupart des gens. Ses cheveux bouclaient sur ses oreilles, sa peau était bronzée sous une barbe de six jours – et il avait des singes sur sa chemise. On est à L.A., se dit Noah. Ses yeux d'un brun chaud se plissèrent derrière ses lunettes carrées à monture noire tandis qu'il examinait Noah avec son sac de voyage, debout près d'une jarre en terre cuite où flottaient des lis d'eau.

« Je m'appelle Noah Reynolds, je suis détective privé, annonça Noah de cette voix raisonnable qu'il employait toujours pour rassurer ceux qui recevaient sa visite. J'aimerais vous poser quelques questions…

— À quel sujet ?

— Henry, ça vous dit quelque chose ? »

Le regard derrière les lunettes lui fournit la réponse.

« Peut-être…

— Il a seize ans aujourd'hui. Ses mamans s'appellent Liv et France…
— Qui vous envoie, monsieur Reynolds ?
— Quelqu'un qui pense qu'il n'est pas coupable de ce dont on l'accuse.
— Et de quoi est-ce qu'on l'accuse ?
— De meurtre. »
Il vit une lueur s'allumer dans les yeux de Doug.
« Que savez-vous d'autre au sujet de ses mamans et de moi ? »
Noah soutint le regard attentif et décontracté. « Que vous êtes le donneur du sperme qu'elles ont utilisé quand elles ont voulu concevoir un enfant par insémination artificielle. »

Doug Clancey eut un mouvement du menton et le précéda sous le porche de sa maison. L'intérieur était moderne, épuré. Il ne restait rien de celle des années 20, à part les murs extérieurs. « Scotch, bourbon ?
— Rien, merci. »
Noah attendit que Doug se fût servi une large rasade. Un coup d'œil lui suffit pour deviner que le bonhomme vivait seul. Il y avait de la vaisselle dans l'évier, l'ordinateur était allumé sur le comptoir de la cuisine, devant le seul tabouret, et Noah vit qu'il était connecté à un site de discussion en ligne.
« Alors, monsieur Reynolds, dit Doug en se retournant, un verre à la main, qu'est-ce que vous voulez savoir ? »
Noah lui tendit la fiche du donneur 5025 EX extraite des archives de Jeremy Hollyfield. Doug la prit.
« C'est vous, n'est-ce pas ?

— Je croyais que cette information était confidentielle… Comment vous l'êtes-vous procurée ?

— Vous avez donné votre sperme aux mamans d'Henry, vous le saviez apparemment : quand j'ai évoqué son nom tout à l'heure, vous avez réagi. Pourtant, en tant que donneur anonyme, vous n'étiez pas censé connaître la destination de votre sperme, je me trompe ?

— C'est un peu plus compliqué que ça.

— C'est vous le père ?

— C'est un peu plus compliqué que ça… »

J'ai avalé le café et la barre de Kit Kat, puis j'ai dit à Krueger :

« Est-ce que quelqu'un peut *le* prévenir que j'arrive ?

— Tu as bien réfléchi ? a dit Platt. Tu es en train de traverser la pire épreuve de ta vie, Henry. Tu es extrêmement fragile. Vulnérable. Et tu ne sais rien de cet homme, de ce qu'il te veut. Pourquoi il apparaît maintenant, après tout ce temps ? Tu en as une idée ? Pourquoi il ne s'est pas manifesté avant ? Tu devrais peut-être attendre…

— Attendre quoi ? j'ai rétorqué. Je n'ai plus de famille, plus de toit, plus rien. Il est tout ce qu'il me reste.

— Tu peux venir chez nous, si tu veux, a dit Platt, qui était marié et qui avait deux filles. Le temps de te remettre sur les rails et de réfléchir à ton avenir… Prends le temps qu'il faudra. »

J'ai été surpris par sa proposition et, durant une seconde, elle m'a touché au point que j'ai eu du mal à garder mon sang-froid. Mais j'ai secoué la tête.

« Merci… C'est très généreux de votre part… mais je crois que c'est le moment ou jamais, qu'il faut que je le fasse, que j'aille à la rencontre de mon… *père*. Laissez-moi seulement quelques minutes.

— Bien sûr. »

Je suis allé me réfugier dans les toilettes, je me suis assis sur les W-C et là, les coudes sur les genoux et les mains derrière la nuque, j'ai chialé. Secoué par des sanglots hystériques. Emporté par une vague de chagrin immense. J'ai versé des larmes de gosse sur mes mamans, sur Naomi, sur tout ce que j'allais laisser derrière moi : Charlie, Johnny, Kayla, l'île… Cette vie qui avait été la mienne pendant sept ans. Je pleurais si fort que je m'en étouffais presque ; mes larmes trempaient le devant de mon tee-shirt.

Je voulais me soulager maintenant pour ne pas craquer devant *lui*. Je voulais qu'il voie combien son fils était fort. Quand mes larmes se sont enfin taries, j'ai séché mes joues avec le rouleau de papier hygiénique et j'ai tiré la chasse. En ressortant, j'ai rincé mon visage à l'eau froide ; je l'ai ensuite essuyé avec un pan de ma chemise. Je me suis regardé dans la glace, j'ai attendu que mes yeux gonflés soient secs, j'ai respiré un bon coup, et puis je les ai rejoints.

« Je peux vous demander ce que vous faites dans la vie, Doug ? »

Assis dans un fauteuil de cuir noir, Noah vit Doug sourire.

« Je sais que ça ne se voit pas, mais je suis chercheur. Je dirige le CNSI, le California NanoSystems Institute, un département de recherche intégré sur les nanotechnologies, dans lequel collaborent des chimistes, des biochimistes, des physiciens, des mathématiciens, des biologistes… mais je ne voudrais pas devenir ennuyeux.

— Donc, vous étiez leur voisin et leur ami ?

— Oui. (Pendant une seconde, Doug parut loin.) Nous étions vraiment très complices, vous savez… très proches… Elles étaient bien plus que des amies, en fait… Mes sœurs, ma famille… Nous étions tous les jours les uns chez les autres, on vivait quasiment ensemble. Il n'y a que la chambre à coucher qu'on ne partageait pas. J'aurais fait n'importe quoi pour elles et inversement – on s'adorait… Vous savez : comme dans *Friends*. Ou dans cette autre série : *The L World.* »

Noah ne savait pas ; il ne regardait jamais les séries télé.

« Et elles ont décidé d'avoir un enfant ?

— Oui… Elles ne voulaient pas faire appel à une banque du sperme, à une de ces entreprises qui font ça uniquement pour le fric, ni même à une société d'utilité publique. Non, elles voulaient connaître intimement le donneur. Alors, elles ont passé en revue les hommes de leur entourage et… d'après elles, j'étais… eh bien, le meilleur choix… »

Il avait conclu par un sourire modeste à la fin, mais Noah devina que ce n'était pas de la vanité travestie en humilité ; plutôt un embarras sincère à se mettre en avant.

« Mais bien sûr, en ce temps-là, je n'étais qu'un jeune chercheur fauché. Je me souviens qu'elles prenaient l'affaire très au sérieux : elles notaient scrupuleusement les périodes d'ovulation ; elles avaient installé un grand tableau dans leur salon ; dans la colonne “plus”, les qualités qu’elles voulaient pour leur donneur. Dans la colonne “moins”, les défauts rédhibitoires : *faible*, *suiveur*, *hypocrite*, *velléitaire*, *borné*, *radin*, *snob*, *arrogant*, *stupide*, *chauve*, *conservateur*, etc. Un jour, je me suis approché du tableau, j’ai passé en revue les deux colonnes et j’ai dit : “C’est tout moi.” Et là, elles se sont regardées et elles ont dit : “Mince, c’est vrai ! tu ne veux pas être notre donneur ?” Et là, je leur ai avoué que je donnais déjà mon sperme ; je leur ai parlé du Centre de la fertilité de Santa Monica…

— Jeremy Hollyfield...

— Oui. Un bel escroc, si vous voulez mon avis… Il se présentait comme s’il était la Mère Teresa des couples de lesbiennes alors qu’il ne pensait qu’à faire du pognon. »

Noah commençait à comprendre le choix des mamans d’Henry : en plus d’un physique avantageux et d’une tête bien faite, Doug était un type sympathique, faisant preuve d’une assurance à toute épreuve mais sans aucune arrogance.

« Voilà pourquoi vous connaissez le nom d’Henry... Votre fils… »

Doug secoua la tête, une ride barrant son front.

« Non, non, attendez, vous n’y êtes pas du tout : l’histoire n’est pas finie… Bref, tout s’est mis en place. C’était France qui devait porter l’enfant. Après plusieurs tentatives ratées, elle a fini par tomber enceinte. (Noah vit Doug redevenir songeur.) Je me souviens comment elle préparait la maison pour la venue de l’enfant… lui achetait des vêtements, des jouets… Mais elle a fait une fausse couche... Elles ont un temps envisagé que ce serait Liv qui le porterait, puis elles ont finalement opté pour l'adoption.

— L'adoption… », répéta doucement Noah.

Son changement d'attitude n'échappa pas à Doug.

« On en arrive au point crucial, je me trompe ? »

Noah acquiesça.

« Là aussi, ça a été long et compliqué. Je vous passe les détails. C'est loin, mais c'est une période de ma vie que je n'oublierai jamais. Je m'en souviens parfaitement – bien plus nettement, en vérité, que les années qui ont suivi leur départ. Enfin, bref : un soir, je suis rentré du boulot et elles étaient là, dans mon salon – avec Henry. »

« C'est bon, ai-je dit à Krueger. Je suis prêt… »

Le shérif m'a lancé un regard quasi paternel. Lui et Platt m'ont encadré comme deux gardes du corps – étrange trio : l'un plus petit, l'autre plus grand que moi – et ils m'ont accompagné vers la porte blindée et le sas. Puis nous avons franchi la dernière porte, et j'ai senti la pluie sur mon visage. Les flashes des photographes ont crépité et un type s'est approché, caméra sur l'épaule. Des micros se sont tendus, mais le shérif les a repoussés.

« Nous ferons une déclaration plus tard. Laissez passer s'il vous plaît ! »

On a franchi tant bien que mal la petite foule.

Et c'est là que je vous ai vu.

42

Réunis

« Oui », dit Grant Augustine.

Il revit cet instant où Henry était apparu en haut des marches, sortant des bureaux du shérif. Ce… *miracle*. Grant se tenait de l'autre côté de la rue, Jay à côté de lui.

Et il l'avait vu.

Pour la première fois en chair et en os.

Son fils.

Henry.

Il l'avait vu fendre la petite foule pour venir jusqu'à lui. Il avait l'air atrocement fatigué, les traits tirés, les yeux cernés d'ombres profondes – mais Grant avait perçu cette force intérieure qu'ils partageaient, cette volonté farouche de faire face à tout, quoi qu'il en coûte, de se relever toujours, et il avait éprouvé une fierté irrationnelle.

Son fils s'était arrêté à moins d'un mètre de lui. Il fixait Grant, guettant la moindre de ses réactions. Le silence avait duré plusieurs secondes.

« Tu sais qui je suis ? » avait finalement dit Grant.

Henry avait hoché la tête. Grant avait alors fait un

pas de plus et il l'avait pris dans ses bras. Ils s'étaient étreints – père et fils – comme s'ils s'étaient quittés une semaine plus tôt. Appuyés l'un contre l'autre, sous la pluie, sans un mot. Après quoi, Grant l'avait écarté pour essuyer le sang qui coulait de sa narine.

« Je suis tellement navré qu'on se retrouve dans des circonstances pareilles. Tellement désolé... Mes plus sincères condoléances, Henry. »

Henry n'avait rien dit – pas un mot, pas un geste. Il fixait Grant.

« J'ai un endroit où tu pourras te reposer, loin de la presse et de la foule, si tu veux. C'est tout près d'ici… »

Nouveau hochement de tête.

Grant avait fait signe à Jay – qui avait ouvert un grand parapluie – et ils s'étaient mis en marche sous la corolle crépitante. Ils avaient remonté la rue vers le terrain de base-ball, transformé pour l'occasion en héliport. Grant avait posé une main sur l'épaule de son fils. Ils n'étaient que deux inconnus l'un pour l'autre. Ils n'étaient pas encore une famille. Mais une possibilité venait d'apparaître : les circonstances – si tragiques fussent-elles – leur avaient dégagé le chemin. Grant n'avait pas le souvenir de s'être déjà senti aussi ému. Un nouvel horizon, un tournant dans l'existence, une vie différente – tout homme qui atteignait son âge en rêvait.

« Je me souviens quand vous m'avez pris dans vos bras, dit Henry en face de lui. Ce que j'ai ressenti, c'était… indescriptible.

— Tu peux me tutoyer, tu sais », dit Augustine, la gorge nouée.

Ils étaient assis dans la suite ultra-moderne du Deer Beach Resort et, tandis que la tempête gémissait dehors, ici tout était étonnamment silencieux. Les petites lampes dispensaient une clarté douce, apaisante, et laissaient les coins dans l'ombre. L'atmosphère était intime, tranquille, propice aux confidences.

« Ensuite, nous sommes montés dans cet hélico et nous avons quitté Glass Island, poursuivit Henry. Je ne sais pas… j'avais l'impression que nous étions les seuls survivants d'une guerre, d'une apocalypse nucléaire, qu'on ne laissait que des ruines derrière nous, tandis que nous survolions East Harbor... Et, comme dans ces films de genre, vous voyez, à la fin tout semble de nouveau possible, tous les futurs ouverts. C'est bizarre, ce sentiment d'exaltation que j'ai éprouvé en même temps que la douleur. Je me souviens que je vous regardais – que je *te* regardais –, que tu fixais un point droit devant toi et que tu avais ce petit sourire aux lèvres. Et je me demandais : *qui est cet homme ? c'est lui, mon père ?* Tout ça est si neuf pour moi... si… embrouillé.

— Oui, dit Grant en souriant. Je comprends. Quand je pense que c'était il y a quelques heures à peine… Tu dois être épuisé, Henry. Mais je suis heureux que tu m'aies raconté cette histoire. Même si elle est terrible, je comprends mieux, à présent, ce qui s'est passé. Et j'en suis désolé, mon fils… »

Grant vida son verre avant de déplacer son regard d'Henry vers Jay. Ce dernier dévisageait le gamin sans un mot, mais la curiosité perçait derrière son masque d'impassibilité. Grant consulta sa montre : 23 h 15. Cela faisait près de trois heures qu'Henry parlait et leur racontait son histoire. Trois heures qu'ils étaient suspendus à ses lèvres. Trois heures qu'ils buvaient ses paroles.

Le téléphone de Jay vibra sur la petite console en verre, dans le halo de la lampe. Jay se pencha sur l'écran. C'était Noah. Il avait déjà appelé deux fois dans la soirée.

« Je reviens, dit-il en se levant.

— Prends tout ton temps, dit Grant. En attendant, on va bavarder, Henry et moi, et puis on ira se coucher. Ç'a été une dure journée pour tout le monde. »

Il souriait avec tendresse, son regard illuminé de l'intérieur.

Vingt-deux heures, le même soir, à Los Angeles.

« Quel âge avait-il ? »

Les yeux de Doug couvaient Noah à travers ses lunettes, mais ils regardaient une page de sa vie qui avait été tournée il y a longtemps de ça et qui, néanmoins – Noah le devinait –, en demeurerait à jamais l'un des chapitres les plus mémorables.

« Sept ans quand je l'ai vu pour la première fois.

— Sept ans, vous êtes sûr ?

— Oui.

— Parlez-moi de lui.

— C'était un enfant génial... Intelligent, charmeur, inventif… très attachant... Ce gamin, il était doué pour tout, c'était incroyable ! À neuf ans, il savait se servir d'un ordinateur mieux que certains adultes.

— Vraiment ?

— Oui. (De nouveau, Doug sentit un surcroît d'intérêt chez Noah.) C'est important ?

— Peut-être… »

Ils échangèrent un regard. Doug avait l'air trop

désinvolte alors que Noah le sentait plus tendu que tout à l'heure.

« Est-ce que ses mères lui interdisaient d'aller sur Internet ? demanda le détective du ton le plus anodin qu'il put. De mettre des photos sur Facebook ? Ce genre de choses… »

Doug fronça un peu les sourcils.

« Parce que c'est ce qu'elles font ? Vraiment ? Ça voudrait dire qu'elles ont beaucoup changé, dans ce cas… Ce n'était pas du tout leur genre… Elles lui passaient tout, je leur disais que ce n'était pas lui rendre service. D'ailleurs, il y a eu des problèmes...

— Quel genre de problèmes ?

— Comme je vous l'ai dit, c'était un gamin très attachant, joueur… et très intelligent. Mais ce n'était pas seulement ça… »

Une voiture passa dans la rue ; la lueur de ses phares fit glisser des ombres contrastées sur les murs, qui se déplacèrent d'un bord à l'autre de la pièce. Les vitres devaient être épaisses, car Noah n'entendit pas le moindre bruit. Doug se leva pour fermer les stores.

« Est-ce que vous vous êtes déjà demandé à quoi rimait votre vie ? Ce qu'on en fait ? Quelle trace on laissera ? Un matin, on se réveille et on se rend compte que tous nos rêves ont foutu le camp et qu'on ne laissera rien derrière nous sur cette planète qui part en couille. Mais pas lui, pas ce gosse… Ce gamin : c'était le genre à laisser une trace. Il n'était pas sur cette planète pour rien, ça se sentait… Vous voyez ce que je veux dire ? »

Noah se demanda où Doug voulait en venir ; le scientifique lui adressa un regard indécis.

« J'ai… j'ai rarement vu un gosse piger aussi vite

tout ce que je lui disais. J'adorais lui expliquer tout un tas de concepts : la création de l'univers, les galaxies, l'évolution, les tremblements de terre, l'hérédité, l'apparition de la vie, la couche d'ozone… Tout l'intéressait ! Je me rappelle avoir pensé assez lâchement qu'heureusement que je n'étais pas le donneur – sans quoi j'aurais sûrement été jaloux de ne pas pouvoir garder un tel fils pour moi, vous voyez ? »

Noah ne quittait pas Doug des yeux. Pour la première fois de la soirée, une nuance de tristesse était passée dans sa voix.

« C'était comme ces gosses qu'on voit dans les journaux : comme ce gamin de quinze ans, Jack Andraka, qui a inventé une méthode rapide et bon marché pour détecter les cancers du pancréas : avant de le faire, ce gamin ne savait même pas ce qu'était un pancréas ! Cette année, à quinze ans, Nick D'Aloisio a vendu une application à Yahoo ! pour trente millions de dollars : il est la plus jeune personne à avoir jamais investi en capital-risque... Mark Zuckerberg dit que les jeunes d'aujourd'hui sont plus intelligents. Ben voyons… Blaise Pascal a inventé une calculatrice à dix-neuf ans – et c'était en 1642 ! Et Mozart a composé ses premières œuvres à six ans. Enfin, vous voyez ce que je veux dire : il y a toujours eu des gamins comme ça, à toutes les époques… Sauf que ceux d'aujourd'hui sont différents – vous voyez ? *Différents*… Henry aurait pu être l'un d'entre eux – mais il avait aussi sa part d'ombre. »

Doug parlait d'un ton vif, le même qu'il devait employer avec ses collègues – des esprits aussi alertes que le sien –, mais son débit se ralentit subitement.

« Henry pouvait se montrer violent avec ses

camarades... Quand il se mettait en colère, il ne se contrôlait plus… Une fois, Liv et France ont été convoquées parce qu'il avait frappé un élève avec un compas. Il le lui avait quasiment planté au milieu du front ! Il avait huit ans, bon Dieu ! »

Son regard se voila et il avala une autre gorgée. Il attrapa le bout de sa cravate et s'en servit pour essuyer les verres de ses lunettes. Sans elles, il avait l'air nu et vulnérable.

« Il y a eu d'autres incidents du même genre. Il était aussi incroyablement casse-cou, presque suicidaire… On aurait dit qu'il aimait le danger… Un jour, il a été renversé par une voiture. Il avait voulu traverser un carrefour entre les bagnoles sur sa bicyclette ! Il a eu une hémorragie, il a perdu beaucoup de sang. C'était la panique quand il est parti à l'hôpital en ambulance… Il a fallu lui faire une transfusion, mais Henry était O négatif ; vous savez qu'un O négatif ne peut recevoir du sang que d'un autre O négatif… Il se trouve que je suis moi-même O négatif... Cette histoire nous a encore plus rapprochés, Henry et moi… D'une certaine manière, je le considérais un peu comme mon fils… »

Doug frotta ses mains l'une contre l'autre. Noah voyait son propre reflet dans ses lunettes.

« Et puis, les choses se sont aggravées… France a découvert de l'argent dans sa chambre… Henry a fini par avouer que cet argent venait de l'école : il… *rackettait* certains des élèves de sa classe. À huit ans et demi ! »

Noah songea à ce sentiment qu'il avait éprouvé à l'aéroport – cette impression qu'ils avaient tous loupé un truc, qu'il y avait un dessin au milieu du tapis qu'il était seul à voir.

« Et ce n'est pas tout. D'autres élèves se sont plaints… (Noah devina l'incrédulité persistante de Doug, même après toutes ces années.) Ils avaient subi des… sévices… Dans les toilettes ou derrière le gymnase… Henry les obligeait à… (Il avala une gorgée.) Seigneur… à relever leurs tee-shirts et il les… *scarifiait* en quelque sorte, même s'il ignorait sans nul doute le sens de ce mot… avec un compas ou la pointe d'un crayon… Oh, Seigneur ! ces gosses… ils étaient couverts de cicatrices et leurs parents n'ont pas tardé à appeler l'école… »

Nom de Dieu ! songea Noah.

« France et Liv étaient effondrées, dévastées… J'ai essayé de discuter avec lui. Il m'écoutait, en général, et, pendant un temps, les histoires ont cessé. Mais cet épisode me hantait… J'ai commencé à le regarder différemment, à l'observer comme on observe un… animal… Et j'ai commencé à voir des choses… ou peut-être que c'est mon imagination qui parlait… Mais il me semblait anormalement froid et distant avec ses mères… Et avec moi, aussi… Il avait un côté calculateur, avide, intéressé… Je sais que ça paraît contradictoire ! Il pouvait être charmant, amusant et rieur, je vous assure… mais on avait toujours l'impression que c'était comme un… masque. Qu'il jouait juste son rôle d'enfant attachant, déjà, à cet âge-là… »

Doug battit des mains.

« Je sais ce que vous pensez : c'est probablement dû à mon imagination excessive, je suis d'accord... Sauf que… ça a recommencé. France et Liv lui ont fait consulter un pédopsychiatre, mais ça n'a pas cessé d'empirer. Chaque jour, elles redoutaient d'apprendre quelque chose de pire que le précédent. Ce gamin, c'était Dr Jekyll et Mr Hyde... D'un côté, il était adorable, de l'autre, il avait besoin d'un vrai psy, si vous voulez mon avis… »

Un téléphone sonna dans la poche de Doug. Il le sortit et répondit par monosyllabes avant de dire : « Je te rappelle. » Noah plissa les paupières. Doug éteignit l'appareil et se tourna vers lui.

« Quand un gosse a fini à l'hôpital, j'ai compris que nous courions à la catastrophe. Les services sociaux ont commencé à se pencher sur l'éducation d'Henry, la justice sur certains faits qui avaient eu lieu dans le voisinage, des voix se sont élevées à l'école pour mettre en question les aptitudes parentales de Liv et de France... Elles étaient désespérées… Elles ont commencé à couper les ponts avec tout le monde… France a quitté son travail pour s'occuper d'Henry à plein temps. À l'école, il a commencé à être de plus en plus souvent absent… »

Une idée frappa soudain Noah : il fallait qu'il appelle Jay le plus vite possible. Il regarda Doug qui continuait de parler et éprouva un fourmillement dans la nuque.

« Et puis, un beau jour, elles ont disparu. (Doug claqua dans ses doigts.) Comme ça ! Envolées ! J'ai trouvé un mot dans ma boîte aux lettres. Elles expliquaient qu'elles étaient parties parce qu'elles ne voulaient pas qu'on leur enlève Henry, qu'elles ne le supporteraient pas. Elles étaient convaincues que cela finirait par s'arranger avec le temps. »

Il jeta à Noah un regard dans lequel brillait une lueur étrange.

« Mais si vous êtes là, c'est que ça ne s'est pas

arrangé… Il a refait des siennes, c'est ça ? Vous savez où elles sont ? »

« Grant Augustine, ce nom vous dit quelque chose ? » demanda Noah.

Doug fronça les sourcils, puis il secoua la tête.

« Vous en êtes sûr ?

— Oui... Qui est-ce ?

— Vous n'avez jamais entendu ce nom-là auparavant dans la bouche de ses mères ? » insista Noah.

De nouveau, Doug eut un geste de dénégation.

« Et Meredith ?

— Qui ça ? »

Noah se pencha en avant. « Est-ce qu'une certaine Meredith, une très belle femme, ça vous évoque quelque chose ? »

Doug fixa sur Noah un regard perplexe.

« Une très belle femme, vous dites ? Meredith ?

— Oui. Elle a peut-être changé de prénom. (Noah sortit un cliché de sa poche, le tendit à Doug.) Une femme dans leurs âges… »

Doug examina la photo. Une fois de plus, il secoua la tête avec vigueur.

« C'est impossible. Je connaissais tous leurs amis. Je vous l'ai dit, nous étions presque une famille : cette femme n'a jamais fait partie de leur entourage.

— Vous en êtes sûr ?

— Bien entendu ! Ce Grant Augustine, qui est-ce ?

— Son père… »

Doug n'avait pas fini son verre. Il le repoussa.

« Comment ça ? Le père de qui ?

— D'Henry.

— Je ne crois pas », dit-il. Une seule petite lampe

était allumée et la plus grande partie de la pièce était plongée dans l'obscurité. Doug se leva pour en allumer une autre – peut-être pour chasser les ténèbres qui commençaient à les cerner.

« France et Liv ont toujours refusé de me dire qui étaient les parents d'Henry. C'est la seule chose qu'elles m'aient jamais cachée, je crois bien. Ça m'intriguait, je dois avouer. Alors, à leur insu, j'ai mené ma petite enquête… J'ai épluché les articles de presse, les archives des journaux en ligne, convaincu que ses parents étaient morts dans des circonstances dramatiques… Vous savez, le truc romantique : quarante ans à téter le lait des séries télé et du cinéma, ça laisse des traces… Sauf que j'avais raison. J'ai découvert un fait divers qui avait eu lieu quelques mois plus tôt… Ça aussi, c'était une drôle d'histoire. Carrément flippante, même. Je comprends qu'elles n'aient pas eu envie d'en parler… Laissez-moi vous raconter… Selon moi, Henry était orphelin quand France et Liv l'ont adopté et ses parents s'appelaient Georgianna et Tim Mercer. Vous savez comment ils sont morts ? Noyés non loin de leur bateau, au large de San Pedro... La seule personne qu'on a retrouvé à bord, c'est leur fils. Il avait sept ans à l'époque, vous vous rendez compte ? Il semble qu'il ait remonté l'échelle par inadvertance – et qu'il ait ensuite eu le plus grand mal à la remettre en place. Il n'y avait aucun autre accès au pont. C'était un voilier moderne, avec une coque très lisse et tout et tout. On a même trouvé des traces d'ongles sur la coque… »

Il se passa une main sur la figure, Noah vit une micro-sueur perler sur son front.

« On pense que le père a essayé de se hisser par

la chaîne d'ancre mais, à ce moment-là, ils avaient sans doute beaucoup nagé et plongé et il était déjà trop épuisé. Il est peut-être retombé dans l'eau, qui sait ? Il a peut-être refait une tentative... mais ses muscles étaient pleins d'acide lactique, vous voyez ? Ils ont dû se tétaniser : il a été le premier à couler, la mère a tenu quelques heures de plus d'après leur autopsie. Rendez-vous compte : ses parents se sont noyés sous ses yeux !... Et, pendant tout ce temps, l'enfant est resté là : assis sur le pont, à les regarder mourir. Quand les secours l'ont trouvé, il est resté très calme. Il ne pleurait pas. Il était juste... apathique. Les sauveteurs ont mis ça sur le compte du choc qu'il avait subi. Toutes ces heures en mer avec ses parents en train de hurler et d'agoniser... Aucune photo de l'enfant n'a été communiquée à la presse. Mais je suis presque sûr qu'il s'agissait d'Henry. Dans un article du *Los Angeles Times*, il y avait un cliché en encadré plus ancien : le gosse sur cette photo ressemblait vraiment beaucoup à Henry... »

Doug avait le regard brillant derrière ses lunettes.

« Bonté divine, quel enfer ! conclut-il, et sa voix s'étrangla. Il y a une mauvaise étoile pour certains, comme il y en a une bonne pour d'autres.

— Vous permettez que je passe un coup de fil ? » demanda Noah.

Doug acquiesça. Noah se leva. Il attrapa son téléphone, sortit sous le porche et appela Jay.

« Quel est le groupe sanguin de ton patron ? » demanda-t-il.

Jay n'hésita qu'une demi-seconde : « AB positif... Pourquoi cette question ? »

Noah le lui dit et il attendit les instructions. Au-dessus de sa tête, des palmiers longilignes s'élançaient dans la nuit. En baissant les yeux, il aperçut la lueur des télévisions derrière les fenêtres.

« Non… c'est inutile… Jay, ce type ne présente aucun danger… Il te suffit de le mettre sous surveillance… »

Il raccrocha et rentra dans la maison.

« Merci beaucoup, Doug. Vous avez été très aimable. Vraim... »

La pièce était vide. Et silencieuse. Noah sentit son cœur bondir dans sa poitrine. Il tourna sur lui-même. Doug surgit d'un coin d'ombre.

« Bon Dieu ! dit Noah. Vous m'avez fichu la trouille ! »

Doug se contenta de sourire. Noah se baissa pour se saisir de son sac de voyage.

« Doug, une dernière chose : vous ne parlerez de cette histoire à personne, vous m'entendez ? Les gens qui m'emploient ne plaisantent pas, en général… »

Doug hocha la tête.

« Quelle histoire ? » répondit-il.

Noah sourit.

« Merci, Doug. Je ne vais pas vous embêter plus longtemps. »

Downtown Los Angeles. Noah se glissa dans l'ascenseur de verre du Westin Bonaventure Hotel en compagnie de deux congressistes qui portaient un badge sur leur veste. Ils se mirent à grimper. Les bassins et les jets d'eau du hall s'éloignèrent et ils se retrouvèrent suspendus en plein ciel – à l'extérieur.

« Putain, dit le plus jeune. C'est dans cet ascenseur qu'ils ont tourné cette scène de *True Lies*. Tu sais, celle où Arnold Schwarzenegger entre à cheval dans une cabine d'ascenseur. »

De fait, une plaque indiquait qu'une scène du film avait été tournée ici, mais Noah s'en fichait pas mal. Tout comme du spectacle des gratte-ciel illuminés grimpant à l'assaut de la nuit et de l'immense conurbation scintillante étalée à leurs pieds sur des centaines de kilomètres carrés – tapisserie de lumière, artères de feu, galaxies tentaculaires, noces du néon et du désert...

Jusqu'à l'horizon.

« C'est une ville faite pour baiser, dit le second, plus âgé. J'ai envie de baiser. J'ai envie d'une chatte. »

Voix avinées. Ils portaient des alliances. Encore un de ces types qui prenaient de la testostérone pour rajeunir. Les portes de l'ascenseur s'ouvrirent et ils sortirent au vingt-septième en gloussant. Le plus jeune avait du mal à marcher droit. Noah les suivit des yeux pendant que les portes se refermaient, puis il continua de grimper.

Trente-deuxième.

Il alluma toutes les lampes de la suite, balança le sac de voyage sur le lit, défit le col de sa chemise et, ignorant la vue, ouvrit le minibar et attrapa un jus de fruits.

Il consulta sa montre.

Vingt-trois heures quinze. Il lui restait une dernière chose à vérifier.

Une minute plus tard, assis au bord du lit, il était au téléphone avec le directeur indien du casino.

Il regarda à travers la baie, finalement. Apparemment, le monde continuait de tourner sur son axe, les voitures et les taxis de tracer leur route sur les échangeurs géants de L.A., l'espèce humaine de se précipiter vers son extinction.

Mais ici, dans cette suite, le temps s'était arrêté.

43

Réveil

Jay réveilla Henry à 3 heures du matin.

« Lève-toi.

— Quoi ?

— Lève-toi et habille-toi. »

Il lança les vêtements du gamin sur le lit.

« Qu'est-ce qui se passe ? demanda celui-ci.

— Dépêche-toi, dit Jay sans répondre. Je t'attends dans la pièce d'à côté. Et évite de faire du bruit. »

44

« Monte »

Henry rejoignit Jay dans les salons une minute plus tard ; presque toutes les lumières étaient éteintes, à part deux petites lampes près des fauteuils.

« Qu'est-ce qu'il y a ? »

Jay l'attrapa par le bras et l'entraîna vers la porte de la suite.

« Une minute ! dit Henry en renâclant. Où est-ce qu'on va ?

— Tu verras… »

Henry essaya de se libérer.

« Pourquoi mon père n'est pas là ? Il est au courant ? »

Jay se retourna face à lui ; il approcha sa bouche de l'oreille d'Henry.

« Je sais tout. Alors, si tu tiens à rester le fils de ton père, t'as intérêt à me suivre...

— Je ne comprends rien.

— Suis-moi, et tu comprendras. »

Cette fois, Henry obéit. Jay y vit la preuve que Noah et lui ne s'étaient pas trompés.

Ils prirent l'ascenseur. Henry jeta un coup d'œil

discret à Jay. Absorbé par ses pensées, celui-ci gardait le silence.

Lorsqu'ils émergèrent du hall de l'hôtel, la nuit était noire et humide, hostile, et la pluie les doucha. De l'autre côté de la route, dans la lueur des lampes, la mer était grosse et les vagues se balançaient bruyamment contre les rochers. Ils marchèrent jusqu'à la petite marina, descendirent les degrés de pierre et atteignirent un ponton éclairé et luisant.

« Où est-ce que vous m'emmenez ? gueula Henry pour couvrir le vacarme de la tempête.

— Tu as peur de quoi ? Que je te jette à la baille ? Tu es le fils de Grant Augustine », ironisa Jay.

Il franchit la coupée arrière d'un petit canot à moteur de six mètres, avec un cockpit en partie vitré et une minuscule cabine. Le bateau tanguait et roulait dans tous les sens.

« Monte, dit-il.

— Non. »

Une arme apparut dans le poing de Jay.

« Largue les amarres et monte. »

45

Au large

Henry était trempé. Il avait le vent dans le nez et il grelottait. À la barre, Jay semblait insensible au froid. La mer secouait et Henry devait se cramponner au milieu des embruns.

Finalement, Jay coupa les gaz et le canot s'enfonça dans les flots, aussitôt chahuté par les vagues. Les averses les enveloppaient ; même Glass Island était invisible. La seule chose qu'il voyait à travers ces rideaux de pluie, en dehors de la surface de la mer dans les parages immédiats du bateau, c'était la lueur du phare, comme une flèche de lumière d'un blanc aveuglant dans un tableau impressionniste composé de traits et de points.

Henry considéra Jay, son visage maigre, son regard fiévreux, et il eut l'impression d'avoir face à lui un animal – un loup, un coyote –, pas un homme.

« Qu'est-ce qui ne va pas, Henry ? demanda Jay. (Et ses yeux brillèrent d'un éclat dangereux.) Tu as l'air tout pâle. »

Henry regarda de nouveau Jay sans rien dire ; il tremblait de froid, de peur.

« J'ai beaucoup aimé ton histoire, ce soir », dit Jay. Il attrapa une Thermos dans un compartiment, dévissa le bouchon et se servit dans le gobelet avant de le porter à ses lèvres. Henry sentit l'odeur du café arriver jusqu'à lui, mêlée à celle de la pluie. À travers l'orage, la flèche de lumière du phare dut pivoter vers eux, derrière lui, car, pendant un instant, elle illumina le visage de Jay qui cligna des yeux, ébloui, avant que tout ne retombe dans la pénombre.

« Une longue nuit nous attend. Tu en veux ? »

Ils étaient seuls à bord tous les deux, mais Jay était plus fort et plus aguerri – et il était sur ses gardes. Henry fit signe que non.

« Quel talent de conteur ! Tu devrais envisager une carrière d'écrivain... »

Jay avala une nouvelle gorgée en le regardant. Henry entendait le clapot des vagues contre la coque et ses cheveux trempés dansaient autour de ses joues. Il vit que l'arme était réapparue dans la main libre de Jay. Il s'efforça de soutenir le feu de ce regard brillant, cerné d'ombres, et, tout à coup, il eut une révélation qui l'emplit d'horreur : il allait mourir – cette nuit.

« Quel roman ! Passionnant, édifiant, émouvant… Une putain d'histoire, oui... Mais tu n'as pas pu t'empêcher de nous laisser quelques petits indices par-ci, par-là : ta fascination pour les orques, par exemple, ces prédateurs tout en haut de la chaîne alimentaire… Et tous ces films d'horreur dans ta chambre… Tes préférés ? Tu l'as dit toi-même : *La Malédiction*, *L'Exorciste*, *Ring*... Rien que des histoires de gamins maléfiques ! Tous ces indices que tu nous as laissés ! Tu t'es bien amusé ce soir, Henry ? Tu te crois plus malin que tout le monde, hein ? »

Henry l'observait, bouche bée, d'un air interrogateur. Sa lèvre inférieure tressautait. Il songea à cette nuit sur le ferry, là où tout avait commencé – une nuit pareille à celle-ci.

« Je ne comprends pas…

— Grant qui retrouve son fils après toutes ces années, un fils innocenté du crime dont on l'accusait – quel conte de fées… »

La lumière du phare incendia de nouveau le bateau ; le pinceau lumineux frappa Jay pour la deuxième fois, et celui-ci leva devant lui la main qui tenait l'arme. Henry avait toujours la lumière dans le dos.

« Sauf que Grant et Meredith n'ont jamais eu un fils *mais une fille*, n'est-ce pas, Henry ? dit Jay à voix très basse quand la lumière eut disparu.

— Quoi ? »

À cause du bruit des vagues, Henry se demanda s'il avait bien entendu.

« Ton groupe sanguin est O négatif. Or celui de Grant Augustine est AB+. En aucun cas, un père AB+ ne peut avoir un fils O négatif… En revanche, celui de Naomi était AB+.

— Foutaises ! rétorqua Henry. Il existe des cas... très rares, mais ils existent…

— Ah ouais ? Une chance sur combien de millions ? Et même : admettons… Sauf que ce bon vieux Doug – tu te souviens de Doug ? votre voisin et le meilleur ami de tes mamans – n'a jamais entendu parler de Meredith… Et que, selon lui, tu n'avais pas deux ou trois ans quand tes mères t'ont adopté – mais sept. Tu paries combien que, si on fait une comparaison ADN entre Grant et toi, directe celle-là, elle sera négative ? Tes parents s'appelaient Georgianna et Tim Mercer. Ils sont morts noyés quand tu avais sept ans. Et puisque tu n'es pas le fils de Grant, mais que cet enfant dont tu es le père et que Naomi portait est bien son petit-fils, j'en conclus que le fragment de l'ADN de Grant que ce fœtus a en lui ne vient pas de toi mais *d'elle*... Naomi s'était confiée à toi, c'est ça ? Elle t'avait dit qu'elle était la fille de Grant Augustine et elle t'avait raconté toute l'histoire de Meredith, sa mère, pas vrai ? Mais, dans ce cas, si nous envisageons cette hypothèse, pour quelle raison Meredith a-t-elle fait croire à Grant qu'elle avait eu un fils et non une fille ? »

Henry se taisait, muré dans son silence ; il claquait des dents.

« Peut-être pour la même raison qu'elle n'a cessé de le fuir, de se cacher et qu'elle a changé de nom, poursuivit Jay. Pour protéger l'enfant, pour empêcher Grant de le… de *la* retrouver le jour où il se mettrait en tête de le faire… Meredith savait les moyens dont il dispose. Évidemment, cela changeait beaucoup de choses si, dès le départ, Grant Augustine cherchait un garçon au lieu d'une fille… En langage militaire, on appelle ça un *leurre*, une *contre-mesure*… Et puis, elle savait qu'il avait déjà trois filles et qu'il rêvait d'un héritier mâle : alors, peut-être qu'un beau matin elle a acheté des vêtements pour un garçon de trois mois et qu'elle lui a envoyé la photo de Naomi à trois mois avec ce stupide commentaire au dos – difficile de reconnaître une fille d'un garçon à cet âge, pas vrai ? – rien que pour exercer une sorte de… vengeance. »

Ce fut le moment qu'Henry choisit pour agir : le moment où Jay s'y attendait le moins – précisément parce qu'il ne quittait pas Henry des yeux –, le moment où la flèche de lumière dans le dos d'Henry rendit Jay provisoirement aveugle, l'obligeant à lever la main qui tenait l'arme pour ne pas être ébloui.

Henry savait qu'il disposait d'une demi-seconde d'avance : celle pendant laquelle Jay ne saurait pas si Henry avait vraiment bougé ou si c'était une illusion d'optique due au passage sur eux du pinceau lumineux et à toute cette pluie. Il frappa Jay. En pleine face. Puis il se jeta sur l'arme. Mais Jay avait déjà compris la manœuvre et, malgré la douleur qui lui fit pousser un cri de rage, il tint bon. L'adulte et l'adolescent s'agrippèrent, chacun tirant l'arme à lui, leurs doigts glissants crispés dessus. La main libre de Jay chercha les yeux d'Henry, labourant sa figure ruisselante comme une patte de fauve, pendant que celui-ci bourrait les côtes de Jay de coups de poing et lui expédiait des coups de genou dans les jambes. Puis ils glissèrent et tombèrent dans le fond du bateau, rebondissant contre l'arcasse. Henry sentit sa nuque heurter violemment le bord. Allongé sur le pont rempli d'eau, il reçut ensuite autant de coups qu'il en donna ; les coups de Jay étaient plus précis, plus destructeurs, mais, heureusement pour Henry, il manquait d'espace et ils étaient trop étroitement emmêlés. Finalement, Henry mordit Jay au poignet de toutes ses forces, cherchant les veines, et celui-ci hurla de douleur. Il lâcha l'arme qui roula sur le pont et Henry se jeta dessus. Il fit volte-face, la braquant sur Jay à l'instant où celui-ci allait bondir sur lui.

« Espèce de sale petit fumier ! Tu m'as arraché le poignet ! dit Jay.

— Ta gueule ! s'écria Henry, le cœur battant très vite. Recule ! Recule ! »

Jay obéit, reculant sur ses fesses vers le poste de pilotage. Il se tenait la cheville.

« Merde ! Je me suis tordu la jambe !

— Ne bouge plus ! »

Les yeux d'Henry brillaient d'un éclat neuf. Il entrevoyait une lueur d'espoir. L'espoir de sortir vivant de cette nuit, l'espoir de sauver ce qui pouvait l'être. La tête lui tournait, ses pulsations étaient trop rapides, son torse le brûlait là où Jay l'avait frappé – Jay qui regardait fixement le canon de l'arme. Du sang s'écoulait de son nez et trempait son chandail.

« C'est Naomi qui t'avait raconté toute l'histoire, hein ? poursuivit Jay comme si rien ne s'était passé, juste un poil essoufflé. Je suppose qu'elle la tenait de sa mère... Naomi et Meredith ont vécu sur la réserve indienne Lummi avant de vivre sur Glass Island : deux communautés fermées, deux endroits difficiles à infiltrer, où un intrus ne passe pas inaperçu. On s'est renseignés : quand son père est revenu avec sa mère sur le territoire de la réserve, après trois ans passés à Decatur, Naomi avait deux ans. Il l'a présentée comme sa fille… C'est au moment où elle t'a raconté son histoire ou un peu plus tard que la petite graine a germé dans ton esprit ? La graine de l'avidité et du crime... *Devenir cet héritier mâle qui n'a jamais existé*… Mais, pour cela, il fallait que la vraie héritière et toutes les personnes qui connaissaient la vérité quittent la scène : Naomi, sa mère, tes mères adoptives… Le voilà, ton mobile… »

Henry ne dit rien. Il réfléchissait. Évaluait chaque option. Plus le droit à l'erreur. Il allait falloir jouer serré, mais il y avait un espoir. Un espoir authentique. Jay parlait toujours.

« Tu devais bien savoir, pourtant, que Grant demanderait tôt ou tard un test ADN entre lui et toi – un test forcément négatif. Tu as dû réfléchir longtemps à cette pierre d'achoppement de ton plan... Et puis, Naomi t'a annoncé qu'elle était enceinte... Et là, bingo ! (Jay se massa la cheville en grimaçant.) Je dois dire que tu es un garçon étonnamment plein de ressources ; tu as immédiatement compris les implications de cette grossesse. Tu as compris qu'elle était une occasion qui ne se présenterait jamais plus. Tout à coup, tu as entrevu la solution : si tu pouvais faire en sorte que le test ne soit pas effectué sur toi mais sur... *votre* enfant ! C'est toi qui as envoyé cette carte postale à Martha Allen, pas vrai ? Naomi t'avait aussi raconté l'histoire de Martha – cette brave Martha, l'assistante de Grant, qui avait aidé sa mère à disparaître : l'histoire de l'amitié qui liait Martha à Meredith... Tu savais déjà, à ce moment-là, qui était ton soi-disant père et de quels moyens il disposait : ceux de la plus puissante et de la plus redoutable agence gouvernementale du monde. Tu t'es dit que Martha était forcément surveillée. Alors, tu as d'abord attiré notre attention sur l'île grâce à cette carte postale, puis – quand tu as été à peu près sûr que tout ce qui s'y passait était sous surveillance – tu as tué Naomi. Un meurtre sur l'île, à ce moment-là : l'intérêt se focaliserait du même coup sur le principal suspect, toi, le petit ami de la victime. Surtout, tu étais sûr que – plus encore que le meurtre – c'était *ton profil* qui attirerait immanquablement notre attention : après tout, tu es toi-même un enfant adopté, dont les mamans lui interdisaient soi-disant de mettre des photos sur Facebook, tu as exactement l'âge souhaité, et personne sur l'île ne savait d'où tes mamans et toi veniez vraiment. Tu avais le profil idéal pour être le fils de Grant Augustine. Tu savais que le légiste découvrirait la grossesse de Naomi, et que cette information remonterait jusqu'à mon patron. À partir de là, comme tu l'avais prévu, il n'a pu résister à la tentation de demander une comparaison de son ADN avec celui du fœtus. Et c'est là que tu t'es montré véritablement diabolique, je dois dire. Car Grant n'allait pas demander une comparaison avec celui de la mère, non ! Pour quoi faire ? C'était un fils qu'il cherchait, pas une fille. Il avait juste besoin de savoir qu'il était le grand-père du fœtus pour confirmer ce qu'il soupçonnait déjà. Quelle astuce brillante !

— Merci », dit tranquillement Henry en esquissant un sourire.

Au-dessus de leurs têtes, le pinceau du phare revenait à intervalles réguliers. Ils étaient assis face à face, dans le fond du bateau que le roulis balançait, trempés jusqu'aux os. Jay massait tantôt sa cheville, tantôt son poignet sanguinolent, qui portait l'empreinte des dents d'Henry. Ou bien il essuyait le sang qui coulait toujours sur son visage et se mélangeait à la pluie.

« Ça a presque fonctionné. Comme toute comparaison ADN, celle-ci consistait en un test standard sur un certain nombre de marqueurs génétiques. Ces marqueurs utilisés en biologie légale, comme tu le sais, ne disent absolument rien des caractéristiques de la personne – pas plus qu'une empreinte digitale ne dit si la personne est blonde ou brune, si elle a les yeux bleus ou marron… Bref, le brillant Grant Augustine, avec toutes ses interceptions et ses systèmes de surveillance, est tombé dans le panneau que lui tendait un gamin de seize ans ! Je te tire mon chapeau. »

Jay inclina la tête en fixant le canon de l'arme et Henry la releva aussitôt de quelques centimètres. « N'y pense même pas, dit-il.

— Là où tu t'es montré très habile, c'est en faisant en sorte que toutes les scènes de ton histoire qui pouvaient être corroborées par d'autres témoins soient rigoureusement exactes – et en réécrivant à ta convenance celles dont les témoins sont morts et celles où tu étais seul… Comme, par exemple, cette scène très émouvante où tes mères t'ont soi-disant parlé de Meredith et de Grant. Comme ce coup de fil que tu as passé à ta mère hier. Celui où elle t'aurait tout avoué. La police en a confirmé l'existence… Sauf que, comme par hasard, tu lui as demandé de sortir dans le jardin et d'utiliser son téléphone secret pour que personne ne puisse entendre la conversation. Qu'est-ce que vous vous êtes dit ? C'est là que tu lui as sauté dessus, à l'abri des regards ? Je parie aussi que ce n'est pas Shane qui a dénoncé les Oates à la police par un coup de fil anonyme – mais toi, Henry... Tu comptais leur faire porter le chapeau pour la mort de tes mères, d'une manière ou d'une autre... et tu as réussi. Ça a été moins une, cela dit, en haut du phare. En t'attaquant à ces dégénérés, tu as quand même pris de sacrés risques… Et quand le Vieux et son autre fils se sont pointés, tu as fait semblant d'arriver de la mer après la bataille alors que tu étais déjà là depuis un petit moment : c'est toi qui as mis le feu à la baraque, c'est toi qui les as tuées…

— Il faudrait être un monstre…, dit Henry en souriant. (Sa voix avait tout à coup pris des accents grivois, et Jay sursauta.) Elles se croyaient mes mamans... Pour qui se prenaient-elles ? (Jay vit les traits du garçon se durcir.) Elles n'ont jamais été mes parents ! se récria-t-il avec une véhémence inattendue. Jamais ! Je les détestais. Elles me gardaient en cage sur cette putain d'île comme si j'étais un monstre… Elles croyaient m'aimer, mais je voyais bien dans leurs regards qu'elles avaient peur de moi… À Los Angeles déjà, elles avaient honte de moi. Liv a même dit une fois qu'elle regrettait de m'avoir adopté. Elle ne savait pas que j'écoutais, à ce moment-là.

— Elles ont tout sacrifié, tout quitté pour toi.

— Vous essayez quoi… de me culpabiliser ?

— Et cette idée de planquer l'argent que tu avais extorqué à tous ces gens dans le box de ta mère, et de faire semblant de le retrouver ensuite ! Un de nos hommes vient de rafraîchir la mémoire du gérant du garde-meubles : il affirme à présent que tu es venu *deux fois*… Ou celle de pister Taggart et puis Darrell Oates grâce à une pièce de puzzle que tu avais toi-même mise sur cette plage ! Bien entendu, tu savais déjà ce que Charlie et toi vous alliez trouver dans l'ordinateur de Taggart… On a un peu fouillé par-ci, par-là. Même si tu sais effacer tes traces, Henry, tu n'es pas tout à fait aussi bon que tu le crois, mais tu es quand même un hacker fichtrement doué. Apparemment, cela fait des années que tu t'amuses à entrer dans les ordinateurs de tes voisins, et même de toute cette fichue île. Tu savais tout ou presque sur les habitants de Glass Island bien avant nous. *C'était toi, le maître chanteur...* Tu as bien dû te marrer, pendant tout ce temps…

— Vous êtes assez mal placé pour me jeter la pierre », répliqua Henry.

Ses yeux flamboyaient d'un éclat nouveau. Il n'avait plus du tout l'air apeuré, à présent. Ses traits s'étaient subtilement modifiés et c'était maintenant lui qui ressemblait à un prédateur.

« Un point pour toi…, dit Jay. Et Naomi : c'est toi qui la scarifiais, n'est-ce pas ? »

Il vit les lèvres d'Henry se retrousser.

« Naomi… elle prenait tout tellement au sérieux… et elle avait tellement peur de moi… Je n'en reviens toujours pas qu'elle ait eu le courage de rompre, ce soir-là, sur le ferry ! C'est ça qui m'a décidé, au fait, vous savez… J'avais tout prévu, comme vous l'avez dit, mais ça restait un scénario très virtuel, vous voyez ? Un truc dans ma tête. Même quand j'ai eu envoyé cette carte, je n'étais pas sûr d'aller plus loin, je voulais juste… voir ce qui allait se passer ensuite, où ça allait nous mener. Mais lorsqu'elle m'a dit qu'elle voulait rompre, je me suis dit qu'elle avait elle-même décidé de la suite des événements… »

Jay lut l'arrogance sur ses traits et il entendit la jubilation dans sa voix.

« Je ne sais pas exactement à partir de quand elle a compris le danger… Peut-être quand j'ai montré un peu trop d'intérêt pour son histoire… ou quand sa mère et elle ont reçu à leur tour un mail du maître chanteur… Elle enquêtait sur moi… elle fouinait partout… Elle a même participé à une soirée de ce connard de Harding pour voir si j'en faisais partie ! Alors, pour la punir, j'ai commencé à la scarifier. Au début, une petite entaille par-ci, par-là, puis de plus en plus… Après, je la consolais, je lui jurais que je serais toujours là pour elle, qu'il n'y avait que nous et, à ce moment-là, je le pensais… En même temps, cette histoire avec ton patron m'obsédait. Je voyais bien qu'il y avait là une… *possibilité*. Et puis, elle est tombée enceinte et les choses ont commencé à se mettre en place, petit à petit…

— Sur le ferry, ce soir-là, qu'est-ce que tu lui as dit ? »

Le sourire sardonique n'avait pas quitté les lèvres d'Henry. Il s'accentua, même.

« Que j'allais la passer par-dessus bord, que j'allais la tuer…

— C'est pour ça qu'elle s'est planquée dans les toilettes ensuite, commenta Jay d'une voix neutre.

— Donc, vous aviez l'intention de me tuer cette nuit ? ricana Henry. Vous êtes un type vraiment dangereux, Jay, vous savez !

— Ce n'est pas pour te tuer que je t'ai amené ici, Henry…

— Ah non ? Pourquoi, alors ?

— *Où est-elle ?*

— Qui ça ?

— Meredith, la mère de Naomi… Où est-ce que tu l'as balancée ? Tu n'as pas eu beaucoup de temps pour le faire, cette nuit-là, vu qu'il fallait aussi s'occuper de Naomi. Alors, tu n'as pas dû aller bien loin…

— Vous n'avez aucune preuve, répéta Henry. Et vous allez mourir.

— Ah oui ? Et que va penser ton… *père* quand il ne me verra pas demain ? Quelqu'un d'autre est au parfum, Henry. Tu ne t'en tireras pas comme ça… »

L'espoir était comme la marée : il venait et refluait.

« Tu veux être ce fils ou pas ? » dit soudain Jay.

Un objet était apparu dans son poing droit – un petit objet noir et compact qui ressemblait à un revolver de petit calibre. Assez gros cependant, à cette distance, pour griller la cervelle d'Henry. Jay le braquait sur lui : il était attaché depuis le début à sa cheville.

« Ton arme est vide », ajouta-t-il.

Les vagues clapotaient contre la coque, la pluie les douchait.

« Vous mentez !

— Appuie sur la détente, tu verras. »

Les deux bouches noires se faisaient face. Jay vit Henry presser la détente. Il y eut un déclic. Rien ne se passa.

« Tu vois… Alors ? *Tu veux être ce fils ou pas ?*

— Hein ?

— Le fils de Grant Augustine : tu es si près du but… »

Malgré le manque d'éclairage, Jay lut la perplexité dans les prunelles d'Henry. « Pourquoi m'aideriez-vous ?

— Parce que tu crois que c'est ce que je fais ? »

Jay était toujours assis au fond du bateau, le dos contre l'un des deux sièges pivotants du poste de pilotage, sur lesquels ricochait la pluie, son petit revolver braqué sur Henry. Dans ses yeux passa quelque chose qui ressemblait à de la ferveur, à de la dévotion – à de l'amour...

« La loyauté, la fraternité : des mots qui te sont étrangers, pas vrai, Henry ? »

Jay avait parlé d'une voix étrangement tendre et émue.

« J'ai grandi avec cet homme, comme tu as grandi avec Charlie. À l'âge de dix ans, nous étions déjà les meilleurs amis du monde... Il n'y a que quand je suis entré dans les Marines et ton père à l'université que nous avons été séparés… J'ai la prétention de penser qu'il est mon meilleur ami autant que mon patron… Ton père est ce genre de personnes : celles qu'on ne peut s'empêcher d'admirer… ou de jalouser, selon son tempérament. Je ne l'admire pas, précisa Jay, mais je lui suis loyal. Je sais que ton père ne me laissera jamais tomber, tout comme je ne le trahirai jamais… Parce que la vie nous a mis sur le chemin l'un de l'autre, tu comprends ? »

À l'évidence, Henry ne comprenait pas. Il devait se demander pourquoi Jay répétait sans arrêt le mot *père*, si c'était un nouveau piège – comme quand Jay avait fait semblant de se laisser désarmer pour mieux l'amener à dévoiler son jeu.

« J'ai passé ma vie à servir cet homme, expliqua Jay. Chaque fois qu'il a eu besoin de moi, j'ai été là. Ça doit paraître insensé à quelqu'un comme toi, mais réfléchis : lequel des deux est le maître de l'autre, en réalité ? J'ai tout sacrifié pour lui, j'ai fait les pires choses pour lui. Si je lui révèle la vérité, il sera brisé, il ne s'en relèvera pas. Tant qu'il avait un doute, un espoir, même minuscule, il pouvait vivre avec… Mais découvrir ça : qu'il n'a jamais eu de fils, qu'il a été berné depuis le début, que sa fille a été assassinée… Dans quelques jours vont avoir lieu des élections très importantes pour nous. Pas question jusque-là qu'on soit mêlés à ce qui s'est passé ici. Alors, tu vas venir avec nous, tu vas jouer ton rôle et, une fois les élections passées, tu seras présenté officiellement comme le fils retrouvé de Grant Augustine. Ne t'inquiète pas : je t'aiderai… Tu as de telles dispositions...

— Comme ça, c'est vous qui tirerez les ficelles… », dit Henry.

Jay sourit. « N'est-ce pas ce que j'ai toujours fait ? »

Il fixait la brume.

« Mais il y a une condition... »

Jay vit Henry redevenir méfiant.

« Tu dois me dire où elle est... Je veux m'assurer par moi-même que le cadavre de Meredith ne ressurgira pas... »

Il vit qu'Henry réfléchissait.

« Dépêche-toi. On n'a pas toute la nuit...

— Elle est tout près d'ici, je vais vous montrer. »

Jay fit signe à Henry de se mettre à la barre. Celui-ci poussa la manette à fond et le museau du canot sortit de l'eau. L'embarcation vira. L'étrave fendit la houle, les vibrations du moteur se communiquant à la coque. Ils n'eurent pas à aller loin.

« Là », dit Henry en montrant des rochers à une dizaine de mètres.

Il désignait un petit cap qui se terminait par une colonne de gros rochers luisants s'enfonçant dans la mer, difficiles d'accès autrement que par l'eau. Ils stoppèrent à dix mètres de l'endroit. Des arbres pétrifiés aux formes tourmentées, un bouquet d'épinettes et des pins surgissaient de la pluie au-dessus des blocs.

« Elle est là... au fond... J'ai mis des poids dans ses poches... »

Jay montra la cabine du canon de son arme.

« Il y a une tenue de plongée. Prépare-toi. Tu vas la remonter... »

Henry avait perdu toute arrogance. Il avait peur. Il s'enfonçait dans la nuit, la torche étanche à la main, avec pour seuls bruits celui de sa respiration quand il inspirait et le crépitement des bulles quand il expirait.

Il descendait à lents coups de palmes et s'efforçait de déglutir régulièrement, comme Jay lui avait conseillé de le faire. Là-haut, le projecteur d'au moins trente centimètres de diamètre avait d'abord été braqué sur les profondeurs et Henry avait vu du plancton et des petits poissons dans l'eau illuminée. Puis, à la surface, Jay avait fini par l'éteindre – sans doute parce qu'il les rendait trop repérables – et Henry évoluait depuis dans un étroit tunnel de lumière. Il commençait à sentir la pression de toute cette eau sur ses tympans. Il était un excellent nageur, mais il n'avait pas plongé avec une bouteille plus de trois fois dans sa vie – la dernière lorsqu'il avait accompagné Meredith dans son dernier voyage. Et le cadavre de Meredith se trouvait par vingt mètres de fond. Il devrait remonter prudemment, et ne pas céder à la panique qui menaçait de le gagner.

Il n'osait pas penser aux créatures qui devaient l'observer, tapies dans le noir, à la limite de son champ de vision. Et une autre pensée le frappa : est-ce que Jay allait le tuer une fois qu'il aurait récupéré le corps ? *Et si sa promesse n'était qu'un bluff ?* Pendant un instant, Henry envisagea de s'enfuir. De se livrer à la police… Mais est-ce que Jay n'avait pas prévu ça aussi ? Il y avait sans doute un type planqué quelque part sur la terre ferme, avec un flingue, ou bien un drone en train de surveiller le secteur – ou les deux…

Des millions de particules flottaient dans le rayon de sa torche, tourbillonnant sur elles-mêmes, dans un sens puis dans l'autre, au gré des courants, comme mues par un mouvement collectif de balancier. Le faisceau toucha enfin le fond. Ce fond était une scène blafarde, violemment réveillée par la lumière blanche mais cernée de ténèbres. Tout avait l'air pâle et décoloré, comme dans une photo surexposée, mais dès que la torche se déplaçait, la portion éclairée retombait dans la nuit la plus impénétrable. Henry vit un poisson qui ressemblait à un simple bâton avec deux yeux sur les côtés et une sorte de mille-pattes au milieu des algues et des rochers – puis il la vit *elle*.

L'apparition spectrale fit s'accélérer sa respiration. Elle était ainsi qu'il l'avait laissée : dissimulée aux regards par plusieurs planches. Il s'approcha en ondulant et les souleva une par une. Il vida ses poches des petits haltères qu'il y avait glissés. Pendant toute l'opération, il évita de regarder ses yeux vides, son visage fantomatique et ses cheveux ondulants. Il dut néanmoins la prendre dans ses bras et la sensation de ce poids mort fit passer un frisson tout le long de sa colonne vertébrale, sous le néoprène. Sa respiration commençait à être un peu trop oppressée dans le détendeur quand il se propulsa vers la surface, mais il prit quand même garde à caler sa vitesse de remontée sur celle des bulles qu'il produisait. Il faisait tout pour ignorer la mère de Naomi ; il braquait la torche dans la direction opposée. Mais elle n'était qu'à quelques centimètres de lui – son visage bouffi et difforme, sa peau d'une blancheur cireuse, son abdomen et sa poitrine démesurément enflés. Ses cheveux dansaient dans l'eau comme des algues et frôlaient son masque. Une théorie de petits poissons nécrophages l'accompagnait en frétillant, comme une cohorte de fans avides. Ses chevilles et ses poignets étaient toujours attachés avec de la ficelle.

Au cours de cette lente remontée, dans cette intimité forcée avec la morte, Henry passa par plusieurs stades : effroi, désespoir, répulsion, résignation, impatience…

Quand enfin il creva la surface hérissée de pluie, Jay avait rallumé le projecteur et Henry fut momentanément aveuglé après son bref séjour dans les ténèbres. Il poussa le corps vers le haut en clignant des yeux, ébloui, et Jay le tira à lui, le délivrant de ce fardeau. En cet instant précis, Henry eut la vision de ce que serait sa vie, désormais : elle dépendrait en tout du bon vouloir de Jay – Jay qui l'empoignait et le hissait à bord du bateau, Jay qui l'aidait à se débarrasser de son masque, du détendeur et de la bouteille. Ils se regardèrent. Henry éprouva une sensation bizarre quand Jay lui fit un clin d'œil, puis l'adulte alla chercher une grande housse en nylon noir pourvue d'une fermeture Éclair, assez grande pour contenir un corps humain, et ils firent disparaître celui de Meredith à l'intérieur, avant de transporter le tout dans la cabine.

Quand il émergea de nouveau à l'air libre, Henry se précipita vers le bord et vomit dans l'océan, la moitié du corps versé hors du bateau. Il entendit le floc flasque et humide de ses régurgitations quand elles heurtèrent la surface de l'eau et il frissonna. Il essuyait sa bouche avec de l'eau de mer, en reprenant sa respiration, lorsque Jay se planta devant lui.

« À partir de cet instant, tu es le fils de Grant Augustine. Et tu le seras jusqu'à ta mort... Ce qui s'est passé cette nuit n'apparaîtra jamais nulle part. Bien sûr, s'il te venait un jour à l'idée de me faire disparaître de manière à ce qu'il n'y ait plus personne pour connaître la vérité à part toi, sache que j'ai déjà pris une police d'assurance. »

Henry était parcouru de tremblements. Jay fixait le brouillard au-dessus de lui, sans le regarder.

« Te voilà en une seule nuit devenu riche, le fils d'un homme puissant, avec un avenir radieux devant toi… Alors, pourquoi cette tête d'enterrement ?

— Vous ne me lâcherez jamais, pas vrai ? dit-il en levant les yeux vers Jay.

— Tu ne crois quand même pas que tu vas t'en tirer à si bon compte ? »

Après la fin

Deux ans plus tard

Bruits. Cliquetis, craquements, crachotements en rafales. Puis des sifflets suraigus portés par l'écho de la baie, des crissements qui ressemblent à des frottements à la surface d'un ballon gonflé. Des grincements à des fréquences élevées. Et le clapotis de l'eau, des vagues.

Assis dans mon kayak, je fixe la brume. Silence. Je retiens mon souffle. Un aileron noir apparaît, deux, trois, quatre – jusqu'à sept... Mon cœur bat plus vite. Les grands prédateurs à robe noir et blanc émergent lentement, en un seul rang, comme pour une battue. Leurs ailerons arrondis fendent la surface de la mer.

29 décembre au matin.

Il a neigé et neige encore.

Les flocons tourbillonnent autour du kayak – puis ils sont avalés par la mer.

Je lève les yeux vers le drone là-haut, dans le ciel blanc.

Je sais qu'il est là même si je ne le vois pas.

À tout hasard, je fais un petit coucou vers le ciel.

J'imagine Jay en train de sourire derrière son écran. Ou peut-être ne sourit-il pas. Peut-être même n'est-il pas là ; il suffit de la *possibilité* qu'il soit en train de me surveiller…

Pendant une seconde, l'idée m'effleure de ramer jusqu'aux orques, de me précipiter sur eux et de les provoquer jusqu'à ce qu'ils se jettent sur moi… Puis la tentation s'éloigne... J'ai la vie rêvée, non ? J'ai obtenu ce que je voulais ; je ne vais quand même pas renoncer à tout ça – pas vrai, Jay ?

C'est bizarre. J'ai tellement voulu cette vie… mais elle ne ressemble pas du tout à ce que j'avais imaginé.

Il y a les bons moments, bien sûr : les sorties avec mon père, la limousine, l'argent de poche, ma chambre et le cheval que j'ai eu pour Noël... Et puis, il y a tous les autres. Et il y a Jay. Chaque fois que j'essaie de m'aménager un petit espace de liberté, de construire quelque chose, Jay et ses sbires l'anéantissent, comme de sales gosses piétinant un château de sable.

Comme la fois où j'ai rencontré cette fille, à la fac.

Pas la plus belle, pas la plus intelligente, juste une fille normale, sympa et cool… Imaginez : vous êtes l'étudiant le plus solitaire du campus parce que quelqu'un, dans l'ombre, fait courir des rumeurs malveillantes sur vous ; et, tout à coup, vous rencontrez cette fille qui, par miracle, ne les a pas entendues et… vous vous rendez compte que vous avez désespérément besoin de compagnie, que vous souffrez atrocement de la solitude.

Cette fille, c'était comme… un rayon de soleil – vous voyez : le cliché le plus éculé. Et pourtant, c'était ça. Pendant quelques jours, j'ai eu l'impression de revivre, grâce à une fille que je n'aurais même pas regardée auparavant ! J'étais bien avec elle ; la vie, je le découvrais, pouvait être simple.

Jusqu'au soir où elle a voulu en savoir plus. On avait fait l'amour ; je savais que Jay ou quelqu'un d'autre devait être en train d'écouter, mais il y avait beau temps que ça ne me faisait plus ni chaud ni froid. Je crois même que ça m'amusait, de la faire crier dans leurs écouteurs et de les obliger à entendre. J'ai allumé un joint, je le lui ai passé et elle a dit : « Henry, je veux tout savoir de toi... » Merde, ai-je pensé. Je n'avais même pas envie de lui servir mes bobards habituels, j'en avais tellement ma claque. « Vaut mieux pas », j'ai dit. Ça ne l'a pas dissuadée, bien au contraire. Elle s'est assise sur moi, ses seins en forme de cônes blancs et roses et le piercing en zircon de son nombril juste sous mon nez. « Je ne partirai pas d'ici tant que tu ne m'auras pas tout raconté. » Je l'ai caressée. « Je veux... tout savoir... putain, oui... t'arrête pas... » Le téléphone a sonné moins de cinq minutes plus tard.

« Vire-la, a dit Jay. Fous-la dehors, dis-lui de ne jamais revenir. Gifle-la, fais-lui mal si ça t'amuse, mais vire-la.

— Sinon quoi ? j'ai répondu.

— Henry, à qui tu parles ? a demandé Amber.

— Sinon, il lui arrivera un accident, a dit Jay dans le téléphone.

— Eh bien, allez-y ! Foncez dessus avec une bagnole, jetez-la du haut d'un pont, fumez-la ! Qu'est-ce que j'en ai à foutre ? j'ai hurlé avant de raccrocher.

— Henry, qui c'était ? » a voulu savoir une Amber quasi hystérique.

Le lendemain, j'ai reçu un appel ; c'était elle au

bout du fil : *Espèce de sale connard de fils de pute*, a-t-elle dit, *je ne veux plus jamais te revoir*. Je n'ai même pas osé lui demander pourquoi. Parce que je savais. D'avance, je savais que ce serait ignoble. Et que je ne pourrais pas nier. Le truc, c'est que WatchCorp dispose de logiciels qui peuvent sampler des syllabes que vous avez prononcées et reconstituer votre voix. Ils savent aussi trafiquer les vidéos. Bidouiller vos mails. Truquer des photos... Ils peuvent faire gober n'importe quoi à n'importe qui…

Ma vie aujourd'hui

Mon « père » est un homme admirable. Tout en lui fait ma fierté : son autorité, son charisme, son intelligence. Mais il se comporte parfois en père distant et très occupé. Maintenant qu'il m'a pour lui tout seul, il ne fait plus autant d'efforts – sauf à l'occasion des fêtes, des anniversaires et quand l'envie lui en prend. Mais Jay... c'est comme avoir une mère abusive et paranoïaque qui passerait son temps à contrôler le moindre de vos mouvements, à anticiper tous vos écarts de conduite. Je sais que mon logement d'étudiant est truffé de micros, et aussi ma caisse, mon téléphone, mon ordinateur – et peut-être aussi ceux de mes professeurs ; je sais qu'il y a des puces dans tous mes vêtements, dans mes affaires d'étude. Peut-être m'en a-t-il collé une sous la peau après m'avoir endormi, qu'est-ce que j'en sais : je scrute mon corps dans la salle de bains, mais je ne vois rien. Je n'ai pas d'amis : Jay y veille. Il fait courir des rumeurs sur moi...

J'étudie les sciences politiques. Ce n'est pas mon

choix, c'est celui de Jay – mais j'ai dû faire croire à père qu'il venait de moi, bien sûr. Je suis un bon élève, je fais des efforts, mais je ne sais pas pourquoi le prof de droit constitutionnel m'a pris en grippe. Il me déteste, ça se voit. Il fait tout pour m'humilier devant les autres. J'ai bien envie de l'attendre un soir après les cours et de lui faire ravaler sa morgue.

Les autres élèves de ma classe ne m'aiment pas non plus. Je le vois à la façon dont ils me regardent quand je passe près d'eux, à leurs ricanements, à leurs murmures... à ma solitude au restaurant universitaire.

J'ignore quels sont les bruits qui ont couru sur mon compte, mais je sais qu'il y en a eu – et je sais que c'est encore un coup de Jay. De la sorte – si je suis isolé, solitaire – il a moins de difficultés à me surveiller. Plus les gens me détestent, s'écartent de moi, plus ça simplifie son travail. Je n'ai pas le droit de chercher à savoir ce qu'ils se disent, bien sûr. Ni de pirater leurs ordinateurs… Juste de faire les recherches nécessaires à mes études... Pas le droit non plus d'aller sur des forums en ligne pour m'épancher auprès d'autres âmes esseulées : la dernière fois que je l'ai fait, mon téléphone a sonné dans les dix secondes.

Ni de parler à des filles depuis l'incident Amber.

Jay ne se montre pas. Pas souvent. Parfois, cependant, peut-être quand il sent que je vais craquer, que j'ai atteint le point de rupture, il me réveille en pleine nuit : « Descends, je suis en bas. » Je descends : « Qu'est-ce que tu veux, Jay ? Il est plus de 3 heures du matin. — Oh, j'arrivais pas à dormir, alors je me suis dit que j'allais passer voir mon vieux pote Henry… » Il pose une main sur mon épaule. « Viens, je t'emmène boire un verre dans un endroit sympa. » J'ai envie de le tuer dans ces moments-là, mais il me tient et il le sait. Il veut me faire comprendre qu'il a le contrôle. Mais il veut aussi m'empêcher de faire une connerie. Pendant quelques heures, il se comporte comme s'il était mon meilleur ami – et c'est peut-être ce qu'il est...

J'ai fini par l'apprécier, bizarrement… Jay ne fait rien gratuitement, ce n'est pas son style. Jay n'agit pas par cruauté mais par nécessité. Je me rends compte que je deviens de plus en plus dépendant de lui, matériellement et psychologiquement. Syndrome de Stockholm ? Peut-être… Mais Jay peut aussi se comporter en vrai père Fouettard. Comme la fois où je suis entré dans cette boutique, où j'ai changé tous mes vêtements pour des fringues neuves et jeté les anciens dans une poubelle avant de partir à pied me cuiter et m'offrir les services d'une pute. Le soir même, des types ont forcé ma porte et m'ont roué de coups, au milieu de la nuit. Après quoi Jay est entré dans ma piaule. « Donne-moi ta carte de crédit, Henry, a-t-il dit. À partir de maintenant, tu passes par moi pour ton argent de poche. »

Ou cette autre où Charlie m'a appelé. Je n'en suis pas revenu d'entendre sa voix au téléphone : « Salut, a dit mon plus vieil ami. Comment tu vas, Henry ? » Sur le moment, j'en suis resté coi. Il a attaqué sans préambule : « Je suis à Washington ! » Ça m'a coupé le sifflet. « Avec mes parents… pour trois jours… je me suis dit qu'on pourrait en profiter pour se voir, t'en dis quoi ? — J'en dis que c'est une excellente idée ! » j'ai répondu, le cœur soudain aussi léger qu'une bulle de savon, me rendant compte à quel point il m'avait manqué. Il a ri. « Putain, ça fait du bien d'entendre ta voix, mon pote ! » Il n'a pas vu mes yeux s'emplir de larmes sans crier gare. « Ouais… ouais… t'as carrément raison, vieux. Comment t'as fait pour avoir mon numéro ? — Il y avait un article sur toi dans le *Seattle Times*, où ils disaient que tu étudiais les sciences politiques à l'université George-Washington, monsieur *Augustine...* » Il avait appelé la fac, il avait passé des dizaines de coups de fil jusqu'à ce qu'une employée condescende à lui donner mon numéro. « Bon, ce soir 18 heures, au bar du Churchill : c'est notre hôtel, tu y seras ? — Promis… » Je me suis allongé sur le lit et, pendant de longues minutes, je me suis laissé envahir par quelques-uns de nos meilleurs souvenirs : nos kayaks glissant sur la mer, nos torses nus chauffés par le soleil et nos rires clairs réverbérés par l'eau, les réunions du *Club des Inséparables d'East Harbor* au Ken's Store & Grille, le baptême dans la rivière, l'été de mes treize ans, Charlie et moi arpentant chaque mètre de cette foutue île, pédalant, courant, trébuchant, rampant, plongeant, nageant, deux âmes jumelles, deux *frères* – du moins le croyait-il… « Ce n'est pas une bonne idée », a dit Jay quand je lui en ai parlé. Mais j'ai tenu bon, cette fois : « Tu comptes faire quoi ? M'attacher ? J'irai, que ça te plaise ou non… » Je ne sais pas ce qu'ils ont mis dans ma nourriture ce jour-là, mais, deux heures avant mon rendez-vous, j'ai commencé à me vider par en haut et par en bas et à frissonner de fièvre. Je m'y suis traîné quand même, les cheveux collés au front par la fièvre, le corps frissonnant et l'estomac dur comme du ciment – mais j'ai dû renoncer quand j'ai vomi sur les quais du métro et qu'un flic opportunément apparu m'a ramené chez moi.

Après ça, ils ont changé mon téléphone et, quand j'ai essayé de joindre Charlie au numéro qu'il m'avait donné, une voix enregistrée m'a répondu qu'il n'était plus en service. Même chose pour celui du Ken's Store & Grille. Est-ce qu'ils ont cramé le magasin ? Est-ce qu'ils ont utilisé leurs liens avec les compagnies du téléphone ? Je n'en ai aucune idée.

Le mois dernier, on m'a diagnostiqué un psoriasis dans le cuir chevelu, la paume des mains et la plante des pieds. « Stress », a dit le toubib. Le mois d'avant, c'était autre chose : « Baisse des défenses immunitaires, a dit le toubib. Êtes-vous stressé, monsieur Augustine ? »

Le reste du temps, Jay se fait discret. Mais je sais qu'il est là. Je le devine qui veille au grain. Même quand je dors, il est là : à croire qu'il ne dort jamais. Je suis son prisonnier. Il n'y a pas d'autre mot. *Liberté*. J'ignorais le sens de celui-là jusqu'à aujourd'hui. Seuls ceux qui en ont été privés peuvent comprendre. Je sais que plus jamais je n'aurai une vie normale. Plus jamais je ne pourrai aimer, respirer, *vivre* comme avant… Ma vie ne sera qu'une longue parodie de vie de rêve – Jay y veillera. *Tu veux retrouver ta vie d'avant, Henry ? Tu veux redevenir ce petit gars sur son île ? Il fallait y penser plus tôt. Tes mamans sont mortes, je te le rappelle. Oh, à propos, laisse-moi te donner des nouvelles de Charlie, de Johnny et de Kayla… Ils vont bien. Ils se remettent, petit à petit. Quelquefois, ils parlent de toi ; pas si souvent que ça, en fait…*

Il croit qu'il a le contrôle. Mais un jour, il baissera

sa garde. Un jour, mon heure viendra. Sans s'en rendre compte, il m'apprend le plus important : la patience.

À moins qu'il n'ait prévu ça aussi : ma mort accidentelle, d'ici quelque temps, qui certes laissera Augustine en deuil, mais au moins il aura profité de son fils quelques années. Oui, ça doit être ça. Je suis un risque que Jay ne peut pas se permettre de courir trop longtemps.

Aujourd'hui est la peur. La peur du lendemain. La peur de Jay. Je dois être constamment sur mes gardes. Je sens la paranoïa qui me ronge à petit feu, jour après jour ; mon esprit n'est jamais en repos. À chaque pas, l'impression que quelqu'un m'observe. Et, malgré tout, je dois faire semblant devant mon père. C'est ma part du contrat : faire semblant d'être heureux, faire semblant d'avoir envie, faire semblant que tout va bien. C'est pire que l'enfer.

Finalement, je suis retourné sur l'île. Une dernière fois. Sans que Jennifer Lawrence ait eu besoin de me convaincre. Je ne sais pas pourquoi. J'en ai parlé à mon père et il m'a dit : « Tu es sûr que ça ne va pas être trop douloureux ? » Je suis encore surpris que Jay ne m'ait pas interdit d'y aller, même s'il m'a déconseillé de le faire. Mais mon père avait raison, en fin de compte : *c'est* douloureux.

Je donne un dernier coup de pagaie, j'arrache la jupe du kayak et je m'en extrais pour prendre pied sur la petite plage, au pied du ponton sous lequel pendent des stalactites de glace ; je retire ma combinaison ruisselante. Le ciel est si blanc, si virginal que je me sens purifié de tous mes péchés.

Les ruines noircies de la maison là-haut – au-dessus du ponton et de l'escalier – ont disparu. Elles ont été rasées par les bulldozers. Il y a un panneau « à vendre » du côté de la route ; il est là depuis plus d'un an. Ce matin, la neige s'est déposée sur le terre-plein désert comme un pansement sur une vilaine plaie. Au lever du jour, toute l'île, paralysée et léthargique, ressemblait à un gigantesque brise-glace. Les sapins eux-mêmes étaient alourdis par la neige, le toit du Ken's Store & Grille blanc quand je suis passé devant, de même que le carrefour en haut de Main Street et d'Eureka Street, où les premières voitures avaient laissé des traces noires.

Je gravis les marches, le kayak sur l'épaule, l'autre main sur le bois froid de la rampe. Je jette un dernier coup d'œil derrière moi, au détroit, à la mer, aux autres îles qu'on devine à peine à travers les rafales de neige, et je dois retenir une vraie larme. Je contourne l'espace vide où se trouvait ma maison, et j'y vois une métaphore de ma vie actuelle. J'en ai presque la nausée. J'arrime le kayak, remonte dans la voiture de location et retourne vers East Harbor.

Mon téléphone sonne et quelqu'un en a changé la sonnerie et c'est *Goodbye Yellow Brick Road* d'Elton John.

Quand vas-tu redescendre ?
Quand vas-tu atterrir ?
J'aurais dû rester à la ferme.
J'aurais dû écouter mon vieux.

Jay, enfant de putain, je pense.
Bien sûr, il n'y a personne au bout du fil…
Mais le message est clair.

Il neige encore plus dru quand j'entre dans East Harbor. Je vire devant le Ken's Store & Grille pour descendre Main Street vers le port et j'ai de nouveau cette grosse boule à l'estomac. Je ralentis dans la rue blanche. J'ai laissé pousser ma barbe, je porte un bonnet et je roule à bord d'une voiture de location aux vitres embuées autour de laquelle la neige tourbillonne : il y a peu de chances que quelqu'un me reconnaisse, mais on ne sait jamais.

Tandis que j'avance tout doucement sur la chaussée glissante, chaque détail, chaque vitrine de Noël ramène à la surface une anecdote, un souvenir.

Je débouche sur le parking et c'est là que je le vois. *Charlie*.

Pour un peu, je ne l'aurais pas reconnu. Marrant : lui aussi, il s'est laissé pousser la barbe. Et il a minci. Il revient du Blue Water Ice Cream Fish Bar (« *Appelez et récupérez votre commande Blue Water, 425-347-9823* »), un gobelet de café à la main, celle d'une fille dans l'autre. Ou plutôt d'une jeune femme. Très jolie. Je suis sûr de ne pas la connaître. Ils s'assoient dans un 4 × 4 flambant neuf, Charlie au volant. Il tourne la tête vers la gauche et s'adresse à l'occupante du véhicule voisin. Je devine des boucles rousses et des lèvres qui s'agitent, de là où je suis, planqué à l'arrière des voitures. *Kayla*... Mon regard se déplace et j'aperçois la nuque de Johnny à côté d'elle. Tous ont quelque chose de changé. Même vus d'ici. Ils ont l'air plus adultes, plus sereins…

Ils ont triomphé de la vie, ils ont triomphé du malheur.

Je les observe qui bavardent d'une voiture à l'autre – et qui rient. Comme nous avant… Mon téléphone sonne, je refuse de répondre, il insiste. Je finis par le saisir.

« Allô ?

— Beau spectacle, hein ? me dit Jay. Ne prends pas ce ferry, Henry, tu entends ? Prends le suivant… »

Puis il raccroche. *Va te faire foutre*, je pense, *je ne suis pas à toi…*

J'ai laissé les voitures monter à bord, comme Jay me l'avait demandé ; je suis resté seul sur le parking. À attendre le suivant. Dans un peu plus d'une heure... Je ne voulais pas prendre le risque de tomber sur eux, d'avoir à leur raconter ma vie aujourd'hui.

Le vent souffle sur le parking désert, avec ma voiture de location au milieu, et la silhouette du ferry s'éloigne vers l'entrée de la baie. Le drone qui tourne là-haut embrasse sans doute tout le tableau. Je les imagine à notre table habituelle. De quoi parlent-ils maintenant qu'ils sont presque des adultes ?

Il y a si longtemps que je n'ai pas parlé à quelqu'un de mon âge…

Remerciements

Je me souviens d'un personnage d'*Indian Killer*, un roman de Sherman Alexie, auteur américain et authentique Indien Cœur d'Alène et Spokane, disant à son très *inauthentique* professeur blanc de littérature indienne à l'université de Seattle : « Comment Wilson pourrait-il montrer un aspect authentique et traditionnel du monde indien alors qu'il n'est lui-même ni authentique ni traditionnel ? Il y a ici de vrais Indiens qui écrivent de vrais livres indiens, Simon Ortiz, Roberta Whiteman, Luci Tapahonso entre autres. » Tout ça pour dire que ceci n'est pas un authentique roman américain : c'est un authentique hommage au roman américain (et aussi au cinéma américain) écrit par un auteur français. Et c'est surtout un roman sur l'adolescence et la peur de l'âge adulte – lesquelles ont quelques traits communs, où qu'elles se passent. En ce sens, il est authentique. En ce sens seulement – et ce malgré le soin apporté.

Pour créer mon île fictive, je me suis inspiré de quatre îles bien réelles : trois d'entre elles se trouvent dans l'État de Washington : Orcas Island, San Juan Island et Whidbey Island. La quatrième, à quelque quatre-vingts kilomètres au nord, est canadienne et se situe en Colombie-Britannique ; elle s'appelle Bowen Island. C'est celle dont le relief, avec ses deux petites montagnes, évoque le plus celui de Glass Island, bien qu'Orcas compte aussi une montagne, le mont Constitution, dans le Moran State Park.

Je dois ici remercier tous ceux qui, sur place – ainsi qu'à Seattle, à Bellevue, à Bellingham et à Vancouver –, m'ont aidé à comprendre un peu ces territoires, m'ont apporté leurs lumières et, en particulier, tous les membres des forces de l'ordre en activité ou à la retraite qui m'ont ouvert leurs portes et qui ont bien voulu partager leur expérience : ils ont tous des opinions et des points de vue différents sur leur pays, leur métier, le rôle et l'action de leur gouvernement, aussi ne sauraient-ils être tenus pour responsables des opinions et propos mis dans la bouche de mes personnages. En aucune façon. Merci donc à Marvin E. Skeen, *chief criminal investigator* à la tête de la HITS *unit* (Homicide Investigation Tracking System) auprès de l'attorney général de l'État de Washington, à Mike Cate, ex-enquêteur du Bellevue Police Department et président d'un chapitre des Blue Knights, à Verlin L. Judd, ex-membre du Seattle Police Department, et à son épouse Donna Lee ; merci à eux pour les balades dans et autour de la *cité émeraude*. Merci à Bernd Kuerschner, membre en activité du SPD pour ses nombreuses anecdotes, et à Jim Ritter pour m'avoir permis de monter dans sa voiture de patrouille. J'ai envers Allison Kahl, notre guide à Bellingham, une dette importante, car c'est elle qui m'a aidé à comprendre les adolescents et maintes autres choses essentielles pour l'écriture de ce livre. Et je dois remercier son compagnon, Constantine Papadakis, fixer bénévole auprès des forces de police du comté de Whatcom. Merci à tous les deux pour les soirées au Dirty Dan Harris et au Dos Padres : le flétan était délicieux et la tequila bienvenue. À Bellingham, je remercie également le shérif Jeff Parks et Spencer Kope, *criminal analyst* au

Whatcom County Sheriff's Office, pour ses explications détaillées sur les gangs. Ma reconnaissance va à Rob Nou, shérif du comté des îles San Juan, qui m'a fait visiter ses services. Si les bureaux du shérif de Glass Island ont une certaine parenté avec les siens, le personnage de Bernd Krueger ne lui ressemble guère. À Vancouver, je remercie Mike Servais, des services de protection de la Gendarmerie royale canadienne (je n'ai pas oublié l'histoire fabuleuse des courses de baignoires à moteur – malheureusement, elle n'avait pas sa place ici) et, *last but not least*, Karen Frost, ex-membre des Stups et de la brigade financière de la police de Vancouver, ex-agent en uniforme dans les réserves indiennes et dans les petites villes rurales de l'Alberta, sans qui rien n'eût été possible. « IPA », Karen ! Merci à Michael et à John pour nous avoir accueillis dans leur merveilleux Wildwood Manor sur les îles San Juan : le paradis des biches, des aigles chauves et des renards roux – qui a en partie inspiré la maison de Liv et de France. Je dois également remercier John Gallagher pour son livre *Perfect Enemies*, écrit en collaboration avec Chris Bull, à l'époque où il était le correspondant national de *The Advocate* et du magazine *Time*, ouvrage qui traite de la « guerre » que se livrent certains mouvements religieux et les mouvements gays aux États-Unis. Merci enfin à Dan, hôte attentionné du Lodge at the Old Dorm, sur Bowen Island – un autre lieu qui a nourri mon imagination au moment de bâtir la maison de Liv et de France.

Il y a aussi mes aides ici, en France et en Europe : Yves Le Hir, chef de la Division de police technique au SRPJ de Toulouse, et Claude Yvinec, du Laboratoire de police scientifique, pour les questions d'ADN. Merci à Dominique Ventura, qui a donné forme et consistance à mes maladroits croquis de l'île ; à Christophe Guillaumot, à la fois chauffeur, contact auprès de l'Association internationale de la police et ami ; et à Christelle, son épouse, pour les centaines de photographies de tout et de rien que je lui ai infligées sur place, mais aussi pour son œil toujours aussi perçant sur mes textes. Et puis, à la mienne, bien sûr, toujours, qui nous a accompagnés dans ce merveilleux voyage…

Merci enfin à mes éditeurs, Édith Leblond et Bernard Fixot, capables de parler de mes personnages comme s'ils existaient, et à tous les gens de chez XO et Pocket pour leur soutien indéfectible et leur enthousiasme fécond – et, en particulier, à Caroline Ripoll, qui a permis à ce navire d'éviter bien des écueils et l'a parfois sauvé du naufrage.

Toutes les erreurs et les défauts qui pourraient encore s'y trouver sont de mon fait.

Quant à l'un des sujets de ce livre – la fin de la vie privée, la menace que fait peser sur nos libertés politique et personnelle le développement tous azimuts d'Internet et la façon dont, d'un instrument d'émancipation planétaire, il est sur le point de devenir un instrument de contrôle et d'endoctrinement planétaire que se disputent gouvernements, fanatiques et simples citoyens –, il ne concerne pas seulement les personnages de ce livre : il nous concerne tous.

Cet ouvrage a été composé et mis en page
par Nord Compo à Villeneuve-d'Ascq

Imprimé en France par CPI
en avril 2019
N° d'impression : 3033183

Dépôt légal : mai 2016
S26777/07